JN247234

人物事典

Biographical Dictionary

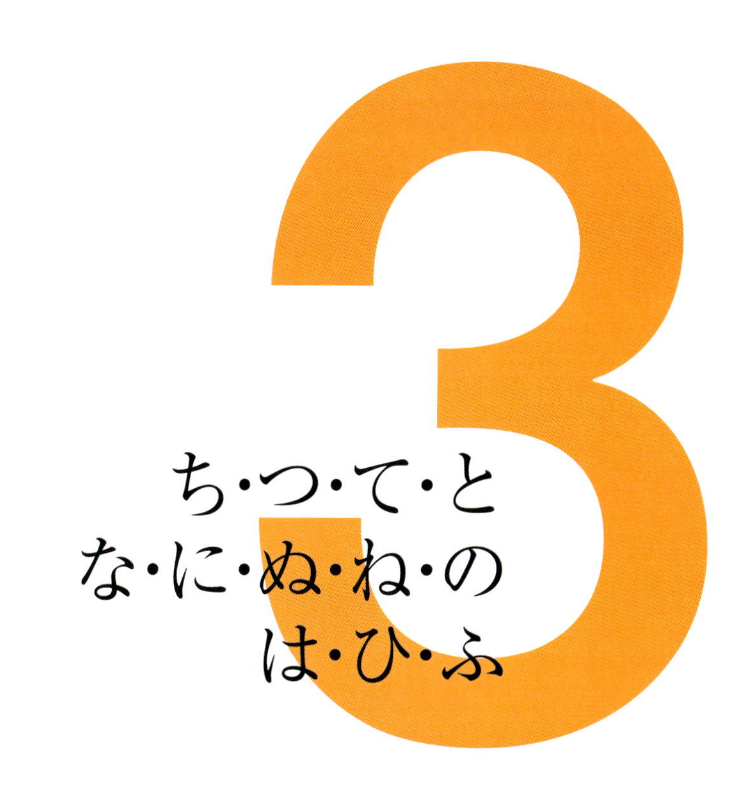

監修者一覧（五十音順）

今泉　忠明	動物科学研究所所長（生物）
小野田　襄二	数学教育家（算数・数学）
金井　直	信州大学准教授（西洋・東洋美術）
川手　圭一	東京学芸大学教授（世界史）
久保田　篤	成蹊大学教授（国語）
阪上　順夫	東京学芸大学名誉教授（政治・経済・産業）
田中　比呂志	東京学芸大学教授（学問・思想・宗教・心）
坪能　由紀子	日本女子大学教授（音楽）
西本　鶏介	昭和女子大学名誉教授（文学）
野口　剛	根津美術館館員（日本美術）
山村　紳一郎	科学評論家（サイエンス）
山本　博文	東京大学史料編纂所教授（日本史）
吉田　健城	スポーツジャーナリスト（スポーツ）
渡部　潤一	国立天文台副台長（宇宙）

この人物事典のつかい方

ポプラディアプラス『人物事典』（全５巻）は、古代から現代までのあらゆる時代、あらゆるジャンルで活躍した、日本と世界の人物 4300 人以上を掲載した学習用人物事典です。

以下に、この人物事典（第１巻から第４巻）のくわしいつかい方をまとめましたので、よく読んでじゅうぶんに活用してください。

★第１巻から第４巻では、すべての人物を五十音順に解説しています。人物名は、原則として「姓・名」の順であらわした場合の、五十音順にならんでいます。

★第５巻では、「征夷大将軍一覧」「天皇系図」など、関連する学習資料と索引を収録しています。

索引は、「五十音順」のほか「ジャンル別」「時代別」「地域別」の３つのテーマでひくことができます。五十音順の索引では、外国人の名前を正式名にしたがって「姓・名」ではなく「名・姓」の順でひくこともできます。

※第５巻『学習資料集・索引』のつかい方は、第５巻３～７ページに書いてあります。

■ページ全体の見方

■**つめ**　そのページにある項目の最初の１文字をひらがなであらわしています。

■**はしら**　左ページではそのページにある最初の項目、右ページではそのページにある最後の項目のはじめの文字を、原則として４文字目まで、ひらがなでしめしています。

■**項目**　見出し語と解説文からできています。

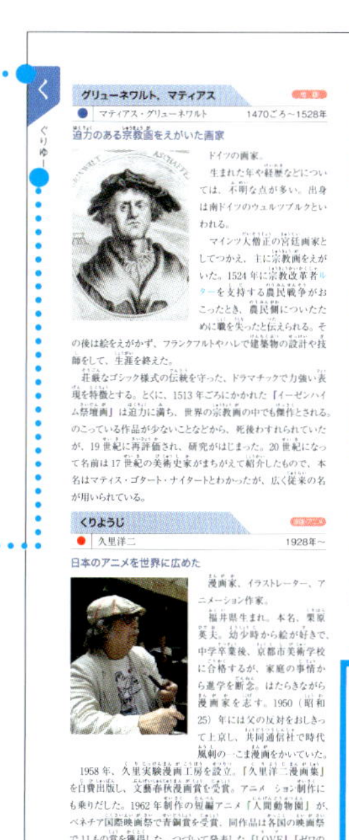

■項目の見方

■**見出し語**　見出し語は、上段と下段の２段でできています。あらわし方のくわしいきまりについては、次のページに説明があります。

■**日本／世界をあらわすマーク**

●**マーク**　主に日本で活躍した人物や、日本の歴史で学習する人物。

🌐**マーク**　主に世界で活躍した人物や、世界の歴史で学習する人物。

■**見出し帯の色**　青色は男性、ピンク色は女性。

■**ジャンル別マーク**
（6 ページで説明しています）

■**生没年**

■**解説文**
その項目の人物の説明です。

見出し語についてのきまり

■見出し語（上段）のあらわし方

(1) 人物名の読みを、ひらがな、または、カタカナであらわしています。
すべての項目は、この見出し語（上段）の五十音順でならんでいます。

(2) 原則として「姓・名」の順であらわしています。
中国・韓国・朝鮮人以外の外国人の場合、「姓」と「名」は、「,」（カンマ）で区切っています。

［例］
アインシュタイン, アルバート
アシモフ, アイザック

●例外的な人名のあらわし方

「姓」よりも「名」が有名であり、習慣的に「名」でよばれる人物は、「名・姓」であらわしている場合があります。

［例］
ミケランジェロ・ブオナローティ
ダンテ・アリギエリ

正式名より通称が有名である人物は、通称であらわしている場合があります。

［例］
マザー・テレサ

習慣的に「姓」「名」でくぎることをしない人物は、ひとつづきの呼び名であらわしている場合があります。

［例］
バスコ・ダ・ガマ
レオナルド・ダ・ビンチ

(3) 中国人名は、日本式の読みであらわしています。ただし、現地音に近い読みも一般的につかわれている場合、その読みを（　）に入れています。

［例］
もうたくとう（マオツォトン）

(4) 韓国・朝鮮人名は、現代の人物は現地音に近い読みで、それ以外の人物は日本式の読みであらわしています。ただし、それぞれ日本式の読みや現地音に近い読みも一般的につかわれている場合は、その読みを（　）に入れています。

［例］
キムデジュン（きんだいちゅう）
こうそう（コジョン）

■見出し語（下段）のあらわし方

(1) 日本・中国・韓国・朝鮮人の場合は、正式名を「姓・名」の順で漢字などであらわしています。

(2) 中国・韓国・朝鮮人以外の外国人の場合は、正式名をカタカナなどであらわしています。
正式名の「姓」と「名」の順は、国によってことなります。
また、見出し語（上段）の●例外的な人名のあらわし方と同じく、習慣によって特別なあらわし方をしている人物名もあります。

(3) 同姓同名の人物の場合は、（　）で補足しています。

［例］
フランシス・ベーコン（哲学者）
フランシス・ベーコン（画家）

■ほかの項目を参照するための見出し語

次の場合には、ほかの項目を参照するための見出し語をのせています。

(1) 同一人物で複数の呼び名がある場合、矢印 → で参照先の項目をしめしています。
下の例の場合、「なかのおおえのおうじ（中大兄皇子）」は「天智天皇」という項目で、「こうぼうだいし（弘法大師）」は「空海」という項目で解説していることをあらわします。

［例］
なかのおおえのおうじ
中大兄皇子 → 天智天皇

こうぼうだいし
弘法大師 → 空海

(2) 同一人物で複数の読み方やあらわし方がある場合、矢印 → で参照先の項目をしめしています。
下の例の場合、「えいさい（栄西）」は「栄西」という項目で、「マオツォトン（毛沢東）」は「毛沢東」という項目で解説していることをあらわします。

［例］
えいさい
栄西 → 栄西

マオツォトン
毛沢東 → 毛沢東

■大項目のページを参照するための見出し

この人物事典では、とくに重要な60名の人物については、2ページまたは1ページ大の特別な項目をつくって、くわしく解説しています。この特別な項目を「大項目」といいます（7ページ参照）。

大項目であつかっている人物は、矢印→で参照先のページをしめしています。下の例の場合、「徳川家康」という大項目が、70ページにあることをあらわします。

［例］ **とくがわいえやす**

徳川家康 → 70ページ

■見出し語のならべ方

(1) 見出し語（上段）は、五十音順にならべています。

(2)「゛」（濁音）や「゜」（半濁音）がつく場合は、清音（たとえば［は］）→濁音（［ば］）→半濁音（［ぱ］）の順にならべています。

(3)「ゃ、ゅ、ょ」（拗音）と「っ」（促音）も、五十音順にふくめます。同じ字の場合には、大きい字のあとにならべています。

(4)「ー」（のばす音、長音）は、その前の文字の母音と同じように読むと考えて、ならべています。

［例］
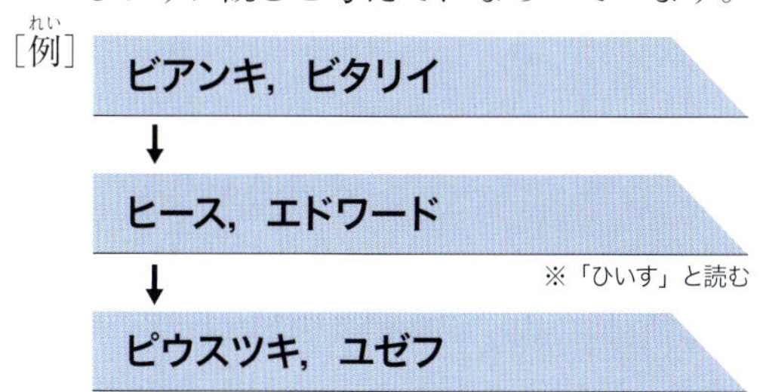

(5)「,」（カンマ）がつく場合は、その前の文字までの五十音順でならべています。

［例］
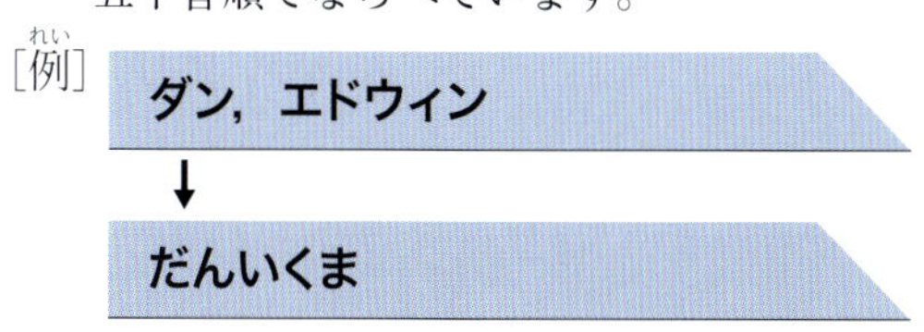

(6) 王族など、見出し語に「○世」とつく場合は、即位順（小さい数字を先）にならべています。

［例］
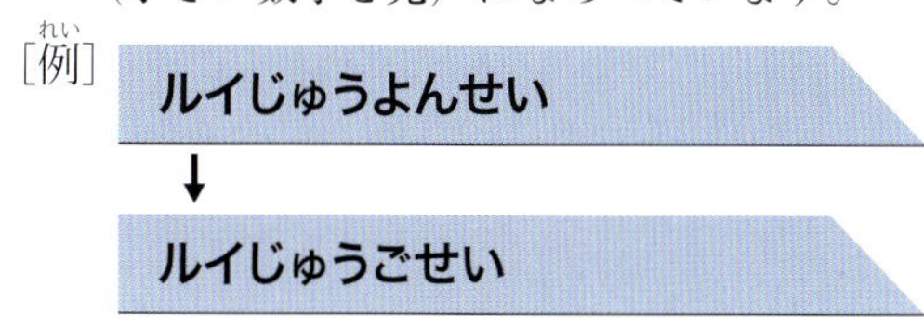

表記やマークについてのきまり

■人物名でのかなや漢字のつかい方

人物名の表記は、おもに中学校や高等学校でつかわれている教科書を参考にしています。ただし、外国人の人名などにはさまざまな表記のしかたがあり、同一人物であっても、この人物事典とはちがう表記も広くつかわれています。この人物事典では、調べやすさを重視して、次のきまりにもとづいて表記しています。

(1) 外国語のV音をあらわすカタカナの「ヴ」は原則としてつかいません。「ヴァ」「ヴィ」「ヴ」「ヴェ」「ヴォ」は、「バ」「ビ」「ブ」「ベ」「ボ」などとあらわしています。

(2) 中国・韓国・朝鮮人以外の外国人の「姓」と「名」の間などには、「・」を入れてあらわしています。

(3) 常用漢字の表記は、原則として「常用漢字表」の字体にもとづいています。ただし、現代の人物などで旧字体で表記されることが一般的な人物名については、一部で旧字体をつかってあらわしています。

［例］ **えくにかおり**

江國香織

いけざわなつき

池澤夏樹

■年代のあらわし方

(1) 年代は原則として西暦であらわしています。日本国内のできごとで、明治時代以降の事がらは、必要に応じて元号を（　）でしめしています。

［例］ 1945（昭和20）年

(2) 人物の生没年は、生年または没年がわからない場合には「？」、はっきりしない場合には数字に「？」をつけて「○○？年」のようにあらわしています。生年、没年ともにわからない場合は「生没年不詳」としています。存命中の人物は生年のみしめしています。

［例］ ？～621年／345～367？年／1973年～

(3) 解説文中または大項目の年表内の年齢は、（生まれたときの年齢を1歳と数える）数え年の場合があります。また満年齢の場合でも、その時点での実年齢が実際の満年齢とことなる場合があります。

■青い字であらわした人物名

解説文に出てくる人物名のうち、この人物事典ではほかの「項目」としてあつかっている人物は、青い字であらわしています。人物名を「名・姓」の順であらわしている場合、調べやすいように、姓の部分だけを青い字にしています。

解説文を読んで、青い字であらわした関連人物の項目をさらに調べることで、学習を深めることができます。

［例］フランクリン・ローズベルト

■第5巻の学習資料集との関連マーク

解説文の終わりにある 学 マークは、その人物が第5巻の学習資料集にも掲載されていることをあらわします。学 マークの右側は、学習資料集の中でのテーマをしめしています（7ページ参照）。

［例］学 征夷大将軍一覧

■人物のジャンル別マーク

見出し語（上段）の右側にあるマークは、その人物が活躍したジャンルをあらわしています。マークは複数入っている場合があります。ジャンル別マークは下記の32種類があります。

※●は日本の人物、🌐は世界の人物が当てはまるジャンルであることをあらわします。

王族・皇族 =王族・皇族など
● 🌐（例）聖徳太子、天智天皇、ルイ16世

貴族・武将 =貴族・豪族・武将など
●（例）足利尊氏、蘇我入鹿、平清盛、藤原道長

戦国時代 =戦国・安土桃山時代の大名・武将など
●（例）織田信長、真田幸村、伊達政宗、豊臣秀吉

江戸時代 =江戸時代の大名・武士など
●（例）大岡忠相、徳川家康、松平定信、水野忠邦

幕末 =幕末・明治維新で活躍した人物
●（例）勝海舟、西郷隆盛、坂本龍馬、吉田松陰

古代 =古代ギリシャ・ローマの人物
🌐（例）アリストテレス、カエサル，ユリウス

政治 =政治家・軍人・運動家
● 🌐（例）吉田茂、毛沢東、リンカン，エイブラハム

宗教 =宗教に関する人物
● 🌐（例）空海、イエス・キリスト、ムハンマド

思想・哲学 =思想家・哲学者
● 🌐（例）西田幾多郎、ルソー，ジャン＝ジャック

学問 =学者
● 🌐（例）湯川秀樹、ダーウィン，チャールズ

文学 =作家
● 🌐（例）芥川龍之介、川端康成、魯迅

絵本・児童 =絵本・児童文学作家
● 🌐（例）新美南吉、キャロル，ルイス

詩・歌・俳句 =詩人・歌人・俳人
● 🌐（例）藤原定家、松尾芭蕉、杜甫

絵画 =画家・書家
● 🌐（例）葛飾北斎、王羲之、ピカソ，パブロ

音楽 =音楽家
● 🌐（例）武満徹、ブラームス，ヨハネス

写真 =写真家
● 🌐（例）木村伊兵衛、土門拳、キャパ，ロバート

映画・演劇 =映画・演劇に関する人物
● 🌐（例）黒澤明、シェークスピア，ウィリアム

漫画・アニメ =漫画・アニメに関する人物
● 🌐（例）宮﨑駿、シュルツ，チャールズ・モンロー

伝統芸能 =伝統芸能・文化に関する人物
●（例）大山康晴、観阿弥、近松門左衛門

華道・茶道 =華道家・茶道家
●（例）池坊専慶、今井宗久、千利休、古田織部

彫刻 =彫刻家
● 🌐（例）運慶、高村光雲、ムーア，ヘンリー

建築 =建築家
● 🌐（例）安藤忠雄、丹下健三、ガウディ，アントニ、ル・コルビュジエ

工芸 =工芸作家
● 🌐（例）酒井田柿右衛門、正宗、ウェッジウッド，ジョサイア、ストラディバリ，アントニオ

デザイン =デザイナー
● 🌐（例）横尾忠則、シャネル，ガブリエル

産業 =産業人
● 🌐（例）松下幸之助、カーネギー，アンドリュー

教育 =教育家
● 🌐（例）新渡戸稲造、クーベルタン，ピエール・ド

医学 =医学に関する人物
● 🌐（例）緒方洪庵、北里柴三郎、ナイチンゲール，フローレンス、パスツール，ルイ

スポーツ =スポーツ選手
● 🌐（例）長嶋茂雄、ベーブ・ルース

発明・発見 =発明・発見に関する人物
● 🌐（例）高峰譲吉、エジソン，トーマス・アルバ

探検・開拓 =探検・開拓に関する人物
● 🌐（例）植村直己、間宮林蔵、マルコ・ポーロ

架空 =架空・伝説上の人物
🌐（例）アーサー王、ウィリアム・テル、徐福

郷土 =郷土の発展につくした人物
●（例）玉川兄弟、安井道頓、布田保之助

大項目について

とくに重要な60名の人物については、2ページまたは1ページにまとめて、「大項目」として大きくあつかっています。写真や年表、コラムとあわせて、くわしく解説していますので、理解をより深めることができます。

見出し語のあらわし方やマークの意味は、そのほかの項目と同じです。

■見出し語 見出し語のあらわし方のくわしいきまりは、4ページに説明があります。

■解説文 小見出しをつけて、内容の組み立てがすぐわかるようにしています。

■コラム 人物を幅広く理解するための知識を入れています。

■年表 その人物の一生をわかりやすくまとめています。

第5巻『学習資料集・索引』について

この人物事典の第5巻には、「天皇系図」「征夷大将軍一覧」「ノーベル賞受賞者一覧」「芥川賞・直木賞受賞者一覧」など、第1巻から第4巻の掲載人物に関連のある学習資料を収録しています。

また、巻頭には、各世紀の「人物年表」、366日その日に生まれた人がわかる「人物カレンダー」を掲載しています。

これらの資料を参照することで、さまざまな人物の相関関係や、同じ時代に生きた人物について知ることができます。

学習資料には、右の一覧のようなテーマがあります。

また、「五十音順」のほか、すべての人物を「ジャンル別」で、日本の人物を「時代別」で、世界の人物を「地域別」でひける索引が収録されています。

索引をつかうことで、より便利に調べることができ、また同じジャンル、同じ時代、同じ地域の人物に興味を広げていくことができます。

※第5巻『学習資料集・索引』のつかい方は、第5巻3〜7ページに書いてあります。

■学習資料集テーマ一覧

- 歴代の内閣総理大臣一覧
- 天皇系図
- 藤原氏系図
- 源氏・平氏系図
- 征夷大将軍一覧
- 江戸幕府大老・老中一覧
- 鎌倉幕府執権一覧
- 室町幕府執事・管領一覧
- 日本の歴史地図
- アメリカ合衆国大統領一覧
- 国連事務総長一覧
- 主な国・地域の大統領・首相一覧
- ローマ教皇一覧
- 世界の主な王朝と王・皇帝
- 世界の主な王朝地図
- ノーベル賞受賞者一覧
- 日本人ノーベル賞受賞者
- 国民栄誉賞受賞者一覧
- お札の肖像になった人物一覧
- 切手の肖像になった人物一覧
- 文化勲章受章者一覧
- 芥川賞・直木賞受賞者一覧
- オリンピック日本代表選手メダル受賞者一覧
- 日本と世界の名言
- 人名別 小倉百人一首

ち

Biographical Dictionary 3

チアンツォーミン

江沢民 → 江沢民

チェーホフ，アントン

文学　映画・演劇

アントン・チェーホフ　1860～1904年

近代リアリズム演劇の創始者

▲アントン・チェーホフ

ロシアの作家、劇作家。

南ロシアの港町タガンログに生まれる。父は雑貨商をしていたが、チェーホフが16歳のときに破産して、一家はモスクワへ夜逃げをした。ひとりのこされたのち、19歳のときに奨学金を得て、モスクワ大学医学部に入学した。在学中、生活のため雑誌や新聞に短編小説やコントなどを書いた。このころ書いた作品は400編以上にのぼる。1884年に大学を卒業し、病院で医師としてはたらきはじめるが、結核にかかり、医者の仕事をへらし、本格的に文学を志した。1887年、戯曲『イワーノフ』の上演で成功をおさめ、作家としての地位を築く。

1890年には病をおし、新境地を求めて流刑地となっていたサハリン（樺太）にわたる。そこで囚人の生活や環境を調査し、ルポルタージュ『サハリン島』を発表。ききんにあえぐ難民の救済やコレラの予防など、社会活動に参加し、農民の悲惨な生活に接した。この経験から、生きる苦悩や悲しみをえがいた『六号室』『百姓たち』などが生まれた。

その後も『かもめ』（1896年）、『ワーニャ伯父さん』（1897年）、『三人姉妹』（1900年）、『桜の園』（1903年）など、チェーホフの四大戯曲とよばれる傑作をあいついで発表。人生に対してなんの目的もなく惰性で生きている人間と、真の生き方とはどういうものかを求めて生きている人間を対比させ、生きることの意味を問うた作品で、現在まで何度となく上演されている。

1904年、病気が悪化し、南ドイツの療養先バーデンワイラーで、44歳の生涯をとじた。近代リアリズム演劇の創始者とされ、その作品は、ゴーリキーやブーニンらに大きな影響をあたえた。

▲ロシア、タガンログのチェーホフ記念館

チェギュハ（さいけいか）

政治

崔圭夏　1919～2006年

朴正熙と全斗煥の軍事政権間の韓国大統領

大韓民国（韓国）の政治家。大統領（在任1979～1980年）。

江原道生まれ。ソウルの高等学校卒業後、日本の東京高等師範学校（現在の筑波大学）で学んだ。第二次世界大戦後は、1952年に駐日総領事となり、翌年、国交正常化のための日韓会談の代表をつとめた。1959年、外務次官に就任、1963年には国際連合の代表となり、外交官として国際的に活動。1967年には外務大臣となった。

1975年、内閣の長である国務院総理（首相）に就任し、1979年に朴正熙大統領が暗殺されると、大統領代行をつとめた。同年末、大統領に就任したが、翌年8月には、軍の有力者であった全斗煥がおこした軍事クーデターにより、大統領職を明けわたし、辞任した。韓国でもっとも在任期間の短い大統領である。

学 主な国・地域の大統領・首相一覧

チェジェウ

崔済愚 → 崔済愚

チェルニー，カール

音楽

カール・チェルニー　1791～1857年

重要なピアノ教則本をのこす

オーストリアのピアニスト、作曲家、音楽教育家。

ウィーン生まれ。こどものころからピアノ教師の父に英才教育を受ける。10歳でベートーベンに師事し、ピアノや作曲法を学ぶ。あがりやすい性格だったため、20代で演奏活動からピアノの指導に転向する。リストらを育て、ウィーン最高の指導者として絶大な信頼を得た。45歳ごろより作曲活動に専念し、初心者からプロの演奏家までを対象とするピアノ教則本『チェルニー100番』や『チェルニー30番』などをのこし、これらは現在もピアノ教則本の中で重要な位置を占める。宗教曲、交響曲、ピアノ協奏曲のほか、弦楽四重奏曲、ピアノ三重奏曲などの室内楽作品も多数のこした。

チェルネンコ，コンスタンティン

政治

コンスタンティン・チェルネンコ　1911～1985年

ブレジネフからゴルバチョフへの過渡期のソ連の指導者

ソビエト連邦（ソ連）の政治家。最高会議幹部会議長（在任1984～1985年）。

シベリアのクラスノヤルスク生まれ。10代から共産党の活動に参加し、1931年に入党。地方の共産党委員会書記などをへて、1948年からソ連内のモルダビア社会主義共和国（現在のモルドバ共和国）の共産党中央委員会ではたらく。このころ、のちの最高指導者ブレジネフから目をかけられた。1964年にブレジネフがソ連共産党中央委員会第一書記に選出されてからは、要職を歴任。1984年、アンドロポフ最高会議幹部会議長の死去を受けて最高指導者となるが、翌年、死去。アンドロポフとともに、ソ連過渡期の指導者であった。

学 主な国・地域の大統領・首相一覧

チェンシュイピェン

陳水扁 → 陳水扁

チェントゥーシウ

陳独秀 → 陳独秀

チェンバレン，ジョセフ

政治

ジョセフ・チェンバレン 1836〜1914年

南アフリカで植民地を広げた

イギリスの政治家。

ロンドンの靴製造業の家に生まれ、バーミンガムでねじ製造業をおこして成功した。社会をよくしたいとの思いから、1873年にバーミンガム市長となる。スラムをなくし、ガス、水道の市営を進め、社会主義的市長とよばれた。1876年に下院議員に当選。自由党急進派として活躍し、グラッドストン内閣で商務大臣となる。しかし、アイルランド自治法案に反対して辞職。自由統一党を結成した。第3次ソールズベリ内閣で植民地大臣となり、アフリカで帝国主義政策を進め、1899年、南アフリカ戦争をひきおこす。辞職後は、貿易保護政策を強くとなえて全国を遊説したが、それが保守党の分裂をまねいた。政治家のネビル・チェンバレン、オースティン・チェンバレンの2人は息子。

チェンバレン，ネビル

政治

ネビル・チェンバレン 1869〜1940年

ミュンヘン会談でドイツに譲歩した首相

イギリスの政治家。首相（在任1937〜1940年）。

父はジョセフ・チェンバレン、兄はロカルノ条約を締結した外務大臣のオースティン・チェンバレン。バーミンガムで実業家として成功し、1911年、自由統一党から市の参事会員にえらばれた。1915年に同市長となり、翌年、ロイド・ジョージによって国民動員大臣に任じられた。1918年、下院議員にえらばれ、ロー内閣で郵政大臣、厚生大臣、第1次ボールドウィン内閣で厚生大臣をつとめる。マクドナルド内閣では厚生大臣に加えて大蔵大臣をつとめ、関税改革をおこなってブロック経済を実現し、大恐慌による経済危機に対応した。1937年に首相となったが、ナチスドイツの勢力が広がるにつれ、国際危機に直面し、1938年のミュンヘン会談に参加した際は、ドイツのヒトラーの要求を受け入れて戦争をさけたが、このドイツに寛大な政策が第二次世界大戦をひきおこす要因となった。1940年にはチャーチルに首相をゆずり、枢密院議長となるが、まもなく病気で亡くなった。

学 主な国・地域の大統領・首相一覧

ちがまぜんごろう

郷土

千蒲善五郎 1817〜1889年

石油を精製して秋田県の産業とした商人

江戸時代後期〜明治時代の商人。

出羽国久保田藩（現在の秋田県）久保田城下（秋田市）で油やろうそくを販売する商人の子として生まれ、藩の御用油商となった。1868年、江戸（東京）で輸入ランプをみて、灯油用石油の採掘を決意した。そのころ秋田市西部にある八橋油田で採掘される石油は、不純物の多いものだった。1869（明治2）年、新潟の石油事業を視察したあと、石油精製の機械を導入し、1870年、八橋に秋田で最初の製油所をつくった。1872年、石油ランプと灯油の販売をはじめた。その後、長野や大阪の会社と提携して共同事業をおこない、秋田県の石油産業を発展させるもとを築いた。

ちかまつはんじ

伝統芸能

近松半二 1725〜1783年

『本朝廿四孝』などの名作をのこした

江戸時代中期の人形浄瑠璃の作家。

本名は穂積成章。大坂（阪）の儒学者穂積以貫の子として生まれる。父は浄瑠璃・歌舞伎の作家近松門左衛門と親交があり、その縁で同じく人形浄瑠璃作家の2世竹田出雲に師事して竹本座（竹本義太夫がおこした人形浄瑠璃の劇場）の作家になり、近松半二と名のった。

1751年、『役行者大峰桜』でデビューし、1762年、『奥州安達原』で才能が開花した。以来、『本朝廿四孝』『妹背山婦女庭訓』などの名作を合作でてがけ、衰退していた竹本座を復興させた。1783年、『伊賀越道中双六』を書いたが、上演される前に亡くなった。

ちかまつもんざえもん

伝統芸能

近松門左衛門 1653〜1724年

日本のシェークスピアとよばれる

江戸時代前期の浄瑠璃・歌舞伎の作者。

越前国吉江藩（現在の福井県鯖江市）の藩士の子として生まれたといわれる。本名は杉森信盛。少年のころ父が浪人したため、京都に移り住み公家（朝廷につかえる高官）の一条家などにつかえた。そこで古典や俳諧（こっけいみをおびた和歌や連歌、のちの俳句など）を学ぶ。主人の使いとして人形浄

▲近松門左衛門　（大阪歴史博物館）

瑠璃の芝居小屋に出入りするうち、太夫（語り手）の宇治加賀掾と出会い芝居の世界に入った。

1683年、加賀掾のために書いた『世継曽我』で作者として出発した。『世継曽我』は翌年、大坂（阪）の道頓堀で人形浄瑠璃の劇場、竹本座をおこした竹本義太夫によって語られて評判をよび、近松の名前は広く知られるようになる。1685年、義太夫のために書いた『出世景清』が竹本座で上演されて大成功をおさめ、作者としての地位をゆるぎないものにする。

やがて、歌舞伎の脚本もてがけ、上方（京都や大坂）の名優坂田藤十郎と組んで『傾城仏の原』などを書く。このころの作品により歌舞伎は、元禄時代（1688～1704年）の全盛をむかえることになった。1703年には、最初の世話物（町人社会でおきた事件を題材にした作品）『曽根崎心中』を書いた。大坂のしょうゆ屋の手代（奉公人）の徳兵衛と遊女お初が曽根崎天神の森で心中した事件を題材にしたこの作品は、竹本座で上演されて大あたりをとった。

その後、竹本座の専属作者になり、『冥途の飛脚』『心中天の網島』『女殺油地獄』などを次々と発表した。1715年、63歳のときに書いた時代物『国性爺合戦』は17か月連続公演を記録する大あたりとなった。

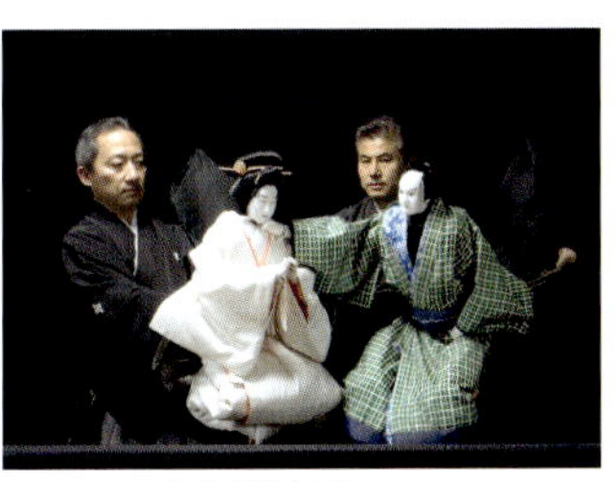
▲文楽『曽根崎心中』の場面より
（協力：人形浄瑠璃文楽座むつみ会）

晩年は後継者の育成につとめて竹田出雲などを育てた。イギリスの偉大な劇作家になぞらえて「日本のシェークスピア」ともいわれている。

ちぢわミゲル

宗教

千々石ミゲル　1570?～?年

天正遣欧使節としてヨーロッパへ派遣された

安土桃山時代～江戸時代前期のキリシタン、天正遣欧使節の一人。

肥前国（現在の佐賀県・長崎県）領主、千々石直員の子として生まれる。名は紀員。キリシタン大名である有馬晴信のいとこ、また、同じくキリシタン大名の大村純忠のおいにあたる。

1580年に洗礼を受け、ミゲルと名のり、有馬（長崎県）のセミナリヨ（神学校）で学ぶ。1582（天正10）年、宣教師バリニャーノにひきいられ、天正遣欧使節の正使として、伊東マンショらとヨーロッパへわたった。ローマ教皇グレゴリウス13世などに謁見し、1590年に帰国する。豊臣秀吉に謁見したのち、肥前国へ帰り、使節の仲間とともにイエズス会に入会し、高等教育機関である天草のコレジヨ（大神学校）で学んだが、しだいにキリスト教への信仰心を失い、1603年まではイエズス会を脱会する。清左衛門と名をあらため、いとこにあたる肥前国の大村藩主、大村喜前につかえた。1606年、喜前がキリシタン追放令を公布した際に、信仰を捨てたといわれているが、その後の消息は不明である。

▲『天正遣欧使節肖像画』より
（京都大学附属図書館所蔵）

チトー

政治

チトー　1892～1980年

多民族国家旧ユーゴスラビアを統一運営した政治家

旧ユーゴスラビアの政治家。大統領（在任1953～1980年）。

本名はヨシプ・ブロズ。チトーは1934年ころからつかいはじめた非合法活動用の偽名で、ティトーともいう。クロアチア北部の農家に生まれた。15歳で鍛冶工となり、その後、社会民主党に入党。1920年、共産党に参加し、1937年、共産党書記長に就任。第二次世界大戦中、パルチザン部隊を結成し、最高司令官としてドイツに占領されたユーゴスラビア解放のために戦う。1943年、臨時政府の首相に就任し、戦後の1945年に社会主義の連邦国家を成立させ、正式に首相となった。憲法が制定された1953年、初代大統領の地位につき、以後、複雑な多民族国家を統一運営した。アメリカ合衆国とソビエト連邦（ソ連）が対立した冷戦時代にあって、独自の社会主義路線をとり、ソ連とは距離をおいた。外交面でも中立を主張、1961年に、東西どちらの陣営にも属さない国家の首脳からなる、第1回非同盟諸国首脳会議を成功させた。1980年、87歳で死去。カリスマ指導者を失ったユーゴスラビアでは、その後、民族紛争が続発し、連邦は崩壊していった。

ちばしゅうさく

江戸時代

千葉周作　1794～1855年

北辰一刀流の創始者

江戸時代後期の剣術家。

陸奥国花山村（現在の宮城県栗原市）に剣術家千葉成胤

の次男として生まれる。1809年、16歳のとき下総国松戸（千葉県松戸市）に行き、旗本の喜多村氏につかえるかたわら、小野派一刀流（小野忠明がひらいた剣術の流派）の浅利又七郎に剣術を学んだ。その後、独立して北辰一刀流を創始し、日本橋に道場「玄武館」をひらいた。のちに神田お玉ヶ池に移転。門人は3600人以上といわれ、幕末の志士坂本龍馬も北辰一刀流を学び江戸三大道場の筆頭とされた。1835年、常陸国水戸藩（茨城県中部と北部）の藩校弘道館で教えたことがきっかけで、水戸藩士に登用され徳川斉昭につかえた。斎藤弥九郎、桃井春蔵とともに幕末の三剣士といわれる。

ちばしょうぞう

絵本・児童

千葉省三　1892〜1975年

方言をまじえ郷土の香り豊かな童話で人気

大正時代〜昭和時代の児童文学作家。

栃木県生まれ。旧制中学卒業後、代用教員をへて、出版社で児童雑誌『コドモ』や『童話』の編集をしながら童話を書きはじめる。小学校3年から22歳までをすごした栃木県楡木での体験をもとに、いなかのこどもたちの生活ぶりを、方言をまじえて生き生きとえがいた作品が多い。1925（大正14）年、雑誌『童話』に掲載された代表作『虎ちゃんの日記』は、少年虎ちゃんの日記を通して、こどもたちの夏休みをユーモラスにえがいている。童話集に『トテ馬車』『地蔵さま』『竹やぶ』などがある。1968（昭和43）年には『千葉省三童話全集』（全6巻）が出版されて、サンケイ児童出版文化賞大賞などを受賞した。

ちばたくさぶろう

政治

千葉卓三郎　1852〜1883年

先進的な五日市憲法草案をつくった

（あきる野市教育委員会写真提供）

明治時代の自由民権運動家。

陸奥国（現在の山形県・秋田県をのぞく東北地方）仙台藩の下級武士の家に生まれる。藩校の養賢堂で大槻磐渓に学び、16歳で農兵隊として戊辰戦争に従軍。その後は各地を転々として、医学、国学、ギリシャ正教、儒学、キリスト教など、さまざまな分野を学んだ。

1880（明治13）年、五日市の勧能学校の教員となり、のちに2代目校長となる。同年、国会期成同盟大会で、憲法の起草にあたって、各自案をもちよることが決定。全国各地の民間の有志たちにより、憲法の私案（私擬憲法）が作成される。このとき千葉は、五日市における自由民権運動の組織である五日市学芸講談会の青年民権家らと討論を重ね、204条におよぶ「五日市憲法（日本帝国憲法）草案」をつくり上げた。この草案は生かされることなく、のちに農家の倉から発見される。しかし、基本的人権の尊重や、国民の権利保障に重点をおいており、現在の日本国憲法にもひけをとらないものと高く評価され、東京都の有形文化財に指定されている。

ちばつねたね

貴族・武将

千葉常胤　1118〜1201年

源頼朝をささえ、鎌倉幕府成立を助けた

（国立国会図書館）

平安時代後期〜鎌倉時代前期の武将。

桓武天皇の孫の平高望の子、平良文の子孫千葉常重の子。

下総権介（現在の千葉県北部・茨城県南西部の次官だが事実上の長官）で、下総国千葉荘（千葉市を中心とした地域にあった荘園）を本拠地とする。1135年、父から相馬御厨（茨城県南部から千葉県北部付近にあり伊勢神宮に寄進された荘園）を受けついだが、その支配権をめぐり、下総守（長官）の藤原親通や鎌倉（神奈川県鎌倉市）から勢力をのばしていた源義朝、同族の平常澄と対立する。その後、源義朝にしたがい、1156（保元元）年、保元の乱に参加する。しかし、1159（平治元）年、義朝が平治の乱にやぶれ殺害されたあと、1161年、平氏政権についた常陸国（茨城県）の豪族佐竹氏に相馬御厨をうばわれた。

1180年、源平の争乱がおこり、伊豆（静岡県伊豆半島）で兵をあげた源頼朝が石橋山（神奈川県小田原市）の戦いにやぶれ、船で房総半島にのがれた際、常胤は源氏本家の血を受けつぐ頼朝をむかえ、下総国の敵対勢力を討ちやぶり、鎌倉を根拠地とすることを進言した。その後、頼朝が佐竹氏を討ったので、相馬御厨をとりもどした。1184年、源範頼にしたがい、平氏追討のため西国へむかい戦功をあげた。1189年、東海道大将軍として奥州藤原氏と源義経追討のため軍をひきいた。常胤は、御家人の筆頭であり、鎌倉幕府の成立に力をつくし、下総国支配を強め、下総国守護（国の軍事をまとめる役職）に任命された。頼朝は「その功績は生涯感謝してもしきれない」と常胤を激賞した。

ちばてつや

漫画・アニメ

ちばてつや　1939年〜

『あしたのジョー』で人気を博した漫画家

漫画家。

東京都築地で生まれる。本名は千葉徹弥。1945（昭和20）

年6歳のときに満州（現在の中国東北部）で終戦をむかえた。一家6人が命がけで逃げまどう途中、中国人の屋根裏にかくまわれたときには、幼い弟妹を静かにさせるため必死で絵をかいた。帰国後、東京都墨田区に住む。1950年、漫画同人誌に参加。日本大学第一高等学校在学中の1956年、貸本用の単行本で漫画家デビューした。高校卒業後の1958年、少女漫画雑誌に連載をはじめ、1961年、野球漫画『ちかいの魔球』で少年雑誌にも活動の幅を広げた。1968年、作家の梶原一騎と組み、苦難の道をあゆむボクサーをえがいた『あしたのジョー』の連載をはじめると、爆発的な人気をよび、登場人物の葬儀がおこなわれるほどの社会現象となった。スポーツ漫画をはじめ、幅広いテーマと年代向きの作品をかいている。紫綬褒章、旭日小綬章を受章。文化功労者にもえらばれた。1980年には講談社によって、青年漫画の新人のための「ちばてつや賞」がもうけられた。

チャーチル，ウィンストン

政治

ウィンストン・チャーチル　1874〜1965年

第二次世界大戦中のイギリスを指揮した政治家

▲ウィンストン・チャーチル

イギリスの政治家。首相（在任1940〜1945年、1951〜1955年）。

オックスフォード近郊のウッドストックにあるブレナム宮殿で生まれる。名門貴族の家で、父は保守党の政治家。少年時代は成績が悪く、陸軍士官学校の受験は2度失敗した。1895年に同校を卒業すると陸軍に入り、インド、スーダンなどへ赴任。1899年、陸軍をやめ、保守党から選挙に出るが落選。新聞社特派員として、ブーア戦争（南アフリカにおけるイギリスとオランダ系白人との戦争）の取材で南アフリカへわたり、捕虜となるが脱出に成功、英雄視された。

1900年の選挙に立候補して下院議員に当選。保護貿易政策をとる保守党に反対し、1904年、自由党に移る。翌年成立した自由党内閣で、商務大臣や内務大臣、海軍大臣を歴任。第一次世界大戦がはじまると、1915年、ダーダネルス海峡の攻撃作戦を立案したが失敗、辞職した。2年後、政界復帰し、軍需大臣、陸軍大臣などをつとめ、1924年、保守党にもどり、財務大臣となる。失業者がふえ労働者がストライキをおこすと、労働運動にきびしい姿勢でのぞんだ。1930年代、権力をにぎったナチスドイツに妥協的な首相ネビル・チェンバレンを批判、イギリス、フランス、ソビエト連邦（ソ連）の同盟をよびかけた。

1939年、第二次世界大戦がはじまると海軍大臣、翌年には首相に就任、戦時内閣を組織した。ドイツ軍がロンドンを空襲するきびしい局面であったが、国民をまとめて総力戦を戦いぬき、アメリカ合衆国大統領フランクリン・ローズベルトやソ連首相スターリンと会談を重ねて団結をかため、連合国側を勝利にみちびいた。しかし、長びく戦争による国民の不満には耳をかたむけず、1945年7月の選挙でやぶれて退任した。

戦後、「ソ連がヨーロッパの中央に鉄のカーテンをおろし、その東に共産主義の勢力圏を築こうとしている」と演説をして、英米が協力して共産主義に対抗する必要性を説いた。1955年に政界を引退、晩年は執筆活動や絵画制作などですごし、1965年に死去、国葬となる。主著に『世界の危機』、ノーベル文学賞を受賞した『第二次世界大戦史』などがある。

▲チャーチルが壮年期をすごした家

20世紀を代表する政治家で、先見の明と強いリーダーシップをもった乱世向きの人物といわれた。

学 主な国・地域の大統領・首相一覧　学 ノーベル賞受賞者一覧

チャールズ，レイ

音楽

レイ・チャールズ　1930〜2004年

ソウルの神様とよばれた盲目の歌手

アメリカ合衆国の歌手、ピアノ奏者。

ジョージア州生まれ。本名はレイ・チャールズ・ロビンソン。6歳のときに病気で失明し、盲学校でクラシックピアノとクラリネットを学ぶ。1947年ころから各地の楽団で演奏活動をして注目され、1952年にアトランティック・レコードと契約。ゴスペルとジャズやブルースをもとにした『アイ・ガット・ア・ウーマン』や『ハレルヤ、アイ・ラブ・ハー・ソー』が世界的な大ヒットとなる。黒人の自意識を強烈に歌い上げて「ソウルの神様」とよばれる。1959年の『ホワッド・アイ・セイ』はソウル・ミュージックの定番となった。12回もグラミー賞に輝く。

チャールズいっせい

王族・皇族

チャールズ1世　1600〜1649年

ピューリタン革命で処刑された

イングランド王国・スコットランド王国、スチュアート朝の第2代国王（在位1625〜1649年）。

初代国王ジェームズ1世の次男としてスコットランドに生まれる。1612年、兄が亡くなると皇太子になり、1625年、国王に即位した。スペインへの遠征やフランスへの出兵に失敗し、その軍費調達のために税を重くした。議会の反発をまねいて、1628年、議会がみとめない課税の停止など国民の権利を主張した「権利の請願」をやむをえず承認した。しかし議会を解散させ、その後10年以上ひらかなかった。

1640年、スコットランドの反乱鎮圧の戦費をまかなうために、ふたたび議会を召集。国王への反発は強まっており、議会は王党派と議会派に分かれて対立。1642年、両軍による内戦がはじまった。議会派にピューリタン（イギリスのプロテスタントの一派、新教徒）が多いので、ピューリタン革命という。1645年、ネーズビーの戦いでクロムウェルがひきいる議会軍にやぶれて幽閉された。その後、脱出して1648年、第2次内乱をおこすが、とらえられ処刑された。 学 世界の主な王朝と王・皇帝

チャールズにせい

王族・皇族

チャールズ2世　1630～1685年

王政復古で国王に返り咲く

イングランド王国・スコットランド王国、スチュアート朝の第3代国王（在位1660～1685年）。

第2代国王チャールズ1世の長男として生まれる。1642年にピューリタン革命がおこると父に従軍し、父の処刑後、1649年にスコットランド王となって兵をあげるがやぶれて、フランスに亡命した。1660年、護国卿クロムウェルの死後、イングランド共和制がくずれると、国教会、王制を望む国民にまねかれて、イングランド王に即位。王政復古を実現した。

1665年から1667年のオランダ戦争に出兵するが、成果を上げられず、同じころ、ペストの大流行やロンドンの大火など、社会不安があいついだ。カトリック（旧教徒）に改宗した弟のヨーク公（のちのジェームズ2世）を継承者にしようとすると、議会は1673年、役人は国教徒にかぎるという審査法を可決するなど、議会とも対立した。科学に関心をもち、イギリス王立協会の設立に力をつくした。 学 世界の主な王朝と王・皇帝

チャイコフスキー，ピョートル・イリイッチ

音楽

ピョートル・イリイッチ・チャイコフスキー　1840～1893年

ロシア音楽を国際的水準に高めた

ロシアの作曲家。

ウラル山脈の西のふもとにある鉱山町ボトキンスクに生まれる。父は鉱山技師。幼いころから家庭教師についてピアノを習っていた。10歳のときにペテルブルク（現在のサンクトペテルブルク）の法律学校予科に入学し、法律や政治を学ぶかたわら、ドイツ人の作曲家からピアノや音楽理論を学んだ。

卒業後、法務省につとめるが、しだいに仕事に興味を失う。1862年にペテルブルク音楽院が開設されると、その第1回生として入学する。法務省をやめて、本格的に音楽の勉強に打ちこんだ。1866年、音楽院を首席で卒業し、新しくできたモスクワ音楽院の教師となる。院長の家に下宿し、劇作家や音楽家、詩人、出版人らと知り合いになり、ロシア国民楽派の作曲家バラキレフとも親交をむすぶ。ここで大作の『交響曲第1番』や、管弦楽曲『ロミオとジュリエット』など、ロシア国民主義の傾向が強い作品を生みだした。

1875年に『ピアノ協奏曲第1番』を作曲したころから独自の世界をひらき、バレエ音楽『白鳥の湖』、オペラ『エフゲーニー・オネーギン』、『バイオリン協奏曲』などの傑作を次々に発表していった。しかし1877年、弟子のアントニーナ・ミリュコワとの結婚に失敗し、ノイローゼにおちいるなどして、創作にかげりをみせた。

1885年の交響曲『マンフレッド』の完成を機に創作意欲をとりもどし、以後バレエ音楽『眠れる森の美女』や『くるみ割り人形』、オペラ『スペードの女王』などの名作を発表。1888年には、ヨーロッパ各地のオーケストラで客演、自作を指揮して大好評を得る。1891年、アメリカ合衆国への演奏旅行では、カーネギーホールのこけら落としで大成功をおさめた。この絶頂期の1893年、『交響曲第6番〈悲愴〉』の初演を指揮した9日後に急死。53歳だった。

ロシアの大地に根ざした豊かな民族的素材を、ヨーロッパの伝統的な手法をもとに洗練された楽曲にしあげて、ロシア音楽を国際的水準まで高めることに成功した。その後のラフマニノフやマーラー、バルトークなど多くの作曲家に影響をおよぼした。また彼の交響曲や協奏曲などは演奏会の定番となり、バレエ音楽も古典として不動の位置を占めている。

チャウシェスク，ニコラエ

政治

ニコラエ・チャウシェスク　1918～1989年

ルーマニアの独裁者

ルーマニアの政治家。初代大統領（在任1974～1989年）。

1933年からブカレストで労働運動に参加し、1936年に共産党に入った。第二次世界大戦をへて農業次官、国防次官など

をつとめた。共産党書記長ゲオルギュ・デジから評価を得て、1965年、デジが亡くなると党の第一書記となり権力を受けついだ。デジの経済政策、民主主義政策をとる一方で、うまく民主化をおさえ独裁的な権力を広げて、国家元首を兼任した。1974年、大統領制を採用して初代大統領となる。国の経済が悪化し国民が苦しんでいるにもかかわらず、私的資産をふやし、それを国の内外にかくすなど、妻とともに悪政をおこなう。1989年、民族紛争をきっかけに全国で暴動がおこり、同年12月、夫妻は逮捕され軍事裁判によって処刑された。

チャオズーヤン

趙紫陽 → 趙紫陽

チャップリン，チャーリー

映画・演劇

チャーリー・チャップリン　1889〜1977年

世界の人々に愛された喜劇俳優

イギリス出身の映画監督、喜劇俳優。

▲チャーリー・チャップリン

ロンドンに生まれる。本名はチャールズ・スペンサー・チャップリン。両親はミュージックホールの芸人をしていた。5歳のとき、声が出なくなった母のかわりに、はじめて舞台に立った。その後、父を亡くし、極貧の生活をしいられながら、いくつかの劇団をへて、19歳のころ、イギリスで人気を集めていた喜劇一座のカーノ座に入り、歌や踊り、道化の芸やパントマイムなどを身につけた。1912年、アメリカ合衆国への巡業に出かけたとき、キーストン映画社の監督にみとめられ、翌年に映画界に入り、無声映画のパントマイムの俳優として頭角をあらわした。

1914年、ちょびひげ、大きな靴、だぶだぶのズボン、小さな山高帽にステッキという独特のスタイルで出演すると、この放浪紳士のチャーリーは、アメリカ中で話題になった。また、このころから脚本、監督、主演の3役をつとめた。その後、いくつかの映画会社を移り、そのたびに高給でむかえられ、自由に映画をつくるようになった。はじめての長編『キッド』（1921年）など、貧しい人々によりそい、笑いと哀感とやさしさをこめた作品は、いずれも大ヒットし、人気は絶頂となった。1919年、ユナイテッド・アーティスツ社をつくり、『黄金狂時代』（1925年）、『街の灯』（1931年）、『モダン・タイムス』（1936年）などの名作を次々に公開した。映画界は無声映画から音声の出るトーキーへと移りつつあったが、チャップリンは「無声映画には国境がない」といって、無声映画を撮りつづけた。第二次世界大戦がはじまった翌年の1940年、ドイツのヒトラーとファシズムを批判した『独裁者』を公開した。最後の大演説で「良識ある世界をつくるために結束しよう」とよびかけた。1950年ごろ、アメリカでは共産主義に反対するマッカーシー旋風がおこり、共産主義者とみなされたチャップリンは、1952年、アメリカ議会からアメリカへの再入国を拒否された。その後、スイスに永住し、イギリスで映画製作をつづけた。その20年後の1972年、アメリカの映画芸術科学アカデミーは、チャップリンにアカデミー賞特別賞を贈った。1975年、イギリスの女王からナイトの爵位をさずけられるなど、多くの賞を受け、1977年12月25日、88歳で亡くなった。

▲『モダン・タイムス』の一場面

チャドウィック，ジェームズ

学問

ジェームズ・チャドウィック　1891〜1974年

中性子を発見した物理学者

20世紀のイギリスの物理学者。

イングランド北西部のマンチェスター生まれ。マンチェスター大学、ケンブリッジ大学をへて、ガイガーに師事するためにベルリンへ移住するが、第一次世界大戦の勃発により、敵性外国人として収容所に入れられた。戦後、ラザフォードによってケンブリッジのキャベンディッシュ研究所にまねかれて、原子核を研究した。1932年、ほかの物理学者たちがおこなった原子から陽子をはじき出す実験をもとにして、中性子を発見、みずから実験もおこない、中性子の質量も決定した。これにより1935年、ノーベル物理学賞を受賞。第二次世界大戦中はアメリカ合衆国で原爆開発のマンハッタン計画にも参加するが、その後はケンブリッジ大学でカレッジ学長などをつとめた。

学 ノーベル賞受賞者一覧

チャベス，ウゴ

政治

ウゴ・チャベス　1954〜2013年

反米路線を展開したベネズエラの大統領

ベネズエラの政治家。大統領（在任1999〜2013年）。

インディオ、アフリカ、スペインの血をひく。士官学校を卒業後、陸軍に入隊。秘密結社ボリバル革命運動を軍内に組織し、1992年にクーデターをおこすが失敗、投獄される。しかし、国民の注目を集め、釈放後、貧困の撲滅と汚職の追放を主張し、1999 年、大統領に選出された。貧困層への手厚い福祉政策で評価される一方、財政をいっそう悪化させたとの非難もある。豊富な石油資源をもとに周辺国と協調して反米路線を展開、アメリカ合衆国と距離をおくロシア、中華人民共和国、イランなどと友好関係を築いた。アメリカからは「独裁制」と非難されたが、2012 年の大統領選挙で 4 選をはたす。しかし、翌年、がんにより 58 歳で死去。

チャペック，カレル

文学　映画・演劇

カレル・チャペック　1890〜1938年

ロボットという新語をつくる

チェコの作家、劇作家、随筆家、ジャーナリスト。

中西部の小さな炭鉱町で、開業医の息子として生まれる。プラハ大学で哲学を学び、ドイツのベルリン、フランスのパリに留学する。哲学、科学、芸術などさまざまな分野に興味をもち、小説や戯曲、エッセー、童話にすぐれた作品をのこした。創作活動は、自分が文章を書き、画家の兄ヨゼフがさし絵や装丁を担当するという共同作業だった。1916 年、兄弟で最初の作品となる短編集『光り輝く深淵』を発表する。

1920 年に発表した戯曲『R.U.R』（邦題『ロボット』）で、はじめてロボットという新語をつかい、科学文明がもたらすものを問い、世界的に名声を得た。代表作は『ホルドゥバル』『流れ星』『平凡な人生』の三部作、SF『山椒魚戦争』、随筆『園芸家 12ヵ月』など。ほかに、チェコスロバキア共和国初代大統領マサリクとの対話集や評論集など多くの作品がある。

ちゃやしろうじろう

産業

茶屋四郎次郎　1582〜1603年

京都や大坂の町人支配をまかされた豪商の2代目

▲『茶屋新六交趾渡航絵巻』にえがかれた朱印船　（情妙寺所蔵）

江戸時代前期の京都の豪商。

四郎次郎は、茶屋家本家代々の名前だが、とくに 3 代目までが有名。初代の本名は清延（1545 〜 1596 年）。豪商茶屋家に生まれる。茶屋家は、もともと三河国（現在の愛知県東部）の大名徳川氏の御用商人で、当主は代々、茶屋四郎次郎を襲名した。初代は家康のそば近くにつかえ、1582 年、本能寺の変のとき家康の大坂（阪）の堺からの脱出を助けた。その後は代々当主が四郎次郎の名をついだ。2 代目の清忠は関ヶ原の戦いで武器の調達などをおこなって家康の東軍の勝利に貢献し、その功績により、京都や大坂の町人支配をまかされた。

1614 年、3 代目の清次（1584 〜 1622 年）は、長崎奉行（長崎の行政・司法などをつかさどる役職）にしたがい長崎で貿易にたずさわる一方で、キリスト教徒の探索などをおこなった。1612 年以降は、朱印船（幕府から朱印状をあたえられた貿易船）をベトナムの黎朝に派遣して活躍した。その後も 4 代道澄、5 代延宗まで、朱印船の貿易はつづけられた。

チャンシュエリヤン

張学良 → 張学良

チャンチエシー

蔣介石 → 蔣介石

チヤンチン

江青 → 江青

チャンチンクオ

蔣経国 → 蔣経国

チャンツオリン

張作霖 → 張作霖

チャンドラー，レイモンド

文学

レイモンド・チャンドラー　1888〜1959年

推理小説を文学にまで高める

アメリカ合衆国の推理小説作家。イリノイ州シカゴ生まれ。幼いころ両親が離婚し、母とともにイギリスにわたる。イギリスで教育を受け 24 歳まですごした。第一次世界大戦ではイギリス軍に加わり、戦後アメリカに帰国した。ロサンゼルスの石油会社につとめ、役員までのぼりつめたが、のちに解雇され、失職した。

1933 年、45 歳になったとき、娯楽小説の雑誌に『脅迫者は撃たない』を発表して作家活動に入った。以後、『大いなる眠り』『さらば愛しき女よ』『長いお別れ』など、さめた目で現実をありのままえがくハードボイルド派の代表的な小説を発表して人気となる。

すべての作品に、神経質で行動的な私立探偵フィリップ・マーロウが主人公として登場し、生き生きとした人物描写と巧妙な会話をくり広げる。はなやかなアメリカ文明の内側にひそむ暗い部分を批判的にえがき、娯楽であった推理小説を文学にまで高めた。

チャンドラグプタ

王族・皇族

チャンドラグプタ　生没年不詳

はじめてインドを統一した

古代インドのマガダ国、マウリヤ朝の初代国王（在位紀元前317～紀元前296? 年）。

出身については定かではない。ガンジス川流域にあったマガダ国のナンダ朝をたおして、マウリヤ朝を創始した。チャンドラグプタは、過去にアレクサンドロス大王が侵入して混乱した西北インドを征服し、ギリシャ勢力を追いはらった。紀元前 305 年ごろに、セレウコス朝のセレウコス 1 世がインダス川をこえて侵入すると、圧倒的な軍事力をもって、優位な協定をむすんだ。

これによりアフガニスタンの領土を獲得し、セレコウス 1 世の娘を自分の息子のきさきにした。こうしてガンジス川流域からインダス川の流域におよぶ、インド初の大帝国を建設した。

チャンドラグプタは絶対的な権利をもった王で、巨大な常備軍と、官僚の機構をととのえ、豊かなガンジス川流域の農業を経済の基盤として、最強の帝国を築いた。晩年はジャイナ教を信仰し、退位して出家したという。苦行をおこなった末に断食して亡くなったといわれている。

チャンドラグプタいっせい

王族・皇族

チャンドラグプタ 1 世　生没年不詳

グプタ朝を建国し、インドを再統一

古代インド、グプタ朝の実質的初代国王（在位 320? ～ 335? 年）。

ガンジス川中流域マガダ地方（現在のビハール州南部）の小勢力だったが、チャンドラグプタ 1 世はシャカ（ブッダ）と縁のある名家リッチャビ家の娘クマーラデービーと結婚し、その権力を行使してガンジス川中流域を支配し、北インドを統一。パータリプトラ（パトラ）を首都としたグプタ朝を建国して、さらにマハーラージャーディラージャと称して王国の権威を高めた。

ラージャはサンスクリット語で王、マハーラージャは強大な力をもつ大王という意味で「諸王の中の大王」と訳される。320 年には、王の即位を記念して、その年を紀元としたグプタ暦が定められた。

チャンドラグプタにせい

王族・皇族

チャンドラグプタ 2 世　生没年不詳

グプタ朝最盛期の王

古代インド、グプタ朝の第 3 代国王（在位 376 ～ 414? 年）。

グプタ朝の創始者チャンドラグプタ 1 世の孫。みずからを「ビクラマーディティヤ（武勇の太陽）」と名のり、中国では「超日王」として知られている。第 2 代国王の父サムドラグプタから王朝を受けつぎ、中央インドの中心地ウジャインを占領する。その後、北西インドへ進出し、サカ族を征服した。南方では、デカン地方のバーカータカ朝に娘をとつがせて、婚姻関係をむすび、勢力を配下においた。こうしてベンガル湾からアラビア海にいたる広大な領域を支配して、グプタ朝の最盛期を築いた。

経済や軍事に力を入れるとともに、文化や学問の保護にもつとめた。宮廷では、詩人のカーリダーサなどが活躍して、サンスクリット文学が栄え、天文学、数学、医学も進歩した。また、アジャンターの石窟寺院にみられるインド独自の美術も開花した。

チャンドラ・ボース

政治

チャンドラ・ボース　1897～1945年

日本軍に協力してインド独立をめざした

インドの独立運動指導者。

ベンガル州出身。カルカッタ大学をへてケンブリッジ大学で学んだ。その後、高等文官試験に合格するが、1921 年、ガンディーのかかげた、イギリスからの独立のための非暴力・不服従による抵抗運動に深く感動し、民族運動に打ちこんだ。1924 年カルカッタ（現在のコルカタ）市長となるが、数か月でとらえられ、その後 4 度も逮捕されるなど急進派として知られ、インド国民会議派の主要な活動家となった。

しかし、しだいにガンディーと対立。1939 年、ベンガル州を中心に青年層、および急進派を集めて前衛派を結成、国民会議派から除名された。第二次世界大戦中、監禁中の自宅から逃走し、ドイツに亡命した。その後、枢軸国であるドイツ、イタリア、日本と協力してインド解放のための軍隊を結成することをめざした。

1943 年、日本政府の要請で来日、シンガポールに自由インド仮政府をおこし、インド国民軍を組織して日本軍のインパール作戦にも参加した。終戦直後、台湾で飛行機事故にあい、亡くなった。

ちゅうきょうてんのう

王族・皇族

仲恭天皇　1218～1234年

80日ほどで退位となった天皇

鎌倉時代前期の第 85 代天皇（在位 1221 年）。

順徳天皇の子。1218 年、生後 1 か月で皇太子となる。1221（承久 3）年、祖父の後鳥羽上皇（譲位後の後鳥羽天皇）が鎌倉幕府打倒を計画すると、父の順徳天皇もこれに加わるため譲位し、仲恭天皇が 4 歳で即位した。同年、後鳥羽上皇が承久の乱をおこしたが、幕府軍にやぶれ、後鳥羽上皇や順徳天皇は流罪となり、仲恭天皇は退位させられ、後堀河天皇が即位した。

仲恭天皇は正式な即位礼や大嘗祭（天皇即位後に新米を神にささげる儀式）もおこなわれず、わずか80日ほどで譲位し、17歳で亡くなった。そのため、半帝、九条廃帝などとよばれ、歴代天皇として数えられなかったが、1870（明治3）年、あらためて仲恭天皇という名が贈られた。 学 天皇系図

チュートー

朱徳 → 朱徳

チューロンチー

朱鎔基 → 朱鎔基

チュラロンコンだいおう

チュラロンコン大王 → ラーマ5世

チュルゴー，アンヌ・ロベール・ジャック

学問

アンヌ・ロベール・ジャック・チュルゴー　1727〜1781年

自由主義経済策で、フランスの財政再建をめざした

フランスの政治家、経済学者。

パリ生まれ。貴族の家系であり、父はパリ市長をつとめた。パリ大学神学部に入学し、22歳で修道院長にえらばれるが、思想家ボルテールの影響で役人を志す。25歳でフランスの最高司法機関であったパリ高等法院にて政府の仕事をはじめる。経済学者ケネーの教えを受け、アダム・スミスとも親交をむすび、哲学者ディドロの『百科全書』にも寄稿。1761年、中部の都市リモージュの地方監察官に就任し、13年間でさまざまな改革をおこない、国王ルイ16世から注目され、1774年、財政総監にむかえられた。財政再建をめざし、社会財政の基礎を農業とする重農主義の立場から穀物取り引きの自由化、職種ごとの同職組合であるギルドの廃止など、自由主義経済策をおし進める努力をした。しかし、早急な改革は、貴族や僧侶など特権身分からの反発を受け、消費物価の上昇を懸念する大衆からも反感を買い、1776年に辞任、改革は挫折した。

チュン・チャク

政治

チュン・チャク　?〜43年

後漢に反乱をおこした英雄

ベトナムの反乱指導者。

徴側ともいう。中国の後漢の支配下にあった交趾郡（ベトナム北部）の有力者の娘として生まれる。漢人に夫を殺されたことと、郡の長官の悪政にいきどおり、40年、妹のチュン・ニーとともに後漢に対して反乱をおこした。反乱はまたたく間に広がり、となりあう九真、日南、合浦の3郡もこれにこたえ、多くの賛同者を得た。そして65の城を占領し、ついには徴王と名のって、麊泠を都に定めたが、後漢の光武帝が将軍の馬援に反乱を制圧するように命じ、姉妹は1万あまりの兵と戦って大敗した。43年、姉妹ともに処刑された。姉妹が後漢から独立した期間はわずか3年であったが、ベトナムでは英雄として、長く語りつがれている。

チョイバルサン，ホルローギーン

政治

ホルローギーン・チョイバルサン　1895〜1952年

モンゴル人民共和国を樹立

モンゴルの革命家。モンゴル人民共和国首相（在任1939〜1952年）。

貧しい遊牧民の子に生まれる。幼いころチベット仏教の僧院に入るが17歳のときに脱走、その後クーロン（現在のウランバートル）のロシア領事館付属の通訳学校でロシア語を学んだ。成績優秀のため、イルクーツクの学校への留学も経験した。1918年モンゴルに帰国後、民族解放運動をはじめる。1920年、スヘバートルらとともに、モンゴル人民革命党を結成。スヘバートルの死後、人民革命軍の総司令となる。1924年、モンゴル人民共和国を樹立した。まもなく国家小会議議長となり、その後も人民委員会主席、内務大臣、全軍総司令官などの要職をつとめた。1936年から1938年、みずからの政敵に対する大規模な粛正をおこない「モンゴルのスターリン」ともよばれた。1939年、首相に就任する。同年、満州国と国境線をめぐっておこった紛争（ノモンハン事件）では、ソビエト連邦の軍隊と協力して日本軍を撃退した。第二次世界大戦末期にも軍をひきいて日本軍と戦った。

チョウエンライ

周恩来 → 周恩来

ちょうかく

政治　宗教

張角　?〜184年

黄巾の乱の指導者

中国、後漢末期の宗教結社の創始者、農民反乱指導者。

河北省鉅鹿に生まれる。道教の源流の一つである宗教結社の太平道をひらき、悪政や災害に苦しむ農民や一部の宦官に信仰された。呪術によって病人を治せるとしたが、これは病人にみずからの罪を悔いあらためさせ、その結果は本人の信仰心によるとしていた。新しい時代がくると宣伝し、弟の張宝と張梁と

ともに信徒を軍隊化して、184年、後漢の打倒をめざしていっせいに軍をあげた。各地の役所や集落をおそったが、数か月後に張角が病死して平定された。この反乱は信徒が黄色の頭巾を着けたことから、黄巾の乱といわれる。その後、各地で残党の反乱や、武将たちの勢力争いがつづき、後漢を崩壊させ、三国時代がはじまるきっかけとなった。

ちょうがくりょう（チャンシュエリヤン）

政治

張学良　1901～2001年

西安事件によって第2次国共合作を実現

中華民国の軍人。

東北軍閥の奉天派をひきいた張作霖の長男。1928年、日本の関東軍によって爆殺された父の地盤をつぎ、東北の全権をにぎった。国民政府にしたがうことを表明、東北辺防軍司令に任命され、国内統一をめざした。1931年の満州事変から日本の武力侵略がはじまると、蔣介石の対日妥協政策に一時したがうが、やがて抗日を主張して蔣介石と対立し、東北を去った。その後は国共内戦で共産党と戦うが、1936年に西安で蔣介石を監禁して国内であらそわず日本に共同で抵抗するよう要求し、第2次国共合作を成立させ、抗日戦線に大きな変化をもたらした。西安事件後、国民政府によって1986年まで軟禁生活を送る。1993年、ハワイに移住し、そこで亡くなった。

ちょうぎ

思想・哲学

張儀　？～紀元前310年

秦の安定化のために、連衡策を主張した縦横家

中国、戦国時代の政治家、縦横家。

魏（現在の山西省）の生まれ。蘇秦とともに鬼谷子に師事。その後、諸国を遊説するが、受け入れられず、のちに秦につかえ、恵王の信任を得た。張儀は、燕、趙、魏、韓、斉、楚の6国をまわり、それぞれの国が秦と個別に同盟をむすび、生きのこりをはかる連衡策を説いた。張儀の活動は成功し、6国が連合して秦に対抗するという蘇秦の合従策はくずれた。実は連衡策は、秦を有利にする謀略であり、秦はその後、周辺国を次々と征服していった。しかし、張儀は恵王の死後、次の武王に信任されず、失脚した。魏にのがれ宰相となるが、翌年、死去。張儀は蘇秦とともに、策略と弁術で政治を動かす縦横家とよばれている。

ちょうきょういん

王族・皇族

趙匡胤　927～976年

宋の創始者

中国、宋の初代皇帝（在位960～976年）。

太祖ともいう。五代十国の唐の武将、趙弘殷の次男として洛陽で生まれる。おさないころより武術にすぐれ、後周につかえて武功を立てて将校となり、第2代皇帝世宗の信任を得て、禁軍（親衛隊）の長となった。959年、世宗の死後、わずか7歳の恭帝が即位したが、軍はそれを不服とし、人望のあつかった趙匡胤が推薦されて帝位をゆずり受け、国号を宋とした。即位後は皇帝の権限を強化した。

総司令官を廃止して、力をもちすぎるものが出ないように制度をかえ、3軍を統率するのは皇帝のみとした。税収もほとんどすべてを中央に送らせ、地方には最低限にするなど独裁体制をしいた。官僚制の整備もおこない、文治主義を進め、安定した宋の統治の基礎をつくった。また、江南に割拠していた国を次々に討ち、分裂していた中国の統一をめざした。呉越と北漢とをのこして、五代十国の混乱をほぼ収束させたが、北漢の討伐の最中に急死した。

学 世界の主な王朝と王・皇帝

ちょうきょせい

政治

張居正　1525～1582年

明の勢力をふたたび強くした

中国、明の官僚、政治家。

江陵（現在の湖北省荊州市）に生まれる。こどものころから聡明で、12歳で生員（地方官僚の採用試験である科挙の郷試の受験資格）に合格した。1547年に進士（官僚試験の合格者）に及第し、1567年、東閣大学士となって入閣。1572年、守役をつとめていた万暦帝が10歳で即位すると、首輔（首相、主席大学士）となり、以後10年間、最高権力をにぎった。内政では行政整理、治水、財政再建につくし、対外的にもモンゴルのアルタン・ハンと平和的外交をむすんだ。これらの改革により財政は大きく好転。しかし、内閣の権限を強化して政治批判を弾圧し、きわめてきびしかったためにうらみを買い、死後、一家は財産を没収された。教育した万暦帝も、その後は堕落した政治で、明を衰退させた。

ちょうけいてんのう

王族・皇族

長慶天皇　1343～1394年

大正時代にようやく在位が確認された、南朝の天皇

南北朝時代の第98代（南朝第3代）天皇（在位1368～1383年）。

後村上天皇の皇子として生まれる。母は嘉喜門院。

1368年に摂津国（現在の大阪府北西部・兵庫県南東部）の住吉で即位し、弟の後亀山天皇に位をゆずって院政をおこなった。南朝が弱体化していたころであったため、大和国（奈良県）の吉野、河内国（大阪府東部）の金剛寺、大和国の栄山寺など、皇居を転々と移した。長慶天皇が在位したかどうかが長く問題となっていたが、1926（大正15）年、在位が確

実とみられる有力な資料がみつかり、ようやく歴代の天皇の列に加えられた。和歌にすぐれ、「五十番歌合」などの歌会をひらくほか、著書に『源氏物語』の注釈書『仙源抄』などがある。

学 天皇系図

ちょうけん

政治

張騫　?～紀元前114年

東西文化の交流や交易の発展に貢献した外交官

▲甘粛省敦煌市の銅像

中国、前漢の西域開拓者。

第7代皇帝武帝の時代、前漢をおびやかしていた北方の異民族、匈奴を東西からはさみうちにするため、紀元前139年ごろ、西の遊牧民族、月氏との同盟をむすぶ使者として長安を出発した。途中で匈奴にとらえられ、10年あまり捕虜としてくらしていたが脱出し、ふたたび月氏のもとへとむかった。しかし月氏は、すでに定住して大月氏国を築いて安定していたため、同盟をむすんで匈奴に敵対する意志はなかった。

バクトリア地方（現在のアフガニスタン北部）などを通って帰る途中、ふたたび匈奴にとらえられたが、また脱出し、紀元前126年にようやく帰国することができた。同盟には失敗したものの、長旅で得た西域や西アジアの情報、ブドウの種などの西域の産物を中国へもち帰り、東西文化の交流や物産の交易の発展に大きな役割をはたした。

紀元前119年には、中央アジアのイリ盆地の烏孫と同盟をむすぶために、使節としておもむいた。ここでも同盟は得られなかったが、漢との交流がはじまった。

ちょうげん

宗教

重源　1121～1206年

東大寺を復興させた

（東大寺所蔵 / 奈良国立博物館写真提供 / 佐々木香輔撮影）

鎌倉時代前期の浄土宗の僧。

俊乗房ともいう。京都出身。13歳のときに京都の醍醐寺（京都市）で出家して密教を学んだのち、高野山（和歌山県）で法然に浄土教を学び、各地をめぐって修行した。1167年、中国の宋にわたって密教への理解を深め、宋で出会った栄西とともに帰国した。

1180年、源平の戦いで平重衡の南都焼討ちによって東大寺が焼かれ、翌年、重源は東大寺再建のために寄付を集める大勧進職に任命された。大仏や大仏殿の復興のために、有力者らに依頼して資金を集める一方、宋人の技術者陳和卿を登用し、諸仏像の制作には運慶、快慶たち仏師の協力を求めるなど、職人や技術者を集めて、再建を進めた。1185年に大仏を完成させ開眼供養、1195年に大仏殿の落慶供養をおこない、1203年には東大寺総供養をなしとげた。また、諸国におもむいて、播磨国（現在の兵庫県南部）の浄土寺、周防国（山口県東部）の阿弥陀寺などを創建し、各地に信仰と造営資金を集める拠点をつくった。池をつくる、橋をかけるなどの、土木工事による社会の救済もおこなった。

ちょうこう

学問

張衡　78～139年

文学にも科学にもひいでた後漢の才人

中国、後漢の文学者、科学者。

中国の韻文、詞賦が得意で、長安と洛陽の風俗をえがいた『西京賦』『東京賦』（あわせて『二京賦』）などが有名。天文や暦算、機械製作にひいで、安帝、順帝のときには天文暦法や史料を編さんする最高位の役職、太史令をつとめ、多くの天文書を著した。数々の発明をしたことで知られ、117年には世界初の水力で動く渾天儀（天文観測装置）を製作。水時計や自動で飛ぶ木製の鳥などものこしている。また132年につくった地動儀「候風」は、遠くはなれた震源地の方向がわかる世界初の地震感知装置だった。予言などの非科学的なことを否定し、権力者にもきびしく接したため降格されたが、実績を上げて3年でよびもどされ、尚書という役職についた。

ちょうさくりん（チャンツオリン）

政治

張作霖　1875～1928年

奉天軍閥の首領

中国、清末期～中華民国初期の軍人。

遼寧省の貧農の出身。馬賊（騎馬の盗賊）から清の軍人となると、中華民国初期の動乱を利用して勢力を広げた。1911年の辛亥革命では奉天の警備をして、兵権をにぎる。その後、袁世凱の信頼を得て奉天督軍となり、1919年までに全東北をおさえ奉天軍閥をつくった。翌年、安徽派と直隷派の戦いに介入して、中央政界に進出。1922年、第一次奉直戦争では呉佩孚にやぶれたが、1924年の第二次奉直戦争では大勝し、段祺瑞とともに一時は上海まで勢力をのばした。1927年、大元帥となり北京政府を支配下においたが、国民党の北伐軍に追われて奉天に撤退。途中、日本の関東軍の陰謀で、列車を爆破されて亡くなった（張作霖爆殺事件）。

ちょうしよう（チャオズーヤン）

政治

趙紫陽　1919～2005年

鄧小平を補佐したが、天安門事件で失脚

中華人民共和国（中国）の政治家。首相（在任1980～1987年）、総書記。

河南省生まれ。1938年、共産党に入党、小学校教師をへて、地元の党の役職についた。第二次世界大戦後の国民党と共産党の内戦中、鄧小平の下、土地改革で実績をあげ、1951年、政府の土地改革部門の要職についた。以後、農業政策にかかわる役職を歴任。文化大革命で一時失脚したが復活し、四川省の農業、工業の促進政策を成功させ、鄧小平にみとめられ、1980年、政治局常務委員となった。同年、国務院総理（首相）、1987年には総書記に就任、鄧小平の右腕として経済改革に努力した。

1989年、天安門事件で民主化運動を支持し、武力鎮圧に反対したため混乱を広げたとして、すべての役職から解任、軟禁状態のまま85歳で死去した。

学 主な国・地域の大統領・首相一覧

ちょうしんた

絵本・児童

長新太　1927〜2005年

ナンセンス絵本の第一人者

昭和時代〜平成時代の絵本作家、漫画家、イラストレーター。

東京生まれ。本名は鈴木揫治。高校を卒業後、映画館の看板の絵をかく仕事をへて、1947（昭和22）年に新聞社の漫画コンクールに入賞。その後、その新聞社に入って漫画家として活動をはじめる。1955年から作家活動に専念している。1959年に『おしゃべりなたまごやき』（寺村輝夫作）の絵で文藝春秋漫画賞を受賞する。

以後、絵本や童話、エッセー、漫画など幅広く活躍する。ナンセンスともよばれるユーモアと、自由で独創的な画風で愛されている。主な作品に『キャベツくん』『なんじゃもんじゃ博士』『こんなことってあるかしら?』など。

ちょうそかべもとちか

戦国時代

長宗我部元親　1539〜1599年

四国全土を統一したが、秀吉に降伏

（秦神社 / 高知県立歴史民俗資料館）

戦国時代〜安土桃山時代の武将。

土佐国（現在の高知県）の岡豊城主、長宗我部国親の子として生まれる。幼名は弥三郎。

1560年に当主の座をつぐ。本山氏をはじめ、七守護といわれた土佐の諸豪族をたおし、土佐国司である一条兼定を追放して、1575年に土佐国を統一した。さらに勢力をのばし、阿波国（徳島県）、伊予国（愛媛県）、讃岐国（香川県）に侵攻し、1585年には四国のほぼ全域を統一するが、同年、豊臣秀吉の四国征伐で攻められて降伏し、土佐1国のみの領主となった。その後は秀吉の外様大名としてつかえ、九州攻め、小田原攻め、1592（文禄元）年からの朝鮮出兵（文禄・慶長の役）などに参加して、戦功をあげた。

土佐国の領内では一国の総検地をおこない、その地検帳の正本は、現在も文化遺産としてのこされている。また、1597年に定めた『長宗我部元親百箇条』は、大名の領国支配のための分国法として有名である。

ちょうそく

徴側 → チュン・チャク

ちょうひ

政治

張飛　?〜221年

勇猛さで知られる劉備軍の武将

中国、三国時代の蜀の武将。

字は益徳。184年に農民反乱の黄巾の乱がおこると、関羽とともに、劉備の配下となってつねにつきしたがい、各地で活躍した。

208年に曹操に攻められた際には、敗走する劉備軍の最後尾を守り、一人で敵の前に立ちふさがって、味方が逃げる時間をかせいだといわれている。212年に劉備が益州（現在の四川省）を領土にしようとしたときには、諸葛亮らと先頭に立って攻めこみ、すべての戦いに勝った。その後も攻めてきた魏の軍を撃退するなどの活躍をつづけた。勇猛な武将であったが、部下にきびしかったためにうらみを買い、221年に呉との戦いの準備中に部下に殺された。生涯を劉備につかえて勇ましく戦い、蜀の建国に貢献した。

ちょうりょう

宗教

張陵　2世紀ごろ

道教の一つとなった「五斗米道」をひらいた

中国・後漢末期の宗教家、「五斗米道」の開祖。

沛国（現在の江蘇省北部）生まれとされる。130年から140年代のころ、蜀（四川省）の鶴鳴山で修行をし、病気を治すための符（お札）や道書を広めて、五斗米道を創始した。五斗米道とは彼にしたがって道を学ぶ者に5斗（漢の時代の5斗=約10L）の米を供出させたことからよばれた名で、のちに「天師道」となる。張陵は道教の「教祖」としても尊崇されて「張道陵」ともよばれるようになった。

教団は張陵の死後は子の張衡によってひきつがれ、孫の張魯の代になると教団の組織が確立して中国全土に広まり、道教の一派である「正一教」となった。

現在の道教の教派は全真教と正一教の2つに大別され、正一教の本拠は江西省竜虎山にあるが、中国革命後、道士の多くは台湾に亡命している。

チョーサー，ジェフリー

詩・歌・俳句

ジェフリー・チョーサー　1340？～1400年

イギリス詩の父

イギリスの詩人。

ロンドンのワイン商の息子として生まれる。イギリス王室につかえ、外交官としてフランスやイタリアをおとずれる。フランス文学やイタリアのボッカチオ、ペトラルカと出会って文化的な刺激を受ける。はじめはフランスやイタリア文学の翻訳をしたり、その影響の強い作品を書いたりしていた。やがてイギリスの国民文学を意識した作品を書くようになる。

1387年ごろから代表作の『カンタベリー物語』を書きはじめる。巡礼者が語る23の物語を集めた形の大作で、未完ではあるが、イギリス中世文学の最高傑作とされる。ほかに『鳥の議会』『トロイルスとクリセイデ』などがあり、「イギリス詩の父」といわれる。

ちょすいりょう

絵画

褚遂良　596～658年

唐代三書家の一人

中国、唐代の書家、政治家。

浙江省杭州に生まれる。代々官職につき、父とともに2代皇帝太宗（李世民）に信頼された。

若いころから書に親しみ、楷書を得意とし、太宗の書道の相談役に任命される。東晋時代の有名な書家、王羲之の筆跡鑑定や作品の整理をおこなった。太宗の死後は3代皇帝、高宗につかえる。則天武后を皇后にするときに高宗に反対したため、遠方に追いやられ、そこで亡くなった。

太い線と細い線との大きな差が特徴で、『孟法師碑』などがのこっている。父の友人で書家、欧陽詢の影響を受けながら、独自の作風を確立した。唐代三書家の一人にあげられる。

チョチフン（ちょうちくん）

伝統芸能

趙治勲　1956年～

勝負強さで勝ち進む囲碁棋士

囲碁棋士。

25世本因坊。名誉名人。九段。大韓民国（韓国）生まれ。1962（昭和37）年、6歳で来日し、木谷実九段に入門した。その年、当時6段の林海峯に勝利した。史上最年少の11歳で入段し、驚異的な昇段をはたし、24歳で九段となる。これは、日本棋院の最年少記録だった。

1980年に名人位を獲得してから5連覇し、名誉名人の資格を得る。1981年に本因坊を獲得し、1987年には、碁界初の公式戦七大タイトル制覇を達成した。また、1983年、1996（平成8）年に名人、本因坊、棋聖の三大タイトルを独占し、当時碁界ただ一人となる大三冠を達成した。1998年、史上初の本因坊10連覇し、特例で25世本因坊を現役で襲名（通常は引退後）した。タイトル戦では、（七番勝負のとき）3連敗のあと、4連勝して逆転優勝するなど、その勝負強さで「七番勝負の鬼」といわれる。2012年、1400勝を達成。2015年8月には通算1463勝し、史上1位である（2016年現在）。

ちよのふじ

スポーツ

千代の富士　1955～2016年

豪快な相撲で勝ちつづけた横綱

昭和時代～平成時代の大相撲力士、第58代横綱。

北海道生まれ。本名は秋元貢。同郷の九重親方（横綱千代の山）にさそわれ、九重部屋に入門し、15歳で初土俵をふむ。体重100kgにも満たない小がらなからだだったが、闘志あふれる相撲で昇進を重ね、1975（昭和50）年に新入幕をはたす。

肩の脱臼など、たび重なる故障に苦しみ、十両と幕内を往復していたが、ウエートトレーニングによる筋力づくりなどで克服し、1981年の1月場所で初優勝して、大関に昇進した。7月場所で2度目の優勝をかざり、ついに横綱となった。

豪快かつスピード感あふれる取り口で、「ウルフ」とよばれ、人気を集めた。また1989（平成元）年の9月場所で通算勝ち星の新記録を達成し、大相撲で初となる国民栄誉賞を受賞した。1991年の5月場所初日に若手の貴花田（のちの横綱貴乃花）にやぶれ、気力と体力の限界を理由に引退し、年寄・陣幕を襲名した。翌年には年寄・九重となり、九重部屋をついだ。

学 国民栄誉賞受賞者一覧

チョンドファン（ぜんとかん）

政治

全斗煥　1931年～

独裁的であったが、経済発展には貢献

大韓民国（韓国）の軍人、政治家。大統領（在任1980～1988年）。

慶尚南道生まれ。陸軍士官学校卒業後、1955年、陸軍に入隊。アメリカ歩兵学校、陸軍大学校で学び、1961年の朴正熙のクーデターを支持し、その後、朴大統領にひきたてられ、軍と情報部の要職を歴任した。1970年にはベトナム戦争に派遣され、実戦を経験。1979年、朴大統領が暗殺されると、軍を

指揮して混乱を制圧（粛軍クーデター）、光州でおきた民主化要求の暴動も鎮圧して（光州事件）、大統領に就任した。

1981年、大統領に再任。2年後には、朝鮮民主主義人民共和国（北朝鮮）によるラングーン事件で命をねらわれた。1987年、民主化運動の高まりを受けて憲法を改正、国家体制を民主主義に移行させ、翌年、任期満了で退任した。粛軍クーデターや光州事件の弾圧、汚職の罪などで、1996年に死刑判決を受けたが、翌年、特赦で釈放された。独裁政治をおこなう一方、経済発展には貢献、アメリカ合衆国や日本と良好な関係を築き、ソウルオリンピックを招致した。

学 主な国・地域の大統領・首相一覧

チョンボンジュン

全琫準 → 全琫準

ちりゆきえ

学問　郷土

知里幸恵　1903〜1922年

『アイヌ神謡集』を執筆したアイヌ女性

大正時代のアイヌ文化伝承者。

北海道生まれ。幼少から祖母の語るアイヌの伝承を聞いて育ち、多くのアイヌのユーカラ（神謡）をそらんじるほどになり、その影響を強く受けて育った。1918（大正7）年、15歳のとき、アイヌ研究者であり、言語学者の金田一京助と出会う。アイヌとしての民族意識と誇りをもち、アイヌ語を伝えるという使命感から、京介の指導の下、1920年ごろからアイヌの物語『アイヌ神謡集』の執筆にとりかかる。13編のカムイユーカラがおさめられているこの著作は、1923年に出版されるが、完成した本を手にとることなく、1922年、心臓病のため19歳という短い生涯をとじた。

ちん

珍 → 仁徳天皇　反正天皇

ちんいけい

沈惟敬 → 沈惟敬

チンギス・ハン

王族・皇族

チンギス・ハン　1162?〜1227年

ユーラシア大陸に広大な帝国を築いた

モンゴル帝国の初代ハン（皇帝）（在位1206〜1227年）。

オノン川上流の地（現在のモンゴルのダダル・ソム）に生まれる。本名はテムジン。父はモンゴルの名門氏族の部族長だった。

少年のころ、父がタタール部に殺され、父の部下の多くがはなれていき、苦しい生活を余儀なくされた。父の友人でケレイト部の族長ワン・ハンと父子のちぎりをかわし、その支援をもとに力をたくわえていった。

1200年ごろ、モンゴル部内で最大の勢力を誇っていたタイチウト部をやぶり、モンゴル部の長となった。つづいてタタール部を、またケレイト部をしたがえ、モンゴル高原の東半分を制圧し、一大勢力となった。さらに1204年、西モンゴルのナイマン部、メルキト部をやぶり、モンゴル高原の遊牧民を統一。1206年、オノン川の河畔でクリルタイ（有力者の会議）をひらき、モンゴル帝国のハンの位につき、チンギス・ハン（光明の神）と名のった。

広大な領土をおさめるにあたり、全部族を1000戸からなる軍事・行政集団に分け、それをさらに100戸、10戸の小集団に分けた千戸制を基礎にして、中央集権を進めた。さらにそれぞれの集団の長の子弟、約1万人を親衛隊とした。また、「大ヤサ」という基本法典を制定し、領民の生活の規律をきびしくした。能力のあるものは民族の区別なくとりたて、トルコ系民族のウイグル族にモンゴル文字をつくらせた。広大な帝国内の道路を整備するなど、交通制度もととのえた。

1211年から中国北部の金を攻めて、1215年、首都の燕京（北京）に入城した。1218年から西方遠征をおこない、中央アジアのカラキタイ（西遼）をほろぼし、カスピ海東方のイスラム王朝ホラズムを征服。さらに南ロシアに派兵し、ロシアの諸公の軍をやぶった。帰国後、西夏に遠征し、1227年、これをほろぼすが、その帰りに負傷。六盤山（寧夏回族自治区）のふもとで亡くなったといわれている。

ユーラシアの東西にわたる広大な領土を得て、大帝国を築いた。領土は4人の息子に分けあたえられ、ジュチに南ロシアを、チャガタイに中央アジア西部を、オゴタイ（のちのオゴタイ・ハン）に中央アジア東部を、トゥルイにモンゴルをおさめさせ、帝位はオゴタイがついだ。

学 世界の主な王朝と王・皇帝

ちんじゅ

学問

陳寿　233〜297年

『三国志』の編さん者

中国、西晋の官僚、歴史家。

字は承祚。安漢県（現在の四川省）の出身。はじめ蜀の官僚となるが、263年に蜀が魏によってほろぼされる。その魏もその後西晋にとってかわられると、晋につかえ、魏呉蜀の3国の歴史中心に『三国志』を編さんした。

『三国志』は魏志30巻、蜀志15巻、呉志20巻よりなる。魏志の「東夷伝」は、一般的に「魏志倭人伝」とよばれ、3世紀ごろの日本の風俗や地理などが書かれた貴重な資料となっている。また、『三国志』をもとに明の時代に書かれた小説『三国志演義』は、蜀の劉備、関羽、張飛、諸葛亮らが活躍する、中国の代表的な歴史小説として現在まで広く親しまれている。

ちんしゅんしん

文学

陳舜臣　1924〜2015年

中国と日本の歴史をふまえた文学をのこす

昭和時代〜平成時代の作家。

兵庫県生まれ。大阪外国語学校（現在の大阪大学外国語学部）印度語科卒業。1990（平成2）年、日本国籍を取得。第二次世界大戦後、家業の貿易の仕事をしながら小説を書きはじめる。1961（昭和36）年に推理小説『枯草の根』で江戸川乱歩賞を受賞し、作家としてデビューする。1968年には『青玉獅子香炉』で直木賞、1970年『玉嶺よふたたび』『孔雀の道』により日本推理作家協会賞を受賞する。

その後も次々と作品を発表し、『実録アヘン戦争』（1971年）で毎日出版文化賞、『敦煌の旅』（1976年）で大佛次郎賞などを受賞。ほかに、『阿片戦争』『江は流れず』など、中国の歴史小説を数多くのこす。中国と日本の歴史をふまえた文学作品により日本文化に貢献したことがみとめられ、1992年に朝日賞、1994年日本芸術院賞、1995年井上靖文化賞などに輝く。1998年には勲三等瑞宝章を受章する。

学 芥川賞・直木賞受賞者一覧

ちんしょう

政治

陳勝　？〜紀元前208年

秦国滅亡のきっかけの農民反乱の首謀者

中国、秦末期の農民反乱指導者。

楚の地方の日雇い農夫だったが、紀元前209年に、警備のために徴兵された900人の農民たちと辺境へむかった。途中悪天候にみまわれ、到着の予定が大幅におくれそうになったとき、どのみち到着のおくれをとがめられて死刑になると思った陳勝は、同行していた呉広とともに反乱を計画、挙兵した（陳勝・呉広の乱）。

中国史上初の農民による反乱である。反乱軍はたちまち増大し、一時は張楚国を建てて王となったが、半年後には鎮圧され、殺された。反乱は失敗したが、これをきっかけに各地でさまざまな反乱がおこり、秦を滅亡へとみちびいた。挙兵時の「王侯将相いずくんぞ種あらんや」は、身分に関係なく人は平等であることをうったえたことば。

ちんすいへん（チェンシュイピェン）

政治

陳水扁　1951年〜

台湾が独立国家であることを主張した台湾総統

台湾の政治家。総統（在任2000〜2008年）。

台南県生まれ。貧しい農家で育ち、台湾大学で法律を学んで弁護士となる。国民党による民主化運動の弾圧事件で、民主進歩党（民進党）主席の弁護を担当したことをきっかけに政治活動をはじめ、1981年に台北市の議員となった。1986年、主宰していた雑誌で政府を批判したとして、8か月の実刑を受けた。翌年、民進党に入り、1989年、国会議員にあたる立法委員に当選した。1994年には、初の台北市長直接選挙に勝利。2000年の総統選挙では国民党をやぶり、中華民国総統に就任、台湾初の政権交代を実現させた。

翌年の立法委員選挙でも、所属する民進党を勝利にみちびき、党主席に就任。2004年、総統に再選されたが、野党勢力におされて、2008年の立法委員選挙では敗北、党主席、総統を辞任した。辞任後、金銭の不正処理問題が発覚し、2010年に有罪判決を受けた。台湾の民主化を推進したが、台湾を中華人民共和国（中国）とは別の独立国家であると主張し、中国との関係は悪化した。

学 主な国・地域の大統領・首相一覧

ちんどくしゅう（チェントゥーシウ）

思想・哲学

陳独秀　1879〜1942年

文学革命の中心的人物、中国共産党の初代総書記

中華民国の思想家、政治家。

安徽省生まれ。日本に留学し、東京高等師範学校（現在の筑波大学）や早稲田大学で学んだ。帰国後、1911年の辛亥革命に参加。一時日本に亡命するが、その後、上海で『青年雑誌』（翌年『新青年』と改題）を創刊して、胡適や魯迅とともに、儒教の批判や、言文一致の白話文学による文学革命を主

導した。1917年、北京大学教授に就任、翌年、李大釗と『毎週評論』を創刊し、1919年の五・四運動のとき、マルクス主義に接近した。1921年、李大釗とともに中国共産党を結成、総書記となる。蔣介石による上海クーデター（四・一二クーデター）を阻止できず、右翼日和見主義と批判を受け、1927年に総書記を解任されると、その後トロツキーの思想に同調して反共産党組織をつくり、党を除名された。1931年には国民党に逮捕され、1937年に釈放されたのちは、共産党の批判をおこなった。1942年、四川省で病死。儒教社会を批判し、西洋の政治体制や科学思想によって中国を改革したいと考えていた。論文集に『独秀文存』などがある。

ちんわけい

建築

陳和卿　生没年不詳

東大寺の再興をささえた技術者

平安時代後期に渡来した、中国の宋の技術者。

「ちんなけい」とも読む。1182年、商売のために来日したが、源平の合戦で平重衡の焼打ちによって焼失した東大寺の再興をめざす重源と出会う。重源の求めに応じて、宋の弟や日本の鋳物師たちをひきいて、頭や両手を損傷した大仏の修理をおこなった。

1185年、完成した大仏の開眼供養がおこなわれた。その後も大仏殿の造営のための木材を求めて、重源とともに周防国（現在の山口県東部）にむかうなど、東大寺の再建につくしたが、やがて恩賞の領地をめぐって東大寺と不仲になったため、1216年、鎌倉（神奈川県）にくだった。鎌倉幕府第3代将軍源実朝にみとめられ、宋にわたることをすすめた。翌年、そのための大船を由比ヶ浜につくろうとしたが、大きすぎて海に浮かばず失敗した。その後の消息は不明である。

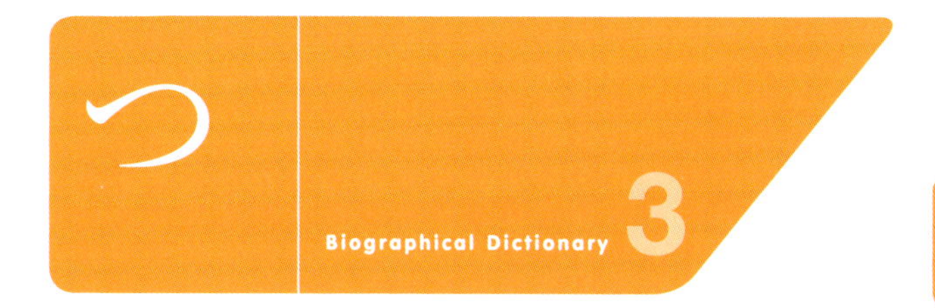

ツァイインウェン

蔡英文 → 蔡英文

ツィオルコフスキー，コンスタンティン

学問　発明・発見

コンスタンティン・ツィオルコフスキー　1857〜1935年

19世紀にロケットの原理を発見した物理学者

19〜20世紀の帝政ロシアおよびソビエト連邦（ソ連）の科学者。

モスクワ南東の小都市イジェーフスコエ生まれ。猩紅熱で聴力を失うが、独学で教師の免許を取得。数学教師としてはたらきながら航空機の研究をおこない、論文やエッセーで宇宙旅行の可能性を論じた。1897年にロケットについての最初期の理論である「ツィオルコフスキーの式（ロケット方程式）」をしめした。この方程式は、現在もロケット工学を専攻する学生が最初に学ぶものである。1903年には液体燃料ロケットを提案。帝政ロシアの時代には評価されなかったが、ロシア革命後に注目され、1919年にソ連科学アカデミーの正会員となった。78歳で死去したときには、国葬がおこなわれた。多段式ロケット、宇宙ステーションなど、のちの宇宙開発で実現する理論やアイディアを生みだし、「ロケット工学の父」とよばれている。

ツウィングリ，フルドライヒ

宗教

フルドライヒ・ツウィングリ　1484〜1531年

スイスで独自の宗教改革を進めた

スイスの宗教改革者、神学者、人文学者。

北東部のウィルトハウス生まれ。ウィーン、バーゼル両大学に学ぶ。1506年、グラールスの教区司祭、1516年、巡礼地アインジーデルンの司祭となり、従軍司祭としてイタリア戦争にもおもむき、スイスの傭兵の惨状を知って傭兵制反対論者となった。その間にエラスムスの人文主義（ヒューマニズム）やルターの改革思想にも影響を受ける。1519年からチューリヒ大聖堂の説教者となる。聖書のみが信仰の基準であることを確信し、教会改革を決意。1523年の討論会で承認され、聖書にそわない説教は禁

止され、礼拝様式の簡素化などが推進された。バーゼルなどの都市とともにカトリック勢力に対抗する「キリスト教都市同盟」がむすばれる。ドイツの新教派との同盟も企図されたが、聖餐論においてルターと一致せず、試みは失敗した。1531年、カトリック陣営との武力抗争となり、従軍中に負傷してカッペルで没した。その後カッペル協定がむすばれてスイス内戦は終結。ツウィングリの後継者たちは、1549年にカルバン派と合流し、スイスの改革派教会の基礎をつくった。

ツェッペリン，フェルディナント・フォン

政治　発明・発見

フェルディナント・フォン・ツェッペリン　1838～1917年

ツェッペリン型飛行船の開発者

ドイツの軍人、航空技術者。

南部のコンスタンツに生まれる。工芸学校をへて陸軍士官学校を卒業。軍に入ると、軍事研究のためにヨーロッパ各国をみてまわった。1891年に軍をしりぞいたあとは、それまでの経験と教訓を生かして、飛行船の研究をはじめ、1900年には技術的、金銭的な苦労を乗りこえ、第1号の飛行船を完成させた。この成功をもとに、フリードリヒスハーフェンに飛行船会社をつくった。1906年には工場を建設し、このころには時速58kmがだせる飛行船を完成させた。

やがてツェッペリン型飛行船は、定期旅客輸送にも使用されるようになり、第一次世界大戦では100機以上も投入され、その威力を発揮した。ツェッペリンが製作した最大の飛行船は全長235.5m、航続飛行距離1万kmに達した。この後、ヒンデンブルク号をつくり旅客輸送につかったが、爆発事故をおこして、ツェッペリンの飛行船事業は急速に衰退するとともに、飛行船自体もしだいに消えていった。

ツォンカパ

宗教

ツォンカパ　1357～1419年

チベット仏教最高の思想家

14～15世紀、チベット仏教最大宗派ゲルク派の開祖。

チベット北東のアムド地方（中華人民共和国青海省）ツォンカ生まれ。本名はロサン・タクパ。ツォンカパとは「ツォンカの人」という意味。幼くして出家し、15歳で中央チベットに出て仏教を学び、33歳ころから隠遁修行に入り、仏教のたいせつな考え方である「中観」の理解を得て教義を確立し、布教活動に入った。それまでチベット仏教はチベットの土俗的宗教の要素もあったが、ツォンカパは仏教本来の倫理性を強め、仏教の教えを矛盾なく再構成し、戒律をきびしくするなど、チベット仏教を教理（思想哲学）でも、実践（修行）の面でも充実させ、主著『菩提道次第論』を著した。彼の教派はゲルク派（黄帽派）とよばれる。晩年は標高4240mの山の稜線に建てたラサ近郊のガンデン寺に入り、没するとチベット仏教の伝統により遺体はミイラ化されて保存された。20世紀の文化大革命でガンデン寺は破壊されて遺体も散逸したが、現在は再興した寺に一部のみ回収され納骨されている。弟子にタルマリンチェンとケードゥプの二大弟子のほか、転生僧のダライ・ラマ1世がいる。

つかこうへい

映画・演劇

つかこうへい　1948～2010年

『蒲田行進曲』で人気作家に

昭和時代～平成時代の劇作家、演出家、作家。

福岡県生まれ。本名は金峰雄。国籍は大韓民国。慶應義塾大学中退。大学在学中から演劇活動をはじめ、1974（昭和49）年、『熱海殺人事件』で岸田国士戯曲賞を当時最年少の25歳で受賞し注目される。1981年、役者たちの人間模様をえがいた『蒲田行進曲』を発表し、直木賞を受賞。翌年、深作欣二監督によって映画化され、クライマックスで高さ10mの階段からころげ落ちる「階段落ち」がみどころの一つとなり大ヒットした。ほか、『二代目はクリスチャン』『幕末純情伝』『寝とられ宗介』なども映画化される。劇団を創設し、俳優の育成にも力をそそいだ。2007（平成19）年、紫綬褒章を受章。

学 芥川賞・直木賞受賞者一覧

つかだまさお

伝統芸能

塚田正夫　1914～1977年

詰将棋の普及にもとりくんだ棋士

昭和時代の将棋棋士。

永世九段、名誉十段。東京生まれ。1927（昭和2）年、花田長太郎九段に入門した。1932年に4段、1944年に8段となる。1947年に第6期名人戦で第二次世界大戦前から無敵だった木村義雄名人をやぶり、初タイトルで実力名人戦2人目の名人となる。1952年から連続3期九段戦で優勝し、永世九段をあたえられた。

詰将棋作家としても有名で、塚田流といわれる実戦型詰将棋の作品を多数のこした。これは、プロ棋士による詰将棋作品集の草分け的存在だった。すぐれた詰将棋作品にあたえられていた塚田賞は、詰将棋界の最高峰の賞とされた。

没後の1978年に、将棋界でただ一人の名誉十段を贈られ、さらに1989（平成元）年には実力制第2代名人となる。1975

年に紫綬褒章を受章し、1978年に勲四等旭日小綬章を受章した。タイトル戦登場は10回で、タイトル獲得は、名人2期、九段4期のほかに優勝4回がある。

つかはらぼくでん

戦国時代

塚原卜伝　1489〜1571年

無敗の剣豪

戦国時代の剣術家、兵法家。

常陸国（現在の茨城県）鹿島神宮（鹿嶋市）の神官の子として生まれる。のちに塚原城（鹿嶋市）城主、塚原安幹の婿養子となり、塚原城主になった。父から鹿島中古流を、養父から天真正伝神道流を学び、それにくふうを加えて鹿島新当流をひらいた。

その後、門弟をひきつれて武者修行の旅に出て、各地で真剣勝負をして腕をみがいた。生涯に19回の真剣勝負をおこない、37度合戦に参加したが、一度も負けたことがなかったという。室町幕府第13代将軍足利義輝の指南役となり、鹿島に伝わる秘剣「一の太刀」を伝授したとされる。晩年は、下総国香取（千葉県香取市）に住んで門弟を指導したという。

つかもとくにお

詩・歌・俳句

塚本邦雄　1920〜2005年

前衛短歌運動をおこす

昭和時代〜平成時代の歌人、評論家、作家。

滋賀県生まれ。神崎商業学校（現在の県立八日市高等学校）卒業。商社ではたらきながら、詩人の前川佐美雄の弟子になる。1951（昭和26）年、はじめての歌集『水葬物語』を発表し、作家の三島由紀夫らから高く評価される。その後、多くの短歌や詩、小説、評論などをだし、歌集だけで80冊をこえる。1960年代に歌人の岡井隆や寺山修司らと、新しい短歌をめざす前衛短歌運動をおこし、大きな影響をあたえた。短歌の会、玲瓏を創設する。歌集『不變律』で迢空賞（1989年）、歌集『黄金律』で斎藤茂吉短歌文学賞（1991年）、歌集『魔王』で現代短歌大賞（1993年）。1990（平成2）年、紫綬褒章を受章。

つくしのくにのみやつこいわい

貴族・武将

筑紫国造磐井　生没年不詳

磐井の乱をおこした九州の豪族

▲岩戸山古墳全景

（八女市）

古墳時代の豪族。

『日本書紀』によれば、527年、継体天皇は朝鮮半島の新羅を討つため、大和政権と関係の深い伽耶（加羅）諸国に軍を送ろうとした。これに対し、新羅とひそかに手をむすんでいた筑紫（現在の福岡県）の国造（地方をおさめる役職）磐井は、新羅に軍を送らせないようにするため反旗をひるがえした（磐井の乱）。

▲岩戸山古墳から出土した石人石馬

（八女市岩戸山歴史文化交流館）

天皇の軍は6万で近江毛野臣がひきいていたが、北九州に大勢力をもっていた磐井軍の抵抗ははげしく、戦いは1年半におよんだ。継体天皇は磐井を討つため、物部麁鹿火を大将軍として援軍を送った。翌年11月、筑紫の御井郡（久留米市）で決戦がおこなわれて磐井軍はやぶれ、磐井は殺された。磐井の子、葛子は管理していた自分の土地を継体天皇にさしだして死をまぬがれた。

この反乱をしずめたことで、継体天皇は地方を支配していた豪族を制圧し、国内統一の基礎を築いた。

奈良時代に編さんされた『筑後国風土記』には、磐井が生前に墓をつくったことがしるされている。

この墓が、現在の福岡県八女市にある岩戸山古墳とされている。

つげよしはる

漫画・アニメ

つげ義春　1937年〜

『ねじ式』など前衛的、幻想的な漫画が有名

漫画家。

東京都葛飾区に生まれ、すぐに伊豆大島にわたる。本名、柘植義春。1942（昭和17）年、5歳のときに父が病死。母子4人で葛飾区立石に転居し、貧しい生活を送る。

1945年の東京大空襲後に、新潟県に学童疎開したこともある。1950年、中学に進学せず、メッキ工場ではたらきはじめる。職を転々としながら、漫画をえがくようになった。当時は貸本屋の全盛期で、1955年のデビュー作『白面夜叉』も貸本漫画だった。

1965年、白土三平や水木しげるらが活躍した雑誌『ガロ』に短編を発表しはじめると、人気が高まった。なかでも前衛的な『ねじ式』への反響は大きく、学生運動をしている学生を中心に、若者のあいだに「つげブーム」をひきおこした。

人間の情念をテーマに、幻想的な短編漫画をえがいてきたが、作品の数は少ない。また、本人は対人恐怖症などを理由に、公の場にはあまり登場しない。

代表作は、ほかに『紅い花』『李さん一家』『無能の人』などがある。

つじくにお

文学

● 辻邦生　1925～1999年

純粋で高貴な精神を追求する

昭和時代～平成時代の作家。

東京生まれ。東京大学仏文科卒業。旧制松本高校時代に北杜夫と知り合い、このころから戯曲を書いていた。大学時代は渡辺一夫に師事する。1957（昭和32）年からフランスに留学。この間にヨーロッパ各地をめぐり歩き、文化的な刺激や美術的なめざめを経験、のちの作品に大きな影響をあたえた。帰国後の1963年にデビュー作『廻廊にて』で近代文学賞を受賞して注目された。その後『夏の砦』、イタリア人船乗りの目を通して織田信長をえがいた歴史小説『安土往還記』、ローマ帝国末期の皇帝をえがいた『背教者ユリアヌス』など、豊かな創造力で高貴な精神を追求する作品をつむぎだした。

つしまゆうこ

文学

● 津島佑子　1947～2016年

戦後を代表する女性作家

昭和時代～平成時代の作家。

東京生まれ。本名は里子。父は作家の太宰治。白百合女子大学文学部卒業。在学中に同人誌『文芸首都』の同人となり『ある誕生』などを発表した。1971（昭和46）年、母子家庭をテーマにしたはじめての作品集『謝肉祭』を刊行。以後、『律の母』（1975年）で田村俊子賞、『草の臥所』（1977年）で泉鏡花文学賞を受賞した。さらに長男を亡くした体験をもとにした『夜の光に追われて』（1986年）で読売文学賞、『真昼へ』（1988年）で平林たい子文学賞を受賞する。また3代にわたる家族の運命をえがいた大作『火の山―山猿記』（1998年）で谷崎潤一郎賞と野間文芸賞を受賞するなど、多くの文学賞を受賞し、第二次世界大戦後の日本文学界を代表する女性作家といわれる。

主に家族や人の生死をテーマに人間や文明を問う。作品の多くは英語、フランス語、ドイツ語、中国語などに翻訳され、高い評価を得ている。

つだうめこ

教育

● 津田梅子　1864～1929年

6歳で渡米留学した日本の女子教育の開拓者

明治時代～大正時代の教育家。

佐倉藩士、幕末の西洋農学者津田仙の次女として江戸の牛込（現在の新宿区）に生まれた。本名はむめ。

1871年、日本初の女子留学生として、岩倉使節団に満6歳で同行して渡米。現在のワシントン郊外ジョージタウンに住むランマン夫妻の家に約11年滞在した。その間、キリスト教に入信、英語をはじめラテン語、フランス語などの語学や英文学、ピアノや美術にもふれ、現地の初等・中等教育を終えて1882年に帰国した。そのときには日本語をわすれており、カルチャーショックの連続で、日本の生活や文化になじむのに苦労したという。

▲津田梅子

（津田塾大学）

帰国後、同じく留学した親友たちがあいついで結婚する中、日本の女性のおかれた状況や結婚観に疑問をもち、女性の教育こそが自分の天職と心に決めて、約3年後に華族女学校・女子高等師範学校（現在のお茶の水女子大学）の創立時に伊藤博文の推薦で英語の教授となる。しかし、当時の日本は、まだまだ男尊女卑の社会であり、新しい女子教育が必要だと痛感し、1889年より3年間、再度渡米してブリンマー大学で学び、帰国後はふたたび華族女学校で教職についた。

1898年、アメリカ合衆国でひらかれた万国婦人クラブ連合大会で、日本女性の代表として参加し、ヘレン・ケラーをたずねる。11月にはそこからイギリスにわたり、女子高等教育機関の視察、オックスフォード大学の聴講、ナイチンゲールを訪問するなど多くの刺激を受けて、ふたたびアメリカにわたり、日本に帰国した。

1900年、良妻賢母がよしとされる時代に「知性と性格の力をそなえ、自分で思考できる女性」を育てるという目標をかかげ、みずから寄付金を集めて、女子英学塾（津田塾大学）を東京の麹町に創設した。少人数教育と英語教育が特徴的で、華族平民の別のない一般女子の高等教育に力をつくし、国際交流にも大きく貢献した。

武士の家に生まれた誇りとキリスト教の奉仕の精神をもち、生涯独身をつらぬき、日本女性の知的解放と地位向上につとめて多くの人材とすぐれた女子教員を輩出した。1919（大正8）年に健康をそこない塾長を辞任、その後は鎌倉の別荘で闘病後、1929（昭和4）年に64歳で亡くなった。

▲女子英学塾最初の校舎

（津田塾大学）

学 日本と世界の名言

つだきょうすけ

学問

● 津田恭介　1907～1999年

フグの毒の研究に成功した学者

明治時代～平成時代の学者。

日本の植民地だった台湾で生まれ、中学生まですごした。その後、父の故郷埼玉県にもどり、旧制浦和高校へ入学した。1926（昭和元）年、東京帝国大学（現在の東京大学）医学部薬学科に入学した。卒業後は助手となり、塩基（酸と中和して塩をつくる化合物）の研究にとりくみ、1938年、助教授に昇進した。1951年、九州大学医学部教授に就任した。1954年、スイスの国立工科大学へ留学し、翌年帰国して、東京大学応用微生物研究所教授に就任した。

その後、フグの卵巣などにふくまれる毒、テトロドトキシンを研究し、さまざまな実験を重ねた結果、1964年、テトロドトキシンの構造決定に成功した。1967年、共立薬科大学学長に就任した。1982年、薬学の研究や教育につくした功績により文化勲章を受章した。

学 文化勲章受章者一覧

つださんぞう

政治

● 津田三蔵　1854〜1891年

大津事件でロシア皇太子をおそった犯人

（『幕末・明治・大正 回顧八十年史第4輯』より）

明治時代の軍人、警察官。

武蔵国豊島郡（現在の東京都台東区）に、津藩（三重県・奈良県北部）藤堂家につかえた医者の子として生まれる。1870（明治3）年に上京して陸軍に入る。1877年の西南戦争に出陣し、その後軍曹へ昇進した。1882年に除隊し、三重県警をへて、滋賀県警の巡査となる。

1891年、来日中のロシア皇太子、ニコラス・アレクサンドロビッチ（のちのニコライ2世）の警護につくが、大津市の沿道で突然剣をぬき、ロシア皇太子を切りつけた（大津事件）。

津田はすぐに車夫にとりおさえられたが、皇太子は頭部を負傷した。政府が準備した警護の警察官がたいせつな国賓をおそったことは、ロシアとの外交のうえで重大な危機となり、国内は一時パニックとなった。

犯行の理由についてはさまざまな説があるが、明らかになっていない。その後、裁判で無期徒刑（現在の無期懲役）の判決を受け、北海道釧路の獄中で病死した。

つだしんいちろう

津田真一郎 → 津田真道

つだそうきち

学問

● 津田左右吉　1873〜1961年

日本の神話が客観的史実でないと論証した

大正時代〜昭和時代の歴史学者。

岐阜県生まれ。1891（明治24）年、東京専門学校（現在の早稲田大学）を卒業。中学教員をしながら白鳥庫吉が開設した満鮮歴史地理調査室研究員となり、1913（大正2）年『朝鮮歴史地理』を刊行した。以後、日本や中国の古代史、思想史を中心に多くの研究を発表、1918年、早稲田大学の東洋史教授に就任した。

1940（昭和15）年、『古事記』や『日本書紀』の批判的研究が右翼思想家の攻撃を受け、『日本上代史研究』など代表著作4点が発売禁止となる。ついで岩波茂雄とともに出版法違反で起訴され、早稲田大学教授を辞職した。第二次世界大戦後も歴史と思想研究を深め、1949年、文化勲章受章。著書に『文学に現はれたる我が国民思想の研究』（全4巻）などがある。

学 文化勲章受章者一覧

つだそうぎゅう

華道・茶道　産業

● 津田宗及　?〜1591年

天王寺屋を屋号とする堺の会合衆の一人

安土桃山時代の商人、茶人。

堺の会合衆の一人。天王寺屋、津田宗達の子で、通称助五郎、号は更幽斎。堺にある南宗寺の大林宗套に禅を学び、のちに天信の号をさずけられた。武術や生花、聞香、歌にひいでたという。

宗達をついで天王寺屋の3代目となった宗及は、宗達や武野紹鷗に茶道を学んだ。また、父が書きはじめた『天王寺屋会記』のうち、1566年から1587年にわたり、千数百会の茶会記をのこしており、当時の武将たちの関係やできごとを知る歴史的資料となっている。

1568年の織田信長入洛の際には、堺に課した2万貫の矢銭（武将によって課せられた軍用金）を受け入れるか否かではじめは中立だったが、やがて信長にかたむいた。『長闇堂記』によると、茶人として堺で60人あまりの弟子がいたとも伝えられており、信長、豊臣秀吉の茶頭としてつかえた。

秀吉の天下統一後は、今井宗久、千利休とともに天下の三宗匠と称せられ、3000石の知行をあたえられた。1587年の北野大茶会では、三宗匠の一人として亭主をつとめた。墓は堺市の南宗寺にある。

つだながただ

郷土

● 津田永忠　1640〜1707年

岡山城下の干拓工事と新田開発をおこなった武士

江戸時代前期〜中期の武士。

備前国岡山藩（現在の岡山県）の藩士の子として生まれた。14歳から藩主池田光政につかえ、光政の信任を得て、藩政の中心に立って活躍した。1667年、池田家の墓所の造営を命じられ、候補地の一つの木谷村（岡山県備前市）に案内したところ、光政から「ここに学校をつくったらよい」といわれた。

翌年、庶民のこどもたちの手習所をもうけ、2年後に閑谷学校を創設した。光政の引退後は木谷村に移り、学校の経営に専念した。しかし、1674年のききんをきっかけに藩政にもどり、財政再建をまかされた。ききんをなくすためには、新田開発が必要だと考え、城下を流れる旭川の改修にとりくんだ。

（沖田神社）

旭川と吉井川河口付近の干潟の大規模な干拓工事をはじめた。

1679年、約300haの倉田新田、1685年、吉井川左岸に約600haの幸島新田、1692年には約1900haの沖新田を開発し、藩の財政を助けた。また、1687年から14年をかけて現在ものこる名庭園の後楽園を造成した。

つだまみち

学問

津田真道　1829〜1903年

『泰西国法論』でヨーロッパの法学を紹介した

（国立国会図書館）

江戸時代後期〜明治時代の学者、政治家。

津田真一郎ともいう。美作国津山藩（現在の岡山県北東部）の藩士の子。

1850年、藩命により江戸（東京）に出て、箕作阮甫や伊東玄朴に蘭学を、佐久間象山に兵学を学ぶ。

1857年、蕃書調所（ヨーロッパの学問や技術を学び、外交文書などを翻訳する幕府の機関）の教授手伝いとなり、1862年、幕府の命令で榎本武揚、西周らとオランダに留学し、法学や経済学を学んだ。

1865年に帰国、翌年、幕府の洋学の研究機関である開成所の教授となる。

1868（明治元）年、留学中の法学の講義を翻訳して『泰西国法論』を著し、西洋法学を紹介した。その後、明治新政府の司法省や外務省などに出仕し、刑法の新律綱領の編さんなど、法律の整備に力をつくした。

1873年、福沢諭吉、西周らとともに明六社に参加し、欧米思想の紹介や普及につとめる。

1876年、元老院議官となり、1890年、第1回衆議院議員選挙で当選して、衆議院副議長にえらばれた。1896年、貴族院議員となった。

つたやじゅうざぶろう

産業

蔦屋重三郎　1750〜1797年

江戸で数々の本を出版した

▲『画本東都遊』より耕書堂の店先　（早稲田大学図書館）

江戸時代後期の出版業者。江戸（現在の東京）に生まれる。

1783年、日本橋通油町（東京都中央区）に本屋の耕書堂をかまえ、戯作者の山東京伝、十返舎一九、滝沢馬琴などの黄表紙（表紙が黄色の絵入り小説）や洒落本（遊里での遊びをえがいた小説）、浮世絵（風俗画）などを次々と出版して江戸を代表する出版元になった。浮世絵師の喜多川歌麿や東洲斎写楽を育て、世にだしたことでも知られる。

しかし、松平定信の寛政の改革がはじまると、1791年、山東京伝の洒落本が風紀を乱すとして摘発され、出版元の蔦屋も財産の半分を没収された。

つだよねじろう

発明・発見　郷土

津田米次郎　1862〜1915年

日本初の絹力織機を発明した職人

（能登印刷株式会社）

明治時代の職人、発明家。加賀国助九郎町（現在の石川県金沢市）に大工の子として生まれた。

1877（明治10）年、16歳のとき、金沢製糸会社の開業式典に参加し、県の役人が、「動力織機（動力を用いて織物を織る機械）ができれば、日本の産業がさらに発展するだろう」と話すのを聞いて、みずから動力織機の発明を志した。

当時つかわれていたバッタン機とよばれていた足ぶみ式の織機をもとに研究をおこない、1880年、試作1号を製作したが、木綿しか織ることができなかった。さらに研究をつづけて、1900年、木綿よりも細い絹糸を織ることができる動力織機を日本ではじめて完成した。

手織機の3倍の能力をもつ「津田式絹力織機」は、金沢市をはじめ、各地の工場で用いられるようになった。米次郎は、その後も石川県の繊維産業の発展に貢献した。

ツタンカーメンおう

王族・皇族

ツタンカーメン王　生没年不詳

黄金のマスクで知られるファラオ

▲ツタンカーメン王の黄金のマスク

古代エジプト、第18王朝の第12代ファラオ（王）（在位紀元前14世紀なかば）。

先王アメンホテプ4世は、首都テーベの守護神アメンを捨て、太陽神アトンを信仰していたため、はじめはツタンカートン（トゥト・アンク・アトン、アトン神の生ける姿）と命名された。アメンホテプ4世の死後、9歳で王女アンケセナーメンと結婚して即位すると、アメン信仰を復活させ、ツタンカーメン（トゥト・アンク・アメン、アメン神の生ける姿）に改名。首都もアマルナから、元のテーベにもどした。その後、18歳で亡くなった。

王家の谷にあるツタンカーメンの墓は、1922年、イギリスの考古学者カーターによって発見された。王の墓の中でも小規模だったので盗掘をまぬがれており、黄金のマスクをつけた王のミイラや、大量の副葬品が完全な形でみつかった。

古代エジプトのファラオの埋葬法を伝える貴重な発見として話題をよんだ。黄金のマスクをはじめ、ひつぎや副葬品の大半は、カイロにあるエジプト考古学博物館におさめられている。

つちかわへいべえ

郷土

土川平兵衛　1801～1843年

検地反対一揆にかかわった庄屋

江戸時代後期の農民。

近江国野洲郡三上村（現在の滋賀県野洲市）の庄屋（村の長）で、中山道の守山宿で、宿場の人馬が足りない場合、人馬を提供する仕事にあたった。

しかし、助郷の課役負担が大きく、村人が困窮するのをみて、1828年、奉行にうったえて、あらためさせた。1842年、田畑を調査する検地がおこなわれたが、幕府役人が不当な処置をとったので、周辺の庄屋をよび集め、再検地を願いでようとした。このとき集まった多くの農民たちが、幕府役人の宿舎をおそい、一揆となった。
その後、事件をおこした農民たちがとらえられ、拷問で死亡するものも出た。

平兵衛たち主要人物は、江戸に送られた。平兵衛は裁きを受ける前に牢屋で亡くなった。

つちだばくせん

絵画

土田麦僊　1887～1936年

西洋絵画を学び新しい日本画をめざした画家

（佐渡市観光協会）

大正時代～昭和時代の日本画家。

新潟県生まれ。本名は金二。哲学者の土田杏村は弟。はじめ京都の智積院にあずけられたが、画家を志して寺をはなれ、日本画家の鈴木松年に入門した。次に1904（明治37）年、竹内栖鳳に弟子入りする。

1908年、第2回文部省美術展覧会（文展）に『罰』を出品して、入選した。翌年、京都市立絵画専門学校（現在の京都市立芸術大学）の別科に入学した。文展にはその後、『島の女』『海女』『三人の舞妓』などの問題作を発表した。ゴーガンやルノアールなどの西洋絵画や桃山芸術の影響を受けて、作品にとり入れた。

1918（大正7）年、村上華岳、小野竹喬らと新しい日本画をめざす国画制作協会を結成し、第1回展に『湯女』を発表する。1921年から1923年にかけてのヨーロッパ旅行をはさみ、1928（昭和3）年に協会が解散するまで、代表作となる『舞妓林泉』『大原女』などを発表した。

つちみかどてんのう

王族・皇族

土御門天皇　1195～1231年

後鳥羽上皇に倒幕をやめるように進言

（宮内庁三の丸尚蔵館）

鎌倉時代前期の第83代天皇（在位1198～1210年）。

後鳥羽天皇の子で、順徳天皇の異母兄にあたる。即位する前は為仁親王とよばれた。

1198年、4歳で皇太子となって即位した。穏和な性格で父である後鳥羽上皇（譲位した後鳥羽天皇）に、鎌倉幕府打倒計画をやめるよう、たびたび進言した。しかし、1210年、後鳥羽上皇の命令で弟の守成親王（順徳天皇）に譲位させられた。

1221（承久3）年の承久の乱のあと、幕府は後鳥羽上皇と順徳天皇を流罪としたが、乱にかかわらなかった土御門上皇（譲位した土御門天皇）に対する処分はなかった。

しかし上皇はみずから望んで土佐国（現在の高知県）に移り、のちに阿波国（徳島県）に移って亡くなった。和歌にすぐれ、『土御門院御百首』などをのこしている。 学 天皇系図

つちやすけじろう

郷土

土屋助次郎 1859〜1940年

初の国産ワインにとりくんだ醸造家

幕末〜明治時代の果樹栽培家、醸造家。

甲斐国祝村（現在の山梨県甲州市）に生まれた。1877（明治10）年、19歳のとき、同郷の高野正誠とともに、勝沼に設立された日本初のワイン醸造会社「大日本山梨葡萄酒会社」の伝習生にえらばれ、ブドウ栽培とワインづくりを学ぶためフランスに留学した。1年半の短期間でワイン醸造法などを習得し、1879年に帰国した。その後、地元で収穫された甲州ブドウをつかってワインづくりにとりくみ、その年の秋、約30石（1石は約180L）のワインをつくったが、当時、ワインはなじみがうすく、売れ行きはよくなかった。1886年、ワインの醸造会社を設立し、東京に販売店をひらいた。

つちやぶんめい

詩・歌・俳句

土屋文明 1890〜1990年

現実の人生をみつめる短歌

大正時代〜昭和時代の歌人。

群馬県生まれ。東京帝国大学（現在の東京大学）哲学科卒業。生家はわずかな田畑をもつだけの小農で、中学生のころから文学を志す。1909（明治42）年に上京して伊藤左千夫のもとで短歌を学び、『アララギ』の同人となった。大学卒業後、長野で女学校の教師をつとめたのち、ふたたび上京、『アララギ』の編集にたずさわる。1925（大正14）年に最初の歌集『ふゆくさ』を発表。はじめ叙情的な歌をつくったが、やがて現実の人生をみつめる写実的な「文明調」とよばれる歌風を完成させた。歌集に『往還集』『山谷集』『自流泉』などがある。『万葉集』の研究でも知られ、『万葉集私注』20巻をのこす。1986（昭和61）年文化勲章受章。 学 文化勲章受章者一覧

つついじゅんけい

戦国時代

筒井順慶 1549〜1584年

山崎の戦いでの行動が、洞ヶ峠のことわざを生んだ

戦国時代〜安土桃山時代の武将。

大和国（現在の奈良県）の守護代、筒井順昭の子として生まれる。2歳で家をつぎ、筒井城主となる。1559年、松永久秀に筒井城を追われて以来、攻防をくりかえした。1566年に出家して陽舜房順慶と称する。その後は織田信長につかえ、1577年、久秀をほろぼし、大和1国をあたえられ、1580年に郡山城を築いた。

1582年、本能寺の変で信長を暗殺した明智光秀に味方につくようさそわれるが、山崎の戦いでは城にとどまり、その後、豊臣秀吉軍につく。このとき、洞ヶ峠で兵をとどめて傍観し、有利な方へついたという伝説を生み、「日和見順慶」などといわれるが、史実とはことなる。以後は秀吉の下で大和国の領有をみとめられ、小牧・長久手の戦いなどに参加した。

つついやすたか

文学

筒井康隆 1934年〜

SF（空想科学小説）を日本に定着させる

作家、俳優。

大阪府生まれ。同志社大学卒業。はじめ会社につとめながら創作をつづける。1960年（昭和35）年、SF同人誌『NULL』を創刊し、江戸川乱歩にみとめられて創作活動に専念する。風刺とブラックユーモアのきいた作品で人気を得て、SF（空想科学小説）を日本に定着させた。1981年に『虚人たち』で泉鏡花文学賞を受賞したのを皮切りに、数々の作品で文学賞を受賞。代表作には『時をかける少女』『文学部唯野教授』『わたしのグランパ』などがある。1993（平成5）年にマスコミの用語自主規制に抗議して断筆宣言したが、3年後に主要文芸出版社が自主規制を廃止し、執筆活動を再開。2002年に紫綬褒章を受章。

つづきやこう

郷土

都築弥厚 1765〜1833年

明治用水の建設を計画した豪農

（明治用水土地改良区）

江戸時代中期〜後期の豪農。

三河国和泉村（現在の愛知県安城市）で裕福な農家に生まれ、酒造業や米の売買をいとなんだ。そのころ、矢作川の右岸に広がる碧海台地は、水の便が悪くて広い水田をひらくことができず、人々はため池や井戸の水でほそぼそと作物をつくっていた。村人たちの貧しい生活をみかねて、1808年、矢作川の上流から用水をひき、大規模な水田を開発する計画を立てた。

1822年、和算（日本独自の数学）にくわしく、測量が得意な石川喜平の協力を得て、測量をはじめ、1826年、測量を終えて、幕府に用水建設の許可を願いでた。

1833年、ようやく幕府の許可がおりたその年に病気で亡くなる。計画は中止され、ばく大な財産すべてを測量につかいはたしたため、たくさんの借金がのこされた。弥厚の意思は、明治時代になって岡本兵松と伊豫田与八郎に受けつがれ、明治用水が完成した。

つつみやすじろう

政治　産業

● 堤康次郎　1889〜1964年

西武鉄道を設立し、西武グループを築き上げた

大正時代〜昭和時代の実業家、政治家。

滋賀県生まれ。父を5歳で亡くし、進学を断念して農業をしていたが、故郷の田畑を担保に入れてお金を借り、1909（明治42）年、早稲田大学政治経済学部政治学科に入学。在学中に株でもうけ、それを元手に鉄工所を経営するなど、早くから事業経営に乗りだす。卒業後は政治評論雑誌『新日本』、造船、真珠養殖などをてがけるがいずれも行きづまり、最後の望みを不動産事業に託す。1920（大正9）年、箱根土地を創立。以来、箱根、伊豆、東京近郊で大規模開発を成功させる。駿豆鉄道、武蔵野鉄道、旧西武鉄道を手に入れ、1945（昭和20）年、これらを合併して現在の西武鉄道とした。東急の五島慶太との対立が注目を集め、伊豆地方の開発競争は箱根山の合戦とよばれた。また、1924年の初当選以降、衆議院議員も長くつとめ、1953年には衆議院議長に就任。土地開発、鉄道、流通などからなる西武グループを築き上げた堤は、群をぬいた行動力や影響力をもった実業家であった。

つねさだしんのう

王族・皇族

● 恒貞親王　825〜884年

出家して大覚寺をひらいた

平安時代前期の皇子。

淳和天皇の子。母は嵯峨天皇の娘。833年、仁明天皇が即位して、皇太子となった。842（承和9）年、嵯峨上皇（譲位した嵯峨天皇）の死後、藤原氏が政界の有力貴族である伴健岑や橘逸勢らを陰謀によって追い落とした事件（承和の変）にまきこまれ、皇太子をやめさせられた。出家し、法号を恒寂と称し、876年、創建された大覚寺（京都市右京区）の開祖となった。884年、陽成天皇の退位問題がおきたとき、太政大臣藤原基経から即位をすすめられたがことわったという。

つぶらやえいじ

映画・演劇

● 円谷英二　1901〜1970年

日本映画における特撮技術の開拓者

昭和時代の映画の特殊撮影（特撮）技術監督。

福島県生まれ。本名は英一。飛行機の操縦士にあこがれ、1916（大正5）年、日本飛行学校に第1期生として入学した。翌年、飛行機の墜落事故で学校が閉鎖されたため退学し、電機学校（現在の東京電機大学）に入学した。学費を得るため玩具会社ではたらき、さまざまな玩具を考案する。卒業と前後して、偶然に映画関係者と知り合いになったことがきっかけで、カメラマン助手として映画製作にかかわることになる。

1924年、京都に移り、映画製作会社の小笠原プロダクションに入社した。以後、松竹、日活をへて、1934（昭和9）年には東宝の前身であるJ.O.スタヂオに入社する。この間、1927年には林長二郎（のちの長谷川一夫）のデビュー作『稚児の剣法』で、はじめてカメラマンをつとめる。1937年に公開されたドイツとの合作映画『新しき土』では、別に撮った映像を背景のスクリーンにうつしながら合成撮影する、スクリーンプロセスという方法を日本ではじめて使用した。この年、東宝に移り、1940年に『燃ゆる大空』、1942年には『ハワイ・マレー沖海戦』の特撮で評価を高め、各種の賞を受賞した。しかし、第二次世界大戦後は一時、公職追放の処分を受ける。

1954年、日本初の怪獣映画『ゴジラ』で特撮を担当し、空前のヒットを記録した。この作品で、日本映画技術賞を受賞するとともに、日本映画でははじめての全米公開作品となり、大きな評価を得る。以後、さまざまな怪獣映画、SF映画がつくりだされ、海外にも紹介されていった。

1963年、円谷特技プロダクションを設立した。1966年、テレビ特撮番組『ウルトラQ』が大ヒットし、同じ年には『ウルトラマン』の放映もはじまって、怪獣ブームをまきおこした。1969年公開の『日本海大海戦』が最後の作品となった。日本映画における特撮技術の開拓者であり、第一人者として、その名は世界中に知られている。

つぼいさかえ

文学　絵本・児童

● 壺井栄　1899〜1967年

『二十四の瞳』の作者

（壺井栄記念館）

昭和時代の作家、児童文学作家。

香川県生まれ。夫は労働者の現実をうたうプロレタリア詩人の繁治。生家は瀬戸内海の小豆島でしょうゆだる職人をしていた。高等小学校を卒業後、村の郵便局などにつとめた。1925（大正14）年に上京して同郷の繁治と結婚。文学運動の弾圧でた

びたび検挙された夫をささえ、逮捕された人たちの救援活動をする。38歳のときに、夫の友人だった宮本百合子や佐多稲子らの影響を受けて、『大根の葉』で作家としてデビューした。1941（昭和16）年、創作集『暦』で新潮社文芸賞を受賞する。その後も、庶民的で人間性あふれる作品を多く書いた。

代表作『二十四の瞳』は、小豆島を舞台に女性教師と12人のこどもたちの信頼関係をえがき、多くの読者を得た。1954年に木下恵介の監督で映画化され、壺井栄ブームをよぶ。主な作品に『妻の座』『母のない子と子のない母と』、童話『柿の木のある家』『海のたましひ』『十五夜の月』などがある。

つぼうちしょうよう

文学　映画・演劇

坪内逍遙　1859〜1935年

日本の近代文学の基礎を築く

（日本近代文学館）

明治時代〜昭和時代の作家、劇作家、評論家。

美濃国（現在の岐阜県）生まれ。本名は勇蔵、のちに雄蔵。幼いころから歌舞伎に親しみ、江戸文学を読みふけった。東京大学在学中に西洋文学にふれて、1885（明治18）年、日本初の文学理論書『小説神髄』を書く。同時にこの理論を小説化した『当世書生気質』を発表し、文学を芸術として独立させることを主張、文学界に衝撃をあたえた。

その後、小説からはなれて岡倉天心らと日本演劇協会を設立し、演劇の革新に集中した。戯曲『桐一葉』は近代歴史劇の先がけとされる。1906年には文芸協会を創立し、のちの新劇運動の基礎を築いた。

1890年には、講師をしていた東京専門学校（現在の早稲田大学）に文学科を創設し、翌年には文芸誌『早稲田文学』を創刊する。

のちに、この雑誌は多くの才能ある学生を育てる舞台となった。1891年には森鷗外と、近代文学史上初の文学論争「没理想論争」を戦わせた。また、翻訳家としてシェークスピア作品を完訳するなど、文学界と演劇の改良をめざして多方面に活躍した。

学　切手の肖像になった人物一覧

つぼたじょうじ

絵本・児童

坪田譲治　1890〜1982年

こどもの心情をえがいた童話作家

大正時代〜昭和時代の小説家、児童文学作家。

岡山県生まれ。早稲田大学英文科卒業。在学中から小川未明に学び文学を志す。卒業後、早稲田大学図書館ではたらいたのち、家業の製織所（織物工場）につとめながら創作をつづける。1919（大正8）年に同人誌『地上の子』を創刊し、小説『正太の馬』などを発表する。また鈴木三重吉が主宰する雑誌『赤い鳥』に『河童の話』『善太と汽車』を発表すると、鈴木三重吉から激賞され、その後も数多くの童話を発表しつづけた。

1935（昭和10）年に山本有三の推薦で雑誌に書いた小説『お化けの世界』が評価され、作家としてみとめられた。

新聞小説『風の中の子供』では、こどもの心情を社会との関係の中でえがき、文壇での評価をかためた。主な作品に『子供の四季』、『坪田譲治全集』全8巻（日本芸術院賞受賞）などがある。1963年に童話雑誌『びわの実学校』を創刊し、多くの児童文学者を育てた。

ツルゲーネフ，イワン

文学

イワン・ツルゲーネフ　1818〜1883年

ロシア語の模範的な作品を書く

ロシアの作家。

中部ロシアのオリョール市生まれ。トゥルゲーネフとも書く。退役軍人の父と女地主の母の下、きびしく育てられた。1827年、一家でモスクワへ移る。15歳でモスクワ大学に入学する。その後、ペテルブルク大学、ドイツのベルリン大学で学び、主にパリ、ローマ、ロンドンなどでくらした。

若い進歩的な知識人たちと交流し、文化的な刺激を受ける。1847〜1852年に書いた短編小説集『猟人日記』で一躍有名になる。その後、小説『ルージン』『父と子』『けむり』『処女地』、詩集『散文詩』、戯曲『村のひと月』などを発表する。生涯独身を通し、晩年はパリですごした。

作品は詩人らしい繊細な描写でつづられていて、その美しい表現はロシア語の模範といわれた。西ヨーロッパの進歩的な考えを反映させながら、ほとんどの小説は舞台をロシアにおき、つねに祖国を気にかけていた。

つるみしゅんすけ

思想・哲学

鶴見俊輔　1922〜2015年

プラグマティズムを紹介したリベラル派哲学者

昭和時代〜平成時代の哲学者、評論家。

東京都生まれ。父は政治家の鶴見祐輔。第二次世界大戦中の1942（昭和17）年、アメリカ合衆国のハーバード大学哲学科へ留学中、アナキスト（無政府主義者）のうたがいで逮捕されるが、捕虜交換船で帰国した。1946年、師の都留重人らと雑誌『思想の科学』を創刊、プラグマティズム（実用主義）を中心に、アメリカの哲学を日本に紹介した。1949年、京都大学助教授、1954年に東京工業大学助教授となるが、1960年、日米安全保障条約決議に反対して辞職。翌年から同志社大学の教授をつとめ、その後、評論家として活躍する。

1965年、「ベ平連」（ベトナムに平和を!市民連合）を設立し、反戦活動を展開。また、人々の日常生活や生活感覚を重視し、映画、漫画、漫才などの大衆文化を研究。その業績で1994（平成6）年、朝日賞を受賞した。2004年、平和憲法の改正に反対する「九条の会」設立のよびかけ人となる。『戦時期日本の精神史』（大佛次郎賞）のほか、著作は100点以上。

つるやなんぼく

伝統芸能

鶴屋南北　1755〜1829年

『東海道四谷怪談』の作者の4世

▲市村座でそでから舞台をのぞく南北（右）

（早稲田大学演劇博物館所蔵 002-0995）

江戸時代後期の歌舞伎作家。

代々受けつがれる歌舞伎俳優、作家の名で、屋号は鶴屋。とくに4世が有名。4世は、江戸（現在の東京）の紺屋（染物屋）の型付け職人の子として生まれる。幼少のころから芝居に親しみ、23歳のころ、売れっ子作家の桜田治助の門人となる。桜田兵蔵を名のるが、なかなか芽が出ず、下積みの時代が長くつづいた。1804年、河原崎座の座頭の初世尾上松助のために書いた『天竺徳兵衛韓噺』が、水中早がわりなどの演出で評判をよび、世間の評価を得た。1811年には、妻の父の名跡をついで鶴屋南北（4世）を名のり、江戸を代表する歌舞伎作家になった。怪談物にすぐれ、代表作に1825年に書きおろした『東海道四谷怪談』がある。これは、赤穂浪士のあだ討ちをえがいた『忠臣蔵』の世界に現実の怪談話をからめた芝居で、当時人気の3世尾上菊五郎や7世市川団十郎が演じて、連日大入りの大盛況となった。

自分の葬式のための台本を書きのこしたことでも有名。南北自身の演出でとりおこなわれた葬儀には、歌舞伎役者はもちろん、おおぜいのファンがつめかけたという。

5世（1796〜1852年）は歌舞伎作者の河竹黙阿弥を育てたことで知られる。

ツンベルグ，カール

学問

カール・ツンベルグ　1743〜1828年

日本の医学や植物学を発展させた

江戸時代後期に来日した、スウェーデンの医者、博物学者。

スウェーデン南部の都市に生まれる。北欧最古の大学ウプサラ大学で世界的な植物学者のリンネに師事した。1771年、オランダ東インド会社の船に乗り、喜望峰、バタビア（現在のジャカルタ）をへて、1775年、長崎の出島のオランダ商館に医者として来日した。1776年まで滞在し、オランダ商館長にしたがって江戸（東京）に参府し、江戸幕府第10代将軍徳川家治と対面した。江戸の蘭学者、桂川甫周や中川淳庵らと交流し影響をあたえ、箱根などで植物標本を収集した。1779年に帰国し、翌年、ウプサラ大学の教授になった。著書に日本での調査結果をまとめた『日本植物誌』や『ツンベルグ日本紀行』がある。ドイツのケンペル、シーボルトとともに出島の三学者といわれる。

て

Biographical Dictionary 3

デ・アミーチス，エドモンド

絵本・児童

エドモンド・デ・アミーチス　1846〜1908年

児童文学の古典的名作『クオレ』の作者

イタリアの作家、児童文学作家。

北西部オネーリア生まれ。士官学校に入り、イタリアの統一を求めた1866年の戦争では軍人として、オーストリア軍と戦った。1868年に軍隊での体験をもとに『軍隊生活』を出版する。

1886年に、児童文学の古典的名作とされる『クオレ』を発表する。物語では、一人の少年の日記という形式で、道徳心や愛をうたい、独立時代の世相を反映して愛国心や少年兵士を賛美する話などもある。日本では、その中の1話が『母をたずねて三千里』という名前で紹介された。このほか、小説『海上にて』や旅行記『ロンドンの思い出』、評論などがある。

ディアス，バルトロメウ

探検・開拓

バルトロメウ・ディアス　1450?〜1500年

アフリカの最南端に初到達したヨーロッパ人

ポルトガルの航海者。

祖父も父も、ポルトガルの海外進出を進めたエンリケ航海王子につかえた航海者だった。海外進出政策を継承した国王ジョアン2世により、アジアへの交易路を確立するためのアフリカ周航の隊長に任命された。1487年8月に出港、アフリカ西海岸を南へくだる。嵐にあって漂流後に北上すると、陸地が西側にあらわれ、気づかないうちにアフリカ最南端を東へまわっていた。付近を探索後の帰路である1488年にアフリカ最南端を発見。風や波の高さから「嵐岬」と名づけ、12月、リスボンに帰港した。アフリカ最南端は、その成果によろこんだ国王によって「喜望峰」と改名された。喜望峰の発見は、アフリカの南端を通ってインドへ到達する航路をひらくきっかけとなった。1497年、バスコ・ダ・ガマのインド航海では、案内人としてアフリカ大陸最西端のベルデ岬まで同行。1500年のカブラルの探検隊にも参加し、ブラジル発見に立ち会うが、暴風雨により喜望峰近くで海難死した。

ディアス，ポルフィリオ

政治

ポルフィリオ・ディアス　1830〜1915年

メキシコを近代化した独裁者

メキシコの軍人、政治家。大統領（在任1877〜1880年、1884〜1911年）。

南部のオアハカ州に生まれる。先住民と白人との混血であるメスティーソの出身。科学芸術学院でフアレスに学び、成人後は自由党軍の軍人として、レフォルマ戦争、フランス干渉戦争に加わり、すぐれた手腕を発揮した。その功績がみとめられ、将軍に昇進すると国民的英雄になる。フアレスが不正な手段で大統領に長くとどまったことに反発して反乱をおこすが、失敗に終わった。

1872年、フアレス急死のあと、最高裁判所長官から大統領に昇任したテハーダが再選をくわだてたため、1876年にふたたび反乱をおこし、選挙を実施して正式に大統領となった。その後、自身も大統領を8期つとめ、長期独裁をしいた。政治と財政の安定によって、鉄道、鉱山、製造業などの部門が急成長したが、一方で社会的格差が広がり緊張が高まった。独裁政治が長期化し、後継者が育たないまま自身が高齢となり、1911年のマデーロがおこした革命で辞任。亡命先のパリで亡くなった。

ディーゼル，ルドルフ

発明・発見

ルドルフ・ディーゼル　1858〜1913年

ディーゼルエンジンの発明者

19世紀のドイツの機械技術者、発明家。

パリ生まれ。両親はドイツのバイエルンからの移民。普仏戦争勃発により、フランスから退去させられてロンドンに移住するが、ドイツの親戚のもとに移って職業訓練学校に入った。優秀な成績をおさめて工業学校に進学し、奨学金を受けてミュンヘン工科大学へ入学。1880年に卒業するとパリにもどり、大学時代の恩師であり、その後、製氷機会社を設立したリンデのもとではたらいた。数々の特許をフランスとドイツで取得し、1890年にはベルリンに移ってリンデの会社の研究開発部門の責任者となった。熱効率の研究から、アンモニアガスによる蒸気機関や混合気による内燃機関を開発し、1893年に発表した論文の中でディーゼルエンジンの基盤を提案した。軽油や重油など燃料が安価であることや効率の高さから、ディーゼルエンジンは機関車や船、のちに自動車などに世界中で使用されるようになる。だが、ディーゼルはロンドンへの船旅の途中で失踪し、のちに海で遺体がみつかった。

ディーン，ジェームス
映画・演劇

ジェームス・ディーン　1931〜1955年

永遠の青春スターといわれる俳優

アメリカ合衆国の俳優。

インディアナ州マリオン生まれ。中学の学生演劇に参加して、演技に興味をもつ。父のすすめでカリフォルニア大学法科に入るが、俳優になりたくて演劇科に移る。その後、ニューヨークの有名な演劇学校、アクターズ・スタジオで学んだ。

1955年、映画『エデンの東』での演技が評価される。つづく『理由なき反抗』で主人公のジムを演じ、人気スターとなった。1956年に出演した『ジャイアンツ』の公開前に、愛車のポルシェを運転中、交通事故で即死する。24歳だった。

若者がいだく孤独や屈折した思いをみごとに表現し、「永遠の青春スター」として、いまもなお語りつがれている。

ティエール，アドルフ
政治

アドルフ・ティエール　1797〜1877年

フランス第三共和政の初代大統領

フランスの政治家、首相。大統領（在任1871〜1873年）、歴史家。

マルセイユ生まれ。1830年にシャルル10世の王政復古を批判する新聞『ナシオナル』を発行。帝政には反対の立場で立憲君主制をとなえ、ルイ=フィリップを支持して七月革命を指導。七月王政が成立すると内務大臣、首相などをつとめた。1848年の二月革命で第二共和政になると、ルイ・ナポレオン（のちのナポレオン3世）を支持するがまもなく対立、国外に追放される。1852年、ナポレオン3世が皇帝となり第二帝政がはじまると、ゆるされて帰国。政界を引退して歴史研究に専念した。しかしナポレオン3世の退位で第二帝政が終わると、1871年、臨時政府の行政長官として復帰した。同年3月、パリ・コミューンが反乱をおこすと、これを徹底的に弾圧。第三共和政の初代大統領となったが、王党派により、辞職に追いこまれた。

学 主な国・地域の大統領・首相一覧

ディオール，クリスチャン
デザイン

クリスチャン・ディオール　1905〜1957年

女性らしいデザインが特徴のデザイナー

フランスの服飾デザイナー。

ノルマンディーに生まれ、5歳から家族とパリでくらす。デッサン画をかくのが好きだったが、実業家の父の望みで外交官になるための学校に行く。卒業後、父の出資で画廊をひらいて成功する。1931年、父が破産し、画廊をとじた。

得意なデッサン画をかいて生活するうち、服飾デザイナーのアシスタントの職を得る。1946年に独立して「ニュールック」というコレクションを発表すると、世界で大ブームとなった。翌年には香水も発表し、大成功をおさめた。

Aライン、Hラインなど、女性らしいシルエットを追求し、現在もブランドは「エレガンスの代名詞」と称される。

ディオクレティアヌスてい
王族・皇族　古代

ディオクレティアヌス帝　?〜311?年

帝国の安定をはかった専制皇帝

ローマ帝国の皇帝（在位284〜305年）。

ローマの属州ダルマティア（現在のクロアチア）の下層農民の家に生まれる。兵士として出世し、先帝の死後、軍に支持されて皇帝となった。まず、将軍マクシミアヌスを共同皇帝としてローマ帝国の西方を統治させ、自身はニコメディア（トルコのイズミット）を拠点として、東方をおさめた。293年には、東西それぞれに副帝を任命し、4人の皇帝によるテトラルキア（四分割統治）を導入。また官僚制を整備し、皇帝が国民を階層的に支配する専制君主政（ドミナートゥス）を開始した。さらに、徴税を強化し、物価を統制するなど、さまざまな経済政策もおこなって政治手腕を発揮し、帝国の安定をはかった。一方で303年には、皇帝崇拝を強要するために、キリスト教徒の迫害を命じた。聖職者を逮捕し、教会を破壊して、財産を没収。そして数千人のキリスト教徒を処刑し、最大級の迫害をおこなった。

ていげん

鄭玄 → 鄭玄

ディケンズ，チャールズ
文学

チャールズ・ディケンズ　1812〜1870年

『クリスマス・キャロル』の作者

イギリスの作家、ジャーナリスト。

イングランド南部ポーツマス近郊の生まれ。父は海軍につとめ、2歳のとき一家でロンドンに移る。貧しく小学校を途中でやめて、12歳から工場ではたらいた。さまざまな仕事を経験しながら努力を重ね、19歳で議会の報道記者になる。

仕事のかたわら小説を書き、1836年には、それまで書きためた作品を短編集『ボズのスケッチ集』として出版し、作家としてデビューする。それ以後、孤児を主人公とした長編小説『オリバー・ツイスト』や自伝的小説『デビッド・カッパーフィールド』など発表した。

みずからの下積み時代を反映させて、庶民の暮らしをそのままえがくのが特徴。イギリス社会にひそむ悪や矛盾を、ユーモアをまじえてするどく批判し、多くの人々の共感を得た。代表作は『クリスマス・キャロル』『二都物語』『大いなる遺産』など。作家のトルストイやカフカなどにも愛され、シェークスピアとともに、ビクトリア朝のイギリス文学を代表する作家の一人。

ていじゅんそく

教育　郷土

程順則　1663～1735年

琉球の教育につくした政治家

江戸時代前期～中期の政治家。

琉球王国久米村（現在の沖縄県那覇市）に琉球王国の役人の子として生まれた。1683年から、数回にわたって中国の明に留学し、朱子学などを学んだ。

帰国後、琉球国王に教育の必要をうったえ、1714年、琉球で最初の教育機関、明倫堂を設立した。帰国するとき、明の皇帝が庶民にあたえた道徳書『六諭衍義』をもち帰った。この書は8代将軍徳川吉宗に献上されたのち、日本語に訳され、日本各地の寺子屋の教科書として使用された。18世紀はじめに江戸（東京）で、幕府の重臣新井白石と会見したが、白石が琉球の地理、歴史、風俗、物産などをしるした著書『南島志』には、そのときの会談の影響がみられる。

ていしりゅう

政治

鄭芝竜　1604～1661年

清に抵抗した息子と戦った父

中国、明末期～清初期の貿易商、武将。

福建省泉州に生まれる。1621年、17歳のときに母方のおじの船で日本にわたり、肥前国平戸（現在の長崎県平戸市）で貿易商をしていた李旦の下ではたらき、信任を得た。

彼が亡くなったあと、資産のほとんどと多くの船団をひきつぎ、東南アジアや中国方面へ貿易船を送り、幅広く交易をしていた。また、平戸藩士の田川氏の娘と結婚し、男子（のちの鄭成功）をもうけた。

1628年に明からまねかれ、中国の沿岸を警備する海防を命じられ、東シナ海を支配する権利を手に入れた。1631年に中国南部の福州の都督（長官）となり、明がほろんだあとは、明の復興をめざす皇族を唐王として擁立したが、1646年に福州が落ちると清に降伏した。その後、清に抵抗する鄭成功を清にひきいれようとするが失敗し、敵に通じたとして1661年に処刑された。

ディズニー，ウォルト

ウォルト・ディズニー　1901～1966年

世界初のカラー長編アニメーション映画の製作者

アメリカ合衆国の映画製作者、企業家。

シカゴに生まれる。中部のミズーリ州の農園で育ち、幼少のころから漫画をかくのが好きだった。1923年、兄のロイとハリウッドに出て、アニメーション映画をつくる会社を立ち上げ、1928年、ミッキー・マウスを登場させた『蒸気船ウィリー号』を製作した。絵の動きや音楽、効果音をたくみにつかった世界初のトーキー（音声の出る）アニメーション映画で、大評判となった。その後もドナルド・ダックやイヌのプルートなどが登場する作品を、次々に世にだした。

1932年、世界初の三原色カラーのアニメーション映画『花と木』で、アカデミー短編漫画賞を受賞した。その後何年にもわたって、アニメーション部門の各賞を独占した。このころから、スタジオ内に絵をかくアニメーターの養成学校を設立し、若手の技術者を育てはじめる。1937年、奥行きと立体感のある画面をつくれるマルチプレーン（多層）カメラを開発し、世界初のカラー長編アニメーション映画『白雪姫』を完成した。それまでのアニメーションは7分程度だったが、一気に80分の長編となり、しかも美しい映像のファンタジー作品で多くのファンを獲得した。

その後、世界初のステレオサウンドによる長編アニメーション『ファンタジア』（1940年）をはじめ、『ピノキオ』（1940年）、『ダンボ』（1941年）、『バンビ』（1942年）など、長編アニメーション映画の新時代を切りひらいた。第二次世界大戦後は、『砂漠は生きている』（1953年）などの記録映画、『メリー・ポピンズ』（1964年）などの劇映画を製作し、作品のジャンルを広げた。

1955年、「おとなもこどももいっしょに楽しめて、人々が幸福と知識を見いだせる場所」をめざした大規模な遊園地、ディズニーランドをロサンゼルス郊外に開園した。人々にすばらしい夢の世界をあたえているが、1966年に65歳で亡くなった。

その遺志をついで、1971年、アメリカのフロリダ州にディズニー・ワールドが開園した。また海外にも進出し、1983（昭和58）年には千葉県浦安市に東京ディズニーランド、1992年にフランスのパリにユーロ・ディズニーランド、2001（平成13）年に東京ディズニーシー、2005年に香港ディズニーランド、2016年に上海ディズニーランドが開園した。

ディズレーリ，ベンジャミン

政治

ベンジャミン・ディズレーリ　1804～1881年

イギリスを帝国主義政策にみちびく

イギリスの著作家、政治家。首相（在任1868年、1874～1880年）。

作家アイザック・ディズレーリの長男で、ロンドン生まれ。歴史小説、心理小説などを著した。1837年に下院議員となり、トーリー党で青年イギリス派を組織。政治小説の形でトーリー民主主義を主張した。財務大臣をつとめ、保守党ながら自由党の主張する選挙権拡大を積極的にとなえ、1867年、第2回選挙法改正を実現させる。1868年に首相となるがアイルランド問題で辞職、1874年にふたたび首相となると、翌年、スエズ運河を買収、1877年にはビクトリア女王をインド帝国皇帝とし、インド支配を強化するなど、帝国主義政策をおし進めた。1878年のベルリン会議では、ロシア南下政策をくい止める。同時期、自由党グラッドストンと交互に政権につき、二大政党制を展開した。

ていせいこう

政治

鄭成功　1624～1662年

明の復興につくした

中国、明末期～清初期の武将。

日本の肥前国平戸（現在の長崎県平戸市）に生まれる。父は鄭芝竜、母は田川氏の娘。幼名は福松。1630年、7歳のときに中国にわたり、南京で学ぶ。1644年、明がほろびると、その復興のため父たちに擁立された唐王にしたがった。明の皇帝の姓「朱」をたまわるが、おそれおおいとして鄭成功と名のった。福州が清にほろぼされ、父が降伏したのちも、清への抵抗をつづけた。清は父を通じて、臣従を求めてきたが拒否。厦門・金門島を拠点として中国沿岸部から、さらに日本、ベトナム、タイ、ルソン（現在のフィリピン）と貿易をおこない、勢力を拡大した。日本にも援軍を求めたが受け入れられず、1658年、南京の清軍を攻撃した。その後、台湾を攻めて、オランダ人を追いはらい、ここを拠点にルソン島を攻めようとするが、1662年、病気で亡くなった。中国や台湾では民族の英雄としてたたえられ、日本では近松門左衛門の人形浄瑠璃『国性爺合戦』で演じられ、人気を博した。

ティツィアーノ・ベチェリオ

絵画

ティツィアーノ・ベチェリオ　1490？～1576年

ルネサンス期最大の画家の一人

イタリアの画家。

アルプスのふもとに生まれる。9歳のときベネツィア派の画家ツッカートに絵を習いはじめ、ベネツィア派の画家ベッリーニのアトリエに移り、次に画家ジョルジョーネに接近する。1516年からベネツィア共和国の公認画家となり、聖堂の祭壇画などをまかされた。豊かな色彩と多彩な画法をつかった肖像画、神話画、宗教画など、長い生涯で多くの作品をのこした。とくに、女性の肖像や裸体を輝くような色で美しく表現し、のちのルーベンス、ベラスケス、レンブラントらに大きな影響をあたえた。

代表作に、『聖母被昇天』『キリストの埋葬』などの宗教画、またローマ神話や叙情詩を題材にした『田園の奏楽』『バッカスとアリアドネ』『聖愛と俗愛』などがある。明るい色彩を特徴とするベネツィア派を代表する画家で、ジョルジョーネとともにルネサンス期最大の画家といわれる。

ティトー

ティトー → チトー

ディドロ，ドニ

思想・哲学

ドニ・ディドロ　1713～1784年

『百科全書』編さんの中心人物

フランスの哲学者、編集者、作家、啓蒙思想家。

シャンパーニュ地方ラングル生まれ。15歳でパリに出て、やがてパリ大学で学ぶ。その後、家庭教師などをしながら、英語や数学、文学、哲学など、さまざまな分野の学問に熱中した。1746年ごろから、親友の数学者ダランベールと百科事典の編さんに着手。1751年に第1巻を刊行、1772年に完成されたこの『百科全書』は、本文17巻、図版11巻の計28巻からなり、ボルテールやモンテスキュー、ルソーなどの啓蒙思想家たちが執筆を分担した。

ディドロは政治的圧迫にめげず、『百科全書』を通じ、キリスト教や専制政治などの古い考え方に反対する、自由主義や個人主義などの思想を広めた。小説に『盲人書簡』『ラモーの甥』などがある。

デイビス，マイルス

音楽

マイルス・デイビス　1926～1991年

ジャズの帝王とよばれるトランペット奏者

アメリカ合衆国のジャズトランペット奏者、作曲家。

イリノイ州生まれ。裕福な歯科医の父と音楽教師の母のもとで育ち、13歳でトランペットを習いはじめる。1944年、セントルイスで聴いたジャズ、ビバップの生演奏に刺激され、ニューヨークのジュリアード音楽院で本格的にクラシック音楽を学ぶ。

1945年に、アルトサックス奏者のチャーリー・パーカーと共演して注目される。1948年には9人でバンドを結成し、アルバム『クールの誕生』を発表して、クール（感情をおさえた）ジャズという新しいジャンルを打ち立てた。

1959年、アルバム『カインド・オブ・ブルー』で、独自のアドリブ（即興）演奏を披露し、1969年にはエレキギターなどを編成に加えた『ビッチェズ・ブリュー』をヒットさせた。コルトレーン、エバンスらとの共演も多い。長年にわたりモダンジャズ界をリードして「モダンジャズ界の帝王」とよばれる。

ティファニー，チャールズ・ルイス

デザイン

チャールズ・ルイス・ティファニー　1812〜1902年

世界に知られる宝石商

アメリカ合衆国の装飾品業者。ティファニーの創業者。

コネティカット州で、繊維業をいとなむ裕福な家に生まれた。25歳のとき、父親に1000ドルを借りて、友人とニューヨークに出ると、2人で文房具と小物の店をひらいた。10年ほどで、店は宝石や銀器を制作販売するまでに成長し、1851年にはパリに支店をだす。国内で南北戦争がはじまると、刀剣や勲章などもいち早くてがけた。ビジネスのアイディアに富み、世界ではじめてカタログ販売をおこなったことで知られる。ダイヤモンドを6本のつめで指輪にとめる技術「ティファニー・セッティング」も開発した。これは現在も指輪の定番デザインの一つになっている。

ティムール

王族・皇族

ティムール　1336〜1405年

ティムール朝の建国者

ティムール朝の建国者（在位1370〜1405年）。

西チャガタイ・ハン国の小貴族の家に生まれる。チンギス・ハンの次男チャガタイを祖とするチャガタイ・ハン国は、14世紀なかばに東西に分裂していた。はじめ盗賊団の首領として活動していたティムールは、しだいに天才的な軍事的才能を発揮。国の政治的混乱に乗じて、1370年にティムール朝を建国した。中央アジアの支配権をにぎり、周辺諸国に遠征をおこなった。1402年にはアンカラの戦いでオスマン帝国軍をやぶり、中央アジアから西アジアにかけて、かつてのモンゴル帝国の半分に匹敵する広大な領土を築いた。チンギス・ハンの後継者を名のり、モンゴル帝国の再建を夢みて中国の明に遠征したが、その途中で亡くなった。勇猛で、容赦のない虐殺と破壊をおこなったが、熱心なイスラム教徒であった。建設事業も積極的におこない、チンギス・ハンの征服を受けて廃墟となっていたサマルカンドを帝国の首都として、モスク（イスラム教の礼拝所）や学校などを建設し、商業と学芸の中心として栄えさせた。

学 世界の主な王朝と王・皇帝

ディラン，ボブ

文学　音楽

ボブ・ディラン　1941年〜

フォークソングに新しい風をおこす

アメリカ合衆国の歌手、作詞作曲家。

ミネソタ州生まれ。本名はアレン・ロバート・ジンマーマン。ミネソタ大学中退。ユダヤ系移民の家庭に育ち、高校時代にバンドを組んで、演奏活動をはじめる。大学在学中に、フォークソング歌手の影響を受け、退学してニューヨークのカフェでフォークソングを歌う生活をはじめる。1962年に、アルバム『ボブ・ディラン』でレコードデビューをはたし、1963年に発表したアルバムの中の1曲、『風に吹かれて』が大ヒットした。

当時、黒人の公民権運動やベトナム戦争が社会問題となっていたアメリカで、反戦、平和、平等を強く主張する楽曲を歌い、多くの若者から支持された。その後、フォークからはげしいロックへと表現が広がる。その変化は、フォークソングの愛好家からは批判的にとらえられたが、一方、ロック音楽を刺激して、新たなファンを味方につけ、ビートルズとならぶ影響力をもつ。1960年代の日本のポピュラー音楽にも影響をあたえている。1969年より9度のグラミー賞に輝く。2016年、ノーベル文学賞受賞。

学 ノーベル賞受賞者一覧

ていわ

政治　探検・開拓

鄭和　1371?〜1434?年

7回もの大航海にくりだした

▲鄭和が航海をおこなった明代の世界地図

中国、明初期の武将、宦官、地理学者。

雲南省昆陽（現在の昆明市晋寧県）出身のイスラム教徒。永楽帝と宣徳帝につかえ、両帝の命令で海外貿易を進めるため、1405年から29年間にわたり、7回の南海遠征をおこなった。全長約150mの大型船約60隻という大船隊をひきいての遠征は、「鄭和の西洋くだり」とよばれ、後世に知られる。遠征地はベトナム、タイ、ジャワ、マラッカ、セイロン、インドなど30か国以上にのぼり、別働隊はアフリカ東岸から紅海沿岸まで達するなど、世界史上にも例のない大規模な航海事業だった。この結果、遠征地諸国との朝貢貿易が活発になり、中国の東南アジア諸国への知識も深まって、華僑進出のきっかけとなった。大航海の記録は現在にのこされ、この時代の東南アジアの貴重な資料となっている。ヨーロッパの大航海時代よりも約70年早い大航海であり、高く評価されるが、航海にかかるばく大な費用などのため、鄭和の死後、航海はおこなわれなかった。

ティンゲリー，ジャン

彫刻

ジャン・ティンゲリー　1925〜1991年

動く作品を多く制作した造形作家

スイスの造形作家、美術家。

フリブールに生まれ、まもなくバーゼルに移る。こどものころから機械的な工作物に関心があった。1941 ～ 1945 年、バーゼルの美術学校に学ぶ。1952 年には、パリに出て制作活動をおこなった。最初は抽象画をかいていたが、やがて針金のような金属を組み合わせた彫刻や立体作品をつくりはじめる。1954 年にはギャラリーで個展をひらいた。

中古の車輪のようながらくたを集め、モーターをつかって動く作品や、動くようにみせる作品（キネティック･アート）を多くつくった。こうした動く作品は、当時の人々に強い印象をあたえ、クラインを中心とするヌーボーレアリスム（新現実主義）のメンバーとなった。1960 年に、ニューヨーク近代美術館の庭に自壊機械『ニューヨーク讃歌』をつくり、話題を集める。死後、1996 年に、作品をおさめたティンゲリー美術館がスイスのバーゼルに開館した。

テウォングン

大院君 → 大院君

デービス，ジェファーソン

政 治

ジェファーソン・デービス　1808～1889年

南部州の独立国、アメリカ連合国の大統領

アメリカ連合国の大統領（在任 1861 ～ 1865 年）。

ケンタッキー州生まれ。陸軍士官学校を卒業後、軍人となり、1846 年のメキシコ戦争に従軍した。その後、ミシシッピ州で大農場を経営。1847 年、下院議員をへて上院議員となり、ピアース大統領の下で陸軍長官をつとめた。1857 年、ふたたび上院議員となると民主党に所属。奴隷制度を守るため北部の勢力とあらそった。

1860 年の大統領選挙において、奴隷制度拡大反対をかかげたリンカンが当選したことから、デービスが属するミシシッピ州をはじめとした南部の州が連邦からはなれ、翌年、アメリカ連合国を結成。大統領にえらばれた。南北戦争を指導したが敗北し、逮捕、投獄された。しかし、裁判にはかけられず、のちに釈放された。

テーラー，エリザベス

映画･演劇

エリザベス・テーラー　1932～2011年

ハリウッド黄金時代を代表する女優

アメリカ合衆国の女優。

イギリス、ロンドンの美術商の家に生まれる。1939 年、家族でアメリカのビバリーヒルズに移った。

女優をしていた母親が望んだことから、1942 年に子役で映画デビューする。映画配給会社 MGM と契約し、スタジオ内の学校にかよいながら、映画に出演する。『緑園の天使』が大ヒットして、12 歳で一気にスターの座についた。1950 年代は高い演技力を求められる作品に次々に主演し、1961 年『バタフィールド 8』でアカデミー賞主演女優賞を獲得した。1980 年代はブロードウェーの舞台女優としても成功をおさめる。友人の俳優、ロック・ハドソンがエイズで亡くなってからはエイズ撲滅運動に力を入れ、研究財団などを設立した。

ハリウッドの黄金時代を代表する女優で、紫色と表現される神秘的な瞳と強烈な個性で、多くのファンを魅了した。恋多き女性としても有名で、8 回の結婚経験があった。

テオドシウスてい

王族･皇族　古 代

テオドシウス帝　347～395年

ローマ帝国の分裂が決定的になったときの最後の皇帝

ローマ帝国の皇帝（在位 379 ～ 395 年）。

上級将校の子としてスペインに生まれ、374 年、軍司令官になる。378 年に、西ゴート族との戦い（アドリアノープルの戦い）でビザンツ帝国（東ローマ帝国）の皇帝が死ぬと、西ローマ帝国の皇帝からその後継者に任命され、翌年、即位した。即位後は、西ゴート族対策に乗りだしたが、帝国領内から追いだすことはできず、トラキア（バルカン半島の南東部）への移住と自治をみとめる同盟をむすぶ。一方、西ローマ帝国は、反乱によって皇帝が殺されるなど大きく混乱しており、テオドシウスはこれを制圧して、394 年、唯一の皇帝となり、東西ローマを統一した。

またキリスト教の国教化につとめ、381 年、アタナシウス派の「三位一体説」（神とイエス・キリストと精霊は一体であるという説）をキリスト教の正統とし、392 年にはそれ以外の宗教を禁止した。亡くなるとき、帝国を 2 人の息子に分けあたえ、ローマはふたたび東西に分裂した。

テオドラ

王族･皇族

テオドラ　500?～548年

ユスティニアヌス帝をささえた強い妻

ビザンツ帝国のユスティニアヌス帝のきさき。

首都コンスタンティノープル（現在のトルコのイスタンブール）で生まれる。父はサーカスの動物の調教師で、踊り子としてくら

していた。初代皇帝ユスティヌスのおい、ユスティニアヌスと知り合い、彼に見そめられ、貴族の身分となり、525年に結婚。その2年後、夫が皇帝になると、皇妃として積極的に国政にかかわった。532年、市民が皇帝に対しておこしたニカの乱の際には、逃亡を計画する夫にむかって、「逃亡するよりも帝衣のまま死んだほうがましだ」とはげました。皇帝はテオドラの強い態度で勇気をとりもどし、反乱をおさめたという。人事や外交面でも、すぐれた手腕を発揮し、夫の政治をささえた。

テオドリックだいおう

王族・皇族

テオドリック大王　455?～526年

イタリアで東ゴート王国を建国

東ゴート王国の初代国王（在位471～526年）。

東ゴート族の王家の出身。8歳から約10年間、ビザンツ帝国（東ローマ帝国）の人質として、コンスタンティノープル（現在のトルコのイスタンブール）の宮廷ですごした。成人すると父のあとをつぎ、東ゴート族の長として、ビザンツ帝国につかえた。488年、皇帝ゼノンの命令を受け、イタリア王オドアケルをしりぞけるために、イタリアへ進軍する。493年、オドアケルを降服させると、東ゴート王国をつくり、イタリア全土を支配した。王になったあともビザンツ帝国に忠義をつくし、軍隊は東ゴート族のみを登用したが、行政ではローマ人もつかい、ローマ的な統治を継承した。しかし、宗教はアリウス派キリスト教を信仰し、「三位一体説」（神とイエス・キリストと精霊は一体であるという説）をとるローマ教会と対立した。

デカルト，ルネ

思想・哲学

ルネ・デカルト　1596～1650年

「われ思う、ゆえにわれあり」と説いた、近代哲学の父

フランスの哲学者、数学者。

中西部のトゥレーヌ地方の高等法院貴族の家に生まれる。イエズス会の学校を卒業後、ポワティエ大学で学ぶ。1618年、オランダで軍隊に入り、三十年戦争のためにドイツへ行き、除隊後はヨーロッパ各地をまわる。パリでの研究生活後、1628年からオランダへ移住。1637年に『方法序説』、1641年に『省察録』を刊行したのをはじめ、さまざまな分野の研究と著作をおこなった。ストックホルムにて53歳で死去。

キリスト教の影響を大きく受けたスコラ哲学を批判、物事を認識するのは人の理性のはたらきであるとして、哲学を神学から自立させたことにより、「近代哲学の父」といわれる。確実な知識を得るにはすべての先入観や知識をうたがう必要があり、最後に確実にのこるものはうたがっている自分の存在だとして（「われ思う、ゆえにわれあり」）、精神は自然科学の対象にならないという物心二元論を確立した。数学では、解析幾何学の創始者で、慣性の法則、屈折の法則の発見者でもある。

学 日本と世界の名言

デ・クーニング，ウィレム

絵画

ウィレム・デ・クーニング　1904～1997年

アメリカの抽象表現主義の代表的な画家

オランダ出身の画家。彫刻家。ロッテルダム生まれ。1916年、12歳のとき装飾会社で修業をはじめる。22歳でアメリカ合衆国にわたり、ニューヨークで商業美術の仕事についた。

1936年ころから画家として独立した。『女』シリーズをかきはじめ、現代女性の苦悩に満ちた姿を、カンディンスキーに影響を受けた抽象画の手法で表現し、注目をあびた。

1955年より、アメリカの都市を題材とした抽象的な風景画の連作をてがける。1961年にアメリカの市民権を取得し、1963年、ニューヨーク郊外のイーストハンプトンに移り住む。彫刻家ムーアのすすめで彫刻もはじめ、人物が溶解するような形の作品をつくった。その中の一つ『足を組む人物』が箱根・彫刻の森美術館に収蔵されている。そのほか絵画の作品には、『発掘』『マリリン・モンロー』などがある。アメリカの抽象表現主義を代表する作家である。

でぐちおにさぶろう

宗教

出口王仁三郎　1871～1948年

新宗教「大本教」の教祖の一人

明治時代～昭和時代の宗教家。

京都府に小作農家の子として生まれる。本名は上田喜三郎。小学校の代用教員や牧夫、牛乳販売など数々の職業を経験。父の死やけんかで負傷したことなどから山にこもって修行の体験をし、稲荷講社で霊学や神がかりの行法を学んだ。1899（明治32）年、大本教の開祖、出口なおと出会い、金明霊学会を組織した。翌年、なおの娘と結婚。婿入りし、王仁三郎と改名した。金明霊学会は、のちに「皇道大本」とあらためられた。英文学者、浅野和三郎が入信して機関紙『神霊界』の編集長になると、日本の知識階層に衝撃をあたえた。なおがお

こなう終末観的な予言を発表し、第一次世界大戦前後の社会不安を背景に多くの信者を集めた。

しかし、国家神道と反する教義は、危険勢力として政府に弾圧され、王仁三郎は不敬罪などで2度検挙された。第二次世界大戦後は無罪となり教団の再建に力をつくすが、まもなく病で亡くなる。海外進出もはかるなど彼の思想と布教方法は、戦後の新興宗教に大きな影響をあたえた。

デクラーク，フレデリック・ウィレム

政治

フレデリック・ウィレム・デクラーク　1936年〜

アパルトヘイト政策を撤廃した政治家

南アフリカ共和国の政治家。大統領（在任1989〜1994年）。

政治家の子として、ヨハネスブルグに生まれる。ポッチェフストローム大学を卒業後、弁護士としてはたらく。35歳で国民党の国会議員となり、1978年、郵政大臣に就任したのち、鉱山大臣、内務大臣などを歴任。1984年から国民教育大臣と白人閣僚評議会議長を兼任した。1989年、国民党党首となり、病気でたおれたボータ大統領の辞任を受け、大統領に選出される。以来、民主化路線をとり、国家反逆罪で投獄されていた黒人解放運動指導者マンデラを釈放、人種隔離政策（アパルトヘイト）の撤廃をおこなった。また、世界ではじめて核兵器開発の全廃を発表。1993年、南アフリカの民主化へのとりくみが評価され、マンデラとともにノーベル平和賞を受賞。1994年、マンデラの大統領就任とともに副大統領になるが、1996年に辞任、翌年、国民党党首もやめ、政界を引退した。2016年現在、南アフリカ共和国最後の白人の大統領である。

学 ノーベル賞受賞者一覧

でざきおさむ

漫画・アニメ

出﨑統　1943〜2011年

斬新な演出で、数多くの名作アニメを生みだした

昭和時代〜平成時代のアニメーション監督、漫画家。

東京生まれ。10歳ごろから手塚治虫にあこがれて漫画をかきはじめ、高校1年生で貸本漫画家デビュー。高校卒業後は東芝に就職したが、1年半で退職。1963（昭和38）年、虫プロダクションにてアニメーターとなり、『鉄腕アトム』などの動画をかき、頭角をあらわした。退社後は、同アニメの演出を担当。1970年には『あしたのジョー』で、初の監督をつとめ、その後『エースをねらえ!』『ガンバの冒険』『宝島』『ベルサイユのばら』など、数多くの作品にたずさわる。

創造性をふまえた、作画と撮影の技術的進歩が不可欠として、新たな映像表現を多数生みだす。とくに、映像中に「止め絵」を挿入したり、印象的なシーンを複数回くりかえしたり、光をたくみに用いたりする独特の演出は、多くのファンをひきつけ、後世のアニメにも大きな影響をあたえた。2001（平成13）年以降もこども向けアニメ『とっとこハム太郎』の映画を監督するなど、ジャンルをかぎらず幅広い作品をてがけた。

てじまとあん

思想・哲学

手島堵庵　1718〜1786年

心学の教えを人々に広めた

（一般社団法人心学明誠舎）

江戸時代中期の思想家。

「てしま」とも読む。京都の富裕な商人の子として生まれる。1735年、18歳のとき思想家の石田梅岩に入門し、梅岩が創始した庶民のための人生哲学「心学」を学んだ。1761年、心学の普及に専念するため、家業を長男にゆずった。その後、明倫舎、修正舎、時習舎といった心学講舎を各地に設立して拠点とし、心学の教えをわかりやすく説いて、町人、武士、農民に心学を広めた。著書に『知心弁疑』などがある。また、幼児教育にもつとめて『男子前訓』『女子前訓』などの手引書を著した。門人に中沢道二がいる。

テスラ，ニコラ

発明・発見

ニコラ・テスラ　1856〜1943年

テスラコイルを発明した技術者

アメリカ合衆国の電気技術者、発明家。

クロアチア生まれ。オーストリア、チェコの大学で学び、1884年に電気技術者としてアメリカに移住して、のちに帰化した。エジソンのもとではたらいたが、直流電流・交流電流の効率について直流を支持していたエジソンと対立、1887年に独立した。独立後、かねてから考案していた、複数の交流電流を組み合わせて磁界を回転させる電動機（多相電動機）のしくみで特許を申請。

この特許が企業に買いとられ、ナイアガラの水力発電所での送電・配電に用いられて成功した。このほか、高電圧の高周波電流を得られる変圧器（テスラコイル）を発明し、磁束密度（磁場の強さと性質をあらわす量）の単位に「テスラ」の名をのこしている。

てづかおさむ

漫画・アニメ

手塚治虫　1928〜1989年

漫画の地位を確立させた「マンガの神様」

▲手塚治虫　（手塚プロダクション）

昭和時代の漫画家、アニメーション作家。

大阪生まれ。本名、治。父が映画や漫画が好きで、その影響を受け、家では小さな映写機でディズニー映画をみたり、『のらくろ』などの漫画を読んだり、絵をまねてかいたりして育つ。昆虫にも興味があり、学生時代、動物同好会を立ち上げた。ペンネームの「治虫」はオサムシという昆虫に由来している。

太平洋戦争がはじまると、昆虫採集や読書などが自由にできなくなるが、漫画だけはこっそりかきつづけた。戦争体験から命の尊さを知り、医者の道を志す。しかし一方で、漫画家の夢もあきらめきれず、大阪帝国大学（現在の大阪大学）医学専門部在学中の1946（昭和21）年、毎日新聞社発行の『少国民新聞』に『マアチャンの日記帳』という4こま漫画を連載し、デビューをはたす。翌年には長編漫画『新宝島』が大ヒット。少年向けの赤本漫画にブームをおこした。

1952年に医者の国家試験に合格したが、漫画で生きていくことを決意し、上京。翌年、東京都豊島区のトキワ荘というアパートに入居した。トキワ荘では2年ほどすごし、すでに連載がはじまっていた、アフリカを舞台とした白ライオンが主役の『ジャングル大帝』、ロボットの少年が活躍するSF（空想科学）漫画『鉄腕アトム』、お姫さまが男に変装して戦う『リボンの騎士』や、生命の本質と人間の業などをえがく『火の鳥』などをかきつづけた。手塚がトキワ荘を退去すると、空いた部屋には藤子不二雄（のちの藤子・F・不二雄、藤子不二雄Ⓐ）が入居。また別の部屋にも石森章太郎（石ノ森章太郎）や赤塚不二夫らが入居し、みな少なからず、手塚の影響を受けていた。手塚はその後も、無免許の天才外科医が活躍する『ブラック・ジャック』など、ヒット作をだしつづけ、晩年になっても創作意欲はおとろえず、『陽だまりの樹』『アドルフに告ぐ』など、青年漫画の傑作を生んだ。

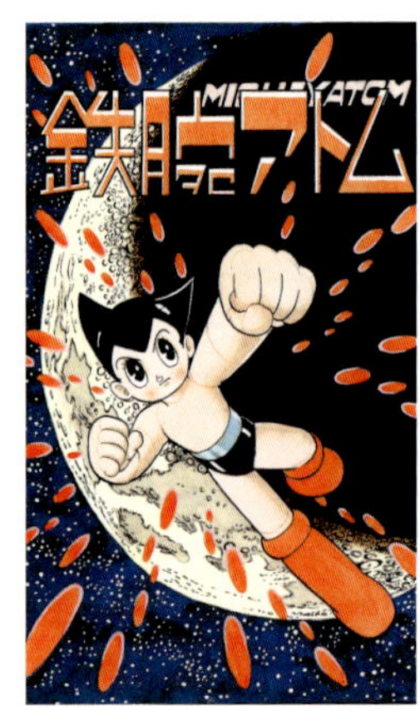

▲代表作『鉄腕アトム』
（手塚プロダクション）

手塚はアニメーション制作会社の虫プロダクションも立ち上げ、1963年に日本初の30分番組アニメ『鉄腕アトム』を制作。日本のテレビアニメを代表する作品となった。そのほか『ジャングル大帝』『リボンの騎士』などさまざまな作品がアニメ化され、日本のアニメの基礎を築いた。

手塚の漫画は、一つの場面をいろいろな角度で何こまもえがくことで、映画のような動きを表現した。また、娯楽的なストーリーの中にも哲学性があり、戦後の庶民の文化的な欲求を満たした。全作品に共通したのは、生命の尊さである。まさに芸術の域に近づく現代漫画家として、「マンガの神様」とよばれ、のちの漫画家たちにも大きな影響をあたえた。

てつぎゅうどうき

郷土

鉄牛道機　1628〜1700年

椿海の干拓につくした僧

（千葉県教育委員会）

江戸時代前期の僧。

長門国（現在の山口県西部）に生まれ、14歳で出家し黄檗宗（仏教の一宗派の禅宗）の僧となる。

江戸（東京）にいたころ、幕府の大工棟梁の辻内刑部左衛門から、千葉県旭市あたりにあった湖、椿海の開発への協力をたのまれた。江戸の町人により、椿海を干拓して新田にする事業がおこなわれていたが、資金に行きづまり、中断していた。幕府の信頼があつかった鉄牛がとりなした結果、幕府から資金が出ることになり、1670年、工事が再開された。椿海の水は、延長約14kmの排水路をほって、九十九里浜から太平洋に流された。この事業によって、椿海は約5000haの「干潟八万石」とよばれる農地に生まれかわった。

鉄牛は、その功績をみとめられて、新田内に土地をあたえられ、1678年、福聚寺（千葉県東庄町）を創建した。

テニソン，アルフレッド

詩・歌・俳句

アルフレッド・テニソン　1809〜1892年

ビクトリア朝時代を代表する詩人

イギリスの詩人。

イングランド中部リンカーンシャーで牧師の子に生まれる。幼いころから2人の兄とともに詩作にはげむ。ケンブリッジ大学在学中に詩集『ティンバクトゥー』を発表し、学長賞を受ける。22歳のとき父を亡くし、生活のために大学を退学した。1842年の『詩集』で詩人としてみとめられる。

1850年に、親友ハラムの死を追悼して書いた長詩『イン・メモリアム』を出版し評判となる。ワーズワースの後継者として、イギリス王室づきの詩人である桂冠詩人に任命された。ビクトリア朝時代を代表する詩人として知られ、『モード』『イノック・アーデン』など、すぐれた作品をのこす。

デフォー，ダニエル

文学

ダニエル・デフォー　1660～1731年

『ロビンソン・クルーソー』の作者

イギリスのジャーナリスト、作家。

ロンドンの生まれ。本名はダニエル・フォー。牧師をめざすがはたせず、メリヤス商、れんが商などの職業を転々とした。1697年ころから政治や社会に興味をいだき、風刺詩を書きはじめる。

1701年に政治を風刺した長詩『生粋のイギリス人』を発表して有名になる。その後、当時の宗教政策を風刺したパンフレットをつくり投獄される。しかし、圧力に負けず、1704年には政治評論の新聞『レビュー』を創刊し、9年間つづけた。ジャーナリズムの草分けとして、大きな役割をはたした。

1719年58歳のとき、はじめての小説『ロビンソン・クルーソー』を書き、大好評となる。以後、逆境をたくましく生きぬく女性をえがいた『モル・フランダース』や『ロクサーナ』、17世紀後半にロンドンでペストに苦しむ人々をえがいた『ペスト』などを次々に発表した。新聞記事できたえた細かい描写で、迫真の表現を生みだしたことでも知られる。

テミストクレス

古代　政治

テミストクレス　紀元前528?～紀元前462?年

ペルシア戦争で活躍したアテネの軍人

古代ギリシャの軍人、政治家。

家がらはよくなかったが、こどものころから勤勉で優秀だった。政治家の道に進み、紀元前493年、アテネの執政官（アルコン）にえらばれる。ラウレイオン鉱山で銀が発見されたときは、その収益をつかって100隻の軍船を建造し、強力な艦隊をつくった。この艦隊は紀元前480年、アケメネス朝ペルシアとのサラミスの海戦で活躍する。軍の指揮官だったテミストクレスは、たくみな作戦を立て、ペルシア軍をやぶって貢献した。しかし紀元前470年ころ、独裁者になるおそれがあるとされ、投票によりアテネから追放される（陶片追放）。さらに反逆の罪に問われたため、ペルシアに亡命。ペルシア王から地方都市の長官に任命され、その地で亡くなった。

デモクリトス

古代　思想・哲学

デモクリトス　紀元前460？～紀元前370？年

原子論を完成させた古代ギリシャ最大の自然哲学者

古代ギリシャの哲学者。

トラキア海沿岸の町アブデラ生まれ。師レウキッポスの説をついで原子論をとなえた。倫理学、自然学、天文学、生物学、数学、音楽、技術などに通じ、膨大な著作が彼のものとされているが、断片しかのこっていない。「智」（ソフィアー）、「笑う人」（ゲラシーノス）などのあだ名をもつ。すべての物は、不滅・不変のアトム（これ以上分けられない原子）からできており、それがむすびつくと生まれ、それが分離すると消滅するという原子論哲学を完成させた。人間の魂は一種の火で、球形のアトムからできているという考えをもっていたといわれる。原子論哲学は後代のエピクロスに受けつがれて広められ、近代自然科学に大きな影響をあたえた。

デューイ，ジョン

思想・哲学　教育

ジョン・デューイ　1859～1952年

プラグマティズム思想を教育の分野で実践

アメリカ合衆国の哲学者、教育学者。

バーモント州生まれ。バーモント大学卒業後、地元の高校教師をへてジョンズ・ホプキンズ大学大学院で心理学を学ぶ。その後、1889年、30歳でミシガン大学教授となる。1894年、シカゴ大学哲学科教授に就任、2年後に同大学内に実験学校を開設。こどもの自発的な興味や作業活動などを重視する教育をおこなった。個人宅を借り、16人のこどもたちからスタートしたこの学校は、2年後には生徒数83人に拡大した。1899年、保護者や関係者に3年間の実験の報告をおこない、その記録をもとに出版されたのが、名著『学校と社会』である。この実験学校は1903年までつづき、「デューイスクール」とよばれるようになった。アメリカ心理学会会長にも選出され、1904年、コロンビア大学哲学科教授に就任。実用主義、道具主義といわれるプラグマティズムの思想を教育の分野で実践したことでアメリカの哲学、教育学の第一人者として知られる。

デューク・エリントン

デューク・エリントン → エリントン，エドワード・ケネディ

テューダー，ターシャ

絵本・児童

ターシャ・テューダー　1915～2008年

いなか暮らしをえがきつづけた絵本作家

アメリカ合衆国の絵本作家、さし絵画家。

マサチューセッツ州ボストンで、実業家で技師の父と肖像画家の母のあいだに生まれる。9歳のときに両親が離婚したため、両親の友人の家にあずけられた。15歳のときに学校をやめて一人暮らしをはじめ、農業や絵をかくことに没頭した。1938年に

結婚し、同年、絵本『パンプキン・ムーンシャイン』を出版した。その後も次々に本をだし、1945年、イギリスの伝承歌謡『マザー・グース』にさし絵をつけた絵本が、また1957年、数字とアルファベットの絵本『1はいち』がコルデコット賞（アメリカで、その年のもっともすぐれた絵本に贈られる）の次点にえらばれた。その間に4人の子にめぐまれ、畑仕事や家畜の世話、子育てに追われながらも、その暮らしをもとに絵本やさし絵をかきつづけた。1971年、バーモント州の山里に移り、長男に18世紀の開拓時代の家を建ててもらい、ひとりで昔ながらの自給自足の暮らしをはじめた。同年、児童文学の普及に貢献した人に贈られるレジャイナメダルを受賞した。

デューラー，アルブレヒト

絵画

アルブレヒト・デューラー　1471〜1528年

写実的で奥行きのある作風の画家

ドイツの画家、版画家。

ニュルンベルク生まれ。15歳でニュルンベルクの画家の工房に入門する。1490年より4年間、バーゼルやストラスブールなどで木版さし絵の技術者として修業を積む。

1494年より、たびたびイタリアのベネツィアをおとずれ、ベッリーニらルネサンス美術の影響を受けた。動植物、人体の形態や、遠近法の研究を徹底的におこない、写実的で奥行きのある作風を完成させた。

代表作に、連作木版画『ヨハネ黙示録』『三博士の礼拝』『アダムとイブ』、宗教画『万聖節』、銅版画『メランコリア』『書斎のヒエロニムス』などがある。生涯に木版画350点、銅版画100点、デッサン900点にのぼる作品をのこした。明暗の微妙な表現を銅版画でみごとにあらわし、のちのレンブラントのエッチングにつながる表現として高く評価されている。版画では、美術史上もっとも重要な作家といわれる。そのほか、絵画の大作に『4人の天使』などがある。

デュシャン，マルセル

絵画

マルセル・デュシャン　1887〜1968年

前衛的な作品の発表をつづけた芸術家

フランスの芸術家。

ノルマンディーに生まれる。彫刻家レーモン・デュシャン・ビヨンと画家ジャック・ビヨンの2人の兄がいる。1904年にパリの美術学校で学び、兄たちのキュビスム運動「セクション・ドール」に参加した。1915年、アメリカ合衆国へわたり、ニューヨークで活動し、1955年にアメリカの市民権を得た。

既成の芸術的価値を否定するダダイスム運動を代表する一人で、それまでの芸術の概念を大きくかえ、第二次世界大戦後の美術界に強い影響をあたえた。ポストカードの『モナリザ』にひげをかきこんだ『L.H.O.O.Q.』など、前衛的な作品で物議をかもすこともあった。日用品にタイトルを署名し、展示場に物をそのままおくといった「レディ・メイド」とよばれるオブジェ作品を発表した。代表作に、男性用小便器の一部にサインを入れたレディ・メイド『泉』、絵画『階段を下りる裸体No.2』、ガラスを用いた大作『彼女の独身者たちによって裸にされた花嫁、さえも』などがある。

デュナン，アンリ

産業　医学

アンリ・デュナン　1828〜1910年

戦争での救護活動をする「赤十字」の生みの親

スイスの銀行家、国際赤十字連盟の創設者。

ジュネーブに生まれ、銀行家となる。クリミア戦争で救護活動をしたイギリスのナイチンゲールを尊敬しており、1859年、イタリア統一戦争で最大の激戦地であったソルフェリーノにみずから出むき、5万にのぼる両軍の死傷者に対して救護隊を組織、救護活動をおこなった。のちにこのときの経験をもとに『ソルフェリーノの回想』を著した。この本を出版することで近代戦争の悲惨さを広め、中立の立場で戦争時の傷病者の看護をする、常設の救護組織の必要性を世論にうったえた。

デュナンのこの呼びかけにナポレオン3世をはじめとした各国の指導者がこたえ、1863年、ジュネーブで16か国が参加した国際専門家会議でジュネーブ条約（赤十字条約）が成立した。赤十字の標識はデュナンの出身国スイスにちなみ、その国旗の赤地白十字の色を逆にしたものである。また、赤十字設立の功績によって、1901年、フランスのフレデリック・パッシーとともに第1回ノーベル平和賞を受賞した。

学 ノーベル賞受賞者一覧

デュフィ，ラウル

絵画

ラウル・デュフィ　1877〜1953年

社会や生活をはなやかにえがいた画家

フランスの画家。

北部のルアーブルに生まれる。14歳から家計を助けるために輸入会社ではたらき、美術学校の夜間部で絵を学んでいた。1900年、市の奨学金を得てパリの美術学校に入学する。1905年にマティスの作品『豪奢、静寂、逸楽』をみて刺激を受け、フォービスム（野獣派）運動に参加した。1909年ころから本のさし絵や織物のデザインなどもてがけた。

はじめは印象派風の作風だったが、原色の大胆な構図にかわり、軽やかな輪郭線と明るい色彩で、競馬場や海や浜辺を好んでえがいた。代表作に、1938年のパリ万国博覧会電気館の壁画『電気の精』、『競馬場にて』などがある。音楽好きの家に育ったことから、音楽は重要なテーマだった。そのためバレエの舞台装置や音楽を題材とした作品を多くのこしている。1952年、イタリアの美術展のベネチア・ビエンナーレ絵画部門で大賞を受賞した。

デュプレクス，ジョゼフ・フランソワ

政治

ジョゼフ・フランソワ・デュプレクス　1697〜1763年

フランスのインド植民地開発につくした

フランスの政治家。

1715年、フランス東インド会社の従業員としてフランス領インド植民地にわたった。その後、シャンデルナゴルの長官に、1741年、ポンディシェリの総督についた。1744年に第1次カーナティック戦争がおこり、イギリスとフランスの軍事衝突がはじまると、彼は地元の政治勢力を味方につけて、領土拡大につとめ、イギリスの拠点だったマドラス（現在のチェンナイ）を占領、イギリス勢力を圧倒した。1750年に第2次カーナティック戦争がおこると、フランス政府は軍事費の増大や貿易活動の停滞などをおそれ、1754年、彼の解任を決定し、本国に送還された。その後フランスは、1757年のプラッシーの戦いなどでイギリスにやぶれ、イギリスのインド支配の基礎がかたまった。

デュボイス，ウィリアム・エドワード・バーガート

政治　学問

ウィリアム・エドワード・バーガート・デュボイス　1868〜1963年

黒人解放に力をつくした学者

アメリカ合衆国の市民活動家、社会学者、歴史学者。

フィスク大学、ハーバード大学を卒業後、ドイツに留学。帰国後、ハーバード大学で黒人初の博士号をとった。1897年からはアトランタ大学で2度にわたり教授をつとめ、1899年、フィラデルフィアの黒人地区の社会調査を『フィラデルフィアの黒人』にまとめ、1903年には『黒人のたましい』を出版する。全米黒人地位向上協会の設立に参加するなど、黒人解放とその地位の向上に力をつくした。また、アフリカ大陸および全世界のアフリカ系住民の解放、連帯をうったえる「パン・アフリカ主義」の先駆者として、第一次世界大戦後の国際会議を指導して「パン・アフリカニズムの父」とよばれた。第二次世界大戦後は国際平和運動にもとりくむ。1961年、ガーナのエンクルマ大統領のまねきで同国にわたり、ガーナ国民として亡くなった。

デュボワ，ユージェーヌ

学問　発明・発見

ユージェーヌ・デュボワ　1858〜1940年

ジャワ原人の化石を発見した

オランダの解剖学者、人類学者。

北部アイスデンの生まれ。大学で医学と博物学を学ぶ。卒業後、大学で解剖学を教えていたが、当時注目されていた進化論に興味をもち、未発見だった類人猿と人類との中間の化石をさがすためにインドネシアにわたった。1891年、ジャワ島のトリニールで、120万年前～70万年前の頭蓋骨、太ももの骨などの化石を発見した。この頭蓋骨は大きく、太ももの骨も発達していたため、類人猿よりも知能が進み、二足直立歩行していたとして、類人猿と人類との中間を意味するピテカントロプス・エレクトゥス（直立猿人）と名づけた。その後、この化石は、1921年に発見された北京原人などと同じく、ホモ・エレクトゥス（直立原人）に分類され、ジャワ原人とよばれるようになった。これが、世界で最初の原人化石の発見となる。この業績により、アムステルダム大学の教授となり、名誉学位を受けた。

デュポン，エルテール・イレネー

産業

エルテール・イレネー・デュポン　1771〜1834年

化学会社デュポン社の創業者

18～19世紀のアメリカ合衆国の実業家。

フランスのパリで印刷業をいとなむ家に生まれ、王立のカレッジで学ぶ。火薬に関心をいだいてラボアジエに師事し、化学を学んだ。フランス革命の勃発によりラボアジエが処刑され、父も一時逮捕されたため、一家はフランスを1799年に脱出した。1800年の元日、アメリカに到着し、1802年に火薬工場を創業。1818年に発火事故で多くを失うが、製品品質の高さが米国政府の信頼を得て、デュポン社は兵器メーカーとして成長した。デュポンは63歳で亡くなるが、南北戦争、さらに第一次世界大戦、第二次世界大戦による需要増大で、会社は大きく発展しつづけ、デュポン財閥はアメリカ三大財閥の一つとして繁栄している。

デュマ，アレクサンドル

文学　映画・演劇

アレクサンドル・デュマ　1802〜1870年

『モンテ・クリスト伯』の作者

フランスの作家、劇作家。

パリ北東部の町ビレルコトレに生まれる。父はナポレオン1世につかえる軍人だった。17歳のときにシェークスピアの『ハムレット』に感動し、劇作家を志してパリに出る。1829年に戯曲『アンリ三世とその宮廷』を発表して大成功をお

さめる。ストーリーのおもしろさが評判となり、たちまち人気作家となった。

1844年には歴史小説『モンテ・クリスト伯』を書き、同時に『三銃士』を発表する。これらの長編小説は、歴史家オーギュスト・マケらの協力者を得て書かれたことでも知られる。ほかに『赤い館の騎士』『鉄仮面』『黒いチューリップ』など、数多くの小説を著し、大衆文学作家として活躍した。

同名の息子も作家で、ベルディ作曲のオペラ『椿姫』の原作者である。父は大デュマ（デュマ・ペール）、息子は小デュマ（デュマ・フィス）とよばれ、親しまれている。 学 日本と世界の名言

てらうちまさたけ

政治

寺内正毅 1852～1919年

米騒動で内閣総理大臣を辞職した

（国立国会図書館）

明治時代～大正時代の軍人、政治家。第18代内閣総理大臣（在任1916～1918年）。

周防国（現在の山口県東部）生まれ。戊辰戦争に従軍、その後の西南戦争で負傷して右手が不自由になったため、以降は実戦の指揮をとることはなく、フランス留学後は陸軍士官学校長や教育総監、参謀次長など、軍政や軍教育面にかかわった。

1902（明治35）年、第1次桂太郎内閣で陸軍大臣になり、日露戦争の勝利に貢献、その後もひきつづき陸軍大臣をつとめ、1910年の韓国併合の際には、初代の朝鮮総督を兼任し、多岐にわたる権限をもった。朝鮮総督としては朝鮮の治安維持に貢献。その功績がみとめられ、1916（大正5）年に内閣総理大臣に就任する。寺内の頭の形がビリケン人形に似ていたことと、超然内閣の「非立憲」とをひっかけて、「ビリケン内閣」とよばれた。第一次世界大戦時におきた1917年のロシア革命に対してシベリア出兵を宣言したが成功せず、それによってひきおこされたともいえる米騒動の責任をとって、内閣は総辞職した。

学 歴代の内閣総理大臣一覧

てらさきひでなり

政治

寺崎英成 1900～1951年

太平洋戦争の日米交渉にあたった

昭和時代の外交官。

東京生まれ。東京帝国大学（現在の東京大学）卒業後、1927（昭和2）年に外務省に入る。アメリカ合衆国のワシントンD.C.の日本大使館勤務時代にアメリカ人女性と結婚、その後、上海や北京などの在外勤務をへて、1941年にふたたびワシントンの日本大使館に赴任、野村吉三郎、来栖三郎両大使を補佐し、日米交渉にあたった。太平洋戦争直前には、当時の昭和天皇とフランクリン・ローズベルト大統領との、日米の開戦を左右する親電工作に奔走した。交渉の際、同じく外交官であった兄の太郎と情報交換をしたやりとりの中で、暗号として娘の名前「マリコ」をつかった話は有名。開戦後、1942年に妻子とともに日本に帰国。戦後は宮内庁御用掛となり、昭和天皇と連合国軍最高司令官総司令部（GHQ）のマッカーサー元帥との会見では通訳をつとめた。1951年に脳梗塞で亡くなった。没後40年をへた1990（平成2）年には、遺品の中に寺崎が作成した昭和天皇の独白録が存在したことが公表され、同年、その全文が雑誌に掲載されて話題となった。

てらざわひろたか

郷土

寺沢広高 1563～1633年

植林して虹の松原をつくった大名

戦国時代～江戸時代前期の大名。

織田信長の家臣、寺沢広政の子として尾張国（現在の愛知県西部）に生まれた。豊臣秀吉につかえ、関ヶ原の戦い（1600年）では徳川家康の東軍に参加して、てがらを立て、肥前国唐津藩（佐賀県唐津市）藩主になった。唐津地方の波多川（徳須恵川）と松浦川は、毎年のように洪水をおこしていた。松浦川に堤防を築き、強風や潮風のために作物が育たない唐津湾に面した地域にクロマツを植えさせた。クロマツが育つと、松林に守られた耕地で作物を収穫できるようになった。松林は代々の藩主によって保護された。現在は「虹の松原」とよばれて、国の特別名勝になっている。

てらしまむねのり

幕末

寺島宗則 1832～1893年

明治新政府で外交に力をつくした

▲寺島宗則
（鹿児島県歴史資料センター黎明館）

幕末の薩摩藩（現在の鹿児島県）の藩士、明治時代の政治家。

「てらじま」とも読む。薩摩藩の郷士の家に生まれる。医師の松木家の養子となり、松木弘安と名のった。1845年、江戸（東京）に出て蘭学を学び、1856年、幕府の蕃書調所（洋学の

研究教育機関）の教授手伝いとなった。1861年、通商条約締結の延期を交渉するため、遣欧使節がヨーロッパに送られると、福沢諭吉らとともに通訳としてイギリスにわたり、西洋事情を学んで帰国した。

1863年におこった薩英戦争では、五代友厚とともにイギリス艦にとらえられたが、戦後の講和に力をつくし、その後薩摩藩の遣英使節の一員として、留学生をひきいてイギリスにわたっている。1866年、寺島宗則と改名し、明治新政府成立後は外交を主に担当し、外務省の成立や、ヨーロッパ文化の導入にもつとめた。

1873（明治6）年、外務卿（外務大臣）となる。1874年、琉球（沖縄県）の島民が台湾の住民に殺害されたために日本がおこなった台湾出兵の処理にあたり、日本は清から賠償金を得た。1875年、ロシアと樺太・千島交換条約調印をおこなう。同年、朝鮮の開国を求めていた日本は、朝鮮半島の江華島付近で日本の軍艦が砲撃されたことをきっかけに江華島を攻撃して永宗島を占領した（江華島事件）。これを受けて寺島は翌年、この事件で朝鮮に開国をみとめさせた日朝修好条規の調印にあたった。

その後は諸外国との不平等条約改正の交渉を担当し、1878年、アメリカ合衆国に対する関税自主権回復に成功したが、翌年、イギリス、ドイツの強い反対で無効となった。

1879年、文部卿（文部大臣）、1881年、元老院議長、1882年、駐米特命全権公使、1886年、枢密顧問官（天皇に属する機関で重要な国事を審議する枢密院を構成した人）、1891年、枢密院副議長となった。

早くからヨーロッパの文化を学び、日本が諸外国と対等で自主的な外交ができるように力をつくした。

▲**薩摩藩英国留学生**　後列右から2番目が宗則。（鹿児島県立図書館）

てらだとらひこ

文学

寺田寅彦　1878〜1935年

科学随筆という新しい分野をひらく

明治時代〜昭和時代の物理学者、随筆家。

東京生まれ。筆名は吉村冬彦、藪柑子など。高知県で育ち、熊本にあった第五高等学校に進み、夏目漱石から英語を学ぶ。漱石に文学的才能を見いだされて正岡子規と出会い、すぐれた随筆を書くようになった。東京帝国大学（現在の東京大学）で物理学を学んだのち、ヨーロッパ、アメリカ合衆国をおとずれる。その後、東京帝国大学の教授をつとめた。さらに航空研究所、

（日本近代文学館）

理化学研究所のほか、地震研究所で地震予防と防災の研究をおこなった。「天災はわすれたころにくる」という警句ものこしている。

随筆家としては、子規のとなえた写生文（写生（スケッチ）のように物事をあるがままにとらえた文）を生かし、科学者らしく観察し分析する視点と、詩人らしい直観と連想がいっしょになった独自の世界をつくりだした。作品には『藪柑子集』『冬彦集』『柿の種』などがあり、科学随筆という新しい分野をひらいた。

学 切手の肖像になった人物一覧　学 日本と世界の名言

てらむらてるお

絵本・児童

寺村輝夫　1928〜2006年

新しいナンセンス童話を生みだす

昭和時代〜平成時代の作家、児童文学作家。

東京生まれ。早稲田大学卒業。早大童話会に参加し、童話を書きはじめる。卒業後、出版社につとめながら創作をつづけ、1961（昭和36）年に、こどものようにわがままでユニークな王様を主人公にした童話集『ぼくは王さま』を出版。新しいナンセンス童話として毎日出版文化賞を受賞した。その後、この「王さま」シリーズは、こどもたちの絶大な人気を得て、50作品以上が発表された。ほかに、絵本『おしゃべりなたまごやき』（作・長新太）、幼年童話『こびとのピコ』、『わかったさんのおかし』シリーズ、アフリカへの旅をもとにしたノンフィクション『生きている猛獣』、伝記『アフリカのシュバイツァー』など多彩な作品を発表した。

てらやましゅうじ

詩・歌・俳句　映画・演劇

寺山修司　1935〜1983年

演劇実験室「天井桟敷」を結成

（撮影：有田泰而　提供：テラヤマ・ワールド）

昭和時代の歌人、詩人、劇作家、演出家、映画監督。

青森県生まれ。早稲田大学教育学部中退。幼いころに父が戦死、母親とも別れて、映画館をいとなむ親戚にひきとられた。高校時代は俳句にのめりこみ、山口誓子らの知遇を得る。俳句雑誌『牧羊神』を創刊。大学入学とと

もに短歌をはじめ、18歳で『チェホフ祭』50首が『短歌研究』の第2回新人賞を受賞。1958（昭和33）年に発表した歌集『空には本』で前衛歌人としての地位を確立する。

1959年に演劇をみた谷川俊太郎にすすめられてラジオドラマを書き、翌年、篠田正浩監督の映画のシナリオを担当する。また、劇団四季で戯曲『血は立ったまま眠っている』が上演される。1967年には演劇実験室「天井桟敷」を結成。市街劇『ノック』などを公演する。映画監督作品『田園に死す』、舞台作品『毛皮のマリー』、評論『書を捨てよ、町へ出よう』など、文学界から演劇界まで大きな影響をのこした。

デルボー，ポール

絵画

ポール・デルボー　1897〜1994年

幻想的な世界をえがきつづけた画家

ベルギーの画家。

リエージュ州のアンテイトの弁護士の家に生まれる。はじめは建築家をめざし勉強していたが、落第して絵の道に転向し、ブリュッセルの王立美術学校で絵画を学ぶ。1950年には母校の教授、1965年には校長となり、1979年、王立アカデミー会員にえらばれた。キリコやマグリットに影響を受け、シュールレアリスム（超現実主義）を代表する画家の一人である。

白、青、灰色の冷たい色彩を用いて、白昼夢のような幻想的な世界をえがいた。1937年ころからは、架空の古代遺跡、電車、鉄道の駅などを背景に、無表情の裸婦をかいた作品が多い。裸婦の顔はほとんど同じで、結婚できなかった恋人といわれる。ほかに家族、妻、友人、モデル、自分の分身として、架空の人物や骸骨をたびたびえがいた。人物像は、生涯を通じ一貫して作品テーマの中心であった。代表作に『セイレーンたちの村』『鉄の時代』『魔女たちの夜宴』などがある。

デ・レーケ，ヨハネス

郷土

ヨハネス・デ・レーケ　1842〜1913年

木曽三川の分流工事を指導したオランダ人

明治時代に来日した土木技師。

オランダ出身。1873（明治6）年、31歳のとき明治政府にまねかれて来日し、内務省土木局の技師として、全国の主要な河川の改修工事を指導した。

その一つが、たびたび洪水をおこしていた木曽三川の改修工事だった。木曽三川とは、愛知県、岐阜県、三重県を流れる木曽川、長良川、揖斐川の3つの川をさす。1878年、明治政府から依頼されたデ・レーケは、複雑にからみあっていた3つの川を分流させる計画を立て、1887年、工事に着手した。曲がっていた川の流れをまっすぐにし、さらに木曽川と長良川のあいだに背割堤とよばれる堤防を築き、川を分けるという大規模な工事だったが、25年後の1911年に完成した。その後、大きな洪水はおこらなくなり、デ・レーケは「日本の治水の恩人」とよばれた。

（木曽川下流河川事務所）

テレシコワ，バレンティナ

探検・開拓

バレンティナ・テレシコワ　1937年〜

世界最初の女性宇宙飛行士

ソビエト連邦（ソ連）の宇宙飛行士。

モスクワ近くのヤロスラブリ近郊の農家に生まれる。学校を卒業後、タイヤ工場と織物工場ではたらく。パイロットの経験はなかったが、1955年ころから地元の航空クラブに所属してスカイダイビングをしていたため、パラシュートの降下技術にたけており、1961年、女性飛行士隊の5人のうちの一人として400人をこえる候補の中からえらばれ、宇宙飛行計画へ参加した。1963年6月、ボストーク6号に搭乗して、女性としてはじめて宇宙飛行をなしとげ、地球を48週、70時間50分の単独宇宙飛行をおこなった。当時の個人識別用のコールサインがカモメだったため、「私はカモメ」ということばが地上に送信され、世界中で話題となった。

のちに政界入りし、ソビエト連邦全国婦人会議議長などをつとめた。ソ連で6人目、世界で10人目の宇宙飛行士である。1963年に、ボストーク3号に搭乗した宇宙飛行士ニコラエフと結婚して話題となったが、のちに離婚した。

てんかい

宗教

天海　1536〜1643年

家康を東照大権現として日光に祭った

江戸時代前期の天台宗の僧。

南光坊天海、慈眼大師ともいう。陸奥国高田（現在の福島県会津美里町）に生まれる。11歳で出家し、比叡山延暦寺（京都市、滋賀県大津市）で天台宗を学んだのち、園城寺（三井寺）（大津市）などで修行した。武田信玄や豊臣秀吉の信望があつく、1600年の関ヶ原の戦いのあとは徳川家康につかえた。1612年、家康の指示で武蔵国川越（埼玉県川越市）の喜多院を復興し、日光山（栃木県日光市）をさずかった。家康の死後、家康の遺体を静岡の久能山から日光山に改葬し、東照大権現として祭った。1625年、江戸（東京）の上野に寛永寺を創建し、天台宗の関東総本山にするとともに、徳川家の廟所（墓所）とした。第2代将軍徳川秀忠、第3代将軍徳川家光にも信頼され金地院崇伝とならび、江戸幕府初期の宗教行政に深くかかわった。また陰陽道の知識をもとに江戸の都市計画にも参加した。

でんぎょうだいし

伝教大師 ➔ 最澄

てんじてんのう

天智天皇 ➔ 52ページ

てんしょういん

幕末

天璋院　1836～1883年

徳川家の存続に力をつくした

（尚古集成館）

江戸時代～明治時代の江戸幕府第13代将軍徳川家定の正室。

通称は篤姫。薩摩藩（現在の鹿児島県西部）の分家で今和泉（鹿児島県指宿市）領主の島津忠剛の娘。1856年、薩摩藩主島津斉彬の養女、次いで薩摩藩と関係の深かった公家の近衛忠熙の養女として、同年、徳川家定の御台所（正室）となった。家定には子がなく、あとつぎ問題がもち上がると、養父の島津斉彬や松平慶永らは徳川斉昭の子、一橋慶喜（のちの徳川慶喜）をおしたが、保守的な大名や大奥の人々は紀州藩（和歌山県）の藩主、徳川慶福（徳川家茂）をおしたので、天璋院は板ばさみとなった。結局、大老井伊直弼によって慶福が14代将軍につけられた。1858年、家定が病気で亡くなると出家し、天璋院と称した。家茂の死後、天璋院はあとつぎに田安亀之助（徳川家達）をおしたが、徳川慶喜が第15代将軍となった。1868年、旧幕府軍と新政府軍が鳥羽・伏見で戦い、戊辰戦争がおこって幕府が劣勢になると、家茂の妻だった静寛院宮（和宮）とともに徳川家の存続に力をつくした。

てんむてんのう

王族・皇族

天武天皇　?～686年

壬申の乱で大友皇子に勝利した

飛鳥時代の第40代天皇（在位673～686年）。舒明天皇の子で、即位する前は大海人皇子とよばれた。母は宝皇女（のちの皇極天皇）。

668年、兄の天智天皇のあとをつぐ予定だったが、しだいに子の大友皇子に皇位をつがせたいと考えていた天智天皇と対立するようになった。671年、重病になった天智天皇からあとをついでくれとたのまれた。しかし天智天皇の大友皇子への強い思いを知っていた大海人皇子は、この申し出をわなだと気づき、自分は出家して僧になって修行するといい、近江朝廷を去り、吉野（現在の奈良県吉野町）にむかった。このとき、天智天皇の娘で大海人皇子のきさきだった鸕野讃良皇女（のちの持統天皇）もしたがった。この年の暮れ、天智天皇が亡くなった。

▲天武天皇　（国立国会図書館）

672年、大海人皇子は大友皇子が土木工事を理由に人を集め、武装させているという情報を得た。大友皇子が吉野に攻めてくると考えた大海人皇子は鸕野讃良皇女とともに吉野を出て、領地の美濃（岐阜県南部）にむかった。途中で近江朝廷の近江大津宮（滋賀県大津市）から脱出してきた高市皇子、大津皇子も合流。やがて伊賀（三重県西部）、尾張（愛知県西部）、大和（奈良県）の豪族も味方について大海人軍は数万の大軍となり、1か月の戦いで近江朝廷軍をやぶり、大友皇子は自害した。この戦いを壬申の乱という。

翌年、大海人皇子は飛鳥（奈良県明日香村）にもどって即位し、天武天皇となった。

679年、天皇は、皇后の鸕野讃良皇女や草壁皇子、大津皇子、高市皇子など6人の皇子をともない、吉野の離宮にむかった。天皇や皇后にとって、吉野は生涯の転機となった壬申の乱の出発地であり、天皇は、皇子たちにあとつぎ候補の草壁皇子に協力することと、おたがいに助け合うことを誓わせた。

681年、天武天皇は政治の基本となる法律の飛鳥浄御原令づくりや、天皇家の系譜を記録した『帝紀』、神話や伝説を記録した『旧辞』の編さんを命じた。また、皇室中心の身分制度をつくり、真人、朝臣、宿禰など新たに8種類の姓（称号）を定めた。これを八色の姓という。さらに、次の持統天皇の時代に完成する藤原京（橿原市）の建設、富本銭とよばれる日本ではじめての銅銭づくりも開始した。

▲富本銭と鋳棹　（奈良文化財研究所）

大王にかわり、天皇という称号がつかわれはじめたのもこの時代からだったと考えられており、天武天皇の下、天皇を中心とする政治体制が確立した。

学 天皇系図

天智天皇

大化の改新をおこなった天皇

■蘇我氏打倒をめざす

飛鳥時代の第38代天皇（在位668〜671年）。

舒明天皇を父に、皇極天皇を母として生まれた。即位するまでは中大兄皇子といった。皇子が幼いとき、朝廷では蘇我蝦夷、蘇我入鹿の親子が大きな権力をにぎっていた。蘇我馬子のあとをついで朝廷の最高職、大臣になった蝦夷は629年、聖徳太子の子で朝廷で信望のあった山背大兄王をおさえて田村皇子（舒明天皇）を即位させた。

641年、舒明天皇が亡くなるとふたたび山背大兄王をおさえて翌年、自分の意のままになる舒明天皇の皇后を皇極天皇として即位させた。蝦夷は自分と入鹿の墓を陵（天皇や皇后の墓のこと）とよばせ、入鹿をかってに大臣にするなど天皇を無視したふるまいにおよんだ。

643年、入鹿は目ざわりな存在の山背大兄王の一族をほろぼしてしまった。

■乙巳の変で蘇我氏をほろぼす

▲飛鳥京跡　蘇我入鹿暗殺の舞台となった。（明日香村教育委員会）

このような蘇我親子の暴挙をみてきた中大兄皇子は天皇中心の政治をとりもどそうと思い、同じ考えをもっていた中臣鎌足（藤原鎌足）と蘇我氏をたおす計画をねった。

645年、朝廷の儀式にのぞんだ蘇我入鹿を「天皇家をかたむけようとしている」といって暗殺した。事件を知った父の蝦夷は自宅に火をつけて自殺した。この事件をその年の干支から「乙巳の変」という。

■大化の改新をおこなう

事件後母の皇極天皇は退位し、中大兄皇子のおじの軽皇子が孝徳天皇として即位し中大兄皇子は皇太子となった。その年、都を難波（現在の大阪市）に移し、鎌足や中国の唐の政治制度を学んできた高向玄理、僧の旻などを登用して政治改革をはじめた。これを「大化の改新」という。主な政策は豪族が所有していた土地と人民を国家のものとする公地公民制、地方に国司や郡司の役人をおいて朝廷が支配する中央集権制、人民に田（口分田）をあたえて収穫の一部を税としておさめさせる班田制などだった。

■白村江の戦いで唐・新羅連合軍にやぶれる

660年、朝鮮半島では唐とむすんだ新羅が百済をほろぼした。逃げのびた百済の人々は昔から交流があった日本に援軍を求めた。中大兄皇子は百済を再興させるため2万7000の軍を送った。663年、朝鮮半島南西部の白村江で唐・新羅連合軍と戦った日本軍は大敗した。中大兄皇子は唐・新羅連合軍が攻めてくると考え、北九州、瀬戸内海沿岸に城をつくらせた。

▲蘇我入鹿暗殺場面　入鹿の首をはねているのが中大兄皇子。弓をかまえているのが中臣鎌足。『多武峯縁起絵巻』より。

（談山神社所蔵／奈良国立博物館写真提供／森村欣司撮影）

667年、都を飛鳥（奈良県明日香村）から近江（滋賀県大津市）に移し、翌年、即位して天智天皇となった。670年、人民から税を集めるために「庚午年籍」という戸籍をつくらせ、天皇中心の政治体制をめざした。671年、対立していた弟の大海人皇子（のちの天武天皇）の動きや子の大友皇子の将来を心配しながら亡くなった。

学 天皇系図
学 人名別 小倉百人一首

▶復元された水時計（漏刻）　660年、中大兄皇子が役人たちに正確な時刻を知らせ勤務時間を守らせるためにつくらせた。（奈良文化財研究所）

天智天皇の一生

年	年齢	主なできごと
626	1	舒明天皇と皇極天皇の子として生まれる。
645	20	乙巳の変で蘇我入鹿を暗殺する。その後、孝徳天皇が即位し、皇太子となる。
660	35	百済が、唐・新羅にほろぼされ、日本に救援を求めてくる。
663	38	白村江の戦いで唐・新羅連合軍にやぶれる。
667	42	都を近江大津（近江朝廷）へ移す。
668	43	天皇に即位する。
670	45	戸籍、「庚午年籍」をつくらせる。
671	46	大友皇子を皇太子としたあと亡くなる。

※年齢は数え年であらわしている

どいたかお

探検・開拓

土井隆雄　1954年〜

日本人初の宇宙船外活動をおこなった宇宙飛行士

宇宙飛行士。

東京生まれ。1983（昭和58）年、東京大学大学院工学系研究科（宇宙工学）で博士課程を修了し、1985年、宇宙飛行士に選出されて宇宙開発事業団（現在のJAXA、宇宙航空研究開発機構）に入社。その後、コロラド大学で微小重力流体科学の研究をおこないながら、宇宙飛行士としての訓練を受けた。1997（平成9）年、アメリカ合衆国のスペースシャトル・コロンビアに搭乗し、日本人としてはじめて宇宙船外活動をおこなう。訓練のかたわら、ヒューストン郊外の天文台で観測をつづけ、2002年および2007年、銀河系外星雲に超新星を発見。また、オリオン星雲の研究で博士号を取得した。2008年には、国際宇宙ステーション（ISS）の日本実験棟「きぼう」の打ち上げ第1便となるスペースシャトル・エンデバーで、ふたたび宇宙飛行をおこなった。2009年に国際連合宇宙部・宇宙応用課長となり、2016年に京都大学の特定教授に就任した。

どいたかこ

政治

土井たか子　1928〜2014年

日本における女性初の政党党首・衆議院議長

昭和時代〜平成時代の政治家。

兵庫県生まれ。本名、土井多賀子。同志社大学卒業。1956（昭和31）年、同大学院法学研究科修士課程修了後、同志社大学などで憲法学の講師をつとめる。1969年、日本社会党から衆議院議員選挙に出馬し、初当選。以降、連続当選12回。護憲・軍縮の立場をとる。1983年、日本社会党副委員長就任。1986年、衆参同日選挙の大敗後、石橋政嗣の後任として社会党委員長に就任、党史上また日本の憲政史上初の女性党首となった。1989（平成元）年の参院選では、「だめなものはだめ」「やるっきゃない」などのことばも話題となり社会党が大勝、マドンナ旋風、おたかさんブームとよばれた。「山が動いた」の名文句をのこした。1991年の統一地方選挙での社会党敗北の責任をとり、委員長を辞任。1993年、女性初の衆議院議長に選出される。1996年、社会党が改称して発足した社会民主党で、村山富市のあとを受けて党首に就任。2003年、総選挙敗北のため辞任。2005年の衆院総選挙では落選、事実上政界を引退することとなった。

どいばんすい

詩・歌・俳句

土井晩翠　1871〜1952年

『荒城の月』を作詞した詩人

明治時代〜昭和時代の詩人、英文学者。

宮城県生まれ。本名は林吉。土井は「つちい」といったが、1934（昭和9）年に「どい」とした。東京帝国大学（現在の東京大学）英文科卒業。在学中に文芸雑誌『帝国文学』の編集委員になり、『暮鐘』『星落秋風五丈原』などの作品を発表する。これらをまとめて1899（明治32）年に最初の詩集『天地有情』を刊行すると、島崎藤村とならぶ評価を受け、藤村・晩翠時代を形成する。晩翠の詩は男性的で漢文調に雄大でどうどうとしたひびきがあり、校歌や寮歌を多く作詞している。1898年には『荒城の月』を作詞、滝廉太郎の作曲により唱歌として、いまも多くの人に歌われる。

その後、母校の教師をつとめながら、詩作と研究をつづけた。1901年からヨーロッパをおとずれ、帰国後に詩集『東海遊子吟』を発表する。また評論やホメロスの翻訳でも活躍し、『イリアス』『オデュッセイア』をともに原語から翻訳し、出版した。1950年に文化勲章を受章。

学 文化勲章受章者一覧

ドイル，コナン

文学

コナン・ドイル　1859〜1930年

名探偵シャーロック・ホームズを誕生させる

イギリスの推理小説作家。

スコットランドのエディンバラ生まれ。医師をめざしてエディンバラ大学の医科で学ぶ。学生時代から読書家で、歴史小説や推理小説の始祖とされるエミール・ガボリオやポーの推理小説を好んだ。卒業後、ポーツマスで医院をひらくが成功せず、ひまにまかせて小説を書きためる。1887年に、名探偵シャーロック・ホームズが登場する長編小説『緋色の研究』を発表し、つづいて『四つの署名』をだす。1891年には開業医をやめて、作家に専念する。探偵ホームズものを短編にして月刊誌で連載をはじめると、爆発的な人気を得る。医学の知識やトリックの趣向、歯切れのよい文体なども人気をよび、世界中で読みつがれている。

推理小説に名探偵とパートナー、事件の依頼人という一つのパターンをつくり上げ、クリスティらのちの推理作家に大きな影響をあたえた。『バスカヴィル家の犬』などのほか、歴史小説『マイカー・クラーク』、SF（空想科学小説）『失われた世界』などがある。

トインビー，アーノルド・ジョセフ

学問

アーノルド・ジョセフ・トインビー　1889～1975年

文明から歴史をみつめた歴史家

イギリスの歴史家、国際政治学者、文明批評家。

ロンドンに生まれる。オックスフォード大学バリオール・カレッジを卒業後も同大学で5年間、ギリシャ・ローマの古代史研究をつづける。第一次世界大戦中は外務省ではたらき、1919年のパリ講和会議では、中東地域専門委員として活躍。1925年以降は30年間、王立国際問題研究所研究主任として、毎年『国際問題大観』の執筆にあたるかたわら、ロンドン大学国際関係史教授として講座を担当した。

歴史の基礎は国家ではなく文明にあるとし、文明の興亡の法則を発見、文明を細かく体系化した。

トインビーの独自の歴史観は、歴史や宗教、国際問題のとらえ方に新たな視点を加えた。著書に『歴史の研究』『試練に立つ文明』などがある。

トゥーレ，セク

政治

セク・トゥーレ　1922～1984年

ギニアを独立にみちびいた政治家

ギニアの政治家。初代大統領（在任1958～1984年）。

19世紀末にフランスの侵略に抵抗した英雄サモリ・トゥーレの子孫といわれる。ファラナに生まれ、1941年に郵便局員となり、労働組合運動に参加。1946年、植民地体制下の西アフリカで解放運動をおこなうアフリカ民主運動の創設に参加。1952年、ギニア民主党の創設に加わり、書記長に就任。コナクリ市長をへて、1956年、フランス国民議会議員に選出される。また、アフリカ労働総同盟を結成するなど、労働運動をおし進めた。1958年、フランス領アフリカの植民地などを一つにまとめたフランス共同体への参加を拒否し、「隷属の中の富裕よりも、自由の中の貧困を」とうったえ、ギニアを独立へとみちびき、初代大統領に就任した。アフリカをアフリカ人の手で統合し独立しようという汎アフリカ主義をつづけた。独立運動の闘士であったが、大統領就任後は独裁、恐怖政治をおこなった。1984年に療養先のアメリカ合衆国において、62歳で死去。

トウェイン，マーク

文学　絵本・児童

マーク・トウェイン　1835～1910年

『トム・ソーヤの冒険』の作者

アメリカ合衆国の作家、児童文学作家。

ミズーリ州フロリダ生まれ。本名、サミュエル・ラングホーン・クレメンズ。ミシシッピ川のほとりの町ハンニバルで育つ。12歳になる前に父を亡くす。家計をささえるために印刷工となり、1857年からの4年間はミシシッピ川で水先案内としてはたらいた。その後、南北戦争に南軍で参加、1862年には新聞社の編集委員となるなど、さまざまな職業を経験する。1865年に小説『ジム・スマイリーの跳び蛙』を新聞に発表して評価され、作家をめざす。ペンネームは、船が安全に進める水域をしめす水先案内のことば「マーク・トウェイン（2ひろの深さ）」から考えだした。

1876年に、ミシシッピ川を舞台にした代表作『トム・ソーヤの冒険』を発表。1884年には、続編の『ハックルベリー・フィンの冒険』を出版した。

地方色にあふれユーモアと風刺がきいた作風で、現代アメリカ文学に大きな影響をあたえた。ほかの作品に『王子と乞食』などがある。

とうえんめい

詩・歌・俳句

陶淵明　365～427年

中国六朝時代の大詩人

（立命館大学 ARC 所蔵 Ebi-02-02）

中国、六朝時代の東晋・宋の詩人。

潯陽柴桑（現在の江西省）の生まれ。本名は陶潜。下流貴族の家に生まれて8歳で父を亡くし、生活は苦しかった。29歳で役人となりさまざまな経験を積む。41歳で県令（県の長）になったが、偽善的な役人の仕事をきらい引退する。その後は故郷にもどり、田園生活の中で詩の創作にはげむ。

故郷では労働を楽しみ、酒や読書を愛し、農耕で生計を立てる生活を楽しんだ。作風は、きらびやかな修辞をさけた独特のやさしい文体が特徴。すぐれた自然描写と奥深い内容に富み、ひいでた風格をもつ作品として知られている。代表作の散文『帰去来の辞』は、役人をやめて故郷に帰るときの気持ちをよみ、日本でも古くから愛好される。ほかの作品に、現実を客観的にながめた『挽歌詩』や、理想郷へのあこがれをうたう『山海経を読む』、理想郷をえがいた『桃花源記』、自伝的な散文『五柳先生伝』などがある。

とうかいさんし

政治　文学

東海散士　1852～1922年

ベストセラー政治小説『佳人之奇遇』の作者

明治時代の小説家、新聞記者、政治家。

安房国（現在の千葉県）の富津にあった会津藩士の家に生まれる。本名、柴四朗。

幼いころは、藩校日新館で漢学を学ぶ。戊辰戦争では白虎隊として会津の若松城に籠城し、母兄弟を失い、みずからも捕囚となった。1879（明治12）年にアメリカ合衆国へわたり、苦学しながら、ハーバード大学、ペンシルベニア大学で経済学を学んだ。帰国後の1885～1897年、長編政治小説『佳人之奇遇』（全8編）を発表。日本の自由と独立を求める熱い思いをえがき、青年を中心に熱狂的な支持を得て、大ベストセラーとなった。

その後、『大阪毎日新聞』や雑誌『経世評論』で記者としても活躍。1892年には衆議院議員総選挙に当選し、衆議院議員、農商務次官、外務参政官などを歴任した。

とうきしょう

絵画

董其昌　1555～1636年

独自の曲線の書風を確立した書家

中国、明代の官僚、画家、書家。

江蘇省松江県に生まれる。17歳で書を、20歳のときに絵を学びはじめる。1589年、科挙（官僚の採用試験）に合格し、その後は出世コースを進んだ。

絵は、唐時代からさかんになった文人画（学者や文人がえがいた絵画）を受けつぐ。ひかえめな色で、山水や木などの自然を、立体感をもってえがいた。評論や鑑定も積極的におこなった。文人画を南宗画、職業画家のえがく絵を北宗画と名づけて、南宗画を高く評価した。書は、唐時代の顔真卿や東晋時代の王羲之など、著名な書家の作品に学ぶ。そのうえで、おどるようなやわらかな曲線をもつ独自の書風を確立した。

文人画でも書でも名声を得た。書は日本の江戸時代の書風にも影響をあたえたといわれる。どちらも作品が多くのこり、日本でも『行草書巻』という書が東京国立博物館に所蔵されている。文章にもすぐれ、『画禅室随筆』などが知られる。

トゥキディデス

古代　学問

トゥキディデス　紀元前460?～紀元前400?年

『歴史』を著した歴史家

古代ギリシャの歴史家。

「ツキジデス」ともいう。アテネの有力貴族の家に生まれる。紀元前431年、アテネとスパルタとのあいだでペロポネソス戦争がおこると、アテネ軍の将軍として従軍した。しかし味方の救援に失敗し、その責任を問われて追放される。トゥキディデスは、ギリシャ各地をまわり、敵のスパルタの支配地にもおとずれて、戦争にまつわる情報を収集した。この経験が、両方の軍を客観的に観察することにつながり、著作に生かされたという。20年間の亡命生活を送り、紀元前404年、アテネの敗北で戦争が終わると、帰国がゆるされた。その後、亡くなるまでの数年間、ペロポネソス戦争を主題にした『歴史』の著作をおこなった。

『歴史』は8巻からなり、ペロポネソス戦争の開始から、その経過を書きはじめていたが、紀元前411年までの記述で未完のまま終わった。中立的な視点で、事実を正確に書く手法は、その後の歴史書の書き方に大きな影響をあたえた。ヘロドトスとならんで、古代ギリシャを代表する歴史家といわれる。

どうきょう

宗教

道鏡　?～772年

天皇になろうとした僧

▲護王神社の『御祭神絵巻』より

（護王神社）

奈良時代の僧。

河内国弓削郷（現在の大阪府八尾市南部）の豪族、弓削氏の出身。

若いころ、葛城山（大阪府千早赤阪村と奈良県御所市の境にある山）で修行を積んだという。その後、看病禅師（病気を治す僧）として宮中に出入りした。762年、孝謙上皇（譲位した孝謙天皇）の病気を治したので上皇に信頼された。しかし、道鏡を重んじる上皇に不満をいだいた淳仁天皇や藤原仲麻呂と対立し、764年、仲麻呂が反乱をおこしやぶれた。その後、上皇は称徳天皇としてふたたび天皇となり、道鏡とともに仏教を重んじる政治を進めた。

765年、大臣禅師から、最高職の太政大臣と同じ地位である太政大臣禅師になり、西大寺（奈良市）の造営をはじめた。翌年、天皇に準ずるあつかいを受ける法王に任じられた。道鏡の勢いはとまらず、弟子や親族を仏教界や朝廷で高い地位につけたので、貴族や役人たちの反感を買った。

769年、「道鏡を天皇にせよ」という宇佐八幡宮（大分県宇佐市）の神託があったが、これをたしかめに行った役人、和気清麻呂の「天皇は皇族からえらべ」という報告により天皇になることを阻止された。翌年、称徳天皇が亡くなると、下野薬師寺（栃木県下野市）に左遷され、同地で亡くなった。

トゥグリル・ベク

王族・皇族

トゥグリル・ベク　990?〜1063年

西アジアをおさめたセルジューク朝のスルタン

西アジア、セルジューク朝の初代スルタン（イスラム国家の政治的最高権力者）（在位1038〜1063年）。

もとはカザフスタン周辺に住むトルコ系遊牧民族で、イスラム教に改宗して独立したセルジュークの孫。トルコ語でトゥグリルは「タカ」、ベクは「集団の長、支配者」を意味する。兄チャグリー・ベクとともに南下し、1035年にアムダリヤ川をこえて西へ進出、1038年にホラーサーン（現在のイラン東部）の中心都市ニーシャープールで王朝をひらいた。2人は、1040年にダンダーナカーンの戦いでガズナ朝軍を大敗させ、ホラーサーンを支配。1055年にはバグダッド（イラクの首都）に入ってブワイフ朝をたおし、アッバース朝のカリフ（教主）より史上はじめてスルタンの称号を受けた。これにより、東方イスラム世界の支配者とみとめられ、西アジアを広くおさめた。

学 世界の主な王朝と王・皇帝

とうげさんきち

詩・歌・俳句

峠三吉　1917〜1953年

『原爆詩集』で知られる

（日本近代文学館）

昭和時代の詩人。

大阪府生まれ。本名は三吉。広島商業学校（現在の広島県立広島商業高校）卒業。幼いときに広島に移り住む。高校生のころに詩の創作をはじめる。1945（昭和20）年に広島で原爆にあう。第二次世界大戦後は1950年に広島で「われらの詩の会」を結成し、新日本文学会に参加する。また1952年には「原爆被害者の会」を組織し、文化活動ともに原水爆禁止運動につくした。

1950年に原爆の惨状を伝える詩『八月六日』を発表。1951年に『原爆詩集』を出版すると、怒りや悲しみを秘め、静かに「にんげんをかえせ」とさけぶ詩は人々の心を打ち、原爆に抗議する大きな原動力となった。1952年に詩集『原子雲の下より』を編集。36歳のとき、肺葉摘出手術の途中で亡くなった。死後に『峠三吉全詩集——にんげんをかえせ』が出版された。広島市平和記念公園に詩碑が建てられている。

どうげん

宗教

道元　1200〜1253年

日本の曹洞宗の開祖

▲道元　（宝慶寺）

鎌倉時代中期の僧。

京都で、内大臣源通親の子として生まれる。幼くして父母が亡くなり、13歳のとき比叡山延暦寺（京都市・滋賀県大津市）で出家して受戒し、道元と名のって天台宗を学んだ。天台宗では、すべての人々はもともと仏であると教えるが、仏であるのになぜ修行しなければならないのかという疑問をいだいた。その後、山をおりて、臨済宗をひらいた栄西の建立した建仁寺で、栄西の弟子明全に禅を学び、さらに修行を積むため、1223年、明全とともに中国の宋にわたり、天台山（浙江省東部にあり天台宗がひらかれた霊山）などで学び、やがて天童寺（浙江省寧波市にある禅宗の寺）の名僧如浄に曹洞禅を学び、座禅するうちにさとりをひらき認可を受けた。

1227年、帰国して建仁寺に身を寄せて曹洞宗を伝え、「座禅こそ、さとりをひらくための正しい方法だ」と説いた『普勧坐禅儀』を著した。天台宗や、念仏をすすめる浄土宗などほかの宗教に対してするどい批判をあびせたので、天台宗の衆徒から迫害され建仁寺を追われた。

1233年、興聖寺（京都府宇治市）をひらいて座禅の道場をつくり、そのころから禅の本質や座禅、修行の方法などを説いた『正法眼蔵』を書きはじめ、生涯書きつづけた。

その後、8年間禅の布教をつづけ、修行僧は50人を数え、受戒したものは2000人にもおよんだという。しかし、道元の教えが広がることに反対する比叡山延暦寺や東福寺（京都市にある臨済宗の寺）などが道元の布教をやめさせるように朝廷にうったえ、朝廷がこれをみとめたので延暦寺や東福寺から圧力をかけられた。

▲永平寺の勅使門（唐門）
（公益社団法人福井県観光連盟）

1243年、弟子で、鎌倉幕府の将軍と主従関係をむすんだ有力御家人の波多野義重に越前国（福井県北東部）の所領を寄進され、1246年、永平寺（福井県永平寺町）をひらいた。1247年、鎌倉幕府にまねかれて執権北条時頼と会談し、曹洞宗の禅を説き、禅を広めようとしたが、政情不安のときでもあり、思うようにいかず越前にもどった。永平寺では、ひたすら座禅することがさとりそのものだという「只管打座」の思想により、きびしい修行をした。その後病気がちになり、1253年に信頼する弟子に永平寺の貫主をゆずって京都に行き、生涯をとじた。

どうこうてい

王族・皇族

道光帝　1782～1850年

アヘン戦争に負け、列強の侵略をまねいた

中国、清の第8代皇帝（在位1820～1850年）。

愛新覚羅顒琰の次男。名は愛新覚羅綿寧（のちに旻寧）。兄が幼くして亡くなり、あとをついで即位した。このとき清では、ヨーロッパ列強の進出など多くの問題をかかえていた。外交では、1825年、トルキスタン（現在の新疆ウイグル自治区）のイスラム教徒の反乱を鎮圧。内政では財政改革に力を入れた。水路での税物の運送を廃止し、塩税の徴収法をあらため、みずからも離宮への避暑をとりやめるなど経費削減につとめた。

イギリスから密輸され、深刻化していたアヘン問題は、厳禁論の林則徐に解決を命じ、広州へ派遣。イギリスとのあいだにアヘン戦争がおこると、敗戦がつづき、林則徐を解任。イギリス軍に長江下流域に攻め入られると南京条約をむすぶ。以後、清は急速におとろえた。

学 世界の主な王朝と王・皇帝

とうごうへいはちろう

政治

東郷平八郎　1848～1934年

バルチック艦隊をやぶり、日露戦争の勝利に貢献

▲東郷平八郎

明治時代～昭和時代の軍人、公爵。

薩摩藩（現在の鹿児島県西部）の下級武士の4男として生まれる。幼名は仲五郎、元服して平八郎実良と名のる。16歳のときに生麦事件が原因で薩英戦争がおこり、父や兄とともに戦いに参加した。1866年に藩海軍所に入り、戊辰戦争では藩の軍艦「春日」に士官として乗りこみ、新潟、函館と転戦し、兵庫県沖の阿波沖で幕府の軍艦「開陽」と戦った。

明治維新後の1871（明治4）年から7年にわたり、イギリスに官費留学し、国際法を学んだ。帰国後、海軍中尉となり、1893年にハワイ政変がおこると防護巡洋艦「浪速」の艦長として居留地に住む外国人の保護にむかい、1894年に日清戦争がおこると、豊島沖で開戦の口火となったイギリス商船「高陞号」を撃沈するなどして活躍した。

日露戦争では連合艦隊司令長官として旗艦「三笠」に乗船し、旅順港封鎖作戦を指揮。1905年5月27日から28日にかけて日本海海戦において、世界最強といわれたロシアのバルチック艦隊を全滅させて日本を勝利にみちびいた。両国艦隊の兵力はほぼ互角であったが、日本艦隊は砲力、速力、練度にまさり、圧倒的な勝利をおさめた。これにより一躍世界的な名声を得て、「東洋のネルソン」ともいわれた。軍令部長、軍事参議官をへて、第一線からしりぞいた。

その後は、1913（大正2）年に元帥の称号を受け、翌年から7年間、東宮御学問所総裁として昭和天皇の教育に尽力した。1929（昭和4）年に先任の井上良馨が亡くなると発言が活発化し、翌年のロンドン海軍軍縮問題では艦隊派の精神的象徴とされ、締結に強く反対するなど、軍部の動きや政局の混乱に大きくかかわった。

晩年は盆栽や囲碁を趣味とし、1934年に86歳で病死した。亡くなる直前には公爵の位を受け、国葬となった。また、旅順攻囲戦で活躍した乃木希典陸軍大将とともに「陸の乃木、海の東郷」とならび称された。

日清、日露戦争の勝利に大きく貢献し、日本の国際的地位を5大国の一員とするまでにひき上げた。死後、その活躍に感銘を受けた人々によって、東京に東郷神社が建てられ、勝利の神様として祭られている。

▲横須賀の三笠公園に保存されている戦艦「三笠」　（三笠保存会）

トゥサン・ルベルチュール

政治

トゥサン・ルベルチュール　1743～1803年

反乱をひきいて、ハイチを独立にみちびいた

ハイチの独立運動指導者。

イスパニョーラ島西部のフランス領サンドマング（現在のハイチ）で黒人奴隷の子に生まれるが、読み書きを習い、個別解放で自由身分になった。1791年、奴隷の一斉反乱によってハイチ革命がはじまると、リーダーとなって反乱を指導。島西部から侵入したスペイン軍とともに、植民地当局と戦う。しかし、フランス本国でおきたフランス革命の結果、革命政府が奴隷制度廃止を決めると、1794年、反乱軍をまとめ、フランスに加担。介入してきたイギリス軍と戦って撃退し、島東部をも支配下におさめ、奴隷を解放した。1801年には、新政府をつくって憲法を定め、自身は総督に就任した。

しかし1802年、英仏間でアミアンの和約がむすばれると、ナポレオン1世が強大な遠征軍をさしむけ、また味方の大半にそむかれ降伏。フランスで投獄され、翌年獄中で亡くなった。トゥサン投獄後、ハイチ革命は部下だったデサリーヌらにひきつがれ、1804年、ハイチ共和国として独立した。

とうしゅうさいしゃらく

絵画

東洲斎写楽　生没年不詳

歌舞伎役者の特徴をそのままにえがいた

▲『三世大谷鬼次の奴江戸兵衛』

（東京国立博物館 Image:TNM Image Archives）

江戸時代後期の浮世絵師。喜多川歌麿と同じころに活躍した浮世絵師だが、生没年も経歴もよくわからず、正体はなぞに包まれている。

1794年5月、当時江戸（現在の東京）で活躍していた歌舞伎役者の大首絵（人物の上半身を画面いっぱいにえがいた絵）をえがき、版元（書物や浮世絵を出版するところ）の蔦屋重三郎からデビューした。翌年の正月までの約10か月間に役者絵や相撲絵など140点以上の作品を発表したあと、突然創作活動をやめた。

当時、写楽の絵はあまり評価されなかった。役者絵は現在のブロマイドのようなもので、理想化した美しい姿をえがくのがふつうだった。それに対して写楽は、役者のありのままの姿をえがこうとして、顔や姿の欠点まで誇張したため、大衆の支持を得られなかったといわれる。

しかし、明治時代後期の1910（明治43）年、ドイツ人の美術研究家ユリウス・クルトが著書の中で、写楽を「ベラスケスやレンブラントとならぶ肖像画家」と絶賛してから、ヨーロッパで評価が高まり、日本でも注目されるようになった。

その後、写楽の正体さがしがはじまり、葛飾北斎や喜多川歌麿、歌川豊国など当時の有名浮世絵師にあてはめる説や、戯作者の十返舎一九、山東京伝とする説など、さまざまな説が出た。

現在では、江戸の八丁堀（東京都中央区）に住んでいた阿波国徳島藩（徳島県）のおかかえの能役者、斎藤十郎兵衛だという説が有力とされているが、いまだにはっきりしていない。

とうじょうくろうえもん

郷土

東条九郎右衛門　1607～1670年

長沢池を築いた武士

江戸時代前期の武士。長州藩（現在の山口県）の藩士。

藩主の毛利秀就から1字をあたえられ、就類と名のった。1642年、小郡（山口市）の代官（地方の事務をおこなう役職）となり、藩が進めていた荒廃地の新田開発に力をつくし、水利にとぼしい地域にため池を築いた。奈良時代や平安時代に貨幣をつくる役所がおかれていた鋳銭司村（山口市）に、かんがいのための多くの池をつくった。1651年に築いた長沢池は約40haという規模で、周辺の村々150haに用水を提供し、干ばつから救った。藩はその功績をたたえ、俸禄（給料）を40石から150石にふやした。長沢池の水は、現在も農業用水に利用されている。

とうじょうひでき

政治

東条英機　1884～1948年

日本を太平洋戦争へとかり立てた

大正時代～昭和時代の軍人、政治家。第40代内閣総理大臣（在任1941～1944年）。

東京生まれ。父は陸軍中将となった英教。陸軍大学校を卒業後、1919（大正8）年から1922年にはスイス、ドイツに駐在し、陸軍大学校教官などをへて、1928（昭和3）年、陸軍省整備局初代動員課長として総力戦の準備を進める。1931年の満州事変のころから、永田鉄山らとともに、政財界を排除して天皇親政をおこなおうとする皇道派と対立し、政財界とむすんで国家建設をはかろうとする統制派の中心人物として頭角をあらわした。満州国を創設したのちの1935年、関東憲兵隊司令官、関東警備局警務部長に就任し、1936年の二・二六事件の際には、軍内部の混乱を収拾し、皇道派関係者の検挙に功績をあげた。

1937年に関東軍参謀長となり、盧溝橋事件をきっかけとして日中戦争がおきると、国民政府との妥協案に反対して日中戦争の推進者になった。陸軍次官をへて、第2次、第3次近衛文麿内閣の陸軍大臣となり、日独伊三国同盟の締結と、アメリカ合衆国、イギリスとの開戦を主張した。近衛がしりぞいたのち、1941年には軍人のまま、内務大臣、陸軍大臣を兼務しながら内閣総理大臣となる。天皇からの指示にしたがい、それまでの開戦の姿勢をあらため、譲歩案をアメリカにしめしたが、アメリカは交渉文書「ハル・ノート」をしめし、日本の妥協案を拒否した。さらにアメリカは、中国やインドシナからの日本軍の即時全面撤退や、満州国の存在をみとめないといったきびしい内容を強く主張してきたため、もはや交渉継続は不可能と判断し、太平洋戦争突入にふみ切り、最高責任者となった。

1942年、戦時下の議会を操縦するために翼賛政治体制協議会によって推薦と非推薦に候補を分けた翼賛選挙を実施して、国内の戦時動員体制を強化、憲兵政治により思想弾圧などもおこなった。東条独裁とよばれる戦時体制をしき、戦争の大義名分のために、1943年には大東亜会議を開催した。しかし、

1944年にサイパン島陥落を機に戦局が劣勢となり、総辞職。1945年8月に敗戦すると、極東国際軍事裁判（東京裁判）ではA級戦犯として死刑判決を受け、1948年、巣鴨拘置所内で絞首刑となった。64歳だった。　学 歴代の内閣総理大臣一覧

とうしょうへい(トゥンシャオピン)　政治

鄧小平　1904〜1997年

改革・開放路線を打ちだし、現代中国を確立した政治家

中華人民共和国（中国）の政治家、最高実力者。

四川省生まれ。フランス、ソビエト連邦に留学。フランスで共産党に入党。帰国後は、1934年にはじまった長征（共産党軍の大移動）に参加、日中戦争の指揮などで功績をあげた。中華人民共和国成立後、1956年には党総書記に就任。1966年、文化大革命で資本主義的傾向を非難されて失脚したが、のちに復活、文革後の混乱を処理した。

1975年に党副主席、第一副首相に就任するが、経済最優先の政策が批判を受け、またもや失脚。毛沢東の死後、副主席、副首相に再任され、毛沢東を批判、「4つの現代化」や経済開放、思想解放などをおこなった。党や政府の最高地位にはつかないまま、実質的な最高権力者として国政をとり、1989年にすべての公職から引退したあとも、強い影響力をもちつづけた。

改革・開放路線のもと、中国に市場経済を導入したほか、日中平和友好条約の締結、アメリカ合衆国との国交樹立、香港返還交渉の成功など、多くの実績をのこした。

学 主な国・地域の大統領・首相一覧

トゥスク，ドナルド　政治

ドナルド・トゥスク　1957年〜

ヨーロッパ連合(EU)第2代大統領

ポーランドの政治家。首相（在任2007〜2014年）、第2代ヨーロッパ理事会常任議長（EU大統領）（在任2014年〜）。

北部のグダンスク生まれ。グダンスク大学で歴史学を専攻。在学中から独立自主管理労働組合「連帯」に参加し、民主化を求める反政府運動を進めた。大学卒業後は出版社の編集者や建設現場のペンキ職人をしながら政治活動をつづけ、1991年、下院議員に当選し、政界に入った。2001年、中道右派の新政党「市民プラットフォーム」を結成し、2003年には党首に。2007年の総選挙で最大議席を獲得し、ポーランド首相に就任した。中小企業の成長や労働者の待遇の改善に重点をおいた政策を進め、好調な経済成長を背景に、約7年間、首相をつとめた。

2014年、首相を辞任し、ヨーロッパ理事会常任議長に就任。ギリシャ債務問題、北アフリカ・中東からの難民、イギリスの離脱など、問題があいつぎ、ヨーロッパ連合（EU）存続の危機が心配されるなか、さらなる統一と結束へむけて、指導力が期待されている。　学 主な国・地域の大統領・首相一覧

とうしろうよしみつ

藤四郎吉光 → 吉光

どうちてい　王族・皇族

同治帝　1856〜1875年

西太后の長男

中国、清の第10代皇帝（在位1861〜1875年）。咸豊帝とその側室、西太后の長男。名は愛新覚羅載淳。1861年に咸豊帝が亡くなると、その側近らが政権をうばおうとしたため、西太后らはクーデターをおこす。西太后は、幼い同治帝を即位させ、咸豊帝の皇后、東太后とともに摂政となった。実質的には皇帝の生母である西太后が実権をにぎっていた。在位中は、太平天国の乱がしずまり、対外的にも大きな問題はなく、曾国藩、李鴻章、左宗棠らによる国力増強運動「洋務運動」もあって、政治は安定していた。17歳で結婚するが、その皇后は西太后が望んだ相手ではなく、母子間に問題が生じるきっかけとなった。18歳から親政をおこなうが、翌年、病気で亡くなった。　学 世界の主な王朝と王・皇帝

とうちゅうじょ　思想・哲学

董仲舒　紀元前176？〜紀元前104？年

儒学の国教化を提唱した古代中国の儒学者

中国、前漢時代の儒学者。

河北省生まれ。若くして儒学をおさめ、つねに勉学にはげみ、3年間庭におりることもなかったという逸話がある。誠実な人がらで名声も高く、前漢の景帝のときに博士となった。景帝のあと武帝が即位すると、儒教による思想統一を提案する。提案は採用されて、儒学の国教化が実現し、儒学の経典である「五経」を教える五経博士もおかれるようになった。以降、政治の重要

な地位には、儒学の教養を身につけた人物が就任し、儒学は国家の保護を受け、皇帝制度をささえる政治の思想となった。

また、董仲舒は、地方から推薦されたすぐれた人物を中央の官吏に登用する制度を武帝に進言した。さらに、五経によって裁判の判決をくだせるような基準を設定した。思想に関しては、陰陽五行説をとり入れて、政治と自然現象の関係を説く災異説をとなえたが、この説により、死罪になりかけたこともある。晩年は官職をしりぞき、学問研究に専念した。

ドゥテルテ，ロドリゴ

政治

ロドリゴ・ドゥテルテ　1945年〜

国民から支持された強権的な大統領

フィリピンの政治家。大統領（在任 2016 年〜）。

レイテ島生まれ。父は法律家。幼少のころ、ミンダナオ島のダバオに移った。1977 年、ダバオの検事となり、1988 年、ダバオの市長選挙に立候補して当選。以後、ダバオ選出の下院議員をはさみ、7 期、あわせて 22 年間、ダバオ市長をつとめた。貧困や治安の悪化が問題となっているフィリピンのなかでも、ダバオは凶悪犯罪が多い都市とされていたが、ドゥテルテのもとで犯罪発生率は減少し、治安は改善され、好景気にもなった。

しかし、治安を守る自警団による犯罪者の殺害をみとめていたともいわれ、人権擁護団体から批判された。

その後、2016 年の大統領選挙に出馬。アメリカ合衆国の大統領選挙に出馬し強硬な発言をつづけ当選したトランプになぞらえ、「フィリピンのトランプ」とよばれた。過激な発言の一方、ジョークをまじえて聴衆を笑わせるなどして、国民から「熱い心をもった厳格な指導者」として支持され、当選した。

とうどうたかとら

戦国時代

藤堂高虎　1556〜1630年

多くの主君につかえた戦国武将

▲今治城の藤堂高虎像

安土桃山時代〜江戸時代前期の武将。

近江国（現在の滋賀県）の土豪、藤堂虎高の次男として生まれる。はじめは浅井長政につかえ、15 歳で初陣をはたす。

その後、織田信澄や羽柴秀長（のちの豊臣秀長）につかえ、1583 年の賤ヶ岳の戦い、紀州征伐、九州征伐などで戦功をあげる。豊臣秀吉にみとめられ、1592（文禄元）年の朝鮮出兵（文禄の役）などに参戦し、帰国後に高野山に出家したが、秀吉にこわれて下山し、1595 年、伊予国（愛媛県）の宇和島城主となる。

1597（慶長 2）年の第 2 次朝鮮出兵（慶長の役）では、水軍をひきいて朝鮮水軍を全滅させた。秀吉の死後は徳川家康の信頼を得る。1600 年の関ヶ原の戦いでは、寝返った小早川秀秋とともに東軍として戦い、その功で伊予国の今治城主となり、1615 年の大坂夏の陣でも活躍。1617 年には、伊勢国（三重県東部）、伊賀国（三重県西部）などもあわせて、32 万石の外様大名となる。

築城の名手としても知られ、江戸城（東京都千代田区）、二条城（京都市）、伊賀上野城（三重県伊賀市）、宇和島城（愛媛県宇和島市）、篠山城（兵庫県篠山市）など、多くの名城をのこした。

トゥトメスさんせい

王族・皇族

トゥトメス 3 世　生没年不詳

古代エジプトの領土を最大にしたファラオ

古代エジプト、第 18 王朝の第 6 代ファラオ（王）（在位紀元前 1479? 〜紀元前 1458? 年）。

第 4 代ファラオ、トゥトメス 2 世の子。即位時は幼かったため、最初の 22 年間は、義母ハトシェプストが実質的に国をおさめた。ハトシェプストが退位して単独で政権をにぎると、すぐに対外遠征を開始。アジア遠征は 17 回におよび、東はユーフラテス川、南はナイル川上流まで、古代エジプト史上最大の領土を獲得した。こうした積極的な活動から、後世、「エジプトのナポレオン」ともよばれる。

遺跡では、ハトシェプストの名や肖像はすべてけずりとられており、これはトゥトメス 3 世がハトシェプストへのうらみからおこなったこととされるが、定かではない。実権をにぎるとすぐに、自身の彫像や神殿を数多くつくり、王としての権威をしめしたという。

とうのつねより

詩・歌・俳句

東常縁　1401？〜1484？年

はじめて和歌の古今伝授をおこなう

（国立国会図書館）

室町時代の歌人。

美濃国（現在の岐阜県）の篠脇城主。別名は東野州。本姓は平。東氏は下総国（千葉県）から鎌倉時代に移ったとされる。常縁は一族の千葉氏の内乱をおさめるため関東に長くとどまる。応仁の乱（1467 〜 1477 年）がはじまると、東軍に属して戦うが、西軍の斎藤氏に攻められて落城した。その後、和歌を斎藤氏に贈り、城を返してもらったという話は有名。

和歌の指導者で歌人の堯孝や正徹から和歌を学ぶ。博学で古典にくわしく、連歌師の宗祇に、『古今和歌集』の秘伝を伝えた。これが『古今和歌集』のとくに重要な部分を秘伝として伝える古今伝授のはじめとされる。歌集に『東野州家集』、歌論書に『東野州聞書』がある。『新古今和歌集』の200首についてそれまでの解説と自身の見解を書きとめた注釈書『新古今和歌集聞書』をまとめる。『百人一首』『伊勢物語』などの古典も講義し、写本がのこされている。

とうやまみつる

政治

頭山満 1855〜1944年

右翼運動家の草分け的存在

明治時代〜昭和時代の国家主義者、右翼運動家。

筑前国（現在の福岡県北部）の福岡藩士の家に生まれる。1876（明治9）年、政府に対する士族の反乱、萩の乱に呼応して、みずからも反乱をくわだて入獄する。出獄したのちは、板垣退助らの影響で自由民権運動に参加。1879年、福岡で政治結社、向陽社（のちの共愛会）を設立し、国会開設運動を進める。1881年の国会開設以降は、玄洋社とあらため、国家主義運動に転向する。

条約改正案に反対し、日露開戦を主張するなど、大アジア主義をとなえて日本の大陸進出をはかった。

金玉均、孫文、ビハリ・ボースなどの亡命政治家を保護し、国家主義団体の黒竜会、大陸浪人を支配する右翼の中心人物として、多くの国家主義者を育て、政界の裏側で暗躍した。

トゥンシャオピン

鄧小平 → 鄧小平

ドーデ，アルフォンス

文学

アルフォンス・ドーデ 1840〜1897年

短編『最後の授業』の作者

フランスの作家。

南フランスのニーム生まれ。絹織物工場主の父が破産して一家が離散し、少年時代は苦しい生活を送る。評論家の兄の協力でパリに出て、1858年に詩集『恋する女たち』を刊行する。この詩集をきっかけに貴族の援助を得て、文学の勉強をつづけた。1866年、南フランスの風景と人情をえがいた『風車小屋だより』が評判となり、作家としてみとめられる。長編『若いフロモンと兄リスレール』がベストセラーとなる。人間味あふれるあたたかい作風で、フランスでもっとも売れる流行作家となった。代表作に、短編『最後の授業』（短編集『月曜物語』に収録）、戯曲では『最後の偶像』、ビゼーが曲をつけた『アルルの女』などがある。

ドーミエ，オノレ

絵画

オノレ・ドーミエ 1808〜1879年

フランス写実主義を代表する画家

フランスの画家、版画家。

マルセイユのガラス店に生まれ、1816年にパリに移住する。生計のため、12歳ごろから書店などではたらきながら画家をめざし、絵画やリトグラフ（石版画）の技術を学んだ。

1830年からリトグラフで当時の政治を風刺した漫画を次々と新聞や雑誌に発表する。1832年に、国王ルイ=フィリップを大食らいのガルガンチュアに見たてて風刺した漫画が罪に問われ、半年間投獄された。しかし名声が高まり、その後も政治家や資本家たちの生活を批判する作品をだした。

生涯で4000点以上のリトグラフ、1000点の木版画をのこした。題材は文学作品が多かったが、すぐれた観察力で、現実をするどくえがいた。1848年からは油彩画を本格的にてがけ、『洗濯女』『三等列車』など、貧しい庶民の生活をえがいて、ドガやロートレックらの近代画家に影響をあたえた。フランス写実主義を代表する画家である。

とおやまかげもと

江戸時代

遠山景元 1793〜1855年

「遠山の金さん」で親しまれる町奉行

▲遠山景元
（遠山講蔵／千葉県立中央博物館大多喜城分館提供）

江戸時代後期の町奉行。

旗本（将軍に直接会うことをゆるされた武士）の遠山景晋の子として生まれる。通称は金四郎。父は長崎奉行（長崎の行政・司法などをつかさどる役人）や勘定奉行（税の徴収など幕府の財政運営を担当する役人）を歴任した。複雑な家庭の事情から若いころは遊び人で、江戸（現在の東京）の庶民の生活に通じていたといわれる。

1825年、33歳のとき江戸幕府第11代将軍徳川家斉にはじめて対面し、小納戸役（将軍の雑用を担当した役職）になった。その後、作事奉行（建築や修理などの工事を担当した役人）、勘定奉行などをへて、1840年、48歳で江戸の町奉行（町の行政、裁判、警察を担当した役人）になった。

翌年、老中の水野忠邦の天保の改革がはじまるが、株仲間（同じ業種の商工業者の組合）の解散に反対し、水野の命令を受けてもすぐには実行しなかった。また、水野が江戸三座（中村座、市村座、森田座の幕府公認の3つの芝居小屋）を廃止しようとすると、芝居小屋を江戸郊外の猿若町（台東区）へ移転させることで存続をはかった。景元は水野の改革に批判的だったため1843年、町奉行をやめさせられて大目付（大名、旗本、役人たちの監視役）になった。しかし、天保の改革が失敗に終わり、水野が失脚すると、1845年、ふたたび町奉行になり、1852年まで8年にわたって町奉行をつとめた。

▲東京都豊島区の本妙寺にある墓

当時から大岡忠相以来の名裁判官と評判で、のちに芝居や講談（巧妙な話術で軍記物やあだ討ちなどを語る演芸）などにとり上げられて、「遠山の金さん」の愛称で親しまれた。

トールキン，ジョン・ロナルド・ロウエル

学問　文学　絵本・児童

ジョン・ロナルド・ロウエル・トールキン　1892～1973年

中世の知識をもとに壮大なファンタジーを創造

イギリスの作家、言語学者。

南アフリカ生まれ。3歳でイギリスに移り住む。幼いときに父を、12歳で母を亡くし、苦学してオックスフォード大学に学ぶ。『オックスフォード英語辞典』の編集助手をへて、大学で英語と英文学の教授をしながら、イギリス中世の伝説や言語を研究。その知識を背景にして壮大なファンタジーの世界をつくり上げた。

1937年に出版された、小さい人たちとよばれるホビット族の活躍をえがいた『ホビットの冒険』は、4人のこどもたちに語り聞かせた寝物語がもとになっている。続編の『指輪物語』は、ホビットや妖精、小人や魔法使いが活躍するおとな向けの長編ファンタジーで、時代や国境をこえて読みつがれ、後世の作家に大きな影響をあたえた。ほかに、毎年サンタクロースになりすましてわが子に送った自筆のさし絵つきの手紙をまとめた『サンタ・クロースからの手紙』、息子のクリストファーが遺稿をまとめて出版した『シルマリルの物語』『終わらざりし物語』などがある。

ドガ，エドガー

絵画

エドガー・ドガ　1834～1917年

踊り子の動きをとらえてえがいた画家

フランスの画家。

パリで裕福な銀行家の息子に生まれる。幼いころから両親の趣味の影響で、芸術や文学にふれて教養豊かに育った。パリ大学で法律を学んでいたが、21歳で国立美術学校に入り、画家への転身をはかった。晩年の19世紀古典主義の画家アングルからデッサンの指導を受ける。

1856～1860年にはイタリアへ行き、伝統的な美術作品から肖像画や歴史画を学んだ。

1870年代には、アングルや、日本の浮世絵の技法から強い影響を受けた。マネやセザンヌと親しくつきあい、1874年から印象派の展覧会に参加した。

踊り子、競馬の騎手、入浴する女性などを、すぐれたデッサン力と奇抜な構図でえがいた。舞台やけいこ場での踊り子の一瞬の動きをとらえたすぐれた作品が多く、約半数を占める。ほかにもパステル画や彫刻をのこした。代表作に『オペラ座の楽屋』などがある。晩年は視力がおとろえ、記憶の中の踊り子やウマの彫刻などを制作した。

とがしまさちか

貴族・武将

富樫政親　1455?～1488年

加賀の一向一揆によりほろぼされる

室町時代後期の武将。

富樫氏は代々、加賀国（現在の石川県南部）の守護大名をつとめていたが、1467（応仁元）年におきた応仁の乱によって、家中が分裂した。政親は細川勝元ひきいる東軍に加わったが、山名持豊の西軍とむすんだ弟の勢力におされ、いったんは加賀をのがれる。当時、北陸地方では、蓮如の布教活動によって一向宗（浄土真宗本願寺）が流行し、門徒（信者）は講とよばれる組織をつくっていた。政親は彼らによる一向一揆衆の支援を受け、その軍事力を動員して加賀国の守護に返り咲いた。しかしこのあと政親は、力を強めた一向宗をおそれ、しだいに弾圧するようになった。これに対して門徒衆は、一向一揆をおこす。1488年には政親の居城である高尾城を攻撃し、政親はこれをおさえられず、自害した。政親の死により、加賀は「百姓のもちたる国」とよばれるようになる。

とがしやすたか

貴族・武将

富樫泰高　生没年不詳

加賀国をめぐって兄弟であらそった

室町時代の武将。

加賀国（現在の石川県南部）の守護大名である富樫満春の子として生まれる。幼少のころは醍醐寺（京都市）に出家していた。1441年、兄の富樫教家が、室町幕府第6代将軍足利義教に追われたあとを受け、加賀国の守護となる。義教の死後、管領である畠山持国の支持を受けた教家と、同じく管領の細川持之の支持を受けた泰高とのあいだで、家督争いをめぐる内乱がおこる。1447年に和平をむすび、教家の子成春が北加賀の守護となり、泰高は南加賀の守護となった。1464年に家

督を成春の子である富樫政親にゆずり隠居するが、1488年の一向一揆で政親が自害すると、一揆衆に擁立され、ふたたび守護職に復帰した。

とがわゆきお

文学 絵本・児童

戸川幸夫 1912～2004年

動物文学の分野をひらく

昭和時代～平成時代の作家、児童文学作家。

佐賀県生まれ。旧制山形高等学校中退。東京日日新聞社（のちに毎日新聞社）に入社、ジャーナリストとして活躍する。

1954（昭和29）年、劇作家の長谷川伸が主宰する新鷹会に参加。同じ年、山形県でかつて飼われていた日本犬の1種、高安犬の姿をえがいた小説『高安犬物語』で直木賞を受賞する。その後は創作活動に専念し、時代小説、ユーモア小説、伝記小説、ルポルタージュなど、幅広い分野で活躍した。

とくに、動物についての豊富な知識を生かして、動物文学という新しい分野を切りひらいた。1962年に『子どものための動物物語』でサンケイ児童出版文化賞を受賞。主な作品に、自然と闘うオオカミ犬をえがいた『オーロラの下で』や、少年と野生のライオンをえがいた『王者のとりで』などがある。また、1965年のイリオモテヤマネコの発見にもかかわり『イリオモテヤマネコ』を著した。

学 芥川賞・直木賞受賞者一覧

ときやすゆき

貴族・武将

土岐康行 ?～1411年

室町幕府に対し、土岐康行の乱をおこした

南北朝時代～室町時代前期の武将。

土岐氏は代々、美濃国（現在の岐阜県南部）を支配した名族で、康行のおじ、頼康は室町幕府初代将軍足利尊氏をささえ、美濃国、尾張国（愛知県西部）、伊勢国（三重県東部）の守護や京都の政治全般をあずかる侍所頭人（長官）を歴任し、その時代に土岐氏を最盛期へとみちびいた。康行は頼康の養子となってあとをつぎ、1387年、3か国の守護職を継承した。

しかし、第3代将軍足利義満は将軍権力を強化するため、有力守護大名の統制を強化し、その勢力を削減することをもくろんでいた。強大な勢力をもつ土岐氏を義満は警戒し、康行には美濃国、伊勢国の守護のみを任じ、尾張国守護には康行の弟満貞をおいて、土岐氏の分裂と弱体化を画策した。義満の挑発に乗った康行は、1390年に挙兵し義満と戦う。しかしこの戦いにやぶれ、守護の地位をはく奪された（土岐康行の乱）。その後、康行はゆるされ、1391（明徳2）年の山名氏清による明徳の乱では幕府軍に加わり、伊勢国の守護に復帰した。

ときわずもじたゆう

伝統芸能

常磐津文字太夫 1709～1781年

常磐津節の創始者

江戸時代中期の音楽家。

本名は駿河屋文右衛門。京都生まれ。三味線音楽の一流派、豊後節を創始した宮古路豊後掾に入門し、宮古路文字太夫と称した。1734年、豊後掾とともに江戸（現在の東京）に行き、芝居小屋の中村座で上演して人気を得た。しかし、作品に心中をあつかったものが多かったため、1739年、風紀を乱すとの理由で豊後節は幕府から禁止された。豊後掾が京都にもどったあとも江戸にのこり、1747年、常磐津に名前をあらためて新流派「常磐津節」をおこした。以後、歌舞伎の舞踊劇の伴奏音楽として幕府公認の芝居小屋である江戸三座（中村座、市村座、森田座）に出演した。

ときわみつなが

絵画

常磐光長 生没年不詳

後白河上皇につかえた絵師

平安時代後期の絵師。

貴族で絵師の藤原隆信とともに後白河上皇（譲位した後白河天皇）のそばにつかえていた絵師といわれる。

1173年、上皇に命じられ、後白河上皇のきさきの建春門院が建立した最勝光院（京都市東山区にあった寺）の堂や御所の障子に数多くの絵をえがいた。上皇の高野山への参詣、建春門院の平野行啓（京都市北区にある神社への外出）、日吉御幸（滋賀県大津市にある日吉神社への外出）のようすをえがいたが、参列した人物たちの顔は藤原隆信がかいたと伝えられている。

また、後白河上皇の命令により『年中行事絵巻』を制作したといわれる。その画風が共通していることから、『伴大納言絵詞』の制作者とも考えられている。

▲『年中行事絵巻』にえがかれた新年の行幸の一場面 （国立国会図書館）

とくがわあきたけ

幕末

徳川昭武 1853～1910年

パリ万博に派遣された

江戸時代後期の水戸藩主、明治時代の華族。

水戸藩（現在の茨城県中部と北部）の藩主、徳川斉昭の子。

のちの江戸幕府第15代将軍徳川慶喜の弟。1864年、京都で宮中の警護にあたった。1867年、兄の慶喜の名代として、フランスのパリ万国博覧会に派遣され、ナポレオン3世に謁見して、国書をわたした。フランス語などを学び、その後ヨーロッパ各国を親善訪問し、イタリア王からは一等勲章を贈られた。

（国立国会図書館）

1868（明治元）年、明治維新のために留学をとりやめて帰国し、水戸藩主をついだ。1871年、廃藩置県で藩が廃止されると、陸軍少尉をつとめる。1876年、アメリカ大博覧会御用掛となり、フィラデルフィア万国博覧会の見学に派遣され、その後、軍籍をはなれてふたたびパリに留学した。1881年、帰国して明治天皇につかえた。

1883年、隠居したあと茨城県に牧場を経営し、植林事業にも力をつくした。

とくがわいえさだ

江戸時代　幕末

徳川家定　1824〜1858年

開国した将軍

（奈良・長谷寺）

江戸時代の江戸幕府第13代将軍（在位1853〜1858年）。

第12代将軍徳川家慶の子。1853年、父のあとをついで将軍となったが、生まれながらに病弱で、政治は老中の阿部正弘らが補佐した。同年、ペリーが浦賀に来航して開国を求め、日本は動乱の時代に入った。1856年、勢力の大きな大名と協調をはかる阿部は、島津斉彬の養女篤姫（天璋院）を家定の夫人にむかえた。しかし、こどもの誕生が期待できず、将軍の後継者が問題となった。

1857年、日米修好通商条約を求めるアメリカ合衆国のハリスと江戸城で謁見し、アメリカ大統領の国書を受けとった。1858年、彦根藩（滋賀県彦根市）の藩主の井伊直弼を大老に任命した。井伊は天皇の許可のないままに日米修好通商条約をむすんだので、尊王攘夷派（天皇をうやまい外国勢力を追いはらおうという考えの人々）の反発を買った。

井伊は将軍のあとつぎに一橋慶喜（のちの第15代将軍徳川慶喜）をおす大名たちをおさえ、紀州藩の徳川慶福（徳川家茂）を次代の将軍と決定した。家定はそのあと亡くなった。

学 征夷大将軍一覧

とくがわいえさと

政治

徳川家達　1863〜1940年

旧将軍家当主から明治政府の貴族院議長へ

（国立国会図書館）

明治時代〜昭和時代の政治家。江戸（現在の東京）生まれ。幼名、亀之助。徳川家の御三卿の一つ、田安家の徳川慶頼の3男として生まれ、1865年、田安家の当主となる。

1868（明治元）年、6歳で徳川慶喜のあとをついで旧徳川将軍家第16代当主となり、翌年、静岡藩知事に就任。1877年から5年間、イギリスのイートン・カレッジに留学した。

1884年、華族令公布とともに公爵となる。1890年、帝国議会が開設されると同時に貴族院議員となり、1903年から30年にわたり、貴族院議長をつとめた。1914年、山本権兵衛内閣が総辞職をしたときには、次期首相の内命があったが、「いまだに徳川家が政権でめだつのは遠慮すべきだ」として、辞退したといわれている。1921（大正10）年、ワシントン会議全権委員をつとめ、軍縮条約の締結にかかわった。済生会会長、日本赤十字社社長、国際連盟協会会長などの名誉職も歴任した。

とくがわいえしげ

江戸時代

徳川家重　1711〜1761年

政治は老中たちにまかせきり

（奈良・長谷寺）

江戸時代の江戸幕府第9代将軍（在位1745〜1760年）。

紀伊藩（現在の和歌山県・三重県南部と東部）の藩主、徳川吉宗の子として生まれ、田安宗武と一橋宗尹の兄にあたる。

生まれつき病弱なうえ、ことばが不明瞭で、側近の大岡忠光だけが家重の話を理解できたという。心配した吉宗は、儒学者の室鳩巣を教育係にして学問を学ばせた。1745年、将軍職をついだが、政治への関心はうすく老中たちにまかせきりだった。

家重の時代の政治は、吉宗がはじめた享保の改革を受けついだもので、幕府の財政は比較的安定していた。その一方で、年貢の引き下げなどを求める大規模な百姓一揆が全国各地でおこり社会は不安定だった。1760年、忠光が亡くなると長男の徳川家治に将軍職をゆずり、大御所になった。

学 征夷大将軍一覧

とくがわいえつぐ

江戸時代

徳川家継　1709〜1716年

わずか8歳で亡くなった将軍

（奈良・長谷寺）

江戸時代の江戸幕府第7代将軍（在位1713〜1716年）。

第6代将軍徳川家宣の子で、家宣が亡くなった翌年の1713年、5歳で将軍職についた。幼かったため、家宣の代からの側用人間部詮房と新井白石が政治をみた。1714年には、霊元天皇の皇女八十宮と婚約した。利発で聞き分けがよいと評判だったが、生まれつきからだが弱く、1716年、8歳で亡くなった。家継の死によって徳川家光の血筋はたえ、紀伊藩（現在の和歌山県・三重県南部と東部）の藩主、徳川吉宗が第8代将軍になった。

学 征夷大将軍一覧

とくがわいえつな

江戸時代

徳川家綱　1641〜1680年

家臣にささえられた温厚な将軍

（奈良・長谷寺）

江戸時代の江戸幕府第4代将軍（在位1651〜1680年）。

第3代将軍徳川家光の子。1651年、家光が亡くなり、11歳で将軍になった。幼い将軍の誕生で幕府の前途をあやぶむ声もあったが、おじで後見役の保科正之や家光の代からの老中松平信綱らが結束して政治をみた。性格はおとなしく、観察力や記憶力にすぐれ、茶道や書画など趣味は多かった。しかし、病弱だったこともあり、成人してからも政治は家臣たちにまかせきりだった。家臣たちの意見を聞いて「左様せい（そのようにしろ）」というだけだったので「左様せい様」というあだ名がつけられた。治世の後半には、大老の酒井忠清が政治の実権をにぎり、「下馬将軍」といわれるほどの権力をふるった。こどもにめぐまれず、死後、弟の徳川綱吉が第5代将軍になった。

学 征夷大将軍一覧

とくがわいえなり

江戸時代

徳川家斉　1773〜1841年

寛政の改革を終わらせた

江戸時代の江戸幕府第11代将軍（在位1787〜1837年）。御三卿の一つ、一橋家に生まれる。第10代将軍徳川家治の養子となり、1787年、15歳で将軍職をついだ。将軍になると、白河藩（現在の福島県白河市）の藩主の松平定信を老中首座に任命して、寛政の改革を進めさせた。しかし、きびしすぎる定信の改革や父治済に大御所の称号をあたえることなどで定信と対立を深め、1793年、定信の辞任願いを受け入れた。その後は将軍の側近である側用人の水野忠成を老中首座に登用し、ぜいたくな生活をして浪費をくりかえした。

（徳川家斉画像／東京大学史料編纂所所蔵模写）

50年間将軍をつとめ、1837年、隠居して大御所となったが、亡くなるまで政治の実権をにぎりつづけた。40人の側室がおり、生涯に55人のこどもをもうけた。家斉治世の文化文政時代（1804〜1830年）は、化政文化とよばれる江戸庶民の文化が栄えた時期でもあった。

学 征夷大将軍一覧

とくがわいえのぶ

江戸時代

徳川家宣　1662〜1712年

財政改善にとりくんだが短期間で病死

（徳川家宣画像／東京大学史料編纂所所蔵模写）

江戸時代の江戸幕府第6代将軍（在位1709〜1712年）。

甲斐国甲府藩（現在の山梨県甲府市）の藩主、徳川綱重の子。第3代将軍徳川家光の孫にあたる。

1678年、父のあとをついで甲府藩主になった。のちに、こどもがいなかった第5代将軍徳川綱吉の養子になり、江戸城（東京都千代田区）の西の丸に入った。1709年、48歳で将軍になると、将軍の側近である側用人の柳沢吉保をしりぞけ、新井白石と間部詮房を重用して政治をおこなった。白石の意見をとり入れて、綱吉が定めた「生類憐みの令」を廃止したのをはじめ、幕府財政の改善にとりくみ、朝鮮通信使の待遇をあらためるなど文治政治を進めた。しかし、将軍就任後、3年半で病死した。

学 征夷大将軍一覧

とくがわいえはる

江戸時代

徳川家治　1737〜1786年

田沼意次を重用し、絵画や将棋に没頭した

江戸時代の江戸幕府第10代将軍（在位1760〜1786年）。

第9代将軍徳川家重の子。幼名は竹千代。物事を判断する力がなかった父親とちがい、幼いころから利発で、祖父の徳川吉宗から期待をかけられて育った。1760年に将軍職をつぐと、家重の遺言にしたがい、旗本から1万石の大名に出世した田沼意次を重用した。当初は政治への意欲をみせ、1776年、天

下に幕府の威光をしめすため、吉宗以来とだえていた将軍家が日光東照宮（栃木県日光市）に参拝する日光社参を復活させた。このとき動員された人数は400万人にもおよび、20万両以上がついやされた。しかし、4人のこどもに先立たれてから政治への関心がうすれ、意次に政治をゆだねて好きな絵画や将棋に没頭した。1781年、一橋家から家斉（のちの徳川家斉）を養子にむかえ、5年後、病死した。家治の死の直前、田沼意次は反対派の策動により老中をやめさせられた。

（徳川家治画像／東京大学史料編纂所所蔵模写）

学 征夷大将軍一覧

とくがわいえみつ

江戸時代

徳川家光　1604〜1651年

鎖国体制を完成させた将軍

▲徳川家光　（奈良・長谷寺）

江戸時代の江戸幕府第3代将軍（在位1623〜1651年）。

第2代将軍徳川秀忠と江（崇源院）の次男で、嫡男として江戸城に生まれる。幼名は竹千代といい、福（のちの春日局）が乳母になった。無口で人見知りをするこどもだったので、母は家光よりも2歳年下の弟、国松（徳川忠長）をかわいがった。そのため、秀忠夫妻が国松を次の将軍にしようとしているといううわさが流れた。しかし、春日局のうったえにより、祖父の徳川家康は兄の竹千代が次の将軍であると断言し、家光があとつぎに決まった。

1623年、20歳で第3代将軍になったが、最初の9年間は秀忠が大御所（将軍職をしりぞいた前将軍）として政治を動かした。1632年、秀忠が亡くなって幕府の実権をにぎると、素行の悪い弟の徳川忠長を改易（領地を没収すること）して自害に追いこんだのをはじめ、肥後国熊本藩（現在の熊本県中部と北部）の藩主、加藤忠広を改易するなどして将軍の権力を諸国の大名にしめした。

1635年、武家諸法度を改訂して参勤交代の制度を定めた。これは、諸大名を1年交代で江戸（東京）と領地を行き来させ、妻子を人質として江戸に住まわせるという制度で、大名に対する幕府の支配力を強めた。一方で幕府政治を安定させることに力をそそぎ、老中や若年寄などの役職を定め、老中たちが将軍を補佐して政治をおこない、若年寄がそれを助けるしくみをととのえた。また、勘定奉行（税の徴収など幕府の財政運営を担当する役人）、町奉行（江戸の町の行政、裁判、警察を担当した役人）、寺社奉行（全国の寺や神社を管理し宗教をとりしまる役人）などの役職も定め、幕府の基礎をかためた。

▲『加賀大名行列図屏風』の一部　（石川県立歴史博物館）

キリスト教の取り締まりを強化し、1635年、日本人の海外渡航と帰国を禁止し、翌年、キリスト教を広めるおそれのあるポルトガル人を長崎の出島に収容した。1637年、キリスト教の信者が多かった九州の島原半島（長崎県）と天草諸島（熊本県）で天草四郎を総大将とした農民3万7000人による一揆がおこる（島原・天草一揆）と、老中松平信綱を派遣して一揆をしずめ、1639年、ポルトガル船の来航を禁止した。さらに1641年、平戸（長崎県平戸市）のオランダ商館を出島に移して貿易の相手をオランダと中国にかぎり、鎖国体制を完成させた。

家光は祖父徳川家康をたいへん尊敬し、家康が祭られた日光東照宮を改修して豪華な社殿につくりかえた。48歳で亡くなると、遺言によって日光山（栃木県日光市）にほうむられた。

学 征夷大将軍一覧

とくがわいえもち

江戸時代　幕末

徳川家茂　1846〜1866年

公武合体を進めた将軍

（徳川家茂画像／東京大学史料編纂所所蔵模写）

江戸時代の江戸幕府第14代将軍（在位1858〜1866年）。

紀州藩（現在の和歌山県・三重県南部）の藩主徳川斉順の子。1849年、4歳で藩主となり、慶福と名のった。病弱だった第13代将軍徳川家定の後継をめぐって一橋慶喜（のちの徳川慶喜）をおす一派と対立。しかし1858年、大老の井伊直弼におされて後継者となり、家定が亡くなると13歳で第14代将軍に就任し、名を家茂とあらためた。その後、尊王攘夷派（天皇をうやまい外国勢力をおいはらおうという考えの人々）を弾圧して安政の大獄をおこなった井伊が1860年、桜田門外の変で暗殺され、諸外国との条約調印問題では、朝廷と徳川将軍家がむすぶことを進める公武合体派と尊王攘夷派があらそうという多難な状況だった。1862年、公武合体派の策により孝明天皇の異母妹和宮を正室にむかえた。翌年、さらに公武合体を進めるため京都へ行き、天皇に攘夷を約束した。将軍の上洛は、約230年ぶりのことだった。1864年、禁門の変をおこした長州藩（山口県）への出兵を諸大名に命じ、その後、第二次長州出兵を指揮するため大坂（阪）城に入ったが、1866年、幕府軍の戦況が不利になる中で病死した。

学 征夷大将軍一覧

とくがわいえやす

徳川家康 → 70ページ

とくがわいえよし

江戸時代

徳川家慶 1793～1853年

天保の改革を命じた

（奈良・長谷寺）

江戸時代の江戸幕府第12代将軍（在位1837～1853年）。

第11代将軍徳川家斉の次男。1837年、45歳のとき将軍職をついだが、父の家斉が大御所（将軍職をしりぞいた前将軍）として政治の実権をにぎりつづけ、名ばかりの将軍だった。1841年、家斉が亡くなり、政治の実権をにぎると、家斉の側近を追放して老中水野忠邦を重用し、天保の改革に着手させた。しかし、急激な改革は反発をよび、1843年、江戸（現在の東京）や大坂（阪）周辺の約40km四方の大名、旗本の領地を幕府領にしようとした上知令に対して、領民だけでなく御三家や譜代大名からも反対の声が高まると、水野を解任した。その後、阿部正弘を抜てきして政治をおこなった。

1853年、アメリカ合衆国の使節ペリーが4隻の軍艦をひきいて来航したときには、重い病気にふせっており、幕府が対応に苦労しているさなかに病死した。

学 征夷大将軍一覧

とくがわかずこ

王族・皇族

徳川和子 1607～1678年

江戸幕府と朝廷のあいだをとりもった

（光雲寺所蔵）

江戸時代前期の後水尾天皇の中宮（皇后と同じ身分）。江戸幕府第2代将軍徳川秀忠の子。第3代将軍徳川家光の妹。名はまさことも読む。徳川秀忠と江（崇源院）の娘として江戸城に生まれる。おだやかで、すなおな性格だったという。祖父の徳川家康は朝廷への影響力を強めるため、1614年に和子の入内（宮中に入ること）を決定した。しかし、大坂の陣（1614、1615年）や家康の死（1616年）などで延期され、1620年、14歳のとき25歳の後水尾天皇にとついだが、夫婦仲はよかったといわれる。1623年、興子内親王を産んで翌年、中宮になり、さらに2男4女をもうけた。1629年、後水尾天皇が譲位し、興子内親王が明正天皇として即位すると、東福門院と称した。その後、後光明天皇、後西天皇、霊元天皇の養母になり、天皇家と幕府との関係の安定につとめた。財政面でも援助をおこない、その結果、京都郊外に山荘修学院離宮などが造営された。

とくがわつなとよ

徳川綱豊 → 徳川家宣

とくがわつなよし

江戸時代

徳川綱吉 1646～1709年

きびしい「生類憐みの令」で民を苦しめた

▲伝徳川綱吉画像（部分）

（©徳川美術館イメージアーカイブ/DNPartcom）

江戸時代の江戸幕府第5代将軍（在位1680～1709年）。

第3代将軍徳川家光の4男として江戸城に生まれる。幼名は徳松という。1651年、家光の死後、15万石の領地をあたえられ、1661年、16歳で上野国館林藩（現在の群馬県東部）25万石の藩主になった。

1680年、こどもがいなかった兄徳川家綱の養子になり、同年、35歳で将軍職をついだあと、権勢をふるっていた大老の酒井忠清をやめさせ、堀田正俊を大老にして意欲的に政治にとりくんだ。問題のある大名を改易（領地を没収すること）したり、不正のあった代官（幕府領の行政や年貢徴収などをおこなう役職）を大量に処分したりして将軍の権威を高めた。

武芸よりも学問を好み、とくに儒学を重んじ、その教えにもとづいた政治をめざした。湯島に孔子を祭る聖堂（現在の湯島聖堂）（東京都文京区）を建て、そこに林家（林羅山を初代とし、代々幕府につかえて儒学を講義した家系）の私塾を移した。

1684年、大老の堀田が江戸城で暗殺されるとしだいに独裁色を強め、側用人（将軍のそば近くにつかえ将軍の命令を老中に伝えたりする役職）を重用して自分の意のままに政治をおこなった。そのため、側用人の柳沢吉保らが政治への発言権を強めて、大きな力をふるうようになった。

1685年、生き物をたいせつにすることを命じた「生類憐みの令」をだし、違反した者をきびしく処罰した。はじめはこどもや病人、イヌ、ウマなどを捨てることを禁じたものだったが、しだいに内容がエスカレートして魚や鳥、虫類までも対

▲江戸時代の史跡湯島聖堂

（斯文会）

象になり町人たちを苦しめた。中でも綱吉の干支であるイヌがたいせつにされたので、「犬公方（イヌ好きの将軍）」とあだ名された。また、護国寺（東京都文京区）や東大寺（奈良市）の大仏殿などを建立したため、幕府の財政が悪化。勘定奉行（税の徴収など幕府の財政運営を担当する役人）の荻原重秀の意見にもとづいて貨幣を改鋳し質を落とした貨幣を発行した。その結果、貨幣の値打ちが下がって物価が上昇した。

晩年の1702年には、赤穂浪士による吉良義央邸討ち入り事件がおこり、また、1703（元禄16）年には元禄大地震、1707年には富士山噴火などの災害がおこり、世の中が不安になった。あとつぎにめぐまれず、1704年、兄綱重の子、徳川家宣を養子とした。1709年、家宣が第6代将軍になると生類憐みの令は廃止された。

学 征夷大将軍一覧

とくがわなりあき

幕末

徳川斉昭　1800〜1860年

攘夷を強硬に進めた

▲徳川斉昭肖像画
（©徳川ミュージアム・イメージアーカイブ／DNPartcom）

幕末の水戸藩主。

水戸藩（現在の茨城県中部と北部）の藩主、徳川治紀の子。江戸幕府第15代将軍徳川慶喜の父。1829年、兄の死後、藩主となる。1830年、中級、下級藩士の藤田東湖、会沢正志斎、武田耕雲斎らの人材を登用して藩の改革に着手し、倹約令をだしてみずから倹約につとめ、領内の検地をおこない農村救済のための倉を設置した。1839年、『戊戌封事』を著して国内外の危機をうったえ、幕府に政治改革を進言した。1841年、藩校弘道館を設立して教育の振興をはかった。

1843年、寺院の鐘を強制的に供出させて大砲の鋳造をおこない、寺院を整理する一方で村ごとに神社を設置し、僧にかわって神官に村人の管理をさせるなど、仏教を圧迫し神道を重視する政策をおこなった。1844年、この極端な仏教弾圧や幕府の了解なく軍備を改革したことなどをとがめられて隠居謹慎を命じられ、長男の慶篤に藩主の座をゆずった。1846年、外国船の日本沿岸接近に対し、幕府の老中阿部正弘に何度も意見書を提出し、1849年、藩政に復帰した。

1853年、ペリーが来航したとき、老中の阿部によって幕府の相談役に任命され、強硬な攘夷論を主張した。また、江戸（東京）防備のため大砲を鋳造して、幕府に献上した。1854年、江戸の石川島に造船所を建設し、2年半をかけて国内最大級の洋式軍艦旭丸を建造した。1855年、幕府政治に参加し、阿部正弘が亡くなると、開国論をとる老中の堀田正睦と対立し、相談役を辞任した。

▲斉昭がつくった名園、偕楽園の好文亭

病弱であった第13代将軍徳川家定のあとつぎが問題となると、島津斉彬、松平慶永らとともに子の一橋慶喜（のちの徳川慶喜）をおした。1858年、開国を進める井伊直弼が大老に就任し、日米修好通商条約に勅許（天皇の許可）なしで独断調印した。これに対し斉昭は松平慶永、一橋慶喜らと江戸城に無断で登城し、井伊をはげしく非難したため謹慎を命じられた。さらに井伊は、将軍のあとつぎを紀州藩（和歌山県・三重県南部）の藩主、徳川慶福（徳川家茂）に決定した。1859年、井伊が尊王攘夷派（天皇をうやまい外国勢力を追いはらおうという考えの人々）の大名や志士たちを弾圧した安政の大獄で、斉昭は水戸での永蟄居（家を閉門して部屋にこもること）を命じられ、翌年、失意のうちに亡くなった。

とくがわひでただ

江戸時代

徳川秀忠　1579〜1632年

大名には強い態度でのぞみ、幕府の基礎をかためた

▲徳川秀忠　（奈良・長谷寺）

江戸時代の江戸幕府第2代将軍（在位1605〜1623年）。

初代将軍徳川家康の3男として、遠江国（現在の静岡県西部）浜松城に生まれる。1590年、12歳のとき聚楽第（豊臣秀吉が京都に造営した屋敷）で元服し、秀吉から1字をあたえられて秀忠と名のった。1595年、17歳で秀吉の側室、淀殿の妹、江（崇源院）と結婚した。

1600年、関ヶ原の戦いがおこると、約4万の大軍をひきいて関ヶ原（岐阜県関ケ原町）にむかうが、信濃国（長野県）上田城主の真田昌幸・真田幸村（信繁）親子に進撃をはばまれて決戦に間に合わず、家康から叱責された。

1605年、27歳のとき家康から将軍職をゆずられて第2代将軍になった。しかし、将軍に就任したのちも駿河国（静岡県中部と北東部）駿府城に移った家康が大御所（将軍職をしりぞいた前将軍）として実権をにぎり、家康の指導の下に政治がおこなわれた。

1615年、大坂夏の陣で豊臣氏をほろぼしたのち、武家諸法度（大名を統制するための法律）、禁中並公家諸法度（朝廷や公家をとりしまるための法律）、諸宗寺院法度（仏教の各宗派や寺院をとりしまるための法律）を定めた。翌年、家康が亡くなり、みずから政治をおこなうようになった。

律儀でおだやかな性格だったが、大名に対しては強い態度

でのぞみ、武家諸法度に違反した大名など39家を改易（領地を没収すること）した。幕府に反抗的だった弟の越後国高田藩（新潟県上越市）の藩主、松平忠輝も改易にするなど、肉親に対してもきびしい処分をおこなった。

1616年、中国船以外の外国船の来航を長崎と平戸（長崎県平戸市）にかぎった。同時にキリスト教への取り締まりを強化し、1622（元和8）年、宣教師とキリスト教の信者など55人を処刑した（元和の大殉教）。この間、1620年に娘の徳川和子を後水尾天皇にとつがせた。のちに和子が産んだ内親王が明正天皇として即位すると、母方の祖父として朝廷への影響力を強めた。

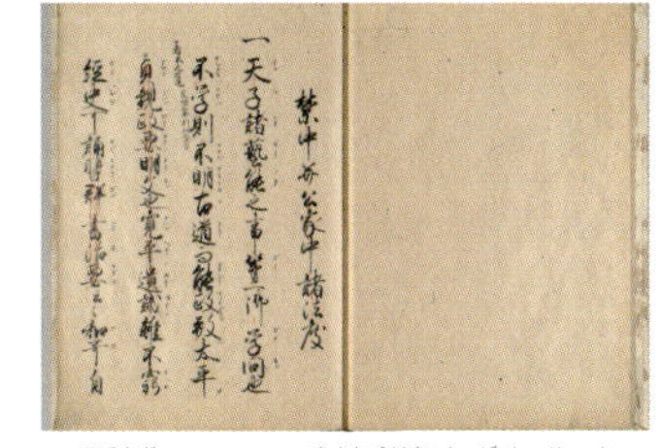
▲秀忠が定めた禁中並公家諸法度（国立国会図書館）

1623年、子の徳川家光に将軍職をゆずったが、亡くなるまで大御所として政治に大きな力をもちつづけた。

学 征夷大将軍一覧

とくがわみつくに　江戸時代

● 徳川光圀　1628〜1700年

『大日本史』を編さんした「水戸黄門」

▲徳川光圀 『水戸光圀公之肖像及書』より。（京都大学付属図書館）

江戸時代中期の大名。徳川家康の孫。常陸国水戸藩（現在の茨城県中部と北部）の初代藩主徳川頼房の子として水戸城下に生まれる。1633年、6歳のとき兄の頼重をこえて、あとつぎに決まった。9歳で元服し、第3代将軍徳川家光から1字をあたえられて、光国（のちに光圀と改名）と名のった。少年時代はあばれん坊で藩主のあとつぎにふさわしくないふるまいが多かったが、18歳のころ、中国の歴史書『史記』を読んで生活をあらためたといわれる。

1661年、34歳で藩主になると、父の方針を受けついで藩政につとめ、農業をさかんにして城下町を整備し、政治を安定させた。領内の文化財の修理や保護につとめ、侍塚古墳（栃木県大田原市）の発掘調査をおこなったり、那須国造碑（大田原市）を保存したりした。

1672年、江戸（東京）にあった藩邸の小石川邸に歴史書『大日本史』編さんのために彰考館を設置する。『大日本史』編さんは1657年に着手され、全国各地から学者をまねいておこなわれた。初代神武天皇から室町時代の100代後小松天皇までの歴史をまとめたもので、光圀の死後も彰考館で編さんがつづけられ、1906（明治39）年に完成した。神功皇后を歴代の天皇に加えていないこと、大友皇子（弘文天皇）を歴代天皇に加えていること、北朝ではなく南朝の天皇を正当としたことの3つが大きな特徴とされる。

▲小石川後楽園 『大日本史』編さんのための彰考館があった。（公益財団法人東京都公園協会）

第5代将軍徳川綱吉の「生類憐みの令」には批判的で、綱吉をいさめたといわれる。1690年、63歳で兄の讃岐国高松藩（香川県高松市）の藩主松平頼重の子の綱条に藩主の座をゆずると、西山荘（茨城県常陸太田市）を建てて移り住み、『大日本史』の編さんに力をつくした。

江戸時代後期に講談（巧妙な話術で軍記物やあだ討ちなどを語る演芸）『水戸黄門漫遊記』のモデルになり、現代のテレビドラマなどで有名な水戸黄門のイメージがつくられた。それは『大日本史』の編さんで学者たちが資料集めのために全国各地をめぐったことなどをもとにしてつくられたもので、実際には光圀自身が諸国を旅したことはなかった。

学 日本と世界の名言

とくがわよしかつ　幕末

● 徳川慶勝　1824〜1883年

井伊直弼と対立し失脚後、公武合体で復活

幕末の名古屋藩主。

美濃国高須藩（現在の岐阜県海津市）の藩主の子。会津藩（福島県西部・新潟県東部）の藩主松平容保の兄。1849年、尾張国名古屋藩（愛知県西部）の藩主となって藩政改革をおこない、外国の接近に対して海岸防備を強化した。1857年の第13代将軍徳川家定の後継者問題では、徳川斉昭、島津斉彬らとともに一橋慶喜（のちの徳川慶喜）をおした。

1858年、大老井伊直弼の日米修好通商条約調印に反対し、1859年の安政の大獄で幕府から引退を命じられた。その後ゆるされて、朝廷と徳川将軍家がむすぶ公武合体に力をつくした。1864年以降の長州出兵では、長州藩（山口県）に同情的な態度をしめした。1868（明治元）年、明治新政府がおこり、版籍奉還で1871年に名古屋藩知事に就任するが、同年の廃藩置県で免官された。写真術を研究し、貴重なガラス写真をのこした。

とくがわよしとみ

徳川慶福 → 徳川家茂

とくがわよしのぶ

徳川慶喜 → 72ページ

とくがわよしむね

徳川吉宗 → 73ページ

徳川家康

1542〜1616年

江戸幕府の基礎を築いた将軍

■苦労を重ねた少年時代

戦国時代の大名、江戸幕府の初代将軍（在位 1603 〜 1605 年）。

三河国（現在の愛知県東部）岡崎城（愛知県岡崎市）城主松平広忠の子として生まれた。当時の松平氏は、尾張国（愛知県西部）の織田氏、駿河国（静岡県中部と北東部）の今川氏という有力な大名にはさまれた小大名で、つねに両氏から圧迫されていた。そのため、6 歳から 19 歳までの 13 年間を織田氏、今川氏の人質としてすごした。1560 年、桶狭間（愛知県名古屋市、豊明市）の戦いで今川義元が織田信長にやぶれて戦死すると、ようやく人質から解放され、岡崎城にもどった。

独立した家康は、三河国の統一を進める一方で織田信長と同盟をむすび、領地を広げていった。このころ、姓を松平から徳川にあらためた。1569 年、遠江国（静岡県西部）を平定し、翌年、本拠地を浜松城（静岡県浜松市）に移した。1572 年、三方ヶ原（静岡県浜松市）の戦いで、甲斐国（山梨県）の武田信玄に大敗するが、1575 年、長篠（愛知県新城市）の戦いで、信長とともに武田軍をやぶって駿河国を領国にした。

この間、信長の娘を長男信康の嫁にむかえて同盟を強化したが、信長から、信康が武田氏と通じているとうたがわれ、無実と知りながら信康を切腹させた。

1582 年、本能寺の変で信長が明智光秀に討たれると、勢力をのばしてきた羽柴秀吉（豊臣秀吉）と対立した。このころ、三河、遠江、駿河、甲斐、信濃（長野県）の 5 か国を領有する大名になっていた家康は、小牧・長久手（愛知県小牧市、長久手市）の戦いで秀吉とあらそったが、その後、和解して秀吉の天下統一に協力した。

◀三方ヶ原の戦い直後の家康像
武田信玄との戦いに大敗した家康は、そのときの情けない姿をえがかせ、いましめにしたという。

（『徳川家康三方ヶ原戦役画像』）

■関ヶ原の戦いに勝利

1590 年、北条氏をほろぼして天下統一をはたした秀吉から、関東へ移るよう命じられ、江戸（東京）を本拠地に定めた。秀吉のねらいは、家康と領地のむすびつきを断ち、勢力を弱めることにあったといわれる。

1598 年、秀吉が亡くなり、秀吉の有力家臣だった石田三成との対立が深まった。1600 年、関ヶ原（岐阜県関ヶ原町）の戦いで、三成のひきいる西軍をやぶって対抗勢力をしりぞけた。

▲徳川家康像

（大阪城天守閣）

■江戸に幕府をひらく

関ヶ原の戦いに勝利した家康は 1603 年、朝廷から征夷大将軍に任命され、江戸に幕府をひらいた。その後、全国の大名を動員して幕府の政治の中心となる江戸城を建設し、城下町を整備した。しかし、わずか 2 年で引退し、将軍の座を子の徳川秀忠にゆずった。当時、大坂（阪）城には秀吉の子豊臣秀頼がおり、豊臣方の人々は秀頼が成長すれば、政権がもどってくると考えていた。これに対し家康は、秀忠に将軍職をゆずることで、徳川氏が代々将軍職をひきつぐことを天下にしめした。

その後、駿府城（静岡市）に移るが、大御所とよばれ、政治の実権をにぎりつづけた。秀忠の側近には先祖代々の家臣をつけ、自分の周囲には僧の金地院崇伝やイギリス人のウィリアム・アダムズ（三浦按針）などをおいて政治を動かす体制をつくり、江戸幕府の基礎づくりに力をそそいだ。

■大名の支配をかためる

家康は、幕府の基礎をととのえる一方で、大名の配置にもくふうをこらした。全国の大名たちを徳川氏との関係の深さによって親藩（徳川氏一族の大名）、譜代大名（関ヶ原の戦い以前から徳川氏の家臣だった大名）、外様大名（関ヶ原の戦いのあと、徳川氏にしたがうようになった大名）に分け、それにもとづいて領地を移しかえる国替をおこなった。政治の中心地である江戸の周辺や京都、大坂など重要な地域は親藩、譜代大名でかため、東北や九州、四国など江戸から遠い地域に外様大名を移した。さらに、幕府にしたがわない大名に対しては、領地を没収する改易や領地をへらす減封をおこなった。

幕府による支配体制を着々とかためていた家康にとって、気がかりは大坂城にいる豊臣秀頼の存在だった。関ヶ原の戦いのあと、秀頼は、摂津・河内・和泉（大阪府と兵庫県南東部）の3か国を支配する一大名になっていたが、徳川氏にしたがう姿勢をみせなかった。大坂城には秀吉がのこしたばく大な金銀があり、秀吉に恩のある大名や幕府に不満をもつ浪人（主人をもたない武士）たちが、秀頼をかつぎだして幕府に対抗しようとしていた。

1614年、秀頼が再建した京都の方広寺の鐘に「国家安康」の文字があることを知った家康は、「家康の名前を2つに切り、のろったものだ」といいがかりをつけた。この事件をきっかけに豊臣氏を追いつめると、大坂冬の陣（1614年）と大坂夏の陣（1615年）の2度にわたって大坂城を攻撃し、豊臣氏をほろぼした。この戦いのあと徳川氏に対抗できる勢力はいなくなり、徳川氏の全国支配はゆるぎないものになった。

同じ年、大名の力をおさえるため、第2代将軍秀忠の名で武家諸法度を発布した。これは、幕府の許可なく城を修理したり、大名どうしがかってに結婚の約束をしたりすることなどを禁じた法律で、違反した大名をきびしく処罰した。さらに、天皇や公家（朝廷につかえる身分の高い人）をとりしまるため、禁中並公家諸法度を定め、全国の寺院に対しては諸宗寺院法度を定めて僧が政治に口出しできないようにした。

■日光に祭られる

こうして260年あまりつづく江戸幕府の基礎を築いた家康は、1616年、駿府城で75年の生涯をとじた。遺言により遺体は駿河国久能山（静岡市）にほうむられ、翌年、日光山（栃木県日光市）に改葬された。死後、朝廷から「東照大権現」という神号（神としてつけられる称号）を贈られ、日光に建てられた東照宮に、国家を守る神として祭られた。

学 征夷大将軍一覧　学 日本と世界の名言

家康の性格をあらわすホトトギスの句

戦国時代に全国統一を進めた3人の英雄、織田信長、豊臣秀吉、徳川家康の性格を後世の人がたとえた有名な句がある。贈り物のホトトギスが鳴かないので、それぞれ次のような句をよんだ。織田信長は「鳴かぬなら殺してしまえホトトギス」、豊臣秀吉は「鳴かぬなら鳴かしてみせようホトトギス」。これに対し徳川家康は「鳴かぬなら鳴くまで待とうホトトギス」とよんだ。信長の強引ではげしい性格、秀吉の積極的な性格に対し、人質時代を送った家康のがまん強い性格をあらわしているといわれている。

徳川家康の一生

年	年齢	主なできごと
1542	1	松平広忠の長男として生まれる。
1547	6	尾張の織田氏の人質になる。
1549	8	駿河の今川氏の人質になる。
1560	19	桶狭間の戦いで今川義元が戦死し、岡崎にもどって独立する。
1562	21	織田信長と同盟をむすぶ。
1572	31	三方ヶ原の戦いで武田信玄にやぶれる。
1575	34	長篠の戦いで武田軍をやぶる。
1584	43	小牧・長久手の戦いで羽柴(豊臣)秀吉と戦う。
1590	49	秀吉の命令で関東に移る。
1600	59	関ヶ原の戦いで石田三成の西軍に勝つ。
1603	62	征夷大将軍になり、江戸に幕府をひらく。
1605	64	将軍職を子の秀忠にゆずり、大御所になる。
1615	74	大坂夏の陣で豊臣氏をほろぼす。武家諸法度を定める。
1616	75	駿府城で亡くなる。

※年齢は数え年であらわしている

▲家康を神として祭る日光東照宮の陽明門　1636年に第3代将軍徳川家光によって建てられ、1日みていてもあきないことから「日暮門」とよばれた。

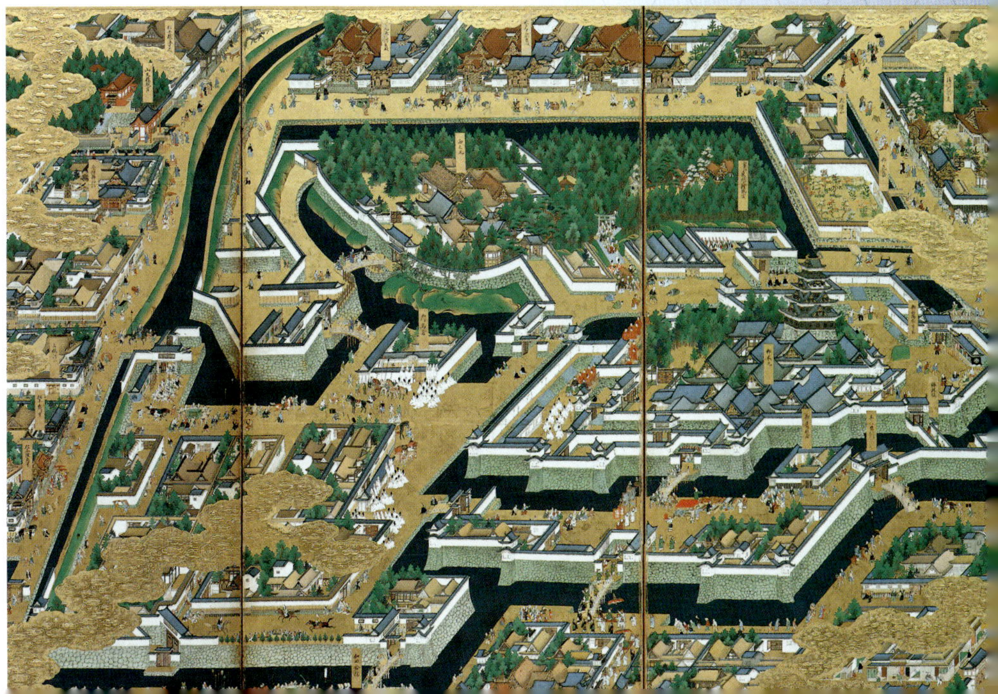

▶江戸城　家康は、江戸に幕府をひらくと、全国の大名を動員して江戸城をつくらせた。『江戸図屏風』より。（国立歴史民俗博物館）

徳川慶喜

大政奉還をおこなった江戸幕府最後の将軍

▲徳川慶喜肖像写真 (茨城県立歴史館)

■将軍候補になる

江戸幕府の第15代将軍(在位1866〜1867年)。

常陸国水戸藩(現在の茨城県中部と北部)藩主徳川斉昭の子として江戸(東京)に生まれた。1847年、11歳のとき御三卿(徳川氏の一族で田安、一橋、清水の三家)の一つ、一橋家をつぎ、名前を慶喜とあらためた。1853年、アメリカ合衆国の使節ペリーが来航したとき、開国反対の意見書を幕府に提出した。

1857年、こどもがいなかった第13代将軍徳川家定のあとつぎ問題がおこると、福井藩(福井県東部)の藩主松平慶永(春嶽)らにおされてあとつぎ候補になり、紀州(和歌山県)の藩主徳川慶福(のちの徳川家茂)とあらそった。しかし1858年、大老(将軍を補佐した最高位の役職)に就任した井伊直弼が慶福をあとつぎに決定した。この間、天皇の許可なく日米修好通商条約に調印した井伊直弼に対し、江戸城へ強引に登城して非難したため登城停止を命じられ翌年、隠居・謹慎処分を受けた(安政の大獄)。

■第15代将軍になる

1860年、桜田門外の変で井伊が暗殺されたあと謹慎をとかれた。1862年、26歳で17歳の将軍徳川家茂を補佐して政治をみる将軍後見職になり、参勤交代制を3年に1回にゆるめるなど政治の改革をおこなった。1863年、八月十八日の政変で尊王攘夷派(天皇をうやまい外国勢力を追いはらおうという考えの人々)が京都から追放されると京都御所の警備にあたり、翌年、長州藩(山口県)の尊王攘夷派が京都御所を攻めた禁門の変では薩摩藩や会津藩などを指揮して長州藩をやぶった。

1866年、第二次長州出兵のさなか、大坂(阪)城にいた家茂が急死したため長州軍と停戦し、その後第15代将軍になった。

▲フランスの軍服を着てウマに乗る徳川慶喜 (茨城県立歴史館)

■大政奉還をおこなう

慶喜は、フランスとの関係を強めて軍備を充実させるなど、政治改革にとりくんだ。しかし、倒幕勢力はますます強くなり幕府政治をつづけることはむずかしいと考えた慶喜は1867年10月、土佐藩(高知県)藩主山内豊信(容堂)の進言を受け入れて、大政奉還をおこない政権を朝廷に返した。しかし慶喜は諸大名による議会をつくり、議長として主導権をにぎろうと考えていた。ところが12月、朝廷から王政復古の大号令がだされ、慶喜に辞官納地(官職をやめ領地を天皇に返すこと)が命じられた。これにより、260年あまりつづいた徳川幕府は終わりを告げた。

▲大政奉還を告げる徳川慶喜　慶喜は諸藩の重臣を京都の二条城に集め、大政奉還の意志を告げた。(聖徳記念絵画館所蔵)

1868年、この決定に反対する旧幕府の家臣たちが京都近郊の鳥羽・伏見で新政府軍と衝突して戊辰戦争がおきた。旧幕府軍がやぶれると大坂城にいた慶喜は江戸にもどり、上野寛永寺(東京都台東区)で謹慎し、のちに駿府(静岡市)に移った。1869(明治2)年に謹慎をとかれたあとは狩猟、西洋画、写真など趣味の世界で余生を送った。

学 征夷大将軍一覧

徳川慶喜の一生

年	年齢	主なできごと
1837	1	水戸藩主の子として江戸に生まれる。
1847	11	一橋家をついで慶喜に改名する。
1857	21	将軍のあとつぎ候補になる。
1858	22	江戸城に登城し大老の井伊直弼を非難する。
1859	23	安政の大獄で隠居・謹慎処分を受ける。
1862	26	将軍家茂の後見職になる。
1864	28	禁門の変で長州軍をやぶる。
1866	30	第15代将軍になる。
1867	31	大政奉還をおこなう。
1868	32	鳥羽・伏見の戦いにやぶれ上野寛永寺で謹慎する。
1913	77	東京で亡くなる。

※年齢は数え年であらわしている

とくがわよしむね

徳川吉宗

江戸時代　1684〜1751年

享保の改革をおこなった第8代将軍

▲徳川吉宗　吉宗は身長が6尺(約180㎝)のどうどうとした体格だった。
（奈良・長谷寺）

■紀伊藩主から江戸幕府の将軍になる

江戸幕府第8代将軍(在位1716〜1745年)。紀州藩（現在の和歌山県）の藩主徳川光貞の4男として和歌山城（和歌山市）の城下に生まれた。14歳で第5代将軍徳川綱吉から越前国（福井県北東部）に3万石の領地をあたえられて大名になった。

1705年、22歳のとき兄たちがあいついで亡くなったため、紀伊藩55万石の藩主になり、綱吉から1字をあたえられて名前を吉宗とあらためた。

▲和歌山城
（和歌山県提供）

1716年、第7代将軍徳川家継が亡くなり、御三家（徳川家康を祖とする尾張家、紀伊家、水戸家）から次の将軍がえらばれることになった。藩政改革につとめ、成果をあげていた吉宗が、その実績を評価されて33歳で第8代将軍になった。

■幕府の立て直しにとりくむ

吉宗は幕府の改革にとりくみ、1717年、大岡忠相を江戸の町奉行（町の行政、裁判、警察を担当した役人）に抜てきしてさまざまな改革を補佐させた。

1721年、評定所（幕府の裁判所）の前に「目安箱」を設置して庶民が政治に対する意見を自由に投書できるようにした。投書は吉宗みずから開封して政治に生かした。1722年、目安箱への投書をもとに貧しい人々を無料で治療する施設、小石川養生所をつくった。

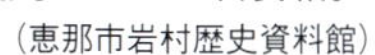
▶目安箱　諸藩も幕府にならって目安箱を設置した。これは岩村藩（現在の岐阜県恵那市）で使用されていた目安箱。
（恵那市岩村歴史資料館）

■幕府収入の増加につとめる

吉宗の最大の課題は幕府財政を再建することだった。そのため、質素倹約を進めたが、財政はなかなか好転せず、将軍直属の家臣である旗本や御家人に支給する米も不足しがちだった。そこで1722年、諸大名に対して「上米の制」を定めた。これは、石高1万石につき100石の米を幕府におさめさせ、かわりに大名が参勤交代で江戸に滞在する期間を1年から半年にへらすというもので、これにより幕府の収入はふえ急場をしのぐことができた。

その一方で、関東地方をはじめ各地で新田開発にとりくみ、また、幕府の年貢収入を安定させるために年貢の取り立て方を定免法（豊作や不作に関係なく毎年一定の割合で年貢をおさめさせる方法）にかえ、さらに年貢率をひき上げた。これらの政策によって幕府財政の立て直しに成功したが、農民の負担は重くなった。1732（享保17）年、西日本で大ききん（享保のききん）が発生し、そのため米の値段が高騰して翌1733年、江戸ではじめて打ちこわしがおこり、農村では重くなった年貢に反対する百姓一揆があいついだ。

吉宗は、裁判の公正化をはかるため1742年、幕府の基本法公事方御定書を完成し、法のしくみをととのえた。実用的な学問にも関心をしめし、西洋の学問から実用に役だつものをとり入れるため、キリスト教に関係のない洋書の輸入をみとめた。これは、のちに蘭学（西洋の知識や技術、文化を研究する学問）がさかんになるきっかけになった。

吉宗が1745年に隠居するまで30年間にわたりおし進めた改革は「享保の改革」とよばれている。

学 征夷大将軍一覧

徳川吉宗の一生

年	年齢	主なできごと
1684	1	紀伊藩主の4男として生まれる。
1697	14	3万石の大名にとりたてられる。
1705	22	紀伊藩55万石の藩主になる。
1716	33	第8代将軍になり享保の改革にとりくむ。
1717	34	大岡忠相を江戸町奉行に任命する。
1721	38	目安箱を設置する。
1722	39	小石川養生所をつくる。上米の制を定める。
1732	49	享保のききんがおこる。
1733	50	江戸で最初の打ちこわしがおこる。
1742	59	公事方御定書を完成する。
1745	62	将軍職を子の家重にゆずる。
1751	68	江戸城で亡くなる。

※年齢は数え年であらわしている

とくしまひょうざえもん

郷土

徳島兵左衛門　？〜1684年

徳島堰をつくり新田開発した商人

▲現在の徳島堰
（南アルプス市教育委員会）

江戸時代前期の商人。

江戸深川（現在の東京都江東区）の商人で、熱心な日蓮宗の信者だった。身延山に参詣した帰りに、御勅使川扇状地に広大な荒れ地が広がっているのをみて、釜無川を水源とする用水をひき、水田を開発しようと計画した。

1665年、甲府藩（山梨県甲府市）の許可を得て、財産を投じて工事に着手した。しかし、1667年、曲輪田新田（山梨県南アルプス市）まで用水路をほり進めたとき、2度の台風により大被害を受けて、工事がつづけられなくなり、突然姿を消した。

甲府藩は、有野村（南アルプス市）の矢崎又右衛門に用水路の工事を命じ、1671年、上円井村（韮崎市）の釜無川から曲輪田新田まで約17kmの用水が完成した。用水は、兵左衛門の功績をたたえて、徳島堰と命名された。

とくだきゅういち

政治

徳田球一　1894〜1953年

日本共産党を代表する社会運動家

明治時代〜昭和時代の社会運動家、政治家。

沖縄県生まれ。中学卒業後、鹿児島の高校に入るが、教官の沖縄出身者に対する差別に反発して退学。苦学して日本大学専門部法律科（夜間）を卒業し、弁護士となる。1921（大正10）年にモスクワの極東民族大会に出席し、翌年、日本共産党結成に参加。1923年には第1次共産党弾圧で逮捕、投獄されるが保釈された。1928（昭和3）年、労働農民党から出馬した衆議院議員選挙に落選。直後に治安維持法違反で検挙され、共産主義者約1600人が逮捕された三・一五事件のはしりとなった。1945年に出獄し、日本共産党を再建して書記長に就任。衆議院議員となり、1950年に連合国軍最高司令官総司令部（GHQ）の最高司令官マッカーサーによるレッドパージとよばれる公職追放を受け、地下活動に入る。亡命先の北京で病死した。

とくだしゅうせい

文学

徳田秋声　1871〜1943年

自然主義文学の代表的な作家

明治時代〜昭和時代の作家。

石川県生まれ。本名は末雄。金沢の旧制第四高等中学校を中退し、文学を志して同郷の桐生悠々と上京。尾崎紅葉に弟子入りを願うが、かなえられずに帰郷した。その後、泉鏡花のすすめで紅葉の門下に加わる。1896（明治29）年に最初の作品『藪こうじ』を発表して、鏡花、小栗風葉、柳川春葉とともに、紅葉門下の四天王と称された。

紅葉が亡くなると、島崎藤村らの自然主義文学（あらゆる美化をさけて自然のままの真実をえがく文学）に移り、1908年に『新世帯』を発表して自然主義作家としての地位を確立する。『足迹』『黴』『あらくれ』、未完に終わった『縮図』など、自然主義文学の傑作といわれる作品をのこす。

とくとみそほう

思想・哲学

徳富蘇峰　1863〜1957年

明治・大正・昭和時代をかけぬけたジャーナリスト

（国立国会図書館）

明治時代〜昭和時代の思想家、評論家、ジャーナリスト。

肥後国（現在の熊本県）の漢学者の家に生まれる。弟は小説家の徳冨蘆花。漢学塾、熊本洋学校で学んだのち、同志社英学校へ入学したが、1880年（明治13）年に中退した。故郷にもどると、相愛社に入り、自由民権運動に参加。自宅で大江義塾を開校し、英学、歴史、経済、政治学などを教えた。1886年に出版した『将来之日本』が好評を得て、上京。翌年には民友社を設立し、政治、経済、社会問題、文学までをとり上げた総合雑誌『国民之友』を発刊し、青年層を中心に圧倒的な支持を得た。1890年には報道中心の『国民新聞』を発刊。このころは一般国民の幸福を重視した進歩的な平民主義をとなえたが、日清戦争のころからは国家を優先する国家主義を主張し、日中戦争以降には戦争への国家動員をすすめた。貴族院勅選議員、大日本言論報国会会長などもつとめた。1943（昭和18）年、文化勲章を受章した。第二次世界大戦後は公職追放となり、晩年は『近世日本国民史』（全100巻）を執筆した。

学 文化勲章受章者一覧

とくとみろか

文学

徳冨蘆花　1868〜1927年

「生活即芸術」を実践した作家

明治時代〜大正時代の作家。

熊本県生まれ。本名は徳富健次郎。同志社大学中退。父は漢学者の一敬、兄は評論家の徳富蘇峰。18歳のときにキリスト教の洗礼を受ける。1889（明治22）年、兄が経営する民友社に入り、翻訳や雑文を書く仕事をしていたが、1897年に評伝『トルストイ』を書き上げたころから心境に変化がおこる。翌年、新聞に連載した『不如帰』でみとめられ人気作家となった。

1906年、聖地巡礼の旅に出てトルストイをたずねる。帰国後、東京の北多摩に移って半農生活をはじめ、「生活即芸術」を実践し、すぐれた自然描写の随筆ものこした。作品に『自然と人生』『思出の記』、随筆集『みゝずのたはごと』などがある。

とくながすなお

文学

徳永直　1899～1958年

プロレタリア文学の代表的作家

(日本近代文学館)

昭和時代の作家。

熊本県生まれ。貧しい家庭に育ち、小学6年生のころから印刷所の見習いとなる。その後、職場を転々として1922(大正11)年に上京。印刷所ではたらきながら、小説を書きはじめる。1929(昭和4)年、印刷所の労働運動に参加し解雇された体験をもとにえがいた長編小説『太陽のない街』を雑誌『戦旗』に発表し、高い評価を受ける。この作品で、『蟹工船』の著者である小林多喜二とともに、日本のプロレタリア文学(労働者階級の姿をえがいた文学)を代表する作家としてみとめられ、外国で翻訳本も出版された。

第二次世界大戦後は、新日本文学会の創設に参加し、労働者や農民の立場に立つ文学の育成に力をそそぐ。また、執筆活動も精力的につづけ、はたらく庶民の姿をえがきつづけた。作品に『はたらく一家』『光をかかぐる人々』『最初の記憶』『妻よねむれ』『静かなる山々』などがある。

どぐらしょうざぶろう

郷土

土倉庄三郎　1840～1917年

吉野地方の発展につくした林業家

(川上村)

江戸時代後期～明治時代の林業家。

大和国吉野郡大滝郷(現在の奈良県川上村)で山林を所有し、林業をいとなむ家に生まれた。若くして大滝郷総代となり、林業のさかんな吉野地方の発展に力を入れた。1870(明治3)年、いかだに組んだ材木を効率的にはこべるように、吉野川を改修した。林業に必要な道路づくりにも力を入れ、1873年、東熊野(奈良県南部)の道路工事を計画し、10年かけて完成させた。また、造林法を研究し「土倉式造林法」を考えだした。スギやヒノキの苗木を密集させて植え、成長するとともに不要な木をへらしていく方法で、多量の木材を生産できるようになった。この方法を県内各地の荒れた山野に広めたので、林業がさかんになり、吉野杉は品質のよい木材として知られるようになった。その後、日本全国および台湾の山林でも土倉式造林法がとり入れられた。教育にも熱心にとりくみ、奈良県初の小学校を川上村に開設し、教科書や制服などを寄贈した。私立中学校の芳水館も川上村に建て、英語教育をとり入れた。

どこうとしお

産業

土光敏夫　1896～1988年

質素な生活をつらぬいた日本経済のリーダー

昭和時代の経営者。

岡山県生まれ。1920(大正9)年、東京高等工業学校(現在の東京工業大学)機械科卒業、石川島造船所に入社。1950(昭和25)年には経営難におちいった石川島重工業の社長として同社の再建に尽力する。1960年、合併により石川島播磨重工業社長、1964年に会長となる。翌年には経営不振の東京芝浦電気(東芝)の社長、1972年に会長となり、徹底した合理主義で再建を成功させた。1974年、経団連会長として第1次石油危機後の日本経済の安定化や企業の政治献金の改善などに尽力した。1981年から第2次臨時行政調査会会長もつとめた。「増税なき財政再建」「三公社(国鉄、専売公社、電電公社)民営化」など行政改革の先頭に立った。母が創立した橘学苑理事長として女子教育にも力を入れ、生活費以外の多額の収入はすべてここに寄付していた。通勤には公共のバス・電車を利用し、ふだんの生活ぶりは非常に質素であり「メザシの土光さん」としても親しまれた。

ド・ゴール, シャルル

政治

シャルル・ド・ゴール　1890～1970年

ナチスから祖国を解放、戦後は独自路線をあゆんだ

フランスの軍人、政治家。大統領(在任1959～1969年)。

北部のリール生まれ。1909年、陸軍士官学校へ入学し、卒業後、陸軍に入る。第一次世界大戦ではドイツ軍と戦い、1916年のベルダンの戦いで重症を負い、捕虜となる。戦後、帰国し、陸軍大学入学。卒業後は陸軍で昇進し、軍の上層部などに、戦車や航空機を主体とした電撃作戦(すばやい攻撃)をとるようはたらきかけるが、受け入れられなかった。

第二次世界大戦がはじまると、戦車などで編制された機甲師団の指揮官に任じられ、1940年5月のドイツ軍の侵略に対し、反攻を加えたが、戦況を逆転することはできなかった。フランスがドイツに降伏すると、ド・ゴールはイギリスのロンドンに亡命、自由フランス政府を組織し、ラジオでフランス国民にむけてドイツへの抵抗をよびかけ、レジスタンス運動を指導した。

1944年6月、アメリカ・イギリスなどの連合軍がフランス北部のノルマンディー上陸作戦に成功すると、各地でドイツに対する抵抗運動がおこり、フランスは解放され、8月、ド・ゴールはパリに入城、英雄としてむかえられた。その後、臨時政府の首相に就任、戦後復興にとりくむが、共産党や社会党などと対立し、1946年、首相の地位をしりぞいた。

1958年、北アフリカのフランス植民地アルジェリアで独立運動がおこると、政界に復帰、国民投票により憲法を改正、大統領の権限を強めた第五共和政を発足させ、初代大統領となった。ド・ゴールはアルジェリアの独立をみとめ、国内の経済の近代化を進めた。また、核兵器開発、イギリスのヨーロッパ経済共同体（EEC）加盟の拒否、アメリカ合衆国のベトナム戦争介入反対、中華人民共和国の承認など、米英と一線を画した独自の外交政策をとり、フランスの国際的地位をたもった。

1968年、学生や労働者を中心に、大規模な反ド・ゴール運動である五月革命がおこり、翌年、大統領を辞任。引退後は回想録の執筆に専念し、1970年、79歳で死去した。

強い個性をもったフランスを代表する英雄的な政治家で、独裁的な面もあったが、パリ郊外の国際空港がシャルル・ド・ゴール空港と名づけられるなど、現在も人気は高い。

学 主な国・地域の大統領・首相一覧

とこなみたけじろう

政治

床次竹二郎　1867～1935年

政党政治の混乱をまねいた

（国立国会図書館）

大正時代～昭和時代の官僚、政治家。

薩摩藩（現在の鹿児島県西部）の藩士の家に生まれる。大蔵省、内務省をへて、徳島県知事、樺太庁長官を歴任。第2次西園寺公望内閣で内務次官をつとめ、第1次山本権兵衛内閣で鉄道院総裁に就任し、鉄道幹線広軌化計画の中止と、地方路線拡張方針を打ちだした。その後は国会議員をめざして立憲政友会に入党。1914（大正3）年、地元の鹿児島から衆議院議員補欠選挙に初当選したのを皮切りに、以降連続8期当選をはたす。1918年、原敬内閣において内務大臣となり、郡制廃止、選挙権拡張などに尽力した。

原の没後は高橋是清と対立し、その後も政治の主導権獲得をめざして、政党を変遷したり、新党を結成したりをくりかえしたが、これは政党政治に混乱をもたらし、国民の不信をまねいた。床次は「万年首相候補」とよばれ、ついに政権を獲得することはできず、1935（昭和10）年、逓信大臣在職のまま亡くなった。

とさかじゅん

思想・哲学

戸坂潤　1900～1945年

社会への「批判」を通して思想を広げた反骨の哲学者

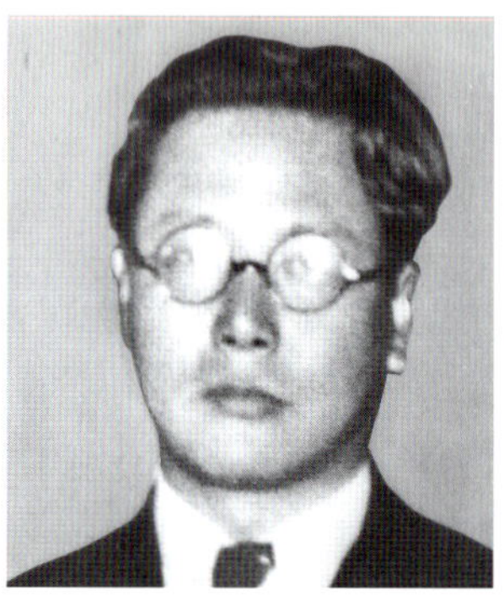

（日本近代文学館）

昭和時代の哲学者、評論家。

東京生まれ。東京開成中学校、第一高等学校（現在の東京大学教養学部）で学び、1924（大正13）年、京都帝国大学（京都大学）哲学科を卒業する。京都高等工芸学校（京都工芸繊維大学）、同志社女子専門学校（同志社女子大学）などの講師をつとめ、1929（昭和4）年、大谷大学教授、1931年に法政大学の講師、のちに教授となる。

はじめは、ドイツの哲学者カントの影響を強く受け、新カント主義を主張したが、のちに、社会主義の一つであるマルクス主義を研究した。1932年には岡邦雄、三枝博音らとともに唯物論研究会を創立し、機関誌『唯物論研究』を創刊。科学的精神をもって社会を批判する評論活動を広げ、当時の政治の流れであった軍国主義に反対した。1938年、治安維持法に反したとして、唯物論研究会は解散、みずからも検挙され、敗戦の直前、刑務所で亡くなる。著書に『科学論』『日本イデオロギー論』などがある。

とさみつおき

絵画

土佐光起　1617～1691年

土佐派の絵画を再興した画家

江戸時代前期の画家。

土佐派（平安時代以来の大和絵の様式を受けつぐ絵画の流派）の画家土佐光則の子として大坂（阪）の堺に生まれる。1634年、父とともに衰退していた土佐派を再興するため京都に移った。土佐派の伝統を重んじながら中国の絵画や狩野派（狩野正信・狩野元信父子にはじまる絵画の流派）の技法を学び、新しい土佐派の画風をおこした。1654年、絵画に関する

（国立国会図書館）

ことを担当した朝廷の一機関、宮廷絵所の預（長）に任命されて土佐派を再興し、以後、御所の障壁画の制作などに参加した。1681 年に出家して、宮廷絵所預を子にゆずった。1690 年、みずから体得した画法をしるした『本朝画法大伝』を著した。

代表作に『粟穂鶉図屏風』『源氏物語図屏風』『大寺縁起絵巻』などがある。土佐光長、土佐光信とともに、土佐三筆とよばれている。

とさみつのぶ

絵画

土佐光信　生没年不詳

大和絵の土佐派を確立した絵師

室町時代の画家。

大和絵の流派である土佐派を確立した絵師で、1469 年から亡くなるまで、約半世紀にわたって、宮廷の絵画制作をつかさどる絵所預をつとめる。1501 年には、絵師として最高の従四位下の位にのぼりつめた。また、室町幕府の御用絵師もつとめて活躍したほか、寺や神社、公家、地方大名などの求めに応じて、絵をえがいた。平安時代以来の大和絵の伝統を受けつぎながら、そこに水墨画の技法をとり入れて、新しい画風をもたらした。絵巻から仏画、肖像画、障壁画（障子絵や屏風絵などの総称）、扇などの小品まで、制作の幅が広い。

代表作には、京都の浄福寺に伝わる仏画『十王図』、北野天満宮の『北野天神縁起』、東京国立博物館所蔵の『清水寺縁起絵巻』、京都の雲龍院に伝わる『後円融院画像』などがある。絵画のほかに連歌を好み、宗祇や心敬などの連歌師と交流し、公家たちの連歌会にも積極的に参加した。

トスカニーニ，アルトゥーロ

音楽

アルトゥーロ・トスカニーニ　1867〜1957年

イタリア・オペラの全盛を築く

イタリアの指揮者、チェロ奏者。

北イタリアのパルマ生まれ。パルマ音楽院でチェロと作曲を学ぶ。卒業後は、歌劇団つきオーケストラでチェロ奏者をつとめていたが、ブラジル公演のとき、代役で指揮をおこない、指揮者としてデビューする。その後、イタリア、ミラノのスカラ座や、アメリカ合衆国のメトロポリタン歌劇場などで指揮をとり、イタリア・オペラの発展に貢献する。1937 年からは NBC 交響楽団の指揮者をつとめ、世界的な人気を得た。

作曲家の意図を尊重した「楽譜に忠実」な演奏を心がけ、カラヤンなど後世の指揮者に影響をあたえた。その演奏スタイルは、現代の指揮法の基本となっている。

トスカネッリ，パオロ・ダル・ポッツォ

学問

パオロ・ダル・ポッツォ・トスカネッリ　1397〜1482年

コロンブスが航海につかった地図をつくった地理学者

イタリアの天文学者、地理学者、数学者、医師。

フィレンツェ生まれ。地球が球体であることを前提として、地図や海図を作成していた。既存の地図にたよらず、旅行家や探検家、商人、外国人など、実際に旅をした人たちの話を聞きとり調査して、その内容を総合して地図とした。その地図にはアメリカ大陸はなく、ヨーロッパ大陸西端のポルトガルから、海をへだてて西に約 9000km のところに、アジア大陸のキサイ（杭州）があるとされており、途中にジパング（日本）が存在していた。つまり、ヨーロッパ・アジア間を実際よりも 3 分の 1 短縮してかいていた。コロンブスは、この地図と、「ヨーロッパから海を西へむかえば、アジアに到着する」というトスカネッリの主張にもとづき、西回り航路でアジアにむかい、実際の航海でもこの地図を使用したといわれる。地図のほか、天文学、数学、医学などの分野の著作があったとされるが、現存しない。

ドストエフスキー，フョードル

文学

フョードル・ドストエフスキー　1821〜1881年

苦悩する人々の魂の救済をえがく

ロシアの作家。

モスクワに生まれる。父は慈善病院の医師。1838 年、17 歳のときにサンクトペテルブルクの陸軍中央工兵学校に入学した。在学中に父が領地の農奴に殺され、大きなショックを受ける。

卒業後、陸軍の工兵団につとめるが、文学への思いを断ち切れず退職して、1845 年、『貧しき人びと』を発表。高い評価を受けて文壇にデビューした。その後、労働者を中心とした社会を理想とする社会主義の研究会に参加し、1849 年、仲間とともに逮捕される（ペトラシェフスキー事件）。死刑を宣告されたが、刑の直前にゆるされて、シベリアに流された。

4 年間、シベリアで刑に服し、さらに 5 年間、中央アジアで兵役についた。ここでマリア・イサーエワと知り合い結婚。1859 年に兵役を終え、サンクトペテルブルクへもどり、兄ミハイルと雑誌『ブレーミア（時代）』を発行。この雑誌を舞台に『虐げられた人

びと』や、シベリアでの獄中体験をもとにした『死の家の記録』を発表し、注目された。

1864年『地下室の手記』、1866年『罪と罰』を発表した。『罪と罰』は若者の思想と犯罪、苦悩をえがいて、大評判となった。

その後、速記者のアンナ・スニートキナと結婚、借金の債権者からのがれてヨーロッパで約4年間くらした。その間に『白痴』や『悪霊』などの大作を書いている。1871年、サンクトペテルブルクにもどってから、経済的にも安定し、おだやかな日々を送り、『未成年』や『作家の日記』などを発表。1880年に彼の思想を集大成した大作『カラマーゾフの兄弟』を刊行し、翌年、59歳で死去した。

とせいちゅう

政治

杜世忠　1242〜1275年

鎌倉幕府に送られた元の使節

中国、元の官僚。

1274（文永11）年に、中国の元と朝鮮半島の高麗の連合軍が九州の博多湾（福岡市）に攻め入った文永の役の翌年、降伏を求める元の正使（使者の代表）として、フビライ・ハンにより日本に派遣された。一行は副使（副代表）何文著のほか通訳ら3人のあわせて計5人。長門国室津（現在の山口県下関市）に上陸後、とらえられて鎌倉（神奈川県鎌倉市）に送られた。9月7日、鎌倉幕府の執権北条時宗の命令により、竜の口（藤沢市片瀬）で処刑された。死を前に、「門を出づるに妻子は寒衣をおくり、われに問う。西行、幾日にして帰るかと…」という詩をのこした。

幕府は外交使節を殺し、断固として戦うという決意をしめしたことで、1281（弘安4）年、2度目の元寇（弘安の役）をまねいた。片瀬の常立寺に彼ら一行の塚がある。

とだもすい

詩・歌・俳句

戸田茂睡　1629〜1706年

和歌のことばの自由を説いた

江戸時代前期の歌人。

江戸幕府第2代将軍徳川秀忠の次男、徳川忠長の重臣の子として、駿河国（現在の静岡県中部と北東部）に生まれる。1631年、忠長が領地を没収されたため、父と下野国黒羽（栃木県大田原市）に謹慎した。父の死後、江戸（東京）に出ておじの戸田氏の養子になり、三河国岡崎藩（愛知県岡崎市）につかえたといわれる。晩年は隠居して浅草に住み、和歌づくりと古典の研究にはげんだ。伝統的な和歌が、師から弟子への秘伝（古今伝授）や、和歌に用いてはならないとすることば（制詞）を重んじることを批判し、和歌につかうことばの自由を主張した。

また、契沖らとともに国学の先駆となった。著書に歌論書『梨本集』や、幕府政治、江戸の風俗などを記録した『御当代記』などがある。

ドッジ, ジョセフ・モレル

政治

ジョセフ・モレル・ドッジ　1890〜1964年

ドッジ・ラインを立案し、戦後の日本経済を指導した

アメリカ合衆国の銀行家。

デトロイトの芸術家の息子として生まれる。高校卒業後、銀行で事務や簿記をしていたが、1911年、ミシガン州庁銀行の検査官となる。その後デトロイト銀行につとめ、自動車会社をへてふたたび銀行界にもどり、1933年、デトロイト銀行頭取に就任し手腕をふるった。

1945年には第二次世界大戦後占領下のドイツで金融政策を担当、1949年、連合国軍最高司令官総司令部（GHQ）のマッカーサーの金融顧問となり来日した。「日本の経済は両足を地につけず、竹馬に乗っているようなものだ。竹馬の片足はアメリカの援助、他方は国内的な補助金である。竹馬の足をあまり高くしすぎると、ころんで首を折る危険がある」とのべ、日本経済の自立と安定のための財政金融引き締め政策（ドッジ・ライン）を立案した。

具体的には、総予算の均衡、補助金の削減、インフレ抑制の実現をめざし、1ドル360円という単一為替レートの設定などを実施した。その後も3回訪日して予算編成を指導した。1953年、アイゼンハワー大統領政権での行政管理予算局長官をつとめ、その後も対外経済援助担当官などを歴任。またデトロイト銀行頭取に復帰し、会長もつとめた。

ドップラー, ヨハン・クリスティアン

学問　発明・発見

ヨハン・クリスティアン・ドップラー　1803〜1853年

「ドップラー効果」で知られる物理学者

19世紀のオーストリアの物理学者。

ザルツブルク生まれ。プラハ工科大学（現在のチェコ工科大学）で教授として教鞭をとっている時期に、静止している観測者には、近づいてくる音は高く聞こえ（波長が短い）、遠ざかる音は低く聞こえる（波長が長い）現象を研究。1842年、数学的な関係式を見いだして発表する。この現象は1845年に、オランダの気象学者ボイス・バロットの実験により確認され、のちに「ドップラー効果」とよばれるようになった。

1850年には、ウィーン大学物理学研究所の所長に就任。遺伝法則で有名になるメンデルをはじめ後進の育成に力をそそいだが、49歳で死去した。

とどろきまごいちろう

郷土

等々力孫一郎　1761～1831年

安曇野に用水をひいた大庄屋

江戸時代中期～後期の農民、治水家。

信濃国出川（現在の長野県松本市）に生まれ、保高組（長野県安曇野市）大庄屋（庄屋のまとめ役）の等々力孫右衛門の養子になった。松本藩（長野県松本市）領内の安曇平（安曇野市）は水の便が悪く、広い水田をひらくことができなかった。貧しい村の暮らしをみかねて、1790年、柏原村の庄屋中島輪兵衛らと、奈良井川を水源とする用水をひく計画を立て、20数年にわたって調査をおこなった。1815年、10か村の庄屋の連名で、藩に用水づくりを願いでた。翌1816年から10か村の村人が工事をおこない、取水口の奈良井川から梓川を横切って、烏川までひく約15kmの用水を90日で完成した。用水は10か村、約1000haの水田に水を送ったので、拾ヶ堰とよばれ、荒れ地が広大な水田にかわった。拾ヶ堰用水は、現在も安曇野の田畑をうるおしている。

▲現在の拾ヶ堰用水
（安曇野市豊科郷土博物館）

ドナテッロ

彫刻

ドナテッロ　1386?～1466年

ルネサンス芸術的な表現を開拓した彫刻家

イタリアの彫刻家。

フィレンツェの、身分の低い職人の家に生まれる。1401年、15歳という若さで、サンジョバンニ洗礼堂の北側門扉制作コンクールに応募する。優勝したギベルティの助手となり、北側門扉の制作をてつだった。

その後、独立して、フィレンツェにある聖堂や礼拝堂の聖人像、説教壇などをてがける。

1431年にはローマに行き、古代ローマの美術を研究した。フィレンツェにもどって制作にはげむが、なかなか評価を得られず、1443年から10年ほどはパドバで制作する。ふたたび故郷に帰ると、当時の大富豪、メディチ家から数多くの注文を受け、充実した晩年を送った。

生きているかのようなリアルで力強い人物像を特徴とする。彫刻に革新をもたらし、ブルネレスキや画家のマサッチョとともに、ルネサンス的表現の開拓者とされる。代表作に青銅の『ダビデ像』、『ガッタメラータ将軍騎馬像』などがある。

とねがわすすむ

学問　医学

利根川進　1939年～

抗体のメカニズムを解明してノーベル賞を受賞

（独立行政法人理化学研究所）

分子生物学者、免疫学者。愛知県生まれ。幼少から人と同じことをしたくない性格だった。1963（昭和38）年に京都大学理学部化学科を卒業。同大学院に進学するが、誕生したばかりの分子生物学を学ぶため、カリフォルニア大学サンディエゴ校に新設された生物学部に留学。博士課程修了後にアメリカ合衆国のソーク研究所でダルベッコの研究室に所属し、のちにノーベル生理学・医学賞を受ける遺伝子の研究にとりくむ。その後、スイスのバーゼル免疫学研究所で抗体（侵入してきた病原体を攻撃してからだを守るはたらきをするタンパク質）がつくられるメカニズムの研究を、さらにマサチューセッツ工科大学で脳の研究をおこなう。1984年に文化勲章を受章、1987年には、バーゼル免疫学研究所時代の研究が評価され、ノーベル生理学・医学賞を受賞した。2009（平成21）年には理化学研究所脳科学総合研究センター長に就任した。

学 ノーベル賞受賞者一覧　学 文化勲章受章者一覧

とねりしんのう

王族・皇族

舎人親王　676～735年

『日本書紀』編さんの中心になった

（舎人親王画像　附収：稗田阿礼・太安万呂／東京大学史料編纂所所蔵模写）

飛鳥時代～奈良時代の皇子。

天武天皇の子。母は、天智天皇の娘、新田部皇女。淳仁天皇の父。

弟の新田部親王とともに皇太子の首皇子（のちの聖武天皇）を助け、朝廷で活躍した。

720年、藤原不比等の死後、知太政官事（太政官を監督する役職）に任じられ、同年に完成した『日本書紀』編さんの中心人物となった。

729年の長屋王の変では、新田部親王とともに長屋王の尋問にあたった。死後、朝廷の最高職である太政大臣の位を贈られた。

学 天皇系図

とのさきかしち

郷土

外崎嘉七　1859〜1924年

青森県のリンゴ栽培の神様

（弘前市立弘前図書館）

幕末〜明治時代の果樹栽培家。

陸奥国中津軽郡清水村（現在の青森県弘前市）の農家に生まれた。1873（明治6）年、弘前の豪商、金木屋呉服店に奉公するが、2年後に実家に帰り、農牧社という農場に入った。1887年、農牧社をやめて、リンゴ栽培に生涯をかけようと決意した。

良質な品種のリンゴ栽培を指導していた菊池楯衛の指導を受け、70haのリンゴ園をひらいた。枝の一部を切りとる栽培技術を研究し、品評会にだしたリンゴは1等をとり、指導者としての地位をたしかにした。病虫害が発生して被害を受けたとき、虫をふせぐため、リンゴの実に袋をかけることを考え、ボルドー液という薬で病害をふせぐくふうをした。農家にリンゴ栽培法を指導し、山地でのリンゴ栽培を進めたので、青森県のリンゴ生産量は飛躍的に増加し、「リンゴの神様」とうやまわれるようになった。

とばそうじょう

宗教

鳥羽僧正　1053〜1140年

『鳥獣人物戯画』の作者

▲『鳥獣戯画』
（東京国立博物館　Image:TNM Image Archives）

平安時代後期の天台宗の僧。

名は覚猷。公家の高官だった源隆国の子に生まれる。園城寺（三井寺）（滋賀県大津市）法輪院を建立して僧正となり、法勝寺（京都市左京区にあった寺）などの別当（長官）をつとめ、1138年、天台座主（天台宗の最高位の僧）となった。しかし、3日で退任し、鳥羽上皇（譲位した鳥羽天皇）に信任され、鳥羽殿（現在の京都市伏見区にあった離宮）の寺院、証金剛院に住んだので、鳥羽僧正と称された。

絵の才能にすぐれ、「近き世にならびなき絵かき」といわれた。醍醐寺（京都市）の『不動明王像』、朝護孫子寺（奈良県平群町）の『信貴山縁起絵巻』、高山寺（京都市）の『鳥獣人物戯画』などをえがいたと伝えられている。『鳥獣人物戯画』は、カエル、ウサギ、サルなどを擬人化して当時の社会を風刺したと思われる。その戯画とよばれるこっけいな絵は現代の漫画の起源といわれる。

とばてんのう

王族・皇族

鳥羽天皇　1103〜1156年

院政で27年も実権をにぎりつづけた

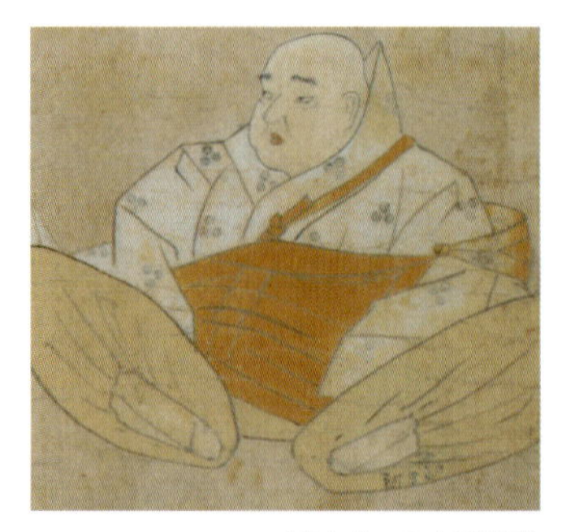
（宮内庁三の丸尚蔵館）

平安時代後期の第74代天皇（在位1107〜1123年）。堀河天皇の子。即位する前は宗仁親王とよばれた。祖父の白河上皇（譲位した白河天皇）により、1103年、1歳で皇太子に立てられ、父の死により5歳で即位したが、白河上皇が院政をおこなった。1119年、顕仁親王が生まれると、1123年、白河法皇（出家した白河上皇）により退位させられ、顕仁親王（崇徳天皇）が即位したので、白河法皇と対立。1129年、白河法皇の死後、崇徳天皇を後見して院政をはじめたが、1141年には、寵愛した藤原得子が産んだ皇子で3歳の体仁親王（近衛天皇）を皇太子に立て、23歳の崇徳天皇を退位させ、体仁親王を即位させた。翌年、受戒（僧になるための戒律をさずかること）し法皇となった。院政の期間は3代の天皇、28年間におよんだ。その間、京都の南に鳥羽殿という大規模な離宮を造営し、京都御所、白河殿（京都市にあった御所）とともに、政治、経済、文化の中心となった。

1155年に近衛天皇が亡くなると、子の雅仁親王（後白河天皇）を即位させたので、崇徳上皇の皇子は皇位継承の望みがなくなり、崇徳上皇の鳥羽法皇に対するうらみは深くなった。1156（保元元）年、鳥羽法皇が亡くなると、崇徳上皇と後白河天皇の対立ははげしくなり、保元の乱がおこった。

学 天皇系図

ドビュッシー, クロード

音楽

クロード・ドビュッシー　1862〜1918年

20世紀の新しい音楽の先がけ

フランスの作曲家。

パリ生まれ。10歳でパリ音楽院に入学し、ピアノと作曲を学ぶ。1880年に卒業したのちは、マラルメ、ベルレーヌなど象徴派の詩人や作曲家のサティらと交流する。

1889年、パリ万国博覧会でインドネシアのガムラン音楽を聴いて刺激を受けている。1894年、マラルメの詩を音で表現した『牧神の午後への前奏曲』を発表し、ヨーロッパ中で好評を得る。1902年には、劇作家メーテルリンクの戯曲によるオペラ『ペレアスとメリザンド』を初演し、話題となる。

楽器の音色を豊かにつかった、機能和声や調性にとらわれない音楽は、同時代の絵画から印象主義音楽とよばれることもある。管弦楽曲『海』は、尊敬する葛飾北斎の『富嶽三十六景』を楽譜の表紙にしたことでも有名。ほかにピアノ曲『月の光』、ピアノ曲集『子供の領分』『前奏曲集』などがある。20世紀の音楽の先がけとして、多くの作曲家に影響をあたえた。

ドプチェク，アレクサンデル

政 治

アレクサンデル・ドプチェク　1921〜1992年

民主化運動「プラハの春」をひきいた

チェコスロバキアの政治家。

スロバキアに生まれる。一時ソビエト連邦（ソ連）に住んだが、1938年に帰国した。チェコスロバキア共産党に入ると、第二次世界大戦中、ナチスドイツ軍に対するレジスタンス（地下抵抗運動）に参加。1968年には、保守派ノボトニーにかわってチェコスロバキア共産党第一書記となった。同年、民主化運動「プラハの春」の先頭に立ち、「人間の顔をした社会主義」というスローガンをかかげる。その結果、複数の政党が出現し、あらゆる面で自由化の動きが強まった。

これらを反社会主義ととらえたソ連のブレジネフは、ワルシャワ条約機構の加盟5か国軍と連携し、軍事介入をおこなう（チェコ事件）。ドプチェクはとらえられ、改革は終わりをむかえた。

ド・フリース，ユーゴ

学 問

ユーゴ・ド・フリース　1848〜1935年

進化についての突然変異説を提唱した

オランダの植物学者、遺伝学者。

北西部のハールレムに生まれる。ライデン大学などで植物生理学、遺伝学を学び、1878年からアムステルダム大学の教授をつとめた。植物の呼吸や細胞での水分の調整機能について研究をおこなった。遺伝学では、細胞内にパンゲンという遺伝物質があるという仮説を立て、それまで評価されていなかったメンデルの遺伝の法則を裏づけた。また、オオマツヨイグサの交配実験によって、多くの突然変異を発見した。この実験から、生物は不連続に突然の変化をおこし、変化した性質が自然に適応することで進化がおこるという、突然変異説を提唱、これが遺伝学、進化論の重要な理論となった。

トペリウス，サカリアス

文 学　絵本・児童

サカリアス・トペリウス　1818〜1898年

愛と勇気あふれる童話集をのこす

フィンランドの作家、歴史学者。

クードネスの生まれ。本名はザクリス。父は医師で伝承詩の収集家でもあった。ヘルシンキ大学卒業後、新聞社につとめながら詩集や歴史小説『軍医物語』などを書いていた。その後ヘルシンキ大学の歴史学の教授となる。

代表作は、1865年から30年にわたって刊行された『こどものための読み物』全8巻で、当時ロシア帝国の支配下にあったフィンランドで、こどもたちの心に祖国愛を育てたいという願いをこめて書かれた。愛と勇気にあふれた童話は、人々の共感を集めて世界中で翻訳された。フィンランドのアンデルセンとよばれ、童話のほか、小説、戯曲やオペラの台本も書いている。

とほ

詩・歌・俳句

杜甫　712〜770年

詩聖とよばれた放浪の詩人

中国、唐時代中期の詩人。河南の鞏県（現在の河南省）の小豪族の家に生まれる。字は子美。こどものころから文学に親しみ、詩作にはげんだ。科挙（官僚の採用試験）に失敗して放浪の旅に出る。744年、洛陽で高名な詩人李白と出会い、自由な生き方に刺激を受けた。755年にようやく官職につくが、安史の乱（安禄山の乱、755〜763年）にあい、反乱軍にとらえられて長安に約1年軟禁される。脱出後、宮廷にもどるが左遷され、都を捨てて各地を転々としたのち、故郷をめざす旅の途中、舟の上で病気のため亡くなった。

人生に誠実にむき合い、真実や心理、自然の風景などから新しい感動を発掘して自由に表現した。民衆の苦しみを歌った長編古体詩の『北征』『兵車行』や、みずから完成させた律詩体の『春望』『登高』などが代表作である。白居易や蘇東坡などのちの詩人の指針となり、日本でも放浪の詩人として、松尾芭蕉や作家の島崎藤村などに影響をあたえた。中国を代表する最高の詩人として詩聖とよばれている。

学 日本と世界の名言

ドボルザーク，アントニン

音 楽

アントニン・ドボルザーク　1841〜1904年

チェコの国民音楽を築く

チェコの作曲家。

プラハ近郊の生まれ。プラハのオルガン学校で、苦学して学ぶ。1860年、楽団のビオラ奏者に採用され、のちにプラハ国民劇場のオーケストラに加わる。1878年、ブラームスの紹介でドイツの出版社から『スラブ舞曲』第1集を出版し、みとめられた。1892年から3年間、アメリカ合衆国にわたり、ニューヨーク・ナショナル音楽院長をつとめる。有名な『交響曲第9番(新世界より)』は、この時期に新大陸から故郷ボヘミアに思いをはせてつくられた。帰国後、プラハ音楽院長につく。

作風は、はじめワーグナーの影響を受けたドイツ音楽的な傾向が多く、しだいにチェコの民族音楽の色彩が強まった。代表作に、弦楽四重奏曲『アメリカ』、宗教曲『スターバト・マーテル』などがある。無類の鉄道好きで、有名な『ユーモレスク』第7曲の冒頭は、列車に乗ったときのリズムから思いついたといわれる。スメタナとともにチェコの国民音楽を築いた。

トマス・アクィナス

思想・哲学

トマス・アクィナス　1225？～1274年

神学と哲学の結合をめざしたスコラ哲学の集大成者

中世イタリアの神学者、哲学者。

シチリア王国アクイノの領主の家に生まれる。ナポリ大学で学んだのち、ドミニコ会修道士となる。パリとケルンで、スコラ神学者アルベルトゥスについてアリストテレス哲学を学んだ。1252年からパリ大学で教え、のちに教授となる。1259年、イタリアに帰国、各地のドミニコ会学校で講義をおこないながら研究をつづけ、1266年に主著『神学大全』第1部の執筆をはじめ、この時期に『対異教徒大全』なども著した。1269年、再度パリ大学の教授に就任、精力的に研究や著作をおこない、『神学大全』の第2部などを著した。1272年、ナポリにもどり、その後、教皇の依頼でリヨン公会議にむかう途中、病気で亡くなった。1323年、聖人に列せられた。神の存在を哲学により証明できるとし、キリスト教の神学とアリストテレス哲学の理性を調和させた、スコラ哲学とよばれる宗教哲学を集大成した。

とみおかたえこ

文学　詩・歌・俳句

富岡多恵子　1935年～

女性詩人の中心的存在

詩人、作家。

大阪府生まれ。大阪女子大学（現在の大阪府立大学）英文科卒業。在学中に詩人の小野十三郎に師事する。1957（昭和32）年に詩集『返礼』を自費出版し、翌年のH氏賞を受賞、詩人としてみとめられた。1961年には『物語の明くる日』で室生犀星詩人賞を受賞する。以後、女性詩人の中心的な存在として活躍する。1971年から小説もてがけ、『植物祭』で田村俊子賞、『冥途の家族』で女流文学賞など、多くの作品で文学賞を受賞している。詩作からはなれたが、評論『さまざまなうた　詩人と詩』などを発表している。活動の分野は広く、映画のシナリオや戯曲、翻訳などでもすぐれた才能を発揮している。

とみおかてっさい

絵画

富岡鉄斎　1836～1924年

自由奔放な文人画をえがいた近代の画家

（国立国会図書館）

明治時代～大正時代の文人画家。

京都の僧衣をあつかう家に生まれる。本名は猷輔、のちに百錬。15歳のころから、平田篤胤の門人の大国隆正から国学を、儒学者の岩垣月洲らから漢学や詩文を学び、陽明学などの素養を積む。また、歌人の大田垣蓮月のもとに住みこみ、影響を受けた。幕末の動乱の時代には、天皇に忠義をつくす勤王の志士たちと交流した。明治維新後は、奈良の石上神宮や大阪の大鳥神社の宮司をつとめたが、1881（明治14）年には京都に帰り、絵をえがくことに専念した。

絵は少し手ほどきを受けたほかは、ほとんど独学だった。画風は、大和絵から中国の文人画（学者や文人がえがいた絵画）の手法に転じたが、筆づかい、色、構成ともに自由奔放になり、独自性をました。さまざまな展覧会の審査員をつとめたが、みずからは一般の展覧会には出品しない姿勢をつらぬいた。代表作に『安倍仲麿明州望月図』『不尽山全頂図』『蓬莱仙境図』などがある。

とみたいさお

音楽

冨田勲　1932～2016年

シンセサイザー音楽の第一人者

昭和時代～平成時代の作曲家、編曲家、シンセサイザー奏者。

東京生まれ。慶應義塾大学卒業。大学に在学中、全日本合唱コンクールの課題曲に応募し1位になったのを機に、作曲家の道を志す。NHKのテレビ番組『新日本紀行』『きょうの料理』、大河ドラマ『花の生涯』などの音楽を担当。1966（昭和41）年、手塚治虫原作のテレビアニメ『ジャングル大帝』の音楽を作曲、交響詩に編曲して制作したレコードが芸術祭奨励賞を受賞した。

1970年ごろから、シンセサイザーによる作曲や編曲、演奏をはじめる。1974年、ドビュッシーの曲をシンセサイザーにより演奏したアルバム『月の光』が、アメリカ合衆国でビルボード・クラシカル・チャートの第1位に、さらに日本人初のグラミー賞に推薦され、世界中にその名をとどろかせた。その後も、『展覧会の絵』などクラシックの名曲をシンセサイザーで編曲して発表し、世界的なヒットを記録した。1984年にはオーストリアのリンツでドナウ川をはさんで超立体音響を構成する壮大な野外コンサートをもよおす。また1998（平成10）年には和楽器と洋楽のオーケストラとシンセサイザーによる『源氏物語幻想交響絵巻』を作曲する。2012年には宮沢賢治の作品を題材にした『イーハトーブ交響曲』を作曲、仮想アイドル初音ミクの歌声を融合させ、賢治の四次元宇宙をみごとに表現した。新作の交響曲『ドクター・コッペリウス』の作曲を進めているさなかの2016年、心不全のために亡くなった。

とみたきゅうざぶろう

郷土

富田久三郎　1828〜1911年

備後絣の創始者

江戸時代後期〜明治時代の機業家。

備後国芦田郡下有地村（現在の広島県福山市）の農家に生まれ、幼いころから器用だった。貧しい村に育ったので、村を豊かにする方法はないかと考えた。村では藍色の綿織物が織られていたが、模様はなかった。あるとき絹織物の本できれいな模様をみつけ、藍色の布に模様を織りだすことに熱中した。布の一部をくくって、その部分に色がつかない染め方を考えた。しかし、これだけでは模様にはならなかった。その後、縦糸と横糸の染めのこした部分を組み合わせると、模様になることがわかった。研究を重ね、1853年、のちに備後絣とよばれる織物を誕生させた。

とみながなかもと

学問

富永仲基　1715〜1746年

儒教、仏教、神道を批判し、「誠の道」を説いた

江戸時代中期の学者、思想家。

しょうゆ醸造業をいとなむ大坂（阪）の富裕な商人の子として生まれる。父も創立者の一人である大坂の町人が創設した学問所、懐徳堂で幼いころから儒学を学んだ。15〜16歳ころ、儒教思想を批判した『説蔽』を著して、師の三宅石庵の不興を買ったといわれている。その後、荻生徂徠の親友であった田中桐江に詩文を師事し、さらに家を出て仏教を学んだ。

1745年、その成果をまとめて『出定後語』を著し、大乗仏教では仏典の成立においてうそや創作が加えられており、本来のシャカのことばではないなどの批判をおこなった。1746年、『翁の文』を出版して儒教、仏教、神道が時代に合わない教えであり、それらにとらわれない「誠の道」を求めることを説いた。仏教関係者などからは批判も受けたが、その思想は本居宣長や平田篤胤に影響をあたえた。

▲大正時代に建て直された懐徳堂の学舎
（一般財団法人懐徳堂記念会提供）

ドミニクス

宗教

ドミニクス　1170ごろ〜1221年

ドミニコ修道会を創始した修道士

スペインのカトリック教会修道士、ドミニコ修道会創始者。

カスティリャに生まれる。バレンシアの司教座教会学院で学び、1199年ころにオスマ大聖堂参事会員となる。1203年からはフランスにおもむき、南フランスに広がっていたカタリ派（アルビ派ともよばれたキリスト教の異端派）を、正統とされるカトリックの教えにみちびくことをめざした。

カトリックの伝道は熱情と厳格主義が必要とさとり、たくはつをしながら村から村をめぐって説教や祈りをおこない、「貧しいキリスト教徒」として清貧の手本を人々にしめした。1215年、フランス南西部のトゥールーズに説教者修道会（ドミニコ会）を同志とともに設立。1216年、教皇ホノリウス3世によってドミニコ会は修道会として認可された。清貧を重んじるドミニコ会は多くの人に受け入れられ、フランス、イタリア、スペイン、ポーランドなどに広まった。

とみやまかずこ

学問

富山和子　1933年〜

農林業の環境への重要性を説いた評論家

環境問題評論家。

群馬県生まれ。漢学者の父の転任や第二次世界大戦により各地に移転。早稲田大学文学部仏文科に入学し、出版社にも勤務して総合雑誌の編集制作にかかわる。1957（昭和32）年に大学を卒業。

のちに立正大学短期大学部教授をへて、立正大学社会福祉学部教授となる。1979年に『川は生きている』でサンケイ児童出版文化賞を、1996（平成8）年には『お米は生きている』で産経児童出版文化賞大賞を受賞。

一貫して国土利用での農業や林業の重要性を主張し、森林と水と土壌の三者はたがいに関係し合っており、別々には議論できないととなえる。

「水田はダムである」という指摘をおこなった。農林漁業を守る活動も継続している。一連の研究は「富山理論（富山学）」ともよばれる。2004年に立正大学を定年退任して名誉教授となり、日本福祉大学の教授もつとめる。自然環境保全審議会委員、中央公害対策審議会委員、林政審議会委員などを歴任している。

とめおかこうすけ

教育

留岡幸助　1864〜1934年

日本の感化院教育の実践者

明治時代〜昭和時代の社会福祉家、教育家。

備中国松山藩（現在の岡山県西部）の城下に生まれ、生後まもなく米屋の留岡家の養子となる。1885（明治18）年、同志社英学校（現在の同志社大学）に入学し、新島襄の教えを受けた。1888年、福知山で教会の牧師に、1891年、北海道の空知にある監獄で受刑者の心の介護をする教誨師となる。囚人たちの多くは10代なかばのころ非行少年であったことがわかり、その時期に手をさしのべて感化させる「家庭の愛」が必要と痛感し、1894年、この分野の先進国アメリカ合衆国へ留学した。1897年に帰国。以後、感化院（児童自立支援施設）の設立に走りまわり、1899年、巣鴨家庭学校を設立し、多くの卒業生を社会に復帰させた。

さらに1914（大正3）年、北海道に家庭学校の分校と農場を建設し、大自然の中での労働と家庭教育を実践した。生涯にわたり非行少年をみちびく感化事業につくし、1934（昭和9）年、死去した。その歩みは、のちに『大地の詩—留岡幸助物語』（2011年）として映画化された。

ともながしんいちろう

学問

朝永振一郎　1906〜1979年

「くりこみ理論」で量子力学の矛盾を解決した

昭和時代の物理学者。

東京生まれ。京都に移転後、京都帝国大学（現在の京都大学）理学部物理学科を卒業して、同大学で無給の副手（旧制大学で助手の補助をする人）となる。なお、中学から大学まで湯川秀樹と同門だった。1931（昭和6）年、仁科芳雄よりまねかれて理化学研究所仁科研究室の研究員となり、のちにドイツのライプツィヒに留学してハイゼンベルクの研究グループで、原子核物理学や量子場理論を研究した。この研究で1948年に日本学士院賞を受賞した。

東京文理科大学（のちの東京教育大学、筑波大学）教授をへて東京教育大学教授、さらに同大学長を歴任。この間、電子の質量について、量子力学の理論上の質量がしばしば無限になり、測定した質量とことなってしまうという、量子力学の矛盾を解決する「くりこみ理論」を形成した。

量子力学と相対性理論をむすびつけたこの業績によって、1965年、同様の理論を考えたシュウィンガー、ファインマンとともにノーベル物理学賞を受賞した。日本学術会議会長をつとめ自然科学の啓蒙にも力をそそぎ、著書の『物理学とは何だろうか』はのちに大佛次郎賞を受賞している。また、平和運動にも力をそそいだ。

学 ノーベル賞受賞者一覧　学 文化勲章受章者一覧

とものこわみね

貴族・武将

伴健岑　生没年不詳

承和の変で隠岐に流された

平安時代前期の官人。

もとの名は大伴健岑。仁明天皇の皇太子、恒貞親王に側近としてつかえた。842（承和9）年、嵯峨上皇（譲位した嵯峨天皇）の死後、伴健岑と橘逸勢が親王を擁立して謀反をくわだてたという事件の中心人物とされ、隠岐国（現在の島根県隠岐諸島）に流罪となった。恒貞親王は皇太子をやめさせられ、出家した。この事件を承和の変という。

事件後、仁明天皇のきさきで、朝廷の中心にいた権中納言、藤原良房の妹が産んだ道康親王（のちの文徳天皇）が皇太子に立てられ、良房は大納言に昇進した。この事件は、藤原良房が、対立する有力貴族の伴氏や橘氏を追い落とし、身内の皇子を天皇のあとつぎにするための陰謀だったといわれている。

とものよえもん

郷土

友野与右衛門　生没年不詳

箱根用水をつくった商人

江戸時代前期の商人。

駿河国（現在の静岡県中部と北東部）に生まれた。江戸の浅草（現在の東京都台東区）で商売をいとなみ、各地で新田開発をおこなった。1662年、駿河国深良村（静岡県裾野市）の名主（村の長）大庭源之丞から、芦ノ湖の水をひいて、深良村に水田を開発する計画を聞き、水田がひらけたら費用を米で返してもらうという約束をして援助をひきうけた。

芦ノ湖を管理している箱根神社と、幕府の許可を得ると、1666年に工事をはじめた。箱根山の野尻峠の下に芦ノ湖と深良村の両方からトンネルをほり進め、芦ノ湖の水を通すというむずかしい工事だったが、着工から3年半後の1670年、全長約1.3kmのトンネルが開通した。これを箱根用水（深良用水）といい、用水の完成により、深良村と周辺の29の村に約500haの水田がひらかれた。

▲深良用水隧道　（静岡県）

とものよしお

貴族・武将

伴善男　811?〜868年

応天門の変で源信を失脚させようとして失敗

平安時代前期の公家の高官。

古代からの豪族大伴氏の子孫、大伴国道の子。

823年、大伴氏から伴氏と姓をあらためる。仁明天皇に信任され、842年、蔵人(天皇の機密文書などを管理する蔵人所の役人)などをへて、847年、蔵人頭(蔵人所の長官)となり、848年、太政官の役職の一つである参議に昇進した。その後、右衛門督(宮中の警備などをおこなう右衛門府の長官)、検非違使別当(都の治安維持や裁判を担当する役所の長官)、中宮大夫(皇后の側近事務をおこなう中宮職の長官)などを歴任した。855年、藤原良房らと仁明天皇の代の歴史をしるした『続日本後紀』を編さんする。

▲護送される伴善男 『伴大納言絵詞』模本より

(国立国会図書館)

864年、大納言となるが、左大臣の源信(嵯峨天皇の皇子)と対立するようになった。866年、平安宮朝堂院の正門、応天門が夜間に焼失する事件がおこった。伴善男はこれを源信の放火だと告発したが、太政大臣藤原良房の弁護により源信のうたがいが晴れた。数か月後、「伴善男と子の伴中庸が放火した」と下級役人に密告され、取り調べを受けた伴父子は否認したが、拷問された善男の従者は、伴父子が放火した、と白状させられた。

伴父子は領地を没収され、善男は伊豆(現在の静岡県伊豆半島)へ流罪となった(応天門の変)。こうして政界の実力者伴氏が失脚、没落したことで、藤原氏が政治の中心に立ったが、良房がこの事件をうまく利用したという見方もあり、真相はわかっていない。応天門放火から流罪までをえがいた『伴大納言絵詞』の主人公。

▲平安神宮の応天門

(平安神宮)

どもんけん

写真

● 土門拳 1909～1990年

日本の文化を撮りつづけた写真家

昭和時代の写真家。

山形県酒田市生まれ。1916(大正5)年、家族で東京に移り住む。画家を志望していたが、24歳で宮内写真館に住みこみ、写真の技術を学ぶ。1935(昭和10)年、名取洋之助の日本工房に入社し、報道写真の手法を習う。退社後は、室生寺や文楽などを撮影した。雑誌『写真文化』に掲載された画家や作家の肖像写真などにより、1943年のアルス写真文化賞を受賞した。

第二次世界大戦後はフリーの写真家としてさまざまな雑誌で活躍し、1950年には雑誌『カメラ』の月例審査員となり、演出によらないリアリズム写真を提唱した。1954年の『室生寺』、1958年の『ヒロシマ』と、力作を発表し、1960年の『筑豊のこどもたち』は10万部をこすベストセラーとなる。1963年からはライフワークとなる『古寺巡礼』のシリーズを出版し、日本の伝統文化を独自の視点でとらえた。昭和時代を代表する写真家であり、後進に大きな影響をあたえつづけている。

とよ

台与 → 壱与

とよだきいちろう

産業

● 豊田喜一郎 1894～1952年

トヨタ自動車の創業者

昭和時代の実業家。

静岡県生まれ。名古屋市で幼少期を送る。1920(大正9)年に東京帝国大学(現在の東京大学)工学部機械工学科を卒業。その後、父の豊田佐吉の意向により経営を東京帝国大学法学部で学び、名古屋にもどって豊田紡織に入社した。自動織機の開発をはじめ、豊田自動織機製作所を設立。欧米への視察で自動車産業の将来性を実感し、1933(昭和8)年、自動車製作部門をもうけ、1937年にトヨタ自動車工業株式会社(現在のトヨタ自動車)を設立した。みずからは副社長をへて1941年、2代目社長に就任したが、太平洋戦争により、自動車の大量生産は不可能となった。

戦後に実施された財政金融引き締め政策の影響を受けた不況で、会社は経営難におちいり、1950年に社長を退任した。その後、東京に研究所を設立して自動車エンジンなどの研究をおこない、社長に復帰したが、57歳で亡くなった。国産自動車の大量生産の先がけであり、豊田市役所の広場には、喜一郎の銅像が建てられている。

とよださきち

産業 郷土

● 豊田佐吉 1867～1930年

自動織機を開発、紡績業の発展に貢献した発明家

明治時代～大正時代の発明家、実業家。

静岡県生まれ。貧しい農家に育ったが、青年時代から発明に関心をもち、1885(明治18)年、発明の保護と奨励を定め

た専売特許条例の公布をきっかけに、発明家を志した。故郷の名産品だった木綿の織機が、生産効率の悪い手織機だったことから、織機の改良にとりくむ。1890年に木製人力織機を発明し、翌年、特許を取得、1897年には日本初の木製動力織機を開発し、生産を飛躍的に向上させた。1924（大正13）年、画期的な自動織機を完成し、世界一の品質と評価された。そして2年後、豊田自動織機製作所を設立した。豊田佐吉は、織機の機械化によって紡績業の発展に貢献し、海外でも高い評価を得た。国内外で数々の特許をとり、晩年には、特許で得た資金で国産自動車の開発を進めた。自動車開発は息子の豊田喜一郎にひきつがれ、トヨタ自動車のいしずえとなった。1985（昭和60）年、特許庁により日本の十大発明家の一人に選出されている。

（国立国会図書館）

とよとみひでつぐ

戦国時代

豊臣秀次　1568～1595年

豊臣秀吉の後継者となるが、秀頼誕生で自害

（豊臣秀次画像／東京大学史料編纂所所蔵模写）

安土桃山時代の武将。

三好吉房の子として生まれる。豊臣秀吉のおい、母は秀吉の姉の日秀。はじめ次兵衛、のちに孫七郎と称する。秀吉の重臣、宮部継潤の養子となり、ついで三好康長の養子となる。

1584年の小牧・長久手の戦いで徳川家康に惨敗するが、その後、秀吉にしたがって、紀伊、四国平定などで活躍し、翌年には、近江国（現在の滋賀県）の八幡山城主となる。1590年には、小田原征伐、奥羽平定で戦功をあげ、尾張国（愛知県西部）、伊勢国（三重県東部）など、100万石を領地とした。1591年、秀吉の長男である鶴松が亡くなってあとつぎがいなくなったため、秀吉の養子となる。同時に関白に就任し、京都聚楽第で政務にあたった。しかし、1593年、秀吉の側室である淀殿が、秀吉の次男の豊臣秀頼を産むと、秀吉との関係は悪化し、また謀反のうわさもたち、28歳で高野山に追放されて、自害させられた。秀次の妻子をふくめた一族も、京都三条河原で処刑された。

とよとみひでなが

戦国時代

豊臣秀長　1540～1591年

豊臣秀吉の天下統一を助けた、秀吉の弟

戦国時代～安土桃山時代の武将。

尾張国（現在の愛知県西部）に生まれる。豊臣秀吉の弟。羽柴秀長ともいう。幼名は木下小一郎。初名は長秀。

秀吉からもっとも信頼され、ともに各地を転戦する。1574年の伊勢長島一向一揆攻めで先陣を切り、その後、但馬国（兵庫県北部）を平定し、出石城主となる。1582年、山崎の戦いののち、播磨国（兵庫県南部）と但馬国を領土とし、1585年には紀伊国（和歌山県・三重県南部）を制圧。同年、四国征伐では急病となった秀吉のかわりをつとめ、大和国（奈良県）をあたえられて、郡山城主となった。1587年の九州攻めでも活躍し、従二位・権大納言（太政官の定員外の次官）に就任し、「大和大納言」とよばれた。温厚で人望があつく、秀吉の片腕となって天下統一を助けた。

とよとみひでよし

豊臣秀吉 → 88ページ

とよとみひでより

戦国時代

豊臣秀頼　1593～1615年

大坂の陣で自害し、豊臣氏は滅亡した

（養源院）

安土桃山時代～江戸時代前期の武将。

豊臣秀吉の次男。母は秀吉の側室で、浅井長政の娘である淀殿。1593年、大坂（阪）城で生まれる。幼名は拾丸。翌年に新築された京都の伏見城に移され、そこで育った。秀吉が57歳のときに生まれた子であり、長男が幼くして亡くなったこともあって非常にかわいがられた。1595年、秀吉が、それまで後継者としていた姉の子豊臣秀次に謀反の罪を着せ、高野山で自害させたため、豊臣家の後継者となる。秀吉はその後、前田利家を秀頼の後見役につけた。また1596年に朝廷から従五位下の位をさずけられたのをはじまりに、次々と位をさずかり、1598年には6歳にして従二位・権中納言（太政官の定員外の次官）となった。同年、秀吉が病気で亡くなる。秀吉は生前、徳川家康、毛利輝元らの大名に秀頼を助けて忠誠をつくすように何度も誓わせていたが、死後にはそれも守られなくなり、翌年には補佐をしていた利家が亡くなったことも加わって、家康が政治の実権をにぎるようになった。

1600年には関ヶ原の戦いがおこり、秀吉の側近だった石田三成を中心とする西軍が家康ひきいる東軍に大敗した。その結果、摂津国（現在の大阪府北西部・兵庫県南東部）、河内国（大阪府東部）、和泉国（大阪府南西部）の65万7000石を領地とする大名の一人とされた。1603年、秀頼は秀吉の生前から婚約していた、家康の3男徳川秀忠の娘千姫と結婚する。同年、征夷大将軍となって江戸幕府をひらいた家康は豊臣家

の力を危険視しており、秀吉の霊をとむらうという理由で寺院や神社の修理をさせて、その財力をへらそうとした。そして鐘にほった文にのろいがこめられているといいがかりをつけたため（方広寺鐘銘事件）、1614年、ついに豊臣家は挙兵した。大坂冬の陣では、豊臣家に味方する大名はなかったが、真田幸村ら武将の力と大坂城のかたい守りのために城が落ちることはなく、長いあいだ対峙がつづいた。家康の和議の提案に秀頼は反対したが、母淀殿の主張で成立した。しかし、和議の条件は大坂城の外堀の埋め立てであったのに、江戸幕府は内堀までうめてしまった。その後も幕府は無理な注文をつづけ、翌年の夏に大坂夏の陣がおきた。幸村らが城を出てむかえ撃ったが、まもなく大坂城は徳川軍の総攻撃を受けて落城した。秀頼は母の淀殿とともに自害し、豊臣家は滅亡した。23歳の若さだった。

ドラクロア，ウジェーヌ

絵画

ウジェーヌ・ドラクロア　1798～1863年

ロマン主義を代表する画家

フランスの画家。

パリ近郊に生まれる。幼いころに父を亡くし、パリに移った。18歳で国立美術学校に入るが、古典的な学校の授業よりも、ルーブル美術館でルーベンスやベネツィア派の作品を模写して、技術をみがいた。1822年、サロンへ『ダンテの小舟』を出品して、一躍有名になる。1824年には、同じ時代におきたギリシャ独立戦争を題材にした『キオス島の虐殺』を出品して注目を集め、作品はのちに代表作となった。

画風は、はげしい感情表現が特徴で、ロマン主義絵画の中心的な画家、また近代絵画の先駆者といわれる。イギリスやモロッコへの旅を通して、題材や色彩などに影響を受けたが、伝統的な古典主義の絵画に対し、力強い構図と筆づかい、豊かな色彩で劇的な場面をあらわした。代表作に『アルジェの女たち』『民衆をひきいる自由の女神』などがあり、ほかに大建築の装飾画などの作品も多くのこした。

ドラコン

古代　政治

ドラコン　生没年不詳

アテネ初の成文法をつくった

古代ギリシャの立法者。

平民が力をのばしてきたアテネでは、貴族と平民がしばしばはげしく対立した。そこでドラコンは立法者に任じられ、紀元前621年ころ、それまでの習慣法にもとづいた成文法をはじめて制定。これにより、貴族が法をかってに解釈しておこなわれていた裁判が見直され、平民の権利が守られるようになった。しかし貴族と平民の対立は、その後もなくならなかったという。

ドラコンの立法は、小さな罪でも死刑にするという刑罰の過酷さが有名で、後世、「血で書かれた」などと評価された。そのため紀元前6世紀のはじめにおこなわれたソロンの改革で、殺人に関するもの以外、すべての規定が廃止された。殺人の法は、紀元前4世紀まで受けつがれた。

ドラッカー，ピーター

学問

ピーター・ドラッカー　1909～2005年

社会との関係から企業の経営、管理を考察

アメリカ合衆国で活躍した経営学者、評論家。

オーストリアのウィーン生まれ。ドイツの大学で学んだが、ナチスの台頭をのがれてイギリスに移住し、経済記者などとしてはたらいた。1937年にアメリカにわたり、現代産業のあり方を論じた著書『「経済人」の終わり』で評論家として注目された。複数の大学の教授、大手企業の経営コンサルタントとして活動しながら、『企業とは何か』をはじめとする、経営に関する著作を多数出版した。社会とのかかわりという視点から、企業の経営、管理を考察して理論を展開し、世界の経済界、産業界に影響をあたえた。代表作に『マネジメント』『ポスト資本主義社会』などがある。

トラバース，パメラ

絵本・児童

パメラ・トラバース　1906～1996年

メアリー・ポピンズの生みの親

イギリスの作家。

オーストラリアのクインズランドの生まれ。幼いときはサンゴ礁で有名なグレートバリアリーフの海岸や麦畑で遊び、6、7歳のころ、すでに詩をつくったり物語を書いたりしていた。のちにアイルランド、イングランドと移り住み、晩年はロンドンでくらした。

10代後半には雑誌や新聞に詩や物語を書き、舞台女優をしていたこともあるが、やがて執筆に専念し、1934年に『風にのってきたメアリー・ポピンズ』を発表。魔法がつかえる不思議なナニー（ベビーシッター）のメアリー・ポピンズとバンクス家のこどもたちの物語は大好評を得た。続編の『帰ってきたメアリー・ポピンズ』『とびらをあけるメアリー・ポピンズ』なども出版され、ジュリー・アンドリュースの主演で映画化、原作は今日も世界中で読みつがれている。トラバースは、神秘学の研究家として世界各国をまわり、禅を学ぶため日本をおとずれたこともある。

豊臣秀吉

天下統一をはたした武将

▲豊臣秀吉像　（高台寺）

■織田信長につかえる

戦国時代〜安土桃山時代の武将。尾張国中村（現在の愛知県名古屋市）で木下弥右衛門の子として生まれた。父は秀吉が7歳のころに亡くなった。16歳のころ家を出て、18歳のころ織田信長につかえたといわれ、このころは木下藤吉郎と名のっていた。はじめは雑用係をつとめる小者の身分だったが、信長に能力をみとめられて小者頭、足軽、足軽組頭、足軽大将へと出世した。

▲秀吉の陣羽織　織田信長からゆずられたものという。上には信長の家紋の「木瓜」、下には秀吉の家紋の「桐」の模様がある。（大阪城天守閣）

1568年、京都に入った信長は、足利義昭を第15代将軍につけたあと帰国したが、秀吉は京都奉行（京都の治安を守る役人）の一人に加えられた。1573年、信長が近江国（滋賀県）の戦国大名浅井長政をほろぼしたあと、長政がおさめていた領地をあたえられた。秀吉は長政が居城としていた小谷城（長浜市）に本拠地をおかず、1574年、琵琶湖のほとりに長浜城（長浜市）を築いて、一国一城の主となり、羽柴秀吉と名のるようになった。

■明智光秀との決戦

1577年、信長から毛利輝元が支配する中国地方の平定を命じられた。1580年に三木城（兵庫県三木市）、1581年に鳥取城（鳥取市）を攻め落とし、1582年、高松城（岡山市）を攻めた。秀吉は毛利軍との決戦を前にして信長に援軍をたのんだ。しかし援軍にむかうため京都に入った信長は、家臣の明智光秀の大軍におそわれ自害した（本能寺の変）。

光秀の毛利方への使者をとらえて信長の死を知った秀吉は、信長の死を毛利方にさとられずに毛利輝元と和議をむすんだ。そうして兵をひきつれて大急ぎで京都にむかい、山城国山崎（京都府大山崎町）で光秀軍と戦い討ちやぶった（山崎の戦い）。

■信長の後継者となる

山崎の戦いのあと、信長のあとつぎをだれにするか、清洲城（愛知県清須市）で会議がもたれた。信長の第一の家臣だった柴田勝家が信長の3男織田信孝をおしたのに対し、秀吉は信長とともに亡くなった信長の長男織田信忠の子三法師（のちの織田秀信）をおした。議論の末、あとつぎは三法師に決まったが、これに反発した勝家は、1583年、賤ヶ岳（滋賀県長浜市）の戦いで秀吉に決戦をいどみ、やぶれて本拠地の北ノ庄城（福井市）にのがれたが、攻められ自害した。

一方、信長の次男織田信雄は徳川家康と組み、1584年、小牧・長久手（愛知県小牧市、長久手市）の戦いで秀吉とあらそった。秀吉は長久手で家康に敗北したが、信雄とのあいだで講和をむすんで家康に兵をひかせた。

■天下を統一する

秀吉は天下統一の本拠地とするため、1583年、大坂（阪）の石山本願寺の跡地に大坂城を築きはじめ1585年に天守閣が完成した。同年朝廷から重職の関白をあたえられ、豊臣の姓を名のることをゆるされた。1586年には太政大臣となり、翌1587年、関白にふさわしいりっぱな屋敷を京都に造営し、聚楽第と名づけた。1588年、秀吉は聚楽第に後陽成天皇をむかえ、徳川家康らの大名に、天皇をうやまい、秀吉の命令にしたがうことを誓わせた。

秀吉は、1585年に四国の長宗我部元親、1587年に薩摩（鹿児島県）の島津義久を降伏させて四国・九州を平定していた。しかしいまだに命令をこばむ関

▲秀吉が築いた大坂城天守閣『大坂夏の陣図屏風』より。（大阪城天守閣）

東の北条氏直をしたがわせようと、1590年、北条氏がたてこもる小田原城（神奈川県小田原市）を20万以上の大軍でとりかこみ降伏させた。秀吉はさらに兵を進め、伊達政宗をはじめとする東北地方の大名たちをしたがわせて、天下統一をなしとげた。

■秀吉がおこなった天下統一の政策

秀吉は1582年以後、さまざまな政策をおこなった。まず山城国（京都府南部）で田畑の面積や収穫高を調べる検地をおこなった。1591年、関白をおいの豊臣秀次にゆずり太閤（前関白の称号）とよばれたので、秀吉が各地でおこなった検地を太閤検地という。検地をおこなうときには、各地でまちまちだった面積のはかり方や穀物の量をはかる升の大きさを統一した。

1588年、刀狩令をだして農民が一揆（反乱）をおこさないように刀などの武器をとり上げた。また、それまで領地にいた武士を城下町に集め、武士や町人と農民を区別する「兵農分離」をおこなって、身分をはっきり分けた。

■キリスト教の禁止と朝鮮出兵

1587年、九州に出兵した秀吉は、九州でキリスト教が広がっている実態を知りバテレン（宣教師）追放令をだした。また、対馬国（長崎県対馬）領主の宗氏に対して朝鮮の国王を日本にしたがわせ、中国の明を征服するための先導をつとめさせるように命じた。1590年、宗氏は苦しまぎれに秀吉の日本統一を祝う使者を朝鮮からまねいた。秀吉はこの使者を朝鮮が日本に服属の意志をしめすためにやってきたものと思いこみ、各国の大名たちに出兵の準備をさせた。そうして、1592（文禄元）年、1597（慶長2）年の2度にわたって朝鮮に大軍を送った。これをそれぞれ文禄の役・慶長の役という。秀吉の死により日本軍は撤退したが、朝鮮の人々を捕虜として日本につれてきた。

■秀吉の死

秀吉にはこどもがいなかったことから、1591年、関白をおいの秀次にゆずり後継者に決めていたが、側室（正妻でない夫人）淀殿とのあいだに豊臣秀頼が生まれたため、1595年、秀次に謀反のうたがいをかけて切腹させた。しかし、秀頼はまだ幼いため、五大老とよばれる有力な5人の大名（徳川家康、前田利家、毛利輝元、小早川隆景、宇喜田秀家）と、五奉行とよばれる5人の家臣（浅野長政、石田三成、長束正家、前田玄以、増田長盛）に対し、秀頼を助けて政治をみるように誓わせた。1598年、病気が重くなった秀吉は、秀頼の将来と政権のゆくえを心配しながら伏見城（京都市）で亡くなった。

▲朝鮮出兵　朝鮮で日本軍が建設していた城を明と朝鮮の連合軍に攻められ苦戦になった。『朝鮮軍陣図屏風』より。

（公益財団法人鍋島報效会所蔵）

学 日本と世界の名言

天正大判

秀吉は天下統一を進めていく中で、全国の主要な金山、銀山をおさえ、ほりだされた金や銀をおさめさせた。そうして天正大判や天正通宝などの貨幣をつくらせた。しかし、これらの貨幣は一般に流通させるためのものではなく、手がらのあった家臣などにほうびとしてあたえるものだった。

一般に流通していたのは中国から輸入した銭貨で、日本で本格的に通貨が鋳造されたのは江戸時代になってから。

▲天正大判　京都の後藤家に命じてつくらせた金貨で、世界でも最大級だという。長さ約13㎝、幅約8㎝、重さ約165g。

（日本銀行貨幣博物館所蔵）

豊臣秀吉の一生

年	年齢	主なできごと
1537	1	尾張国に生まれる。
1554	18	このころ織田信長につかえる。
1574	38	近江国の長浜城主となる。
1582	46	明智光秀を山崎の戦いでやぶる。 山城国で太閤検地をはじめる。
1583	47	賤ヶ岳の戦いで柴田勝家をやぶる。
1584	48	小牧・長久手の戦いで徳川家康と戦う。
1585	49	大坂城の天守閣が完成する。 朝廷より関白をあたえられ豊臣姓を名のる。
1586	50	太政大臣になる。
1587	51	バテレン（宣教師）追放令をだす。 聚楽第を造営する。
1588	52	刀狩令を出す。
1590	54	北条氏を降伏させ、全国を統一する。
1591	55	おいの秀次を養子とし関白をゆずる。
1592	56	朝鮮に兵を送る（文禄の役）。
1595	59	秀次に謀反のうたがいをかけ切腹させる。
1597	61	ふたたび朝鮮に兵を送る（慶長の役）。
1598	62	伏見城で亡くなる。

※年齢は数え年であらわしている

トラヤヌスてい

古代　政治

トラヤヌス帝　53?〜117年

ローマ帝国の領土を最大にした皇帝

ローマ帝国の皇帝（在位98〜117年）。

属州ヒスパニア（現在のスペイン）の貴族の出身。軍人として名声を得たのち、執政官（コンスル）、属州上ゲルマニアの総督を歴任する。97年、先帝ネルウァの養子となり、同時に後継者に指名され、翌年、ネルウァが死ぬと、属州出身者としてはじめて皇帝になった。ネルウァに次いで、五賢帝の2番目に数えられる。即位後は何度も遠征をおこない、ダキア（ルーマニア）、ナバテア（ヨルダン周辺）、アルメニア、メソポタミアなどを征服し、ローマ帝国の領土を最大とした。また、ローマ市内や属州で、大がかりな土木工事をおこない、街の機能整備に力を入れた。ローマには、大きな公共浴場（トラヤヌス浴場）も建設した。

トランプ，ドナルド

政治

ドナルド・トランプ　1946年〜

アメリカの不動産王から大統領に

アメリカ合衆国の実業家。第45代大統領（在任2017年〜）。

ニューヨーク州に生まれる。父は不動産開発業をいとなむ実業家。1966年、ペンシルベニア大学ウォートン校に入学し、不動産ビジネスを学んだ。在学中から父の会社ではたらき、1968年に卒業後、父の会社に入社。1971年に経営権をあたえられ、オフィスビルの開発をはじめ、ホテルやカジノの経営に乗りだした。1980年代には、ニューヨーク5番街にトランプタワーを建設するなどして大成功をおさめ、「アメリカの不動産王」とよばれた。テレビ番組にも積極的に出演し、知名度を高めた。

2016年、アメリカ大統領選挙に共和党から出馬。メキシコからの不法移民の追放やイスラム教徒の入国禁止など過激な発言をして、メディアや良識派のインテリ層から批判をあび、共和党からも批判者が続出した。しかし、歯にきぬを着せない毒舌が、白人の中間層を中心に支持者を広げ、共和党の指名を獲得。大統領選では「偉大なアメリカをとりもどそう」をスローガンに、民主党の大統領候補ヒラリー・クリントンをやぶり、第45代大統領に選出された。

学 アメリカ合衆国大統領一覧

とりいきよただ

絵画

鳥居清忠　生没年不詳

遠近法をとり入れた浮世絵師

江戸時代中期の浮世絵師。

元禄期（1688〜1704年）に、浮世絵の一流派である鳥居派を創始した鳥居清信の門人になった。美人画や役者絵（歌舞伎役者をえがいた絵）などをえがき、享保期（1716〜1736年）から寛延期（1748〜1751年）にかけて活躍した。

日本の伝統的な遠近法に西洋の遠近法をとり入れて、奥行きをあらわした浮世絵の様式である浮絵を得意とし、代表作に『市村座図』『仮名手本忠臣蔵』『吉原大門之図』などがある。

とりいきよなが

絵画

鳥居清長　1752〜1815年

八頭身の美人画を生みだした浮世絵師

江戸時代中期〜後期の浮世絵師。

江戸の本材木町（現在の東京都中央区）に本屋の子として生まれる。浮世絵の一流派、鳥居派の3代目鳥居清満に入門し、鳥居派が得意とした役者絵（歌舞伎役者をえがいた絵）で頭角をあらわした。

一方で、浮世絵師の鈴木春信や北尾重政らの画風を学んで独自の美人画を完成し、天明期（1781〜1789年）を代表する美人画家になった。

▲『三囲神社の夕立』（部分）

清長の美人画は、健康的ですらりと背が高い八等身の姿を特徴としている。また、大判の錦絵を横につなげた2枚つづき、3枚つづきの大画面を生かして、江戸の風景を背景に美人群像をえがいた作品も得意とした。代表作に『当世遊里美人合』『風俗東之錦』『美南見十二候』などがある。清満の没後の1787年ごろ、鳥居派4代目をつぐと、当主として芝居の看板絵などの仕事に専念した。

学 切手の肖像になった人物一覧

とりいしんじろう

産業

鳥井信治郎　1879〜1962年

洋酒を日本に広めた、サントリーの創業者

明治時代〜昭和時代の実業家。

（サントリーホールディングス）

両替商の次男として大阪府に生まれる。大阪商業学校に2年在籍したのち、薬種問屋へでっち奉公に出る。ここであつかっていた洋酒の知識を得て、1899（明治32）年、鳥井商店を開業。当時、スペインから原料ワインを輸入しワインを製造販売していたが、日本人の味覚に合ったワインの開発にとりくみ1907年「赤玉ポートワイン」を販売、大きな成功をおさめた。1921（大正10）年、株式会社寿屋（現在のサントリー）を設立。本場スコッ

トランドでウイスキーの製造を学んだ竹鶴政孝をまねいて山崎蒸溜所を建設。1929（昭和4）年、日本初の本格国産ウイスキー「サントリーウイスキー白札」を発売。そして1937年、「サントリーウイスキー角瓶」を発売し事業が軌道に乗る。製造分野だけでなく、販売・宣伝の分野でも才能を発揮し、サントリーおよび洋酒業界の発展に貢献した。

とりいりゅうぞう

学問

● 鳥居龍蔵　1870〜1953年

東アジアの人類学、考古学の発展に貢献

明治時代〜昭和時代の人類学者、考古学者。

徳島県生まれ。学校生活になじめず、小学校を退学したが、読書や歴史が好きで、独学で人類学を学んだ。1886（明治19）年に東京人類学会に入会し、会長の坪井正五郎と手紙のやりとりをはじめた。坪井にみとめられて、1893年から東京帝国大学理科大学（現在の東京大学理学部）の人類学教室で標本整理係としてはたらき、野外調査などにも参加する。

その後、助教授となり、日本各地、中国大陸、朝鮮半島、台湾、樺太（サハリン）などで、その土地の人々の身体的な特徴、言語や生活習慣などの人類学調査をおこなった。また、モンゴルや中国東北地方の考古学の基礎をひらくなど、東アジアの人類学と考古学に大きな業績をのこした。

トリチェリ，エバンジェリスタ

🌐 エバンジェリスタ・トリチェリ　1608〜1647年

「トリチェリの実験」で真空と圧力を研究した物理学者

17世紀のイタリアの物理学者、数学者。

イタリアのファエンツァ生まれ。ローマで数学者カリテリに学び、1641年からガリレオ・ガリレイの弟子となって、ともに研究をおこなった。1643年には、「トリチェリの実験」をおこない、真空と大気圧の存在を証明。1644年には、穴から流れ出る液体の流出速度についての「トリチェリの定理」を発表。幾何学者としても名を知られ、ガリレイの死後はトスカーナ大公フェルディナンド2世にまねかれ、ピサ大学の数学の教授となった。腸チフスのために39歳の若さで亡くなるが、「トリチェリの実験」「トリチェリの定理」にその名をのこしている。

とりはらツル

郷土

● 鳥原ツル　1895〜1981年

日本初の女性の小学校校長

明治時代〜大正時代の教育者。

宮崎県宮崎市に生まれた。1917（大正6）年、宮崎師範学校を優秀な成績で卒業し、小学校の教師になった。1920年、25歳で、古城小学校（現在の宮崎市立古城小学校）の校長になった。日本ではじめての女性小学校校長として話題を集め、新聞に大きくとり上げられた。当時の古城小学校は、児童120人に対し、教師は4人で、校長のツルも授業を受けもった。教育熱心な教師で、一日中教室や運動場でこどもたちとすごし校長室にすわっていることはほとんどなかったという。授業にもくふうをこらし、当時はめずらしかった家庭科の実習をとり入れた。ツルの熱心な指導に感動した地域の人々は、運動会や学芸会などの学校行事に積極的に参加し、協力した。1922年、当時の満州（中国東北部）の旅順高等女学校の教師になって中国へわたり、1930（昭和5）年、結婚して教育界から引退した。

（宮崎県教育委員会）

とりぶっし

止利仏師 → 鞍作鳥

トリボニアヌス

学問

🌐 トリボニアヌス　?〜545?年

『ローマ法大全』を中心となって編さんした

ビザンツ帝国の法学者。

小アジア（トルコ）の出身。弁護士になったのち、ビザンツ帝国（東ローマ帝国）のユスティニアヌス帝の下で、宮内庁長官、法務長官になる。しかし、532年におこった市民による皇帝への反乱、ニカの乱の際に、市民に譲歩したため、法務長官を一時、やめさせられた。

法律にくわしかったユスティニアヌス帝は、在位中に法律を編さんさせるため、10人からなる委員会を設置した。トリボリアヌスはその委員長となって、ローマの法律、および法学説を集大成し、『ローマ法大全』を完成させた。これはユスティニアヌス法典ともよばれ、ハンムラビ法典やナポレオン法典とならんで、「世界三大法典」といわれている。

トリュフォー，フランソワ

映画・演劇

🌐 フランソワ・トリュフォー　1932〜1984年

ヌーベルバーグを代表する映画監督

フランスの映画監督。

パリに生まれる。こどものころから映画が好きで、15歳で映画の上映企画などをおこなうシネクラブを主宰した。映画評論家のアンドレ・バザンのすすめで雑誌に映画批評を書き、名を知られるようになると、1958年、映画製作会社を設立した。この会社で第1作目の長編映画『大人は判ってくれない』を発表した。家庭にも学校にも居場所のない少年を主人公としたこの自伝的作品でカンヌ映画祭監督賞を受賞すると、このころおこった新し

い傾向の映画「ヌーベルバーグ」を代表する監督として注目された。その後も、女性やこども、本への愛を主題とした映画をつくりつづけた。代表作に『突然炎のごとく』(1962 年)、『アメリカの夜』(1973 年)などがある。

トルーマン，ハリー

政治

ハリー・トルーマン　1884〜1972年

原爆で第二次世界大戦を終わらせ、冷戦をひきおこす

アメリカ合衆国の政治家。第 33 代大統領(在任 1945 〜 1953 年)。

ミズーリ州に生まれる。1934 年、州の民主党上院議員にえらばれ、1940 年に再選。1945 年に副大統領となるが、フランクリン・ローズベルト大統領の急死により大統領に昇格した。第二次世界大戦の戦後処理のため、ポツダム会談に出席し、イギリスのチャーチル、ソビエト連邦(ソ連)のスターリンらと、日本に無条件降伏を求めるポツダム宣言に署名。しかしその直後、広島、長崎に完成させたばかりの原子爆弾を投下し、歴史上はじめて核兵器を使用した。また、ソ連を代表する共産圏との対立がはげしくなると、1947 年、「トルーマン・ドクトリン」「マーシャル・プラン」など、その封じこめ政策を進めた(冷戦)。1950 年、朝鮮戦争に国連軍の一員として派兵したが、現地の国連軍最高司令官マッカーサーが原子爆弾の使用を主張すると解任した。内政ではローズベルトのニューディール政策を受けつぎ、健康保険や社会保障制度を充実させるフェアディールをかかげて再選した。

学 アメリカ合衆国大統領一覧

トルストイ，レフ

文学

レフ・トルストイ　1828〜1910年

キリスト教の人間愛に立つ文豪

ロシアの作家、思想家。

モスクワ市の郊外の地主貴族の家に生まれる。2 歳のときに母を、9 歳のときに父を失った。16 歳でカザン大学アラブ・トルコ学科に入るが、1847 年に中退。ヤースナヤ・ポリャーナで地主として農地の経営にあたり、農民の生活改善にとりくむが失敗した。

1851 年、兄ニコライにすすめられて軍隊に入り、翌年、砲兵士官となった。そのかたわら小説『幼年時代』を発表し注目を集めた。その後、クリミア戦争(1853 〜 1856 年、クリム半島でのオスマン帝国・イギリス・フランス連合軍とロシアとの戦い)に従軍し、戦記小説『セバストーポリ物語』を書いた。

ヤースナヤ・ポリャーナにもどり、学校を建てて、農民のための教育をおこない、また、本格的に文筆活動をはじめた。1869 年には、大長編小説『戦争と平和』を完成。つづいて、貴族社会をえがいた長編小説『アンナ・カレーニナ』を 1877 年に刊行する。ともに文学史上最高傑作とされ、世界的な名声を得た。

このころから、キリスト教の人間愛や農民の素朴な生き方に共感し、国家や私有財産を否定するようになった。1899 年に完成した『復活』は、晩年をかざる代表作で、文明社会の矛盾をあばき、多くの人々の共感を得た。

世界的に注目される一方で、領地や財産を農民にあたえるなどしたため、家庭内では不和がつづく。1910 年に家出し、小さな駅アスターポボで病にたおれ、その地で亡くなった。

▲ヤースナヤ・ポリャーナのトルストイの屋敷

日本では北村透谷、島崎藤村、徳冨蘆花のほか、武者小路実篤ら白樺派の同人たちに影響をあたえた。

学 日本と世界の名言

ドルチェ，ドメニコ

デザイン

ドメニコ・ドルチェ　1958年〜

縫製技術を生かしたデザイナー

イタリアの服飾デザイナー。

シチリア島パレルモ近郊出身。6 歳のころから父の仕立て屋をてつだい、ぬい物もしていた。大学では科学を専攻したが、途中で美術学校に移る。卒業後、大志をいだいてミラノに出た。

1980 年、デザイン事務所でアシスタントデザイナーとしてはたらいていたときにガッバーナと出会い、意気投合する。いっしょに「ドルチェ&ガッバーナ」ブランドを立ち上げ、1985 年、ミラノコレクションに初参加。現在は婦人服、紳士服からこども服、若者むけの「D&G」など幅広くてがける。家業で身につけた縫製技術をデザインに生かしたメンズスーツは、ハリウッドスターにも愛用者が多い。

ドルトン，ジョン

学問

ジョン・ドルトン　1766〜1844年

はじめて近代的原子論をとなえた化学者

18 〜 19 世紀のイギリスの化学者、物理学者、気象学者。

イングランド北西部のカンバーランド州生まれ。ダルトンともいう。

こどものころから学才を発揮し、12歳で教師となり、15歳で学校運営にかかわった。のちにマンチェスター・アカデミー（のちのハリス・マンチェスター・カレッジ）で教師をつとめ、その後、家庭教師としてはたらく。教え子に、熱力学の研究で知られるジュールがいる。みずからの色覚異常を研究して論文をだし、1800年からは気体の状態や熱膨張の研究成果を発表。1808年、すべての元素はそれぞれ固有の原子から構成されていて、原子によって質量がことなるという原子論を主張、これはのちの科学に重大な影響をあたえることになった。月面のクレーターや、先天性色覚異常をさすドルトニズムに名をのこす。

ドレーク，フランシス

探検・開拓

フランシス・ドレーク　1543?〜1596年

海賊から海軍をひきいる副提督になった

イギリスの航海者、軍人、海賊。

親戚であるホーキンズの下で奴隷貿易の仕事をしていたが、のちに自分の船を手に入れる。艦隊をひきいてスペイン船や中南米各地のスペイン領を攻撃し、略奪品をもち帰り、大きな富を得た。1577年には、女王エリザベス1世の援助で5隻の船隊を組んで西まわりの航海に出発し、3年後に帰国してイギリス人初の世界一周を達成。途中の海賊行為で得た、ばく大な金銀財宝を女王に献上。女王はスペインの抗議を無視して、ナイトの位をさずけた。1588年のアルマダの海戦では、副提督としてスペインの無敵艦隊をやぶる大活躍をした。南アメリカ大陸と南極のあいだにあるドレーク海峡は、ドレークにちなんでつけられた。

トレビシック，リチャード

発明・発見

リチャード・トレビシック　1771〜1833年

蒸気機関車の発明者

19世紀のイギリスの機械技術者、発明家。

イングランド南西部の炭鉱町コーンウォールで鉱山監督の子として生まれる。日本の鉄道技術に貢献したリチャード・フランシス・トレビシックは孫にあたる。19歳のとき鉱山ではたらきはじめるが、1794年に、スコットランドの発明家であるマードックの蒸気車の実験をみて、影響を受けて研究をおこなった。1801年に蒸気自動車を試作し、1804年には、レールの上での蒸気機関車の走行実験に成功した。ただし、当時は長時間の走行にたえられるレールがなかったため、蒸気機関車の実用化にはいたらなかった。そののちに海運業や蒸気機関の改良などにもかかわるが、最後は無一文になって、62歳でこの世を去った。

ドレフュス，アルフレッド

政治

アルフレッド・ドレフュス　1859〜1935年

ドレフュス事件の中心人物

フランスの軍人。

アルザス生まれのユダヤ系フランス人。軍で砲兵大尉をしていたが、1894年、ドイツに通じるスパイのうたがいでとらえられた。無実を主張し、証拠も不十分だったにもかかわらず、軍人としての籍と官位をうばわれる。さらに終身流刑の判決がくだり、フランス領ギアナの悪魔島の監獄に送られた。この背景には、ユダヤ人に対する差別があるとして再審が要求され、彼の無罪をうったえるドレフュス派がつくられた。一方、軍、教会、右翼団体、反ユダヤ主義者は反ドレフュス派を結成し、両者ははげしく対立。特に作家ゾラは、「私は告発する」と題した新聞記事で反ユダヤ主義を批判し、社会に大きな影響をあたえ、第三共和政は危機におちいった。1899年、レンヌでひらかれた軍法会議では、再度有罪となったが、大統領ルベの特赦で釈放された。

その後、真犯人が確定し、1906年に無罪が確認され、名誉を回復した。

ド・レペ，シャルル・ミシェル

教育

シャルル・ミシェル・ド・レペ　1712〜1789年

世界初の聾学校を設立し、手話教育を広めた

フランスの思想家、教育者。

ベルサイユに生まれる。父は宮廷建築家。1730年、パリ大学法学部に入学、法律や哲学などを学ぶかたわら、ジャンセニスム（オランダの神学者ヤンセンがはじめた厳格なキリスト教の一派）に入信し、聖職者となった。しかし、ジャンセニスムは、ローマ教皇と対立していたため、さまざまな弾圧を受けた。

1760年ごろ、聾唖（耳が聞こえず話もできない）の姉妹と出会い、二人を救うことが自分の天命だと考えた。姉妹たちが身ぶりで会話をしている姿をみて、一定の法則で手話言語を整理し、フランス語に対応させて、たがいに理解できるようにした。その後、自分の住まいに学校をひらき、貧富を問わず多くの聾唖のこどもたちに手話を教え、そのようすを多くの人にみせて、理解と支持を求めた。1778年、フランス国王ルイ16世により、学校は国の保護の下におかれることとなった。学校の評判はヨーロッパ中に広まり、各地に聾学校が建てられた。

フランス革命がはじまった1789年、ド・レペは78歳で亡くなっ

た。その後、学校は革命政府に受けつがれ、パリに国立聾学校が設立された。

トロツキー，レフ

政 治

レフ・トロツキー　1879〜1940年

ロシア革命に参加したが、スターリンに暗殺された

ロシアの革命家。

ウクライナ南部の豊かな農家に生まれる。本名はブロンシテイン。1896年より革命運動に参加、逮捕されシベリア流刑となるが、脱走してヨーロッパにわたる。レーニン、プレハーノフらの編集するロシア社会民主労働党の機関紙『イスクラ』に参加した。1903年の党大会では、党組織のありかたをめぐりレーニンと対立、少数派のメンシェビキに属して、多数派のボリシェビキを批判した。1917年のロシア革命では、三月革命（ロシア暦二月革命）後にボリシェビキへ入党、レーニンを助けて十一月革命（ロシア暦十月革命）を成功させた。

革命後は外交を担当し、第一次世界大戦の処理のため、ドイツとの講和会議に出席。ドイツに有利となる条約調印に反対して辞任した。レーニンの後継者とみられたが、世界全体の社会主義化をめざす永続革命論を主張して、一国社会主義論をとなえるスターリンらと対立。

1924年、役職を解任、1929年に国外追放となった。その後も、国外からスターリンを批判しつづけたが、1940年にメキシコで暗殺された。

トワンチールイ

段祺瑞 → 段祺瑞

どんちょう

宗 教

曇徴　生没年不詳

絵の具や紙、墨などの技術を日本に伝えた渡来人

飛鳥時代に渡来した、高句麗の僧。

610年、朝鮮半島の高句麗の王から倭（日本）につかわされた。中国の孔子の教えをしるした儒教の経典にくわしかった。絵の具や製紙の技術を伝え、墨をつくり、水力を利用したうすをつくったという。曇徴は聖徳太子にまねかれ、法隆寺（奈良県斑鳩町）に住んだという。聖徳太子は、仏教の経典『法華経』『勝鬘経』『維摩経』の3つの解釈書『三経義疏』を著したが、この書物は曇徴のつくった紙に書かれたといわれている。

な
Biographical Dictionary 3

ナーガールジュナ

ナーガルジュナ → 竜樹

ナーナク

宗教

ナーナク 1469〜1539年

シク教をひらいたインドの宗教家

ヒンドゥー教とイスラム教を統合したシク教の開祖。

インド北西部のパンジャブ地方で、ヒンドゥー教徒の両親のもとに生まれる。家は上位カーストに属し、父の会計職をつぐ。ヒンドゥー教やイスラム教の聖職者と交流し、ヒンドゥー教とイスラム教を融合しようとしたカビールの影響も受けた。30歳のころ、「神は唯一永遠であり、ヒンドゥー教徒もイスラム教徒もない」とさとる。つまりアラーもビシュヌも同じ神の異名にすぎないということである。

インド、イラクからサウジアラビアなどをめぐり、一神教信仰、偶像崇拝の否定を説いて多くの信者を得た。彼はほかの宗教を否定するのではなく、それをこえた真理に従順になり、慈悲の心をもつことがたいせつであると説き、人々の自由を束縛する慣習や儀式に反対し、とくに身分差別のきびしいカースト制（インド社会における身分制度）には否定的であった。礼拝後には男女貴賤を問わず、すべての人が同じ場所にすわり同じ食べ物を分け合うことを奨励、女性の地位向上にもつくした。彼の教えに心酔した人々がシク（弟子）となり、そこからシク教という宗教名が生まれた。シク教は現在もインドのパンジャブ地方を中心に2000万〜3000万人の信者がいる。彼のつくった賛歌は『ジャプジー』といわれ、シク教の根本聖典『グラント・サーヒブ』におさめられている。

ナイチンゲール，フローレンス

医学

フローレンス・ナイチンゲール 1820〜1910年

近代の看護師制度のもとを築いた

イギリスの看護師、病院改革者。

両親がイタリアに滞在中、フィレンツェで生まれたことから、フローレンス（フィレンツェの英語読み）と名づけられた。父はイギリス中部の裕福な地主。幼少のころから看護師にあこがれていたが、上流階級の女性のする仕事ではないと、両親からは強く反対された。1844年、看護師になることを決意して、ヨーロッパの病院を見学し、看護法や病院の管理法などを学んだ。1851年にドイツのカイザースベルト病院（デュッセルドルフの1地区）で、看護師になる訓練を受け、その後、ロンドンの貧しい女性のための慈善病院の指導監督に任じられた。

▲フローレンス・ナイチンゲール

ロシア南部のクリム半島でクリミア戦争（1853〜1856年、ロシアと、オスマン帝国・イギリス・フランス連合軍との戦い）がはじまると、看護師団をひきいて、トルコのスクタリ（現在のユスキュタル、イスタンブールの東にある）にあったイギリス軍の野戦病院にむかった。衛生状態が悪く、感染症がおこりやすい野戦病院の改善にとりくみ、不足する食糧や医療品を調達し、傷病兵に対し献身的な看護にあたった結果、半年で死亡率を半減させた。夜中にランプをもって病床をみまったことから、兵士たちから「ランプをもった淑女」「クリミアの天使」とよばれ親しまれた。

戦争が終わって帰国すると、陸軍の医療体制の改善にむけて精力的にとりくみ、病院の改革などについてまとめた『病院について』を出版するなど、文筆活動もさかんにおこなった。1860年、寄付金をもとにロンドンのセントトマス病院内にナイチンゲール看護学校を設立。看護教育を宗教から独立させ、看護師の養成、看護師の社会的地位の向上につくした。

その後も、看護師養成学校の設立、インドの駐屯地の改善やききん対策のための提案をおこなうなど、幅広い活動をつづけた。1907年、イギリス国王エドワード7世から、女性初の勲功章をさずけられ、1910年、90歳で亡くなった。

赤十字国際委員会は1920年、ナイチンゲールの業績をたたえてフローレンス・ナイチンゲール賞を創設し、以後、顕著なはたらきをした看護師を表彰している。

▲1862年にえがかれたセントトマス病院

学 日本と世界の名言

ナウマン，エドムント

学問

エドムント・ナウマン 1854〜1927年

日本の地質学の基礎を築いた

明治時代に来日した、ドイツの地質学者。

ザクセン王国（現在のドイツ、ザクセン州）のマイセンに生まれる。ミュンヘン大学を卒業後、1875（明治8）年に日本政府にまねかれて来日した。滞在した10年のあいだに、日本における近代地質学の基礎を築き、1877年には東京帝国大学（現在の東京大学）の初代地質学教授となる。2年後、内務省地理局に地質課（のちの地質調査所）を設立し、みずから全国各地をまわって地質を調査。日本列島を東北日本と西南日本に分ける中央地溝帯、フォッサマグナを発見し、また日本列島西部をほぼ東西につらぬく大断層、中央構造線で区分するなど、いまなお大きな影響をもつ研究をおこなった。また、横須賀でゾウの化石を発掘し、その後日本各地で同種の化石がみつかったことから、ナウマンにちなんで「ナウマンゾウ」と名づけられた。1885年には日本での研究成果を論文『日本列島の構造と生成』に著し、ドイツで出版して世界に日本の地質を紹介した。

（フォッサマグナミュージアム）

なおえかねつぐ

戦国時代

● 直江兼続　1560〜1619年

上杉家の名臣

戦国時代〜江戸時代前期の武将。

越後国（現在の新潟県）に生まれる。幼名は与六。越後の戦国大名、上杉謙信の後継者である上杉景勝の側近くにつかえ、22歳のとき、与板城主の直江氏の婿養子となって直江家をついだ。景勝の下で内政、軍事の両方で活躍し、豊臣秀吉とつながりをもって、上杉家を会津120万石の当主とする。1600年の関ケ原の戦い以後も、領地をへらされて米沢藩（山形県南東部）30万石の藩主となった上杉家をささえ、内政をととのえ、藩の政治の基礎をつくった。

学問好きでも知られ、米沢に禅林寺を建てて収集した本をおさめ、学問の場をつくった。朝鮮出兵の際にも朝鮮で漢文の書籍を集め、のちに活字で出版して直江版『文選』とよばれる貴重な資料となっている。

なおきさんじゅうご

文学

● 直木三十五　1891〜1934年

大衆小説の価値を高めた

大正時代〜昭和時代の作家。

大阪府生まれ。本名は植村宗一。ペンネームは自分の年齢にあわせて三十一、三十二とかえて、35歳で固定した。早稲田大学英文科中退。生家は古物商をいとなむ。地元の旧制中学を卒業後、代用教員をつとめる。1917（大正6）年ごろから雑誌編集や出版事業、映画会社などをはじめるが、ことごとく失敗。その一方1921年から『時事新報』に文芸評論を書き、文筆活動をはじめた。

1930（昭和5）年から『大阪毎日新聞』『東京日日新聞』に小説『南国太平記』などを連載し、一躍流行作家となった。執筆のペースが速く、短期間に次々と多くの大衆小説を発表した。

（日本近代文学館）

代表作に『源九郎義経』『青春行状記』などがある。大衆を相手にしていた時代小説を、知識階級が読める作品にし、大衆文学の質を高めた。その功績を記念して死後に直木賞が制定され、毎年、新進作家によるもっとも優秀な作品に贈られる。

なおらのぶお

学問　発明・発見

● 直良信夫　1902〜1985年

明石原人の化石をみつけた考古学者

昭和時代の考古学者、古生物学者。

大分県生まれ。貧しい家に育ち、上京して鉄道学校の工業化学科を卒業すると、苦労して独学で考古学、古生物学を学んだ。体調をくずして兵庫県の明石で療養していた1931（昭和6）年、散歩していた海岸のがけから人骨の化石をみつけ、旧石器時代の人類（明石原人）の骨として発表した。しかし、当時の日本には旧石器時代の人骨化石の出土例がなく、専門の研究者にも断定ができなかったため、明石原人の存在はみとめられなかった。

翌年から早稲田大学で徳永重康の指導の下、本格的な研究活動をはじめ、古代の人間の生活などについて多くの論文、著書を執筆した。著書は『日本哺乳動物史』などのほか、一般むけの本も多い。その後の調査の結果、明石原人のいた可能性は高いとされているが、直良の発見した化石は空襲で失われ、それが原人のものだったかどうかの結論は出ていない。

ながいいと

郷土

● 永井いと　1836〜1904年

「カイコのお医者さま」とよばれた養蚕家

江戸時代後期〜明治時代の養蚕家。

上野国追貝村（現在の群馬県沼田市）に生まれる。針山新田（群馬県片品村）の養蚕農家、永井紺周郎にとつぎ、2人でカイコを育てた。戊辰戦争のおこった1868（明治元）年、官軍の沼田藩（群馬県沼田市）の兵たちが宿を求めたとき、雨にぬれた衣服をかわかすため、カイコを育てる蚕室で火をたいた。「カイコは火をきらう」といわれていたので全滅を覚悟したが、病気にかかっていたカイコが回復し、多くのまゆがとれた。2人はこの「いぶし飼い」という飼育方法（温暖育法）を付近の農家にすすめ、すべての農家で多くのまゆがとれた。その後、各地の農家が2人に飼育法を学びにきた。紺周郎は1887年に亡くなったが、翌年、紺周郎が望んでいた永井流養蚕伝習所設置の許可がおりた。いとはその指導にあたり、群馬県の養蚕発展につくした。2人は「カイコの神様」「カイコのお医者さま」とよばれ、うやまわれた。

（片品村役場村づくり観光課）

ながいかふう

文学

永井荷風　1879～1959年

反俗的で耽美主義の作家

（日本近代文学館）

明治時代～昭和時代の作家、随筆家。

東京生まれ。本名は壮吉。別号に断腸亭主人がある。父は官吏（現在の国家公務員）で、めぐまれた家庭に育つ。東京外国語学校（現在の東京外国語大学）を中退し、20歳ごろから作家を志した。はじめは、フランスの自然主義作家ゾラに影響を受け、『野心』『地獄の花』などを書く。

1903（明治36）年よりアメリカ合衆国とフランスに留学する。帰国後、その体験をもとに、美を最高の理想とする耽美主義の作品『あめりか物語』『ふらんす物語』を発表して、人気作家となる。1910年、慶應義塾大学の教授となり、雑誌『三田文学』を創刊し、随筆や小説、戯曲などを発表した。

その後、江戸情緒や下層の人々に興味をもち、『腕くらべ』『おかめ笹』『つゆのあとさき』『濹東綺譚』など、遊郭や歓楽街を題材にした作品を書いた。随筆に『日和下駄』や1917（大正6）年から最晩年までの日記『断腸亭日乗』がある。第二次世界大戦前から、時勢に反発し反俗的な文明批評家の姿勢をつらぬいた。1952（昭和27）年、文化勲章受章。

学 文化勲章受章者一覧

なかいしゅうあん

学問

中井甃庵　1693～1758年

大坂に懐徳堂をひらいた

江戸時代中期の儒学者。

播磨国竜野（現在の兵庫県たつの市）に医者の子として生まれる。儒学者の中井竹山、中井履軒の父。

大坂（阪）に出て三宅石庵に入門し、儒学を学んだ。1724年、大坂の有力商人とともに町人のための学問所、懐徳堂を創設した。師の石庵を初代学主（教授）にむかえ、懐徳堂を江戸幕府公認の学問所にするために力をつくし、1726年、第8代将軍徳川吉宗の許可を得た。石庵の没後は2代目学主をつとめ、町人に朱子学や陽明学（ともに儒学の一派）などを教えた。懐徳堂は1869（明治2）年に廃校になるまで運営されて、富永仲基、山片蟠桃など有能な学者を多く輩出した。主な著書に『不問語』『甃庵雑記』などがある。

ながいたかし

医学　郷土

永井隆　1908～1951年

長崎で原爆被害者を救った医者

（永井隆記念館）

明治時代～昭和時代の医者。

島根県松江市に医者の子として生まれた。長崎医科大学（現在の長崎大学医学部）を卒業後、放射線医学の研究をつづけ、1944（昭和19）年に医学博士になった。この間に洗礼を受けて、カトリック（キリスト教の一宗派）の信者になった。1945年6月、白血病になり、余命3年と診断された。2か月後の8月9日、長崎市に原子爆弾が投下され、長崎医科大学で患者とともに被爆して大けがを負ったが、焼け野原になった長崎で、被災者の救護活動をおこなった。しかし翌年、病状が悪化して、寝たきりになり、闘病しながら、著書『長崎の鐘』『この子を残して』『ロザリオの鎖』などを著し、世界の人々に平和をうったえた。出版で得た収入は原爆孤児や、貧しくて学校にかよえないこどものために寄付し、私財を投じて、こどもたちの図書館「うちらの本箱」をつくった。この図書館は、現在、永井隆記念館になっている。

なかいちくざん

学問

中井竹山　1730～1804年

懐徳堂の最盛期を築いた

江戸時代後期の儒学者。

儒学者中井甃庵の子として大坂（阪）に生まれる。父も学主

（教授）をつとめた、大坂の町人のための学問所、懐徳堂で五井蘭洲に学んだ。1782年、53歳のとき懐徳堂の4代目学主になり、経営にも力をそそいで、弟の中井履軒とともに懐徳堂の黄金期を築いた。1784年、『非徴』を著し、古文辞学（荻生徂徠がおこした儒学）を批判した。1788年、老中の松平定信と会見したことをきっかけに、幕府政治の改革案をしるした『草茅危言』を書き、定信に提出した。1792年、火事で懐徳堂が全焼したため復興につとめ、4年後に再建した。

著書に徳川家康の伝記『逸史』や、年少者むけにわかりやすく人の道を説いた『蒙養篇』がある。

ながいなおゆき

幕末

● 永井尚志 1816～1891年

大政奉還の上表文の起草に尽力

▲永井尚志 （国立国会図書館）

幕末の幕臣。

名は「なおむね」「なおのぶ」とも読む。三河国奥殿藩（現在の愛知県岡崎市など）の藩主の子で、旗本永井氏の養子となる。1853年、旗本や御家人の監視役である目付となり、1855年、長崎海軍伝習所の監督をつとめ、1857年に江戸（東京）にもどり軍艦操練所の監督となった。勘定奉行、外国奉行をへて、1859年、新設された軍艦奉行に就任した。しかし、井伊直弼が断行した安政の大獄により罷免され、失脚する。

1862年、軍艦操練所に復帰し、京都町奉行に任命されて反幕府勢力をとりしまった。1864年に大目付となり、第一次長州出兵にしたがい、第二次長州出兵では長州藩（山口県）との交渉にあたった。1867年、若年寄格となり、江戸幕府第15代将軍徳川慶喜を補佐して大政奉還の上表文を起草した。鳥羽・伏見の戦いで幕府軍が敗北すると江戸にもどり、榎本武揚とともに北海道にのがれたが、1869（明治2）年、新政府軍にやぶれて降伏した。3年後にゆるされて明治政府につかえ、北海道開拓使御用掛となった。1875年には元老院権大書記官に任命されたが、翌年引退した。

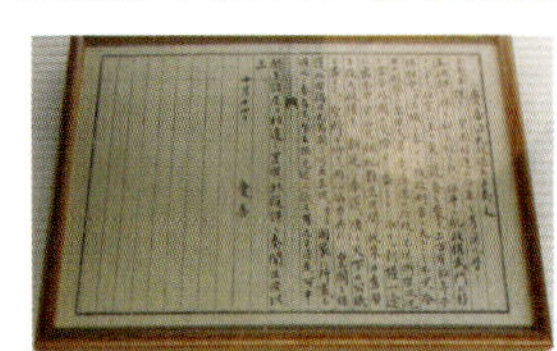
▲大政奉還上奏文下書

（奥殿陣屋提供）

なかいまさきよ

建築

● 中井正清 1565～1619年

江戸幕府の重要な建築物をてがけた棟梁

安土桃山時代～江戸時代前期の大工の棟梁。

大和国法隆寺村（現在の奈良県斑鳩町）に大工の子として生まれる。はじめ父の正吉とともに豊臣秀吉につかえたといわれる。関ヶ原の戦いののち、徳川家康に登用され、上方（京都や大坂（阪））の大工をひきいて伏見城、江戸城、駿府城、名古屋城、二条城などの城をつくり、大工としては異例の1000石をあたえられた。1614年の大坂の陣では家康の陣をつくり、その後も静岡の久能山東照宮、栃木の日光東照宮など、幕府の重要な建築工事にたずさわった。中井家は正清の没後も代々大工頭に任命され、幕府の建築工事を担当した。

なかうらジュリアン

宗教

● 中浦ジュリアン 1568?～1633年

キリシタン迫害下の九州で、神父として布教をつづけた

▲『天正遣欧使節肖像画』より

（京都大学附属図書館所蔵）

安土桃山時代～江戸時代前期のキリシタン、天正遣欧使節の一人。

肥前国大村領中浦（現在の長崎県西海市）に生まれる。本名は小佐々甚吾、ジュリアンは洗礼名で、漢字では寿理安と書く。父の小佐々純吉（中浦甚五郎）は、日本初のキリシタン大名である大村純忠の家臣だったが、ジュリアンが幼いころに戦死したとみられる。1580年に開設された有馬（長崎県）のセミナリヨ（神学校）の第1期生となる。ここで集団生活を送り、キリスト教の教義や、ラテン語、楽器の演奏や合唱を学んだ。

1582（天正10）年、宣教師バリニャーノが計画した天正遣欧使節の副使にえらばれ、キリシタン大名の名代として長崎からヨーロッパへと旅立つ。使節は、正使の伊東マンショ、千々石ミゲル、副使の原マルチノ、ジュリアンの10代前半の少年たちで、ジュリアンが最年少だった。2年半後の1584年8月に、ポルトガルのリスボンに到着。一行はヨーロッパ各地で大歓迎を受けた。使節はスペイン国王のフェリペ2世に謁見をはたした。ローマ教皇のグレゴリウス13世にも、次の法王シクストゥス5世からも最高の待遇でむかえられた。ところが、ローマで高熱をだしたジュリアンだけは、豪華な行列や正式な謁見式に出席できず、一人だけ非公式にグレゴリウス13世に会い、その抱擁を受けたといわれる。

8年後の1590年に日本へもどると、すでに豊臣秀吉によってバテレン追放令がだされていたが、1591年、秀吉に聚楽第で謁見したあと、4人はそろってイエズス会に入会した。ジュリアンは天草のコレジョ（大神学

▲長崎県西海市の銅像

校）と、さらにマカオの神学校で勉学にはげみ、1608年に司祭としてみとめられた。そして、博多を中心に布教活動をつづけた。ところが、この間にひらかれた江戸幕府は、キリスト教を禁止し、1614年の禁教令では、多くの宣教師やキリシタンが国外追放されたが、ジュリアンは国内にとどまり身をかくした。そして約20年間、ひそかに信仰を守っている九州各地の信者たちのもとをまわり、はげまし、ミサをおこなった。しかし小倉でとらえられ、1633年、長崎西坂で穴吊りの刑で殉教した。

キリスト教を広めるというジュリアンのこころざしはかなわなかったが、遣欧使節として、どうどうとした態度で、日本と日本人をヨーロッパの人々に強く印象づけた功績は大きい。

なかえちょうみん

政治　思想・哲学

中江兆民　1847〜1901年

近代民主主義を伝えた「東洋のルソー」

▲中江兆民　（国立国会図書館）

明治時代の思想家、社会運動家、政治家。

土佐藩（現在の高知県）の足軽の家に生まれる。名は篤介。藩の学校で学んだあと、長崎でフランス学を学んだ。長崎では、同じ出身地の坂本龍馬と出会ったという。その後さらにフランス学を学ぼうと江戸（東京）へむかう。1871（明治4）年、政府の留学生としてフランスへ留学。西園寺公望と面識を得た。2年ほどで帰国し、フランス学を教える仏学塾をひらいた。東京外国語学校長や元老院権少書記官をつとめたが1877年に辞職した。

1881年に西園寺を社長にむかえて『東洋自由新聞』を創刊して自由民権論をとなえるが、政府の画策などもあって廃刊となった。1882年、18世紀フランスの思想家ルソーの『社会契約論』を漢文に訳して解釈をつけ加えた『民約訳解』を刊行。自由民権運動に大きな影響をあたえた。

1887年、3人の人物が政治や日本の未来について論じあうという『三酔人経綸問答』を刊行する。言論の自由、地租の軽減、外交の失敗を回復することの3つを要求する政治運動である三大事件建白運動の中心となって活動すると、運動を弾圧するために保安条例を制定した政府によって、東京を追放された。大阪に移ると『東雲新聞』の首席の記者として、民主主義思想を展開した。

部落解放運動にも力をつくし、1890年に第1回総選挙に立候補して当選し議員となる。立憲自由党の結成に力をつくすが、一部の派閥が政府の政策に妥協したことに失望して翌年に辞職。その後は実業家となってさまざまな事業にとりくむが、どれも成功しなかった。1901年にがんによって余命を1年半と宣告されると、実業家になってから少なくなっていた執筆活動に力を入れ、国家、政治や経済から、思想、文学、科学など幅広く論じて批判した『一年有半』『続一年有半』を、門人の社会主義運動家の幸徳秋水の編集によって刊行し、亡くなった。

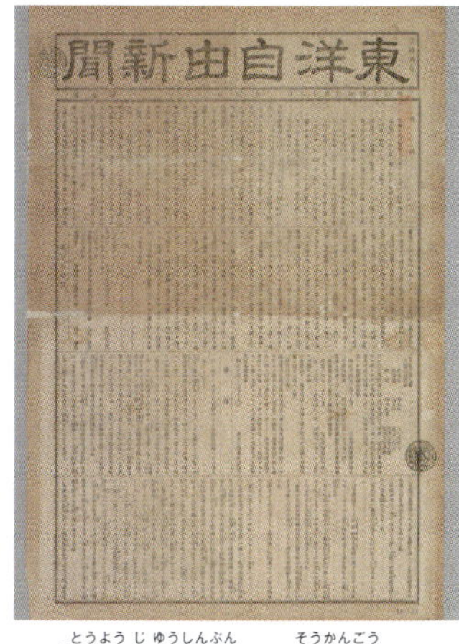
東洋自由新聞

▲『東洋自由新聞』の創刊号　（国立国会図書館）

兆民は自由と平等の思想をもち、たくみな文章で明治政府を批判しつづけて、多くの人々に影響をあたえた。『民約訳解』は漢文であったために中国や朝鮮にも伝わった。そのため兆民は「東洋のルソー」とよばれる。

なかえとうじゅ

学問

中江藤樹　1608〜1648年

日本の陽明学の祖

▲中江藤樹　（藤樹書院）

江戸時代前期の儒学者。

近江国小川村（現在の滋賀県高島市）の裕福な農家に生まれ、9歳のとき、武士になっていた祖父の養子になった。本名は原。15歳で祖父のあとをついで伊予国大洲藩（愛媛県大洲市）の藩主、加藤氏につかえ、郡奉行（地方をおさめる役人）をつとめた。

17歳のとき、京都からきた禅宗の僧から『論語』（中国の孔子と門弟の問答をまとめた書物）を講義されて影響を受け、独学で朱子学を学んだ。

1634年、27歳のとき、郷里の母親への孝養と自分の病気を理由に帰郷を願いでたがゆるされず、脱藩して小川村に帰った。はじめは酒の小売りなどで生計を立てながら学問に専念し、藤樹書院という塾をひらいて門人に教えた。自宅の庭にフジの木があったことから、門人から藤樹先生とよばれるようになった。

やがて、形式を重んじる朱子学に疑問をいだき、形式よりも精神を重んじ、状況に応じて正しい行動をとることがたいせつだと説いた。1644年、37歳のとき、中国の明の儒学者王守仁（王陽明）の全集を読んで王守仁がはじめた儒学の一派、陽明学に転向し

▲藤樹書院の外観　（高島藤樹書院）

た。これにより日本の陽明学の祖とされる。

名声や地位を望まず、正しい生き方を求めて学問をつづけたので、近江聖人とよばれて人々から尊敬された。門人には備前国岡山藩（現在の岡山市）の家老になった熊沢蕃山などがいる。

なかおかしんたろう

幕末

中岡慎太郎　1838～1867年

坂本龍馬とともに薩長同盟を実現

（国立国会図書館）

幕末の志士。

土佐国安芸郡北川郷（現在の高知県北川村）の大庄屋の子に生まれ、詩書や剣術を学んだ。1861年、天皇をうやまい外国勢力を追いはらおうという尊王攘夷を主張する武市瑞山の土佐勤王党に参加した。1862年、江戸（東京）に行き、その後長野に佐久間象山を訪問したのち、京都へのぼった。上洛していた藩主の山内豊信の応接係を命じられ、豊信にしたがって帰国した。同年、八月十八日の政変で京都から尊王攘夷派が追いだされると、土佐でも弾圧がはじまったので、脱藩して長州（山口県）にのがれた。1864年、長州藩の過激派が京都御所をおそった禁門の変に参加して負傷した。

その後、長州藩が諸外国にやぶれた下関戦争、幕府の長州出兵などがおこり、長州と薩摩（鹿児島県）が手をむすぶべきだと痛感した。1866年、坂本龍馬とともに西郷隆盛と木戸孝允を説得して、倒幕をめざす薩長同盟を実現させた。1867年、龍馬の海援隊に応じて京都で陸援隊を組織した。同年10月、第15代将軍徳川慶喜により大政奉還が実現した直後の11月15日、京都河原町のしょうゆ屋、近江屋で坂本龍馬と会談中、幕府見廻組におそわれて重傷を負い、2日後に30歳で亡くなった。

ながおかはんたろう

学問

長岡半太郎　1865～1950年

原子模型（土星型モデル）を発表した物理学者

明治時代～大正時代の物理学者。

長崎県で大村藩藩士の子として生まれる。1882（明治15）年、東京大学理学部に入学し、大学院をへて1890年に母校の助教授となる。その後、ドイツへ留学してボルツマンのもとで学び、帰国後、教授となって定年まで在職した。1903年には原子の構造について、中心に原子核があり周囲に電子があるという、いわゆる「土星型モデル」（土星本体に相当するのが原子核で、土星の環に相当するのが電子であるというもの）を提唱。当時は評価されなかったが、ラザフォードが1911年に原子核を発見し、土星型モデルに似た原子構造を発表。長岡の先見性はのちに世界的に評価された。

（大村市教育委員会）

教授職をしりぞいたあとも、理化学研究所で主任研究員として研究をつづけ、大阪帝国大学（現在の大阪大学）総長や貴族院議員、日本学術振興会理事長などを歴任。この間の1937（昭和12）年には、第1回文化勲章を受章している。ノーベル賞委員会に湯川秀樹を推薦し、日本人初のノーベル賞受賞に貢献した。電気工学や地球科学の分野でも業績をのこし、85歳で亡くなる直前まで研究をつづけた。

学 切手の肖像になった人物一覧　学 文化勲章受章者一覧

ながおしろうえもん

郷土

長尾四郎右衛門　1854～1911年

全国の模範となる村をつくった村長

幕末～明治時代の公共事業家。

陸奥国名取郡茂庭村（現在の宮城県仙台市）の肝煎（村の長）の家に生まれた。31歳のときに戸長（村長）となり、1889（明治22）年、全国に市町村制がしかれて、生出村が誕生したとき、初代村長となった。村は山林が多く、田畑が少なかったため、製糸業に目をつけて、村人に養蚕をすすめた。生糸の輸出がさかんになったころで、まゆは高値で売れた。1896年、村営の製糸工場をつくり、まゆを生糸にして横浜港に直接送ったところ、多くの収入を得た。1900年、生出村は改善をしとげた3つの模範の村の一つとして、国から表彰された。教育にも力を入れ、高等小学校を新設し、道路整備や銀行設立などの事業をおこなった。

なかがみけんじ

文学

中上健次　1946～1992年

新世代を代表する作家

昭和時代～平成時代の作家。

和歌山県生まれ。新宮高等学校卒業。高校生のころから小説を書きはじめ、上京後、同人誌『文芸首都』に参加。肉体労働をしながら創作をつづけ、1974（昭和49）年に『十九歳の地図』で注目される。被差別部落の出身で、部落を「路地」と表現し、故郷の和歌山県熊野の風土や血縁を背景にした小説群を書いた。

1975年、熊野を舞台に、地縁血縁関係のむずかしさをえがき、人間の生を問いかけた『岬』を発表。この作品で第二次世界大戦後生まれ初の芥川賞を受賞した。村上龍、村上春樹らとともに、新世代の作家として注目される。ほかに、『枯木灘』『鳳仙花』『地の果て至上の時』など多くのすぐれた作品がある。

学 芥川賞・直木賞受賞者一覧

なかがわかずまさ

絵画

中川一政　1893〜1991年

随筆家としても知られた洋画家

大正時代〜昭和時代の洋画家、随筆家。

東京生まれ。中学校を卒業後、独学で油絵を習得する。1914（大正3）年、巽画会にだした作品が入選し、審査員の岸田劉生に注目される。翌年の巽画会でも2等賞を受賞し、画家になることを決意した。岸田が組織した草土社の発足に参加した。二科展などにも出品し、1921年には『静物』で二科賞を受賞した。1922年、日本美術院からはなれた洋画家と草土社の画家が結成した春陽会に参加し、1924年に会員となる。以後、同会を中心に活動した。

岸田劉生の影響を受けた初期の画風は、しだいにおだやかな色彩によるフォービスム（野獣派）的な表現へと移行した。昭和時代に入ると、中国の古典を研究し、水墨画などをえがくようになり、油彩画も強い色彩と省略、変形による自由奔放な表現にかわった。陶芸や書、版画、さし絵もてがけ、すぐれた随筆家としても知られた。1975（昭和50）年、文化勲章を受章した。

学 文化勲章受章者一覧

なかがわきんじ

郷土

中川金治　1874〜1949年

奥多摩の水源林を育成した林業家

明治時代〜昭和時代の林業家。

岐阜県吉城郡坂下村（現在の飛騨市）に生まれた。27歳のとき東京農科大学（現在の東京大学農学部）に入学して林業を学んだ。のちに奥多摩（東京都西部）の山林に入ったところ、多摩川上流部には、きれいな水をはぐくむ森林があった。しかし、当時の山林は、管理が行きとどかず、荒れたままだった。これに対し、東京府（東京）では、1901（明治34）年、皇室が所有する奥多摩の御料林をゆずりうけ、水道水のもとになる水源林として管理することとした。

翌年、林業監守として山林に入った金治は、1945（昭和20）年、72歳で故郷へもどるまで、荒れた山林を緑の山にかえる困難な事業に全力をつくした。村人からは、「山の御爺」としたわれた。現在、東京都奥多摩町から山梨県甲府市におよぶ約2万haの森林は、東京都水道局が水道水源林として管理しているが、そのもとになったのは金治の一生をかけた森林育成であった。

なかがわげんご

郷土

中川源吾　1847〜1923年

琵琶湖の漁業を改良した漁業指導者

江戸時代後期〜明治時代の漁業指導者。

近江国高島郡百瀬村知内（現在の滋賀県高島市）の農家に生まれた。27歳で知内川漁場の取締人になった。明治時代になると、琵琶湖の魚が乱獲され、漁獲高がへってきた。このままでは漁民の生活が苦しくなると考え、高島郡水産蕃殖会を設立し、漁獲制限と水産資源を繁殖させる必要性を説いた。

郷里の百瀬村知内にビワマスの養魚場をひらき、彦根市に養鯉場を設置し、兵主村（野洲市）にウナギ養魚場をつくった。はじめは魚の養殖に反対して、養魚場をこわす漁民もいた。1907（明治34）年、知内養魚場でビワマス約100万匹の人工ふ化に成功し、皇室御料池や、北海道、東北地方、アメリカ合衆国やフィリピンにも稚魚を送って、琵琶湖の水産資源を宣伝した。その後、近江水産組合取締役になり、高島郡教育会に依頼されて『琵琶湖水産誌』を刊行。水産教育にも力を入れ、琵琶湖水産業の発展につくした。

なかがわりえこ

絵本・児童

中川李枝子　1935年〜

幼児の日常をユーモラスにえがく

児童文学作家。

北海道生まれ。東京都立高等保母学院卒業。保育園で保育士をしながら、いぬいとみこらと児童文学のグループを結成。同人誌『いたどり』に発表した童話『いやいやえん』が、1962（昭和37）年に出版される。この作品では、きかん坊の男の子を主人公に、こどもの日常生活をユーモアと空想をまじえてえがき、サンケイ児童出版文化賞など数々の賞を受賞した。

その後も保育士の体験をもとに、幼児の世界を楽しくえがきつづける。『いやいやえん』をはじめ、絵本『ぐりとぐら』シリーズ、『そらいろのたね』などでは、妹の山脇（大村）百合子が絵を担当。『ももいろのきりん』など、夫で美術家の中川宗弥とのコンビによる作品もある。

なかかんすけ

文学　詩・歌・俳句

中勘助　1885〜1965年

『銀の匙』で知られる孤高の作家

大正時代〜昭和時代の作家、詩人、随筆家。

東京生まれ。東京帝国大学（現在の東京大学）英文科卒業。明治時代なかば、江戸の面影がのこる商人町にかこまれた士族屋敷で育った。大学在学中に夏目漱石に師事する。1913（大正2）年、少年時代の体験を叙情あふれる繊細な文章でつづった長編小説『銀の匙』を発表し、注目をあびる。ひかえめな性格で、文壇との交流もほとんどなく、孤高の作家として知られた。第二次世界大戦中も自分の書きたいことを書くという姿勢を通した。主な作品に、『提婆達多』『犬』『街路樹』、童話集『鳥の物語』などがある。30歳をすぎてから詩をつくりはじめ、詩集『飛鳥』『琅玕』などものこしている。

(日本近代文学館)

ながさきげんのすけ

絵本・児童

長崎源之助　1924〜2011年

作品を通して平和と命のたいせつさをうったえた

昭和時代〜平成時代の児童文学作家。

神奈川県生まれ。第二次世界大戦中、陸軍兵士として中国へ行き、終戦をむかえた。復員後、日本童話会に入会、古書店や文房具店など、さまざまな職業を経験し、いぬいとみこや佐藤さとると同人誌『豆の木』を発行しながら童話を書く。1967（昭和42）年、横浜ですごしたこども時代の思い出をもとに『ヒョコタンの山羊』を書き、日本児童文学者協会賞を受賞。その後も『あほうの星』『ゲンのいた谷』など、みずからの戦争体験から、作品を通して平和と命のたいせつさをうったえた。また、1967年から横浜の自宅に「豆の木文庫」を開設して、地域のこどもたちのために開放した。

ながさきたかすけ

貴族・武将

長崎高資　?〜1333年

わいろで鎌倉幕府の政治を混乱させた

鎌倉時代後期の武士。

父は得宗家（北条氏本家の当主）の家臣、長崎高綱。

1317年ころ、鎌倉幕府の政治を統括する執権、北条高時の内管領（北条氏の家督をついだ得宗家の執事）だった父のあとをつぎ、内管領となり幕府の実権をにぎった。1322年、津軽（青森県西部）の豪族安藤氏の内部紛争がおこったときに介入して、対立する両者からわいろをとったので安藤氏の反乱をまねいた。その後、幕府軍を送って乱をしずめようとしたが、失敗して幕府の権威を低下させ、高資に反発する勢力がふえた。1326年、北条高時の出家後、北条氏一門の金沢貞顕を執権につかせるが、高時の弟泰家らの強い反対により貞顕は10日で辞職した。1331年、専横な政治をおこなう高資は、高時に殺害されそうになったがのがれた。1333年、新田義貞が鎌倉をおそったとき、高時たち北条氏一門とともに東勝寺（鎌倉市にあった臨済宗の寺）で自害した。

なかざとかいざん

文学

中里介山　1885〜1944年

『大菩薩峠』で大衆文学という分野を確立

(日本近代文学館)

明治時代〜昭和時代の作家。

神奈川県西多摩郡羽村（現在の東京都羽村市）生まれ。本名は弥之助。小学校を卒業し、12歳で上京する。苦学して小学校の代用教員となり、その後、都新聞社に入った。日露戦争のさなか、数少ない反戦詩の一つ『乱調激韵』を発表して注目される。1909（明治41）年から『都新聞』で小説の連載をはじめ、デビュー作となった『氷の花』や『高野の義人』などの時代小説を書く。1913（大正2）年から連載をはじめた大型長編小説『大菩薩峠』が代表作で、のちに全41巻18冊で出版され爆発的に売れた。波瀾万丈のストーリーと主人公の剣豪、机竜之助の個性的な性格が読者をひきつけ、大衆文学という分野を確立した作品としても名高い。

第二次世界大戦中の1942（昭和17）年、国の指導によって組織された日本文学報国会への入会を拒否し、自分の信念にしたがって生きた。晩年は『大菩薩峠』の続編を書きつづけたが、未完のまま、チフスにかかって亡くなった。

なかざわどうに

思想・哲学　学問

中沢道二　1725〜1803年

心学の全盛期を築いた

江戸時代後期の思想家。

京都の西陣の機屋に生まれる。40歳をすぎて、心学（庶民のための人生哲学）を創始した石田梅岩の弟子、手島堵庵に入門した。

1779年、55歳のとき堵庵の指示で江戸（現在の東京）に行き、1783年、日本橋に石田梅岩を祖とする実践哲学である石門心学を教える心学講舎、参前舎を創設した。以来、門人とともに各地に心学講舎を設立して、心学の普及につとめた。

老中の松平定信の信頼を得て、大名や旗本にも心学の教えを説いた。1790年、人足寄場（戸籍をもたない無宿人や浮浪人を収容して職業訓練をほどこす施設）が設置されると、定信に依頼されて講師をつとめた。京都で心学の普及につとめた上河淇水とともに心学の全盛期を築いた。著書に、心学の教えをまとめた『道二翁道話』がある。

▲中沢道二画像
（東京大学史料編纂所所蔵模写）

なかじまあつし　文学

中島敦　1909〜1942年

漢語を折りこんだ格調の高い文章

昭和時代の作家。

東京生まれ。東京帝国大学（現在の東京大学）国文科卒業。祖父は漢学者、父は漢文教師で、幼いころから漢学に親しみ、漢語をたくみに用いた格調の高い文章を生んだ。早くから作家を志して、教師をつとめながら小説を書く。1941（昭和16）年、パラオにおかれていた南洋庁へ赴任。出発前、深田久弥にあずけた小説『山月記』の原稿が『文学界』に掲載され、高い評価を受ける。翌年、帰国してから創作に専念する。『悟浄出世』『弟子』『李陵』を書き、『光と風と夢』『南島譚』を刊行するが、刊行の翌月に持病のぜんそくが悪化して生涯を終えた。

ながしまあんりゅう　郷土

永島安竜　1801〜1869年

河口湖から水をひいた医者

江戸時代後期〜幕末の医者。

甲斐国（現在の山梨県）に生まれた。江戸（東京）に出て儒学と医学を学び、新倉村（山梨県富士吉田市）で医院を開業した。新倉村は富士山の溶岩流の上にあり、水がとぼしく、村人は水不足に苦しんでいた。

17世紀の後半、領主の秋元喬知により、うそぶき山（天上山）の下に掘り抜き（トンネル）をほり、河口湖から新倉村まで水を流す工事がおこなわれたが、うまくいかなかった。

1847年、秋元氏時代の掘り抜きの跡がみつかったことをきっかけに、息子の元長とともに掘り抜き工事を再開した。6年後の1853年、トンネルが完成したが、2年後には水が止まってしまった。さらに大きな穴をほろうと考え、田畑を売って資金を調達し、1863年、修復工事に着手した。

3年後、約3.8kmの新倉堀抜が完成し、村の水不足が解消され、水田がひらかれた。

ながしましげお　スポーツ

長嶋茂雄　1936年〜

国民的人気の「ミスタープロ野球」

プロ野球選手、監督。

千葉県生まれ。立教大学時代は、東京六大学野球リーグでホームランの新記録をつくり、5シーズン連続でベストナインにえらばれるなど走攻守そろった選手として注目を集める。

1958（昭和33）年、読売ジャイアンツに入団し、その年の本塁打王と打点王のタイトルを獲得し、新人王にえらばれた。以後、中心的な打者として活躍し、王貞治とともに日本シリーズ9連覇に貢献した。躍動感あふれるプレーで人々を魅了し、「ミスタープロ野球」とよばれた。

とくにプロ野球史上初の天覧試合（天皇が観覧する試合）となった、1959年6月25日の対阪神タイガース戦で打ったサヨナラホームランは、人々に強い印象をあたえた。

1974年に現役を引退し、その後、読売ジャイアンツの監督を2度つとめ、1994（平成6）年と2000年には日本一に輝いた。2013年に松井秀喜とともに国民栄誉賞を受賞した。

学 国民栄誉賞受賞者一覧

なかじましょうえん

中島湘烟 → 岸田俊子

なかじまちくへい　郷土

中島知久平　1884〜1949年

日本初の飛行機会社の創業者

明治時代〜昭和時代の技術者。

群馬県新田郡押切村（現在の太田市）の農家に生まれた。東京の海軍機関学校に入学し、卒業後、海軍大学に籍をおいてアメリカ合衆国にわたり、当時の最新飛行機の製造や整備の技術、操縦法などを学んで、帰国した。海軍の飛行機工場長をへて、1917（大正6）年、郷里に飛行機研究所をつくり、太田町（太田市）で本格的に製造をはじめた。

1919年、改良を重ねた飛行機が完成した。社名を中島飛行機製作所とあらため、性能のよい九七式戦闘機などを製造したので、陸軍や海軍からの注文がつづき、一大軍需会社に発展した。一方、1930（昭和5）年衆議院議員となり、鉄道相などをつとめた。1945年、日本が太平洋戦争にやぶれると、会社は解体された。

なかじまとうえもん

郷土

中島藤右衛門　1745〜1825年

こんにゃくの加工法をかえた農民

（個人蔵／常陸大宮市歴史民俗資料館）

江戸時代中期〜後期の農民、開発者。

常陸国久慈郡諸沢村（現在の茨城県常陸大宮市）に生まれた。山地の多い奥久慈地方で、昔から栽培されていたこんにゃくの原料のコンニャクイモをうすく切って乾燥させ、石臼でひいて粉にして、その粉を水でもどして、こんにゃくをつくる製法を発見。粉にすると、長く保存でき、輸送にも便利なので、江戸（東京）をはじめ、全国で販売された。その後、水戸藩（茨城県）の特産品となり、藩の財政をささえた。その功績をみとめられ、「中島」の姓を名のることがゆるされた。大子町には、藤右衛門を祭った蒟蒻神社がある。

なかじまのぶゆき

幕末

中島信行　1846〜1899年

海援隊で活躍、のちに自由民権運動を推進

（国立国会図書館）

明治時代の政治家。

土佐国高岡郡津賀地村（現在の高知県土佐市）に、郷士の家の子として生まれた。尊王攘夷運動（天皇をうやまい外国勢力を追いはらう運動）に参加したが弾圧され、1864年、脱藩して長崎に行き、坂本龍馬の海援隊に入って活躍する。

1868（明治元）年の明治維新後は新政府の役人となり、外交、貿易などを担当して、外国官権判事などを歴任。1874年、神奈川県令（県知事）となり、1876年、元老院で提出された憲法案の調査にあたった。1881年、板垣退助の自由党に参加して党の副総理になり、自由民権運動を進めた。翌年には大阪に立憲政党を結成して党の総理となると、妻の岸田俊子とともに自由民権をとなえて各地を遊説して歩いた。

1887年に公布された保安条例により東京から追放され、横浜に住んだ。1890年、第1回衆議院選挙に神奈川から出馬して当選し、初代衆議院議長にえらばれた。1893年、イタリア公使、翌年には貴族院の議員となった。

なかじまりんぞう

郷土

中島林蔵　？〜1702年

十津川の水運を開発した商人

▲十津川温泉（二津野ダム）
（十津川村提供）

江戸時代前期の商人、治水家。

大和国吉野郡十津川郷桑畑（現在の奈良県十津川村）で商店をいとなんだ。物資が集中するところだったので、大きな利益を得ていた。当時、新宮（和歌山県新宮市）から十津川郷への魚や雑貨などの日用品は、新宮から約50kmの桑畑までは船ではこべたが、その先は巨岩が立ちならび、船で行くのは不可能だった。人がかついで山をこえるしか方法がなかった。

林蔵は、生活品を求め、苦労して店にやってくる上流の村の人に同情し、巨財を投じて、川から巨岩をとりのぞく決心をした。石工（石を加工する職人）をやとい、自分もてつだって多くの日数をかけて、巨岩を打ちくだき、上流の小原（奈良県十津川村）まで約20kmの水運を可能にした。桑畑から上流の村の人々は山越えの苦労から救われた。さらに新宮の物資が村々に流通することになり、村は大きな利益を得た。現在、桑畑付近の十津川は二津野ダムになっている。

なかじまわへえ

郷土

中島輪兵衛　1752〜1838年

安曇野に用水をひいた庄屋

江戸時代中期〜後期の農民、治水家。

信濃国柏原村（現在の長野県安曇野市）の庄屋（村の長）の家に生まれた。松本藩（長野県松本市）領内の安曇平（安曇野市）は水の便が悪く、広い水田をひらくことができなかった。1790年、保高組（安曇野市）大庄屋（庄屋をまとめる役）の等々力孫一郎らと、奈良井川を水源とする用水をひく計画を立て、20数年にわたって調査をおこない、1815年、10か村の庄屋が藩に用水づくりを願いでた。翌1816年から工事をおこない、90日で取水口の奈良井川から烏川まで約15kmの用水を完成した。10か村の約1000haの水田をうるおし、拾ヶ堰とよばれた。

なかじょうまさつね

郷土

中條政恒　1841〜1900年

福島県の安積原野の開拓に力をつくした役人

幕末の武士。明治時代の役人。

出羽国米沢藩（現在の山形県南部）の藩士の家に生まれた。

1872（明治5）年、福島県県令（県知事）から典事（課長職）に任命された。

郡山地方（福島県郡山市）の原野、大槻原（開成山一帯）の開墾を計画した。翌年、郡山の商人たちの協力を得て、開墾事業を進めるための開成社を設立させた。1876（明治9）年、内務卿の大久保利通と会ったとき、大槻原開墾事業の成果を説明し、さらに国の事業として開墾を拡大すること、そのために猪苗代湖の水を郡山地域にひくように強く願った。1882年、ファン・ドールンたちによって安積疏水がひらかれ、郡山地域の原野は広大な新田に生まれかわった。郡山発展のために力をつくした人物としてたたえられている。

（開成館）

なかじんべえ

郷土

中甚兵衛　1639〜1730年

大和川の工事に生涯をかけた庄屋

（柏原市立歴史資料館）

江戸時代前期〜中期の農民、治水家。

河内国河内郡今米村（現在の東大阪市）の庄屋（村の長）の家に生まれた。14歳のとき付近の吉田川（大和川支流）の堤防が切れ、大水を体験した。大和川の流れを柏原村（大阪府柏原市）から西向きにかえ、堺（大阪府堺市）から大阪湾に流す計画を立てた。19歳のとき江戸（東京）へ行き、幕府に工事許可を願いでたが、ばく大な費用がかかることと、村人の反対などの理由で許可がおりなかったが、何度も幕府に嘆願した。その後も毎年水害がおこり、1701年の洪水で農作物は全滅し、年貢もおさめられなかった。1703年、幕府がついに工事を決定し、翌年から姫路藩（兵庫県南西部）などが旧大和川流域の村では、農作物を安定して収穫できるようになった。甚兵衛はその功績をみとめられ、中の姓を名のり、刀をさすことをゆるされた。

なかそねやすひろ

政治

中曽根康弘　1918年〜

三公社を民営化し、日米安全保障体制を強化した

政治家。第71、72、73代内閣総理大臣（在任1982〜1983年、1983〜1986年、1986〜1987年）。

群馬県生まれ。東京帝国大学（現在の東京大学）法学部卒業後、内務省に入省。海軍士官として第二次世界大戦を経験後、1947（昭和22）年、民主党（旧日本進歩党）から衆議院議員当選。以後、連続当選20回。数々の要職を歴任後、1982年、自由民主党の総裁として内閣総理大臣に就任した。

組閣では田中派から7人を採用するなど田中角栄の影響力が大きく、「田中曽根内閣」「角影内閣」などと皮肉をいわれた。基本的には軍備拡張や憲法改正を主張し、タカ派とよばれる強硬派で、国内では日本国有鉄道、日本電信電話公社、日本専売公社の三公社をそれぞれJR各社、日本電信電話株式会社（NTT）、日本たばこ産業（JT）へと民営化し、外交ではアメリカ合衆国のレーガン大統領と愛称でよび合うような「ロン・ヤス関係」を築き、日米安全保障体制を強化した。

1986年の「死んだふり解散」による衆参同日選挙では自由民主党が大勝したが、その後の失言問題や売上税を導入しようとしたことで支持率が低下、1987年の統一地方選で敗北し、同年11月辞任。1989（平成元）年、リクルート事件の責任をとって離党、1991年、復党。2003年の総選挙に出馬せず引退。

学 歴代の内閣総理大臣一覧

なかだあきら

音楽

中田章　1886〜1931年

『早春賦』の作曲者

明治時代〜昭和時代の作曲家、オルガン奏者。

東京生まれ。東京音楽学校（現在の東京藝術大学）を卒業後、母校の教授になる。オルガン奏者としても活躍。吉丸一昌が作詞した『早春賦』の作曲者として知られる。

『雪の降るまちを』『夏の思い出』『めだかの学校』『ちいさい秋みつけた』の作曲者中田喜直は息子である。

学 文化勲章受章者一覧

ながたてつざん

政治

永田鉄山　1884〜1935年

相沢事件で殺された陸軍軍人

大正時代〜昭和時代の軍人。

長野県生まれ。陸軍士官学校時代は、荒木貞夫や阿部信行らと同期だった。陸軍大学校を優秀な成績で卒業後、軍事研究のためドイツ、デンマークなどに駐在、1920（大正9）年にはスイス公使館付駐在武官となる。第一次世界大戦のころのヨーロッパの軍事情勢を学んだことで、国家総動員の必要性を認識した。このころ、士官学校の同期生や東条英機らと陸軍

刷新、総動員体制の構築についての盟約をむすび、これがのちに中堅幕僚将校らの会合組織、二葉会となる。

（国立国会図書館）

その後、陸軍省軍事課長、陸軍省軍務局長を歴任し、軍務官僚としての本流をあゆみ、総力戦体制の構築を推進するなど軍事行政で頭角をあらわした。統制派のリーダーとして将来の陸軍大臣との期待も大きかったが、林銑十郎陸軍大臣による真崎甚三郎教育総監更迭の首謀者とみなされ、1935（昭和10）年8月に、対立する皇道派の相沢三郎に軍務局長室内にて殺害された（相沢事件）。

ながたもえもん

郷土

永田茂衛門　？～1659年

久慈川と那珂川に堰を築いた鉱山師

▲現在の辰ノ口堰
（常陸大宮市商工観光課）

江戸時代前期の鉱山開発者、治水家。

甲斐国神金村（現在の山梨県甲州市）出身といわれる。黒川金山（甲州市にあった鉱山）の開発をしていたが、金がとれなくなったので、1640年、水戸藩（茨城県）に移り、鉱山の開発にあたった。1641年から翌年にかけて、水戸藩がはじまって以来の大干ばつとなったため、藩では、那珂川と久慈川に堰を築き、用水路をつくることにした。奉行（藩の行政を担当する役人）の望月恒隆は、鉱山開発を経験し、測量術、岩をほる技術にすぐれていた茂衛門と、子の勘衛門親子に工事をまかせた。1650年、親子は久慈川に辰ノ口堰（常陸大宮市）を築き、延長約15kmの用水路を完成させ、周辺の田畑をうるおした。1652年には、岩崎江堰（常陸大宮市）を築き、延長約22kmの水路がひらかれた。1658年には、那珂川に小場江堰（那珂市）が完成し、水路は延長28kmになった。これらの堰は、現在でも利用されている。

なかだよしなお

音楽

中田喜直　1923～2000年

『夏の思い出』を作曲

昭和時代～平成時代の作曲家。

東京生まれ。東京音楽学校（現在の東京藝術大学）卒業。父は『早春賦』の作曲家、中田章。幼いころから音楽に親しみ、小学生で作曲をはじめ、西条八十の詩に曲をつけた。音楽学校では、ピアノと和声学を学ぶ。1947（昭和22）年、歌曲集『六つの子供の歌』を発表する。以後、『夏の思い出』や『雪の降るまちを』『ちいさい秋みつけた』、童謡『めだかの学校』、ピアノ組曲『光と影』など1000曲以上の作品をのこす。

日本語を生かした叙情的で親しみやすいメロディーが特徴で、多くの歌がいまも愛唱される。また、小さい手でもひける幅のせまい鍵盤の提唱など、ピアノ教育の普及にもつとめた。

ながつかたかし

詩・歌・俳句

長塚節　1879～1915年

農民文学の傑作『土』をのこす

（日本近代文学館）

明治時代の作家、歌人。

茨城県生まれ。茨城尋常中学校（現在の県立水戸第一高等学校）に進むが、病気のため中退。このころから雑誌に短歌を投稿する。正岡子規の『歌よみに与ふる書』に刺激されて、1900（明治33）年、子規をおとずれ弟子となる。入門後はたびたび上京して子規が病床で主宰していた根岸短歌会に参加し、伊藤左千夫と知り合う。子規の死後は、左千夫らと『馬酔木』を創刊し、歌誌『アララギ』などに加わって短歌や子規の教えを広める歌論『写生の歌に就て』などを発表した。

また、写生文や小説も書き、1910年に夏目漱石の推薦で長編小説『土』を新聞に発表。農村の自然を背景に小作農一家の貧しい生活をえがいたこの作品は、農民文学の傑作といわれる。

1911年ころから結核をわずらい、東京や福岡の病院で治療を受けるが悪化により亡くなる。死のまぎわまで書きつづけた連作『鍼の如く』は短歌の代表作となった。

なかとみのかまたり

中臣鎌足 → 藤原鎌足

なかにしごどう

学問　文学

中西悟堂　1895～1984年

日本野鳥の会を設立し、野鳥の保護を広めた

大正時代～昭和時代の詩人、随筆家、野鳥研究家。

石川県生まれ。本名は富嗣。幼いころに両親を亡くし、僧侶であった伯父中西悟玄に育てられた。

10代のはじめ、秩父の山の中で修行をしていたときに鳥に親しみ、動物や自然の保護に関心をもつ。15歳で僧となって法名

を悟堂とし、30歳ごろから動物の飼育や観察をはじめた。1934（昭和9）年、詩歌の仲間であった竹友藻風や北原白秋、柳田国男とともに日本野鳥の会を設立し、機関誌『野鳥』を創刊。野生の鳥の保護や観察を広める活動を展開した。「野の鳥は野に」という標語をかかげ、野鳥のペット化やかすみ網の禁止をうったえた。この活動で「野鳥」や「探鳥」という独自のことばを一般に広めた。

自然保護運動にも積極的にとりくみ、独自の視点から文明批判をおこなった。名随筆家として知られ、著書は『野鳥とともに』『底本野鳥記』など100冊以上。1952年文化功労者。

なかにしれい

文学　音楽

なかにし礼　1938年～

戦後、歌謡界のヒットメーカー

作詞家、作家。

旧満州（現在の中国東北部）生まれ。本名は中西礼三。立教大学卒業。実家は、満州で造り酒屋をしていたが、1946（昭和21）年、家族で日本へ引き揚げる。在学中から、シャンソンの訳詞をはじめ、1000曲以上をてがけた。1967年、歌謡曲『知りたくないの』が大ヒットして、作詞家としてみとめられる。その後、『今日でお別れ』『石狩挽歌』『北酒場』など、約4000曲の歌詞を書き、日本レコード大賞、同作詞賞などを次々と受賞する。1987年には、ベートーベンの『第九交響曲』第4楽章合唱の部分に日本語訳をつけて出版した。

作家としては、2000（平成12）年に小説『長崎ぶらぶら節』が直木賞を受賞。舞台作品の台本や演出もてがけ、演劇と舞踏、オペラが融合した新舞台形式「世界劇」を提唱、『眠り王』『源氏物語』などをプロデュースした。

著書には、『赤い月』『てるてる坊主の照子さん』など、のちに映画化やドラマ化された作品も多い。

学 芥川賞・直木賞受賞者一覧

なかのおおえのおうじ

中大兄皇子 → 天智天皇

なかのしげはる

文学

中野重治　1902～1979年

プロレタリア文学運動の中心的存在

（日本近代文学館）

昭和時代の作家、評論家、詩人。

福井県生まれ。東京帝国大学（現在の東京大学）独文科卒業。金沢の旧制第四高等学校に在学中から詩をつくりはじめ、室生犀星と交流する。大学に進学後、堀辰雄、窪川鶴次郎らとともに詩誌『驢馬』を創刊。『夜明け前のさよなら』などで、芥川龍之介にみとめられ、注目された。また、労働者の立場から現実をえがくプロレタリア文学運動に参加、中心的な理論家として活躍した。1932（昭和7）年には、弾圧により検挙される。その後、日本が戦争に進もうとする暗い時代に青春期をすごした作者の自伝的小説『歌のわかれ』や評論『斎藤茂吉ノオト』などを発表する。

第二次世界大戦後は、「新日本文学会」を結成し、民主主義文学運動の推進に力をそそぐ。参議院議員としても活躍した。そのかたわら、評論や詩、小説を発表。『中野重治詩集』、小説『むらぎも』『甲乙丙丁』などの作品がある。

なかのとものり

産業

中野友礼　1887～1965年

食塩電解法を発明し、日曹コンツェルンを築いた

（国立国会図書館）

大正時代～昭和時代の実業家。

福島県生まれ。1908（明治41）年、第一高等学校中等教員養成所卒業後、京都帝国大学（現在の京都大学）理学部の助手になる。中野式食塩電解法（電解ソーダ法）を開発し、特許を得て、この技術をもとに1920（大正9）年、新潟に化学会社の日本曹達を設立し、苛性ソーダ、さらし粉、電気亜鉛の生産を開始した。その後、会社は鉱業、鉄鋼、人絹、パルプ部門などに進出し、重化学工業から発展した新興財閥にまで成長。1940（昭和15）年には傘下の企業は42社にふえ、日曹コンツェルンを形成する。しかし、急激な事業拡大による資金の枯渇や、陸軍からの軍需物資の増産要

請により業績が悪化、中野はその責任をとって社長の座をしりぞいた。1942年には政府機関の要請で調査研究連盟常務理事、技術院顧問となる。

1945年、日曹コンツェルンは、連合国軍最高司令官総司令部（GHQ）による15財閥に指定され、解体された。第二次世界大戦後は冷凍製塩法の研究に没頭した。

なかはままんじろう

中浜万次郎 → ジョン万次郎

なかはらきくじろう

郷土

中原菊次郎　1880〜1954年

笠野原台地を開発した政治家

（笠野原開発資料館）

大正時代〜昭和時代の政治家。

鹿児島県串良郷（現在の鹿屋市）に生まれた。1919（大正8）年、鹿児島県の県会議員になり、笠野原台地（鹿屋市）の開発にとりくんだ。笠野原台地は火山灰でできたシラス台地で、雨がふっても地下にしみこんでしまい、耕作には不むきだった。

菊次郎は、人々の飲料水を確保するため笠野原台地に水道をひく計画を立て、1925年に工事をはじめた。

工事は、笠野原の三隅に浄水池をつくり、高隈川の上流から浄水池まで水をひき、鉄管で各地に水を送るというもので、1927（昭和2）年、最初の給水がおこなわれた。

その後、耕地の区画整理につとめ、台地に碁盤の目のように道路を通し、各地から移住者を集めて開墾した。その結果、笠野原台地に整然と区画された耕地がひらかれた。第二次世界大戦後、用水工事は国の事業となり、1967年、串良川上流に高隈ダム（大隅湖）が完成した。

なかはらちゅうや

詩・歌・俳句

中原中也　1907〜1937年

叙情あふれる美しいリズムの詩を書く

昭和時代の詩人。

山口県生まれ。陸軍軍医の父のもと、文学に親しみ、少年のころから短歌などをつくっていた。

17歳のころ、詩人を志して京都へ出ると、富永太郎と知り合いランボーやベルレーヌらのフランス象徴詩を学び、強く刺激された。

1925（大正14）年に上京して小林秀雄らと出会う。その後、河上徹太郎らと同人誌を創刊するなど、精力的に詩を発表する。1934（昭和9）年、詩集『山羊の歌』を刊行。詩集『在りし日の歌』の原稿を小林秀雄に託して、帰郷を予定していた直後に結核性の脳症にたおれる。

（日本近代文学館）

詩人として活躍した時期は短いが、叙情あふれる詩才を一気に開花させ、この世を去った。人生のむなしさと魂の調和への強いあこがれを美しいリズムであらわした詩は、いまも多くの人の胸を打つ。

なかはらていじろう

彫刻

中原悌二郎　1888〜1921年

力強い内面表現にもすぐれた彫刻家

大正時代の彫刻家。

北海道生まれ。1905（明治38）年、画家を志して上京した。白馬会や太平洋画会研究所で学び、洋画家の中村彝と親しく交友した。ヨーロッパから帰国した荻原守衛を中村とたずねて刺激され、彫刻家に転向した。

新海竹太郎の指導を受け、1910年の文部省美術展覧会（文展）で『老人の首』が初入選した。1912年には、白樺美術展でみたロダンの彫刻に感動する。1916（大正5）年、日本美術院の彫刻部に入り、同年の院展で『石井鶴三氏像』が樗牛賞を受賞した。代表作は『若きカフカス人』『憩える女』などである。モデルの内面までも表現し、大正時代を代表する彫刻家となった。

なかはらまこと

伝統芸能

中原誠　1947年〜

自然流のさし手が棋風の将棋棋士

将棋棋士。

鳥取県に生まれ、宮城県で育つ。5歳で将棋をおぼえ、1957（昭和32）年、高柳敏夫八段に入門した。1965年秋に四段、以後順調に昇段し、1970年に八段、1973年には九段となる。

1968年、第12期棋聖戦で山田道美九段をやぶり、初のタイトルを獲得した。1972年、第31期名人戦で大山康晴名人をやぶり、24歳で名人位につく。

以後、9連覇を達成した。1976年には、16世名人の資格を得た。自然なさし手で相手の得意戦法をどうどうと受けて立つ棋風は、「自然流」とよばれた。2008（平成20）年、紫綬褒章を受章した。2009年に現役を引退した。生涯成績は1308勝782敗だった。

なかみがわひこじろう

産業

中上川彦次郎　1854〜1901年

三井財閥を大きく改革

明治時代の実業家。

豊前国中津藩（現在の大分県中津市）に生まれる。福沢諭吉のおい。慶應義塾の福沢諭吉の下で学び、1874年からイギリスに留学し、合理的な経営思想を身につける。

帰国後、井上馨のさそいを受け工部省に入り、外務省をへて、時事新報や山陽鉄道の社長を歴任。1891年、経営が悪化していた三井銀行の理事に就任する。慶應義塾大学出身者など、新しい人材を積極的に採用して経営にあたらせ、不良債権を回収し、銀行の経営立て直しに成功した。また、芝浦製作所、鐘淵紡績、王子製紙、北海道炭鉱鉄道などを買収して工業化を進め、三井財閥の経営の基礎をつくった。

なかむらうこう

音楽

中村雨紅　1897〜1972年

童謡『夕焼け小焼け』の作曲者

大正時代〜昭和時代の童謡作家。

東京生まれ。本名は髙井宮吉。青山師範学校（現在の東京学芸大学）卒業。実家は、八王子市にある宮尾神社で宮司をつとめ、ここには雨紅の墓がある。1916（大正5）年より、小学校の教師をつとめる。20歳ごろから高井宮の名で雑誌『金の船』（のちに『金の星』と改題）に童謡を投稿し、野口雨情から好評を受ける。1923年、『あたらしい童謡』に作曲家、草川信が曲をつけた『夕焼け小焼け』が収録されるが、同じ年におきた関東大震災で楽譜の多くが焼失、焼けのこった約十数部の楽譜から『夕焼け小焼け』の歌が広まり、彼のもっとも有名な童謡となった。著書に『中村雨紅詩謡集』などがある。

なかむらうたえもん

伝統芸能

中村歌右衛門　1917〜2001年

女方の最高峰といわれた6世

昭和時代の歌舞伎俳優。

東京生まれ。本名は河村藤雄。5世中村歌右衛門の次男。代々受けつがれる歌舞伎俳優の名で、屋号は成駒屋。1922（大正11）年に3世中村児太郎の名で、初舞台をふむ。小学校卒業後、父のもとで女方の修業をつづけ、1932（昭和7）年に青年歌舞伎一座の旗揚げで『京鹿子娘道成寺』の花子をおどり、注目された。1951年に6世中村歌右衛門を襲名した。古風な女方の伝統を守りながら、つねに時代の新しさを敏感にとり入れ、歌舞伎女方の最高峰といわれた。海外公演を通して、世界の演劇界や芸術界に影響をあたえ、世界でも知られた歌舞伎俳優の一人である。

代表的な舞台には、『隅田川』の斑女の前役、『妹背山婦女庭訓』のお三輪役、『伽羅先代萩』の政岡役、『本朝廿四孝』の八重垣役、『壇浦兜軍記』の阿古屋役、『井伊大老』のお静の方などがある。1964年に日本芸術院会員となり、1968年に重要無形文化財保持者（人間国宝）に認定された。1979年に文化勲章を受章した。

学 文化勲章受章者一覧

なかむらかんざぶろう

伝統芸能

中村勘三郎　1909〜1988年

優美な演技を得意とした17世

大正時代〜昭和時代の歌舞伎俳優。

東京生まれ。本名は波野聖司。3世中村歌六の3男。代々受けつがれる歌舞伎俳優の名で、屋号は中村屋。1916（大正5）年3世中村米吉を名のり、初舞台をふむ。1950（昭和25）年、17世中村勘三郎を襲名した。

「和事」とよばれる、やわらかく優美な演技を得意とした。どんな役にも神経が細かく行き届き、形としぐさの色気と美しさに定評があった。海外公演も多く、歌舞伎界を代表する俳優の一人として活躍した。

当たり役に『梅雨小袖昔八丈』の髪結新三、『夏祭浪花鑑』の団七、お辰、『仮名手本忠臣蔵』の早野勘平、『釣女』の醜女、『平家女護島』の俊寛僧都、『一本刀土俵入』の茂兵衛、『お祭り』の鳶頭などがある。1975年に重要無形文化財保持者（人間国宝）に認定される。1980年には、文化勲章を受章した。70年間に演じた803役が、世界最高の数と認定され、1961年にギネス・ワールド・レコーズに登録された。

学 文化勲章受章者一覧

なかむらきちえもん

伝統芸能

中村吉右衛門　1886〜1954年

近代歌舞伎を代表する初世

明治時代〜昭和時代の歌舞伎俳優。

東京生まれ。本名は波野辰次郎。3世中村歌六の長男。代々受けつがれる歌舞伎俳優の名で、屋号は播磨屋。弟に3世中村時蔵、17世中村勘三郎がいる。1897（明治30）年3月に初世中村吉右衛門を名のり、市村座で『越後騒動』の仙千代で初舞台をふむ。同年5月の浅草座のこども芝居で人気を集め、

14歳で座頭となる。市村座に出演していた6世尾上菊五郎とともに「菊吉時代」を築いた。

9世市川団十郎の芸風を受けつぎ、立ち役（男方）を得意とした。時代物、上方物、生世話物などで名品をのこしているが、とくに『二条城の清正』『蔚山城の清正』『肥後の清正』『清正誠忠録』や、義太夫狂言『八陣守護城』に登場する加藤清正役などを好んで演じたため、「清正役者」とよばれたこともあった。近代歌舞伎を代表する一人として後世に大きな影響をのこしている。

1947（昭和22）年日本芸術院会員となり、1951年文化勲章を受章した。

なかむらくさたお　詩・歌・俳句

中村草田男　1901〜1983年

俳句で人間の心理を表現する

昭和時代の俳人。

中国の清の福建省厦門の日本領事館で生まれ、愛媛県松山市で育つ。本名は清一郎。東京帝国大学（現在の東京大学）国文科卒業。成蹊大学教授。学生時代に水原秋桜子の指導を受け、俳句の雑誌『ホトトギス』に参加する。五・七・五の定型を排した新興俳句運動には批判的で、季語を尊重しながら人間の心理を表現することをめざし、人間探求派とよばれた。

1946年（昭和21）年、『ホトトギス』をはなれて、俳句誌『万緑』を創刊。詩情や人間性の探究を基本にすえて、俳句の近代化に力をそそぐ。句集『長子』『火の島』などのほか、童話もある。「降る雪や明治は遠くなりにけり」の句が有名。

なかむらじゃくえもん　伝統芸能

中村雀右衛門　1920〜2012年

娘役などを得意とした4世

昭和時代の歌舞伎俳優。

東京生まれ。本名は青木清治。6世大谷友右衛門の長男。代々受けつがれる歌舞伎俳優の名で、屋号は京屋。1927（昭和2）年に大谷広太郎を名のり、初舞台をふむ。

子役時代から才能を発揮し、立ち役（男方）として将来を期待されたが、7世松本幸四郎のすすめで、女方に転向することになり、再スタートを切った。1948年に7世大谷友右衛門、1964年に4世中村雀右衛門を襲名した。みずみずしい芸風で、娘役などを得意とした。

三姫（『金閣寺』の雪姫、『鎌倉三代記』の時姫、『本朝廿四孝』の八重垣姫）などでのつややかな芸や、『京鹿子娘道成寺』の白拍子花子など、多くの当たり役にめぐまれ、歌舞伎界を代表する女方として活躍した。1991（平成3）年に重要無形文化財保持者（人間国宝）に認定される。1992年日本芸術院会員、2001年文化功労者となる。2004年文化勲章を受章した。長男は8世大谷友右衛門、次男は7世中村芝雀である。

学 文化勲章受章者一覧

なかむらしゅうじ　学問

中村修二　1954年〜

高輝度青色発光ダイオードの開発者

日本出身でアメリカ合衆国国籍の技術者。

愛媛県生まれ。1977（昭和52）年に徳島大学工学部電子工学科を卒業し、同大学大学院に進学。卒業後に日亜化学工業に入社して半導体研究をおこなう。

1988年から1年間フロリダ大学へ留学。日亜化学工業にもどってからも研究を続行し、青色発光ダイオードの材料として当時は注目されていなかった半導体の窒化ガリウムに着目。不可能といわれていた高輝度青色発光ダイオードの開発に1993（平成5）年、成功した。

1999年に日亜化学を退社して、翌年、カリフォルニア大学サンタバーバラ校の材料物性工学科教授に就任。その後、日亜化学とのあいだで「青色LED訴訟」をおこすが和解。2014年にはノーベル物理学賞を受賞。同年文化勲章を受章。日米を舞台に研究活動をつづけている。

学 ノーベル賞受賞者一覧　学 文化勲章受章者一覧

なかむらしんいちろう　文学

中村真一郎　1918〜1997年

本格的なロマン小説の書き手

昭和時代〜平成時代の作家、評論家。

東京生まれ。東京帝国大学（現在の東京大学）仏文科卒業。1942（昭和17）年、加藤周一、福永武彦らと文学研究グループ、マチネ・ポエティクをつくり、注目される。

1947年に、心理描写を用いた本格的なロマン小説『死の影の下に』を発表、戦後派作家として注目される。私小説中心の日本文学に批判的で、豊かな教養をもとに、ヨーロッパ文学の手法をとり入れた実験的な小説を書く。

王朝文学や江戸時代の漢詩人などにも関心をもち、評論『王朝の文学』や『頼山陽とその時代』などを著す。ヨーロッパ文学の紹介や評論にもつとめた。代表作に小説『回転木馬』『空中庭園』『四季』などがある。

なかむらぜんえもん

郷土

中村善右衛門　1809〜1880年

飼育技術を改善した養蚕家

（伊達市教育委員会）

江戸時代後期〜明治時代の農民、養蚕家。

陸奥国伊達郡梁川村（現在の福島県伊達市梁川町）の養蚕をいとなむ農家に生まれた。そのころの養蚕は、カイコを育てるときに部屋をあたためて飼育期間を短縮する「温暖育」という方法が普及していた。しかし、温度の管理を人の勘にたよっていたので、失敗することもたびたびだった。

1839年、病気になり、蘭方医（オランダの医学を学んだ医者）の治療を受けたときに、医者のつかっている体温計をみて、養蚕室の温度調節につかうことを思いついた。江戸（東京）の鏡商人にガラス管を注文し、苦心の末、1842年に養蚕用の寒暖計を完成させ、「蚕当計」と名づけた。1849年、手引書『蚕当計秘訣』を著した。カイコの飼育を標準、急、緩の3通りに分け、それぞれの飼育温度や飼育日数、クワを食べさせる回数、とれたまゆの特徴などが書かれていた。こうして科学的に養蚕をおこなうことができるようになった。

なかむらつね

絵画

中村彝　1887〜1924年

肖像画の傑作をのこした洋画家

明治時代〜大正時代の洋画家。

茨城県生まれ。名古屋の陸軍幼年学校に入るが、結核で中退し、療養中に画家を志す。1906（明治39）年に白馬会研究所に入り、翌年から太平洋画会研究所で洋画を学ぶ。1909年、第3回文部省美術展覧会（文展）で初入選、第4回展で『海辺の村』で3等賞となる。新宿中村屋の相馬愛蔵・相馬黒光夫妻の後援を受けて制作した。1916（大正5）年『田中館博士の像』が文展の特選となり、レンブラントやルノアールの影響を受けた画風で注目される。1920年の帝国美術院展覧会（帝展）では、『エロシェンコ像』が絶賛された。晩年は、病床で代表作『髑髏を持てる自画像』をかいた。

なかむらていじょ

詩・歌・俳句

中村汀女　1900〜1988年

家庭生活を豊かな情感でよむ

昭和時代の俳人。

熊本県生まれ。本名は破魔子。熊本県立高等女学校（現在の熊本県立第一高等学校）卒業。1918（大正7）年に俳句をつくりはじめる。結婚後しばらく句作からはなれていたが、1932（昭和7）年に高浜虚子に入門し、1934年、俳句雑誌『ホトトギス』の同人となり、たちまち頭角をあらわす。女性らしい感覚でとらえた日常の断片を豊かな情感をもって、のびのびとよむ。

また、同人誌『風花』を主宰し、放送での俳句指導でも人気を集めた。句集に『春雪』『汀女句集』『花影』などがある。「咳の子のなぞなぞあそびきりもなや」「たんぽぽや日はいつまでも大空に」などの句が知られている。 学 切手の肖像になった人物一覧

なかむらなおぞう

郷土

中村直三　1819〜1882年

「天下の老農」とよばれた農業指導者

（中村直史氏提供）

江戸時代後期〜明治時代の農民。

大和国山辺郡永原村（現在の奈良県天理市）に生まれ、父のあとをつぎ、奈良奉行所の番人となった。1856年、重税に苦しむ農民たちが、代官（地方の事務をおこなう役職）にうったえようとするのをしずめ、村の治安をたもった。米の収穫をふやすことが村の立て直しになると考え、各地から良質のイネを手に入れ、イネの改良に成功した。1868（明治元）年、明治新政府の役人に耕地不足に苦しむ農民の暮らしをうったえ、税をへらす回答を得た。各地でイネやワタの増産法を指導し、1875年、奈良県植物試作掛となり、イネの品種改良にはげんだ。1877年、評判を聞いた秋田県にまねかれ、東北、関東、北陸各地をまわって農業指導にあたった。1881年、東京でひらかれた第2回内国勧業博覧会に742品種のイネと27種のワタを出品し、関係者をおどろかせた。奈良県は、明治時代なかばから昭和時代初期にかけて1反（約10a）あたりの収穫量が日本一だった。

なかむらはじめ

思想・哲学　学問

中村元　1912〜1999年

比較思想史を開拓した、インド思想と仏教学の研究者

昭和時代のインド哲学者、仏教学者。

島根県生まれ。1936（昭和11）年、東京帝国大学（現在の東京大学）文学部印度哲学梵文学科を卒業する。1943年、東京帝国大学助教授となり、第二次世界大戦後、スタンフォード大学などの客員教授もつとめ

た。1954年、東京大学教授に就任、1957年、『初期ヴェーダーンタ哲学史』（ヴェーダーンタはインド哲学の一派）で学士院恩賜賞を受賞。1968年に財団法人「東方研究会」を創立し、理事長となる。翌年、東京大学を定年退官、私塾「東方学院」を創立、院長につく。東洋思想の高度な研究を進める一方、宗派や国籍、年齢にかかわらず、本当に学問を学ぼうとする一般の人にもわかりやすく講義をした。1977年に文化勲章、1984年に勲一等瑞宝章を受章。

インド哲学、仏教学、東洋文化など幅広い分野を研究し、世界中の思想を比較研究する新しい分野を開拓した。1500点におよぶ論文、著書の多くが外国語に訳され、世界中の研究者に影響をあたえている。

学 文化勲章受章者一覧

なかむらはちだい

音楽

中村八大 1931〜1992年

流行歌『上を向いて歩こう』の作曲者

昭和時代〜平成時代の作曲家、ピアニスト。

中国、青島（現在の山東省）生まれ。早稲田大学卒業。小学校校長の父のもと、幼少より音楽の才能をあらわし、ドイツ人音楽家にピアノを習う。高校時代にはジャズバンドでピアノ演奏をはじめ、大学在学中もジャズに熱中。1952（昭和27）年、ジョージ川口、松本英彦、小野満とジャズバンド「ビッグ・フォー」を結成し、人気となる。

1959年、永六輔とのコンビでだした歌謡曲『黒い花びら』が大ヒットして、第1回日本レコード大賞を受賞。以後、「八六コンビ」で、『こんにちは赤ちゃん』や『遠くへ行きたい』『明日があるさ』のなど数々のヒット曲をだす。気軽に口ずさめるメロディーが愛され、なかでも坂本九が歌った『上を向いて歩こう』（1961年）は、『スキヤキ』の題名で、海外60か国でも発売され、日本のもっとも有名なポピュラー曲となる。ほかにクラシック作品『交響曲ヘ長調』（1970年）がある。

なかむらまさなお

教育

中村正直 1832〜1891年

自由民権思想の形成に大きな影響をあたえた教育者

幕末〜明治時代の啓蒙思想家、教育者。

号は敬宇。江戸（現在の東京）に幕府同心の子として生まれる。昌平坂学問所で学び、1866年、幕府遣英留学生の監督として、イギリスへわたる。帰国後、静岡学問所の教授となった。1870（明治3）年、スマイルズの著書『自助論』の翻訳本『西国立志編』を出版し、ベストセラーとなる。この中で「天は自ら助くる者を助く」という名訳文をのこした。翌年には、ジョン・スチュアート・ミルが書いた『自由論』の翻訳本『自由之理』を出版し、西洋の民主主義思想を紹介、その後の自由民権思想の形成に影響をあたえた。

（国立国会図書館）

1872年、大蔵省翻訳局に入り、翌年、福沢諭吉らとともに日本初の啓蒙学術団体「明六社」の創立に加わる。1873年、私塾「同人社」を開校し、翌年、キリスト教の洗礼を受け、東京大学教授、元老院議官、女子高等師範学校（現在のお茶の水女子大学）校長、貴族院議員などをつとめた。晩年まで女子教育や障害者教育に力をつくし、明治の六大教育家の一人とされる。

なかむらりんすけ

郷土

中村林助 ？〜1767年

浜ちりめんの生産をはじめた織元

江戸時代中期の織元。

近江国浅井郡難波村（現在の滋賀県長浜市）に生まれた。毎年のようにおこる水害になやむ村を救う対策として、昔から農閑期におこなわれていた養蚕と織物に目をつけた。宮津（京都府宮津市）の商人からちりめんが商売に有利だと聞き、丹後ちりめんの生産地でちりめんの織り方をおぼえた。1752年、彦根藩（滋賀県東部）の許可を得て、「浜ちりめん」の生産をはじめた。これを京都で販売しようとしたが、織物の産地の西陣の業者から、独占権にふれるとうったえられ、販売禁止となった。

彦根藩にはたらきかけ、京都奉行所の役人に浜ちりめんや金銭を贈った結果、1759年に京都での販売が許可された。彦根藩は、林助を織元に任命し、織物を管理する権利をあたえるかわりに年貢をおさめさせた。浜ちりめんは、藩の特産品になり、長浜の経済をささえた。

なかやうきちろう

学問

中谷宇吉郎 1900〜1962年

世界初の人工雪を生成した物理学者

昭和時代の物理学者。

石川県生まれ。1922（大正11）年に東京帝国大学（現在の東京大学）理学部に入学して寺田寅彦に学び、卒業後、理化学研究所の寺田研究室の助手となる。ロンドン大学のキングス・カレッジ留学をへて、北海道帝国大学（北海道大学）理学部助教授、さらに教授に就任。雪の結晶の研究を開始した。1936（昭和11）年、同大学の低温実験室にて、世界ではじめての人工雪の製作に成功。雪結晶形成と大気状態の関係を、のちに「中谷ダイヤグラム」とよばれる図にまとめるなど、低温科学の分野で業績を上げた。1952年には、アメリカ合衆国の雪氷凍土研究所研究員としてアメリカへわたり、氷の物性を研究。その後、グリーンランドで氷の研究などもおこなった。

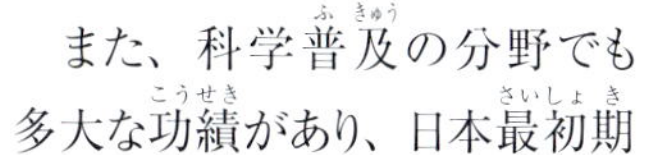

また、科学普及の分野でも多大な功績があり、日本最初期の科学映画の制作を指導。1948年には、科学映画『霜の花』『大雪山の雪』(日本映画社)を完成させた。科学を題材にした随筆も多数著し、「雪は天から送られた手紙である」という名言をのこしている。

学 切手の肖像になった人物一覧

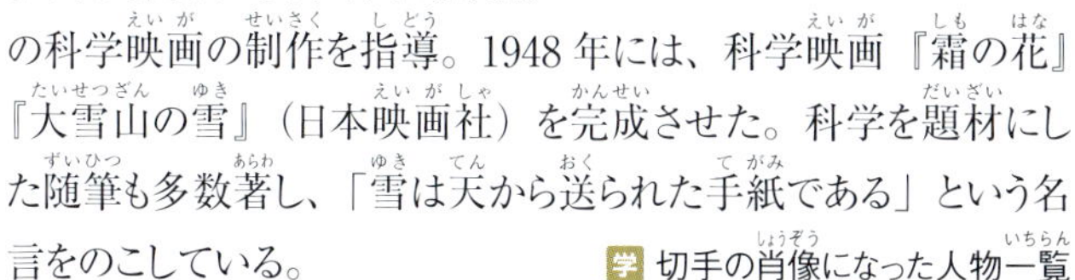

ながやおう

貴族・武将

長屋王　684～729年

藤原氏の陰謀により自害させられた

▲長屋王邸の復原模型

(奈良文化財研究所)

飛鳥時代～奈良時代の皇族。天武天皇の孫で、高市皇子の子。草壁皇子の娘吉備内親王を妻とし、親王に準じる高い待遇を受けた。元明天皇に信頼され、718年に大納言となる。720年、朝廷の実力者だった藤原不比等が亡くなったあと朝廷の中心に立ち、721年に右大臣、724年、左大臣に昇進した。長屋王は、役人たちに勤勉と実直をすすめるまじめな人物で、法令の違反者などにはきびしく対処した。

722年、墾田100万町歩(約100万ha)開墾計画、723年、新しく土地を開墾した者には3代にわたり私有をみとめる「三世一身の法」を実施し、荒れ地を開墾して国の税収をふやそうとした。

724年、藤原氏の血をひく聖武天皇が即位すると、藤原武智麻呂ら藤原4兄弟の勢力が強くなった。この年、聖武天皇が母の藤原宮子を「大夫人」とよぶように命じたとき、長屋王は令(法令)の規定に反するとし、令のとおり、「皇太夫人」としるし、「大御祖」とよぶように訂正した。

さらに729年、藤原氏は、藤原不比等の娘の光明子を皇后に立てようと計画したが、「皇后は皇族から得られるもの。臣下で皇后になったものはいない」と長屋王が反対することは明らかだった。長屋王は藤原氏にとってじゃまな存在となった。同年、「長屋王はひそかに左道(邪悪な道)を学び、国家をかたむけようとしている」という密告で謀反の罪に問われ、弁明の機会もあたえられず自害させられた。このとき、きさきの吉備内親王や膳夫王ら4人の子もあとを追って自害した(長屋王の変)。事件の半年後、光明子は藤原氏によって聖武天皇の皇后(光明皇后)に立てられた。

8世紀に編さんされ、奈良時代の歴史をしるした『続日本紀』には、事件の9年後、密告した役人が、長屋王につかえていた役人に殺されるという事件がおきたとしるされている。このことから、長屋王は藤原氏の陰謀により、無実の罪で自害に追いこまれたのだろうと考えられている。

長屋王は知識人、文化人としても有名で『万葉集』や漢詩集『懐風藻』に多くの詩歌をのこした。

▲「長屋親王」と書かれた木簡

(奈良文化財研究所)

近年、奈良市の長屋王の邸宅跡が発見され、3万5000点の木簡などがみつかったが、その中には「長屋親王」と書かれたものも存在する。

なかやまきゅうぞう

郷土

中山久蔵　1828～1919年

石狩平野に稲作を広めた農民

(北広島市教育委員会)

江戸時代後期～明治時代の農民、農業指導者。

河内国(現在の大阪府東部)の農家に生まれた。17歳のころ家を出て、諸国を放浪したのち、仙台藩(宮城県、岩手県南部)につかえた。明治時代になり、北海道の勇払(北海道苫小牧市)で雑穀の栽培を試みたが、うまくいかず、作物の育つ土地を求めて、島松(北海道北広島市)にたどりついた。

掘立小屋を建てて開墾をはじめ、雑穀を育てたところ、土が肥えて、たくさんの雑穀がとれた。次に、寒冷な北海道では、むりだといわれた米づくりをしようと考え、1873(明治6)年、知人から「赤毛」という品種の種もみを分けてもらい、苗代にまいた。

しかし、水が冷たいので、芽は出たが、成長しなかった。ふろの残り湯を何度もはこび、苗代に入れて水温を上げると、苗は育ち、秋にはたくさんのイネがみのった。これを知り、開拓村の人々がやってきて、種もみを求めた。その後、米づくりは石狩平野一帯に広まった。

なかやましんぺい

音楽

中山晋平　1887〜1952年

『カチューシャの唄』を作曲

（中山晋平記念館）

大正時代〜昭和時代の作曲家。

長野県生まれ。東京音楽学校（現在の東京藝術大学）卒業。1905（明治38）年に上京し、劇作家の島村抱月の書生をしながら音楽学校にかよった。

1914（大正3）年、抱月が主催する芸術座の上演劇『復活』で、ヒロインの松井須磨子が歌う劇中歌『カチューシャの唄』を作曲し、大評判となる。1920年より、詩人の野口雨情とともに、児童雑誌『金の船』（のちに『金の星』と改称）や『コドモノクニ』に、『あの町この町』『証城寺の狸囃子』などの童謡を発表する。日本民謡の音階やリズムを生かした庶民的な曲は「晋平ぶし」とよばれ、現在も身近な愛唱歌として親しまれている。代表作に、『てるてる坊主』、劇中歌『ゴンドラの唄』、新民謡『東京音頭』、流行歌『船頭小唄』『波浮の港』『東京行進曲』などがある。

作品は童謡818、新民謡282、流行歌462、ほかに校歌・社歌など、およそ1770曲がある。

なかやまただちか

貴族・武将

中山忠親　1131〜1195年

『山槐記』『水鏡』の著者

平安時代後期の公家の高官。

権中納言、藤原忠宗の子。蔵人（天皇の機密文書などを管理する蔵人所の役人）、蔵人頭（蔵人所の長官）をへて、1164年、太政官の役職の一つである参議、1167年、権中納言や右衛門督（宮中の警備などをおこなう右衛門府の長官）、検非違使別当（都の治安維持や裁判を担当する役所の長官）、1183年には大納言（太政官の次官）となり、後白河上皇（譲位した後白河天皇）に重用され、院の別当（上皇の役所の長官）となった。

朝廷の儀式やしきたりに明るく、1185年には源頼朝により、朝廷の重要な役職として定められた議奏公卿に推薦された。

1191年、内大臣（左大臣、右大臣に準ずる官職）に昇進した。

忠親ののこした日記『山槐記』は、平氏の興隆から、源平の争乱前後を記録した重要な資料である。また、神武天皇から仁明天皇までの57代1500年間を記述した歴史物語『水鏡』の著者とされている。

なかやまただみつ

幕末

中山忠光　1845〜1864年

20歳で暗殺された天誅組の首領

（下関市立歴史博物館所蔵）

幕末の尊王攘夷派公家。

准大臣、中山忠能の子。1853年のペリー来航後、朝廷の重臣である父のもとに諸藩の志士がきて、天皇をうやまい外国勢力を追いはらおうという考えの尊王攘夷をうったえた。忠光もその影響を受け、1862年、長州藩（現在の山口県）の久坂玄瑞、水天宮（福岡県久留米市）の神官真木和泉ら尊王攘夷派と交流し、過激な尊王攘夷をとなえて公家の中心に立った。翌年、京都を脱出して長州へ行き、下関の外国船砲撃に参加した。その後京都にもどり、孝明天皇が攘夷祈願のために大和（奈良県）へむかうことが決まると、吉村寅太郎ら尊王攘夷派の同志をしたがえて京都から大和へと行き、天誅組を結成して首領となった。

8月17日、攘夷実行の先がけとして五条（奈良県五條市）の代官所をおそって代官を殺害し陣屋を焼きはらった。これを天誅組の変という。しかし翌日、八月十八日の政変で朝廷から尊王攘夷派が追放されて天皇の行幸は中止となり、立場は一変した。天誅組は幕府軍の追討を受けて十津川（奈良県）で敗北し、忠光は長州へのがれた。1864年の禁門の変で長州藩の過激派がやぶれ、第一次長州出兵で長州藩は幕府に降伏した。忠光の立場は危うくなり、藩内の幕府を支持する佐幕派によって暗殺された。

なかやまみき

宗教

中山みき　1798〜1887年

天理教の教祖

江戸時代後期の宗教家。

大和国三昧田村（現在の奈良県天理市）の庄屋の娘として生まれる。幼いころから信仰心があつかったといわれる。

1810年、13歳で庄屋敷村（天理市）の地主中山家にとつぎ、6人のこどもをもうけた。1838年、41歳のときに長男の病気の回復を祈っていたところ、神がかり状態になり、これをきっかけに布教活動をはじめ、天理王命（天地創造の神）による世界の救済を説いた。やがて、安産や病気回復の生き神としての評判が立って、近隣の人々から尊敬を集めるようになり、大和国を中心に信者をふやしていった。

明治維新後は政府から弾圧されてたびたび警察や監獄に留

置されたが、およそ50年のあいだ、屈することなく布教活動につとめた。この教えは天理教とよばれ、原典として『おふでさき』『みかぐらうた』という書を著した。

なかんだかりちげん

郷土

仲村渠致元　1692〜1754年

琉球陶器の発展につくした陶工

江戸時代中期の琉球（沖縄県）の陶工。

琉球泉崎村（現在の沖縄県那覇市）に生まれた。1724年、王の命令で、八重山列島の石垣島（沖縄県石垣市）にわたって、焼き物の製法を学び、八重山焼の製法を伝えた。

1731年、薩摩（鹿児島県西部）の苗代川窯、竪野窯に行き、朝鮮半島の陶工によってもたらされた薩摩焼の技法を学び、帰郷後涌田（那覇市）に窯をひらいて、陶器づくりをはじめた。

1743年、壺屋村（那覇市にあった村）に窯をつくり、日用品としてつかわれる素朴な「壺屋焼」を制作した。現在、県内には、100あまりの壺屋焼の窯元がある。

ナギブ，ムハンマド

政治

ムハンマド・ナギブ　1901〜1984年

エジプト共和国の初代大統領

エジプトの軍人、政治家。初代大統領（在任1953〜1954年）。

スーダンのハルツームに生まれる。エジプト軍に入隊し、1948年の第一次中東戦争後、少将となった。軍内部からの信頼があつく、第一次中東戦争での活躍もあり、ナセルがひきいる自由将校団の団長としてむかえられる。1952年のクーデターにおいては、指導者の一人として、ナセルとともにエジプト革命を成功させた。国王ファールーク1世を国外に追放して、革命政府の首相となったのち、翌年の共和制宣言（王政廃止）にともないエジプト共和国初代大統領に就任した。しかし、大統領といっても名目的な存在で、思想的にも穏健派であったことから、徹底した革命を主張する自由将校団の中心人物ナセルと対立し、1954年、辞任に追いこまれた。さらに、ナセル暗殺計画に加担したうたがいで、同年、大統領を解任され、その後、1973年まで自宅に軟禁された。

ナジ・イムレ

政治

ナジ・イムレ　1896〜1958年

民主化を求め、ソ連に処刑されたハンガリーの政治家

ハンガリーの政治家。首相（在任1953〜1955年、1956年）。

西部のカポシュバールの貧しい農家に生まれた。1917年、第一次世界大戦中にロシアの捕虜となったが、ロシア革命がおこり、革命に参加。翌年、共産党入党。帰国後は国内で労働運動を指導した。1929年、ソビエト連邦（ソ連）に亡命し、第二次世界大戦末期の1944年に帰国。ソ連軍の占領下で農業大臣、内務大臣などを歴任し、1953年に首相就任。農業改革や宗教の緩和政策などをおこなうが、党内のスターリン主義者から反発され、1955年に失脚した。翌年、政府やソ連に対する大規模な暴動（ハンガリー動乱）がおこると、民主化を求める民衆の支持を受け、ふたたび首相に就任。ソ連を中心とした軍事同盟ワルシャワ条約機構の脱退を宣言、ハンガリーの中立化と一党独裁の廃止（複数政党制）をみとめたが、ソ連の軍事介入を受けた。ナジはユーゴスラビア大使館にのがれ、その後、安全を保障され大使館を出たところ、ソ連当局に連行、1958年に処刑された。31年後の1989年、ハンガリー民主化運動の際、名誉回復され、有罪はとりけされた。

なしきかほ

絵本・児童

梨木香歩　1959年〜

『西の魔女が死んだ』の作者

作家、児童文学作家。

鹿児島県生まれ。同志社大学在学中にイギリスに留学して、児童文学者のベティ・モーガン・ボーエンに師事する。帰国後、心理学者の河合隼雄の研究室でアルバイトをする。不登校の少女と祖母の物語『西の魔女が死んだ』は、個人的に書いた物語だったが、心理学者の河合隼雄がこれを読んで感動して出版社にもちこんだことをきっかけに作家としてデビューし、日本児童文学者協会新人賞などを受賞。『裏庭』（児童文学ファンタジー大賞）をはじめ、『からくりからくさ』『沼地のある森を抜けて』や、エッセー『春になったら苺を摘みに』など、豊かな感性と美しい文体で独特の世界をつむぎだしている。

なすのよいち

貴族・武将

那須与一　生没年不詳

小舟の扇を射ぬいた弓の名手

平安時代後期〜鎌倉時代前期の武将。

下野国那須郡（現在の栃木県那須町周辺）の豪族、那須資隆の子というが、歴史的な資料がなく、実像はほとんど不明。鎌倉時代の軍記物語『平家物語』や『源平盛衰記』によれば、源平の争乱で平氏が劣勢になった1185年、源義経軍にしたがって屋島（香川県高松市）で戦った。このとき、小兵ながら、平

氏方が舟にかかげた扇の的をみごとに射落として、敵味方両軍のかっさいをあびて有名になった。この物語は、後世、能や歌舞伎、浄瑠璃などの芸能にとり入れられ、庶民に親しまれた。

なすまさもと

絵本・児童

那須正幹 1942年〜

『ズッコケ三人組』シリーズでこどもたちに人気

児童文学作家。

広島県生まれ。3歳のときに原爆を体験する。島根県立島根農科大学（現在の島根大学農学部）を卒業後、東京で就職するが、2年で退社して広島に帰る。家業の書道塾をてつだい、こどもと接しながら児童文学の創作をはじめた。1972（昭和47）年、『首なし地ぞうの宝』で作家としてデビューする。1978年に『それいけズッコケ三人組』を出版。個性のことなる3人の少年の日常と冒険を、時代性をとり入れながらユーモラスにえがき、こどもたちに圧倒的な人気を誇り、『ズッコケ三人組』シリーズとして全50巻を数えた。

2000（平成12）年には『ズッコケ三人組のバック・トゥ・ザ・フューチャー』が野間児童文芸賞を受賞。続編の『ズッコケ中年三人組』シリーズのほか、時代ものの『お江戸の百太郎』シリーズ、みずからの原爆体験や戦争をテーマにした『絵で読む　広島の原爆』『折り鶴の子どもたち』、戦後の広島を舞台にえがいた長編『ヒロシマ』三部作など幅広い作品がある。

ナセル，ガマル・アブドゥール

政治

ガマル・アブドゥール・ナセル 1918〜1970年

アラブ民族主義運動、非同盟諸国の指導者

エジプトの軍人、政治家。大統領（在任1956〜1970年）。

1938年、陸軍士官学校卒業。1948年の第一次中東戦争に従軍し、エジプト軍の敗北を経験、王政の腐敗を知り、国内変革の必要性を痛感する。士官学校時代の仲間など陸軍の青年将校を中心に自由将校団を結成。1952年にクーデターをおこし、国王を追放してエジプト革命を成功させた。名目的な指導者として大統領に就任したナギブ将軍を辞任に追いこみ、1956年、大統領となる。農地改革や有力産業の国有化など、アラブ社会主義政策をおし進めた。

イギリスの管理下にあったスエズ運河の国有化を宣言すると、スエズ戦争（第二次中東戦争）がおきたが、国際世論を味方につけ、国有化を達成、アラブの英雄となった。また、非同盟諸国の指導者としても名を高めた。しかし、1967年の第三次中東戦争では6日間でイスラエルに敗北、シナイ半島を占領された。その後、イスラエルに対して、武力ではなく、政治・外交交渉による解決を求めたが、求心力が低下するなか、52歳で急死した。

なつかまさいえ

戦国時代

長束正家 ?〜1600年

豊臣秀吉の財政をささえた五奉行の一人

戦国時代〜安土桃山時代の武将。

近江国（現在の滋賀県）に生まれる。通称は新三、新三郎。

はじめは、織田信長の重臣であった丹羽長秀につかえ、なみはずれた算術の才能を発揮する。1585年に長秀が亡くなると、豊臣秀吉にみこまれ、大蔵大輔として財政をまかされる。

1587年の九州征討や、1590年の小田原攻めでは、兵糧の調達や輸送をとりしきり、近江国や越前国（福井県北東部）などで、太閤検地の奉行をつとめた。肥前国（佐賀県・長崎県）の名護屋城や京都の伏見城の工事をおこない、1595年には、近江国の水口城主となり、5万石（のちに12万石）を領した。1598年、五奉行の一人となる。秀吉の死後、1600年の関ヶ原の戦いで、西軍の石田三成方についてやぶれ、自害した。

ナッシュ，ジョン

学問

ジョン・ナッシュ 1928〜2015年

「ナッシュ均衡」で知られる数学者

アメリカ合衆国の数学者。

ウェストバージニア州生まれ。カーネギー工科大学で化学工学の学士・修士号を取得し、その後、プリンストン大学で数学の博士号を取得した。

博士論文『非協力ゲーム理論』では、利害のことなる複数の個人や企業が、それぞれ自分にとって最適な戦略をえらんで行動すると、これ以上戦略を変更する必要のない安定的な状態に落ち着くこと（ナッシュ均衡）を数学的に証明した。この理論は、経済だけでなく、政治や環境問題など多様な分野に応用できるものとして評価され、1994年にはノーベル経済学賞を授与された。

天才と評価されながら統合失調症に苦しんだ波乱の人生は、小説『ビューティフル・マインド』にえがかれ、映画にもなった。

学 ノーベル賞受賞者一覧

なつめそうせき

夏目漱石 → 117ページ

なつめそうせき

夏目漱石

文学　1867〜1916年

日本の近代文学を代表する小説家

▲夏目漱石　（日本近代文学館）

■正岡子規と交流する

明治時代〜大正時代の作家。

江戸の牛込馬場下横町（現在の東京都新宿区）の町方名主（町をおさめる役人）夏目直克の子として生まれた。本名は金之助という。生まれてまもなく里子（よその家にあずけられ養育されるこども）にだされ、つづいて父の友人だった塩原家の養子になったが、10歳のとき養父母が離婚したため生家にもどった。1884（明治17）年、18歳のとき東京大学予備門（東京大学の予備機関でのちの第一高等中学校）に入学し、英文学の研究を生涯の仕事にしようと志した。在学中に正岡子規と出会って親しくなり、子規から俳句を学んだ。

■松山中学で英語を教える

1893年、東京帝国大学（現在の東京大学）の文科大学英文科を卒業した。1895年、29歳のとき、松山の愛媛県尋常中学校の英語教師になった。松山は子規の故郷で、静養のために帰郷していた子規と下宿に同居し俳句をつくった。このときの教師体験からのちに小説『坊っちゃん』が生まれた。1896年、熊本県の第五高等学校（のちの熊本大学）の講師になった。

1900年、34歳のとき文部省からイギリス留学を命じられロンドンで英語研究に没頭したが、西洋での生活になじめず神経衰弱になり、2年あまりで留学を終えた。1903年、帰国した漱石は、第一高等学校と東京帝国大学英文科の兼任講師になった。

■『吾輩は猫である』が評判になる

1905年、39歳のとき、俳人の高浜虚子が正岡子規らの協力で刊行していた俳句雑誌『ホトトギス』に、『吾輩は猫である』を発表した。中学の英語教師である苦沙弥先生の家に飼われているネコに託して人間の社会を批評した小説で、好評だったために書きつがれて、長編小説となった。1906年、『坊っちゃん』『草枕』『二百十日』を発表して評判となり、小説家としての地位をゆるぎないものにした。

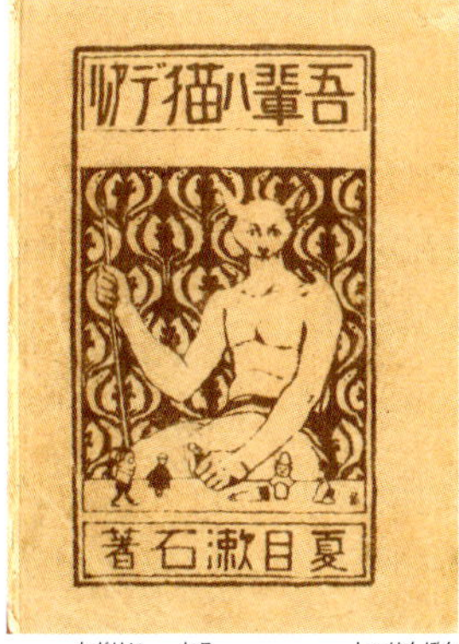

▲『吾輩は猫である』初版本の表紙　（日本近代文学館）

漱石は小説家に専念する決意をし、1907年、41歳で大学をしりぞき東京朝日新聞社に入社した。その後専属作家として新聞の文芸欄に『虞美人草』『三四郎』『それから』『門』などを次々と連載し、多くの読者を得た。漱石はイギリスに留学して以来、胃病に苦しめられていたが1910年、44歳のとき療養先の修善寺温泉（静岡県伊豆市）で大量の血をはき一時危篤におちいった。回復後ふたたび執筆にはげみ『彼岸過迄』『こころ』『硝子戸の中』『道草』などを発表したが、5年後の1916（大正5）年、50歳のとき『明暗』を執筆中に亡くなった。

漱石には多くの門人があり、毎週木曜日を「木曜会」と称して自宅を開放し、門人と文学論や人生論をかわした。その中から作家の鈴木三重吉や内田百閒、芥川龍之介、随筆家の寺田寅彦、哲学者の和辻哲郎などすぐれた人々が世に出た。

学 お札の肖像になった人物一覧　学 切手の肖像になった人物一覧
学 日本と世界の名言

▲夏目漱石の家　1903〜1906年まで住み『吾輩は猫である』を書いた。森鷗外の旧宅でもあった。　（博物館明治村）

夏目漱石の一生

年	年齢	主なできごと
1867	1	江戸に生まれる。
1893	27	東京帝国大学文科大学英文科を卒業。
1895	29	愛媛県尋常中学校の英語教師になる。
1896	30	第五高等学校の講師になる。
1900	34	文部省の留学生としてイギリスへわたる。
1903	37	第一高等学校と東京帝国大学で講師となる。
1905	39	『吾輩は猫である』を発表する。
1906	40	『坊っちゃん』『草枕』を発表する。
1907	41	東京朝日新聞社に入社する。
1910	44	療養先の修善寺で死にかける。
1916	50	『明暗』を連載中に胃病で亡くなる。

※年齢は数え年であらわしている

ナブラチロワ，マルチナ

スポーツ

マルチナ・ナブラチロワ　1956年～

最強クラスの女子テニス選手

チェコ出身のプロテニス選手。

チェコスロバキア生まれ。母国でテニスの英才教育を受けていたが、1975年にアメリカ合衆国へ亡命し、1981年にアメリカの市民権を獲得した。

1978年、ウィンブルドン選手権に初優勝した。ウィンブルドンでは、1982～1987年の6連勝をふくめ、史上最多の計9度の優勝をはたしている。1984年にはシングルス74連勝を達成した。この記録は男女を通じ、現在もやぶられていない。

そのほか四大大会で計18勝、女子テニス協会（WTA）ツアーの最多優勝記録（シングルス167勝、ダブルス177勝）など、歴史にのこる数々の記録を樹立し、2006年に現役を引退した。

なべしまなおまさ

幕末

鍋島直正　1814～1871年

藩財政の危機を救った幕末の名君

▲鍋島直正

（国立国会図書館）

江戸時代後期～幕末の佐賀藩（現在の佐賀県）の藩主。

肥前国佐賀藩の藩主鍋島斉直の子。号は閑叟。1830年、父のあとをつぎ藩主となる。藩校弘道館の優秀な人材を育成、登用するなどの教育改革や、藩の財政難を立て直すため質素倹約につとめ、財政の緊縮化をめざした。1837年には藩の債務の整理、加地子米といわれる小作料を10年間猶予するなど農村の再建をおこなった。

父の斉直が藩主の時代の1808年に、イギリスの軍艦フェートン号が長崎港内に乱入してオランダ商館員をとらえ、薪水、食糧を強要した事件がおこった。長崎港の警備を命じられていた佐賀藩はこれを止められなかったので、幕府は父の斉直を謹慎処分にした。直正は父の汚名をそそぐため、長崎防衛の強化をはかり、1836年から長崎台場（砲台）での大砲発射訓練や軍事技術の改善をおこない、長崎沿岸の警備を重視した。

1849年、軍事費確保のため積極的に領内の産物増産を奨励し、特産物の石炭とろうを専売制にして財政を豊かにした。翌年、長崎港外の伊王島と神ノ島に洋式大砲を設置する台場の築造をはじめ、2年あまりののちに完成させた。また、洋式大砲を製造するため日本ではじめての反射炉を建設し、鉄製大砲を製造して伊王島、神ノ島に56門配置した。

▲反射炉と大砲製造所『築地反射炉絵図』より（公益財団法人鍋島報效会所蔵）

ヨーロッパの医学知識にも深い関心をしめし、当時の不治の病であった天然痘の予防接種のワクチンをオランダから輸入してこどもたちに率先しておこない、根絶につとめた。

1853年、アメリカ合衆国のペリーの来航時に幕府は諸大名の意見を聞いたが、直正は外国勢力を打ちはらおうという考えの攘夷を主張。1861年、48歳で藩主をしりぞいたが、その後も実権をにぎり、翌年には京都、江戸（東京）におもむき、朝廷と徳川将軍家がむすぶ公武合体を進めようとした。その後も殖産興業、富国強兵路線をとり、強大な軍事力をもつ藩を築いた。

朝廷の政治が復活した王政復古後の1868年、新政府の重職、議定となった。同年におこった戊辰戦争（1868～1869年）で西洋式軍備をととのえた佐賀藩兵が活躍、新政府軍を勝利にみちびき、それにより新政府の中核をになう「薩長土肥」の一角となった。佐賀の七賢人の一人とされる。

なべやまさだちか

政治

鍋山貞親　1901～1979年

獄中で、共産主義からの共同転向声明を発表

大正時代～昭和時代の社会運動家。

大阪府生まれ。小学校卒業後、職人としてはたらきながらしだいに社会主義運動に参加、労働団体である友愛会（のちの日本労働総同盟）に所属した。1922（大正11）年、日本共産党に入党。1925年、総同盟から分裂した日本労働組合評議会で中央委員、教育部長を歴任。1927（昭和2）年、モスクワのコミンテルンに派遣され、帰国後、共産党中央常任委員に就任する。1928年、日本共産党に対する全国的な検挙（三・一五事件）では、検挙をまぬがれるが、翌年、2度目の検挙（四・一六事件）で検挙され、無期懲役となる。1933年、獄中で佐野学と共同転向声明「共同被告同志に告ぐる書」を発表し、それまでの共産主義思想を放棄すると表明した。これが共産党員や運動家の大量転向の契機となり、当時の共産主義運動に大き

な打撃をあたえた。1940年、恩赦で出獄、1945年、北京に移る。第二次世界大戦後の1946年には世界民主研究所を設立、代表理事をつとめ、反共理論家として活動した。

ナポレオンいっせい

ナポレオン1世 → 120ページ

ナポレオンさんせい

王族・皇族

ナポレオン3世　1808〜1873年

ナポレオン1世の帝政を復活

▲ナポレオン3世

フランス第二共和政の大統領（在任1848〜1852年）、第二帝政の皇帝（在位1852〜1870年）。

ナポレオン1世の弟のオランダ王ルイ・ボナパルトの第3子として、パリに生まれる。通称はルイ・ナポレオン。1815年、ナポレオン1世が没落したとき、7歳だったルイは、ドイツのアウクスブルクへ、ついでスイスに亡命。その地で陸軍士官学校を卒業して、砲兵士官となった。1832年、ウィーンに亡命していたナポレオン2世が亡くなると、ボナパルト家の家長となり、ナポレオン1世がはじめた帝政の復活をめざすようになった。1836年、ドイツ国境付近のストラスブールで決起したが、失敗してアメリカ合衆国に追放。1840年、今度はドーバー海峡の港町ブーローニュで決起するが、またもや失敗し、とらえられて無期懲役の刑をくだされた。獄中で『貧困の絶滅』を著したのち、脱獄してロンドンにのがれた。1848年にフランスで二月革命がおこると、帰国して国民議会の選挙に立候補し当選。つづく12月、共和政の大統領選挙で圧勝した。そして1852年、国民投票をおこない皇帝の位につき、ナポレオン3世と称し、第二帝政がはじまった。言論や出版の自由を禁止するなど専制政治をおこなう一方、鉄道や工業、都市の改造などの公共事業をおこし、産業革命の完成をめざした。パリの都市計画では、セーヌ県知事オスマンに大通りの建設や下水道の整備など大改造をおこなわせた。1867年にひらいたパリ万国博覧会には日本も招待し、江戸幕府から将軍の弟の徳川昭武が派遣された。国民の人気を維持するため外交は積極的におこなった。クリミア戦争に参戦し地中海での発言力を強め、アロー戦争に参加し中国に進出、イタリア統一戦争に介入しニースなどを獲得、東南アジアではベトナムやカンボジアの植民地化を進めた。

▲ナポレオン3世が参加したアロー戦争

1867年、メキシコへの出兵に失敗すると、国内でも独裁に反対する勢力が力を得てきた。さらに1870年、ドイツの統一をめざすプロイセンとのあいだで、普仏戦争がおこり、フランス北東部、ベルギーとの国境近くのセダンの戦いでやぶれて捕虜となった。その後、イギリスに亡命し、1873年、亡くなった。

学 世界の主な王朝と王・皇帝

なみきみちこ

音楽

並木路子　1921〜2001年

『リンゴの唄』で戦後の日本に希望を

昭和時代〜平成時代の歌手、俳優。

東京生まれ。本名は南郷庸子。幼いころを台湾ですごす。歌が好きで、1936（昭和11）年、松竹少女歌劇学校に入学する。翌年、浅草国際劇場で娘役として初舞台をふみ、1941年には歌手としてデビューした。第二次世界大戦中は、フィリピンや上海を慰問団としておとずれた。1945年、松竹の公開映画『そよかぜ』で主役に抜てきされ、挿入歌『リンゴの唄』（サトウハチロー作詞）を歌う。やさしく親しみやすい歌詞を、澄みきった明るい声で生き生きと歌い上げ、敗戦後のしずんだ日本人の心に希望をあたえた。

その後『リンゴの唄』は映画を上まわる人気をよび、レコード発売から約3か月で7万枚が売れ、翌年にかけて大ブームとなった。戦後、最初にヒットした歌謡曲といわれる。その後も『可愛いスイートピー』や『森の水車』などを発表し、歌謡界を代表する歌手として活躍した。

なめかたきゅうべえ

郷土

行方久兵衛　1616〜1686年

三方五湖を復旧した武士

江戸時代前期の武士。

若狭国小浜藩（現在の福井県小浜市）の藩士の子として生まれた。1647年、32歳のとき作事奉行（建築や修理などの工事を担当した役職）になり、1659年、44歳で、三方郡の郡奉行（地方をおさめる役人）になった。1662年、大地震により三方五湖の久々子湖と菅湖をつないでいた上瀬川の川底がもり上がり、河口がふさがった。そのため、菅湖、水月湖、三方湖の水がせき止められて、周辺の村々が水没した。藩から復旧工事の責任者に任命された久兵衛は、水月湖と久々子湖のあいだの浦見坂を切りひらいて水路をつくり、あふれた水を久々子湖に流す計画を立てた。難工事だったが、農民たちをはげましながら工事をつづけ1664年、全長324mの水路（浦見川）が完成した。三方五湖にあふれていた水は、久々子湖を通って若狭湾へ流れ、周辺には約300haの水田がひらかれた。

ナポレオン１世

ヨーロッパを支配したフランスの国民的英雄

▲指揮するナポレオン　1796年、イタリア遠征のときのアルコレ橋の戦いで。

■軍人として頭角をあらわす

フランス第一帝政の皇帝（在位1804～1814年）。フランス領コルス島（コルシカ島）の小貴族の家に生まれる。本名はナポレオン・ボナパルト。1779年、9歳のときにフランス本土にわたり、パリの南東にあるブリエンヌの幼年学校に入り、1784年、パリ士官学校に進学。1785年、16歳のときに砲兵士官としてフランス南部のバランスに赴任した。

1789年、フランス革命がはじまると、コルス島に帰り、国民衛兵となるが、島では反フランス勢力が強く命をねらわれたため、1793年、家族とともにマルセイユへ移住した。その後、革命の指導者であるロベスピエールがひきいるジャコバン派を支持したナポレオンは、砲兵隊司令官に任命された。そして、列国と同盟（第1回対仏大同盟）をむすんでフランスを包囲していたイギリスを、南フランスの軍港トゥーロンで撃破し撤退させた（トゥーロン攻略）。その功績により、准将に昇進したが、ジャコバン派が失脚すると、一時、投獄された。

■イタリア、エジプトへの遠征

1795年、5人の総裁が指導する総裁政府が発足すると、反革命の王党派によるバンデミエールの反乱がおこった。ナポレオンは総裁のバラスにより副官に登用され、この反乱を鎮圧した。さらに1796年、イタリア遠征軍の司令官に任命され、オーストリアの領土となっていた北イタリアを攻めてオーストリア軍をやぶった。その後、パリにもどったナポレオンは歓呼の声でむかえられた。

1798年、イギリスとその植民地であるインドとのつながりを絶つためエジプト遠征に出発。ピラミッドの戦い（ギザの戦い）で、オスマン帝国にかわりエジプトを支配していたマムルーク（奴隷出身の軍人）軍に勝利したが、フランス艦隊はアブキール湾でイギリス艦隊に壊滅的打撃を受けた。

エジプト遠征でロゼッタ・ストーンを発見

ナポレオンは1799年のエジプト遠征のときに、100人以上もの学者や科学者からなる学術調査団をともない、ナイル川探検や考古学調査をおこなわせ、多くの学問的な業績をあげた。なかでもナイル川河口で発見した石碑（ロゼッタ・ストーン）には、エジプトの古代文字であるヒエログリフ（神聖文字）とデモティック（民用文字）、ギリシャ文字の3つの書体がきざまれており、のちにフランスの言語学者・考古学者のシャンポリオンがエジプト文字を解読するための重要な手がかりとなった。

▲アルプスをこえるナポレオン　イタリア遠征で。

■第一統領から皇帝へ

1799年、ナポレオンのエジプト遠征に対して、イギリスとロシアが中心になって第2回対仏大同盟が結成されると、ナポレオンはひそかにエジプトを脱出し、フランスに帰国。強力な政府をつくろうとしていた総裁の一人シェイエスと組んで、クーデターをおこして総裁政府をたおし、統領政府の第一統領として政治の指導権をにぎった（ブリュメール18日のクーデター）。

▼戴冠式のナポレオン　1804年12月2日、パリのノートルダム大聖堂でローマ教皇ピウス7世をまねいておこなわれた戴冠式で、ナポレオンは、皇后ジョゼフィーヌに冠をさずけた。

対外的には、自由と平等をとなえるフランス革命の理念を輸出するという大義のもと、征服戦争を進めた。1800年、ふたたびイタリア遠征に出発し、イタリアの大部分を手にした。また対立関係にあったローマ教皇と和解し、1802年、イギリスとアミアン条約をむすび、社会の安定と平和をとりもどした。こうして終身統領となり、1804年3月、封建制の廃止、私有財産の不可侵、法の前の平等、経済活動の自由、信仰の自由など、フランス革命の成果をもりこんだ民法典（ナポレオン法典）を公布した。そして5月、人民投票により皇帝に就任。ナポレオン1世として第一次帝政がはじまった。

■ヨーロッパ大陸を支配

1805年、フランスが強大になるのをおそれて、イギリスとロシア、オーストリアなどにより第3回対仏大同盟が成立すると、ナポレオンはイギリス本土上陸作戦を計画。フランス艦隊の主力を英仏海峡に集めようとしたが、スペイン南部のトラファルガー沖の海戦で、ネルソンひきいるイギリス艦隊にやぶれて断念した。しかし大陸では、アウステルリッツの戦いでオーストリア・ロシア連合軍をやぶり、1806年、西南ドイツの領邦国家（神聖ローマ帝国を構成する小国家）を集めてライン同盟を結成させた。つづいてロシア・プロイセン連合軍をやぶり、さらにポーランドに入り、ワルシャワ大公国を設立させた。

また、大陸からイギリス勢力を排除しようと、大陸封鎖令をだし、イギリスとの通商を禁止した。それを徹底させるため、ポルトガルに遠征し、さらにスペインを占領し、兄のジョゼフをスペイン国王にすえた。こうして、ロシアをのぞくヨーロッパ大陸のほとんどをフランスの衛星国として支配し、家族や親族を君主にすえておさめさせた。みずからも1810年、オーストリアの皇女マリー・ルイーズと再婚し、フランス帝国は全盛期をむかえた。

■ロシア遠征に失敗

1812年6月、大陸封鎖令を無視してイギリスと通商をつづけるロシアに対して、60万の兵をひきいて遠征に出発。9月、モスクワを占領したが、ロシアは市内を焼きはらって食糧などを補給できなくする焦土作戦で抵抗。ナポレオン軍はなすすべもなく、10月に退却を開始。寒さがおそう敵地で大量の死者をだし、ロシア遠征は無残な結果に終わった。

1813年、プロイセン、オーストリアなどでは、民族意識に芽生えた国民が解放戦争に立ち上がり、ライプツィヒの戦いでナポレオン軍をやぶった。さらに1814年、パリに入城すると、ナポレオンは退位し、地中海の小島エルバ島に流された。

その後、フランスはブルボン王朝のルイ18世が王位につき王政復古がなされたが、王政に失望した軍隊やブルジョアジー、農民たちの声を受けて、1815年、ナポレオンはエルバ島を脱出し、ふたたび帝位についた。しかし、ウェリントン将軍がひきいるイギリス軍やプロイセン軍などとのワーテルローの戦いでやぶれ、百日天下に終わり、南大西洋のセントヘレナ島に流された。

1821年5月5日、51歳で亡くなると、彼を礼賛する回想録

▲オーストリア・ロシア連合軍をやぶったアウステルリッツの戦い　左の白馬の騎士がロシア皇帝アレクサンドル1世。右がナポレオン。

や伝記があいついで出版された。その遺骸は1840年、パリにはこばれ、傷痍軍人収容施設アンバリードに安置された。その後、フランスでは国民的英雄としてあがめられ、外国でも彼を礼賛する文学者や思想家、軍人、政治家は多い。

学 世界の主な王朝と王・皇帝　学 日本と世界の名言

●ナポレオン全盛時代のヨーロッパと主な戦い（1810年ごろ）

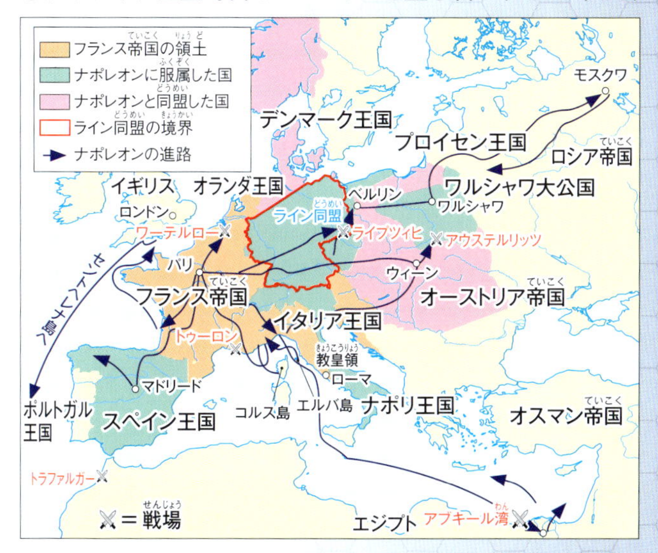

ナポレオン1世の一生

年	年齢	主なできごと
1769	0	8月15日、コルス島に生まれる。
1785	16	砲兵士官となる。
1793	24	トゥーロン港を占領していたイギリス艦隊をやぶる。
1796	27	イタリア遠征に出発。
1798	29	エジプト遠征に出発。
1799	30	クーデターで第一統領となる。
1804	35	民法典を公布。皇帝の位につく。
1805	36	アウステルリッツの戦いで大勝利。
1812	43	ロシア遠征に出発。
1813	44	ライプツィヒの戦いにやぶれる。
1814	45	エルバ島に流される。
1815	46	ワーテルローの戦いにやぶれ、セントヘレナ島に流される。
1821	51	5月5日、亡くなる。

※年齢は満年齢であらわしている

なやすけざえもん

納屋助左衛門 → 呂宋助左衛門

ならやもざえもん

産業

奈良屋茂左衛門 ?〜1714年

幕府の御用商人となって大もうけ

（国立国会図書館）

江戸時代前期の豪商。

江戸（現在の東京）に生まれる。第5代将軍徳川綱吉の時代に、深川（東京都江東区）で材木商をいとなんだ。1683年、幕府が日光東照宮（栃木県日光市）の修復工事をおこなったとき、材木の調達を一手に請け負って大もうけした。その後も幕府の土木事業を次々と請け負い、一代で巨万の富を築いた。同じころにばく大な富を築いた紀伊国屋文左衛門とはりあい、吉原（東京都中央区）の遊郭ではでな遊びをしたことでも知られる。

しかし綱吉が亡くなり、第6代将軍徳川家宣の下で新井白石が財政の引き締めをはかると、以前のようにもうけることができなくなり、材木商をやめて貸家業になったといわれる。亡くなるとき、息子たちに家賃収入でつましくくらすようにいいのこしたが、2人の息子は吉原などではでに遊び、遺産の多くをつかいはたした。

なりたためぞう

音楽

成田為三 1893〜1945年

日本ではじめて輪唱曲集をつくる

大正時代〜昭和時代の作曲家。

秋田県生まれ。東京音楽学校（現在の東京藝術大学）卒業。音楽学校では山田耕筰の教えを受け、在学中に『浜辺の歌』（林古渓作詞）を作曲した。卒業後、佐賀県で教職につくが、作曲活動のため1年でふたたび上京する。

鈴木三重吉が主催する児童雑誌『赤い鳥』専属の作曲家となり、西条八十作詞の『かなりや』など、創作童謡や歌曲を数多く作曲した。1922（大正11）年から4年間、ドイツに留学して作曲技法や音楽理論を学ぶ。帰国後は国立音楽学校で指導にあたり、日本で最初に輪唱の楽譜を出版するなど、音楽教育に力をつくす。

なりとみひょうごしげやす

郷土

成富兵庫茂安 1560〜1634年

筑後川に堤防や用水を築いた武士

戦国時代〜江戸時代前期の武士。

肥前国鍋島村（現在の佐賀市）に生まれた。戦国大名の龍造寺氏につかえ、のちに鍋島直茂につかえて、数々の戦でてがらを立てた。1603年、江戸（東京）に幕府がひらかれると、江戸の町の整備に参加して、治水を学んだ。その後、佐賀藩（佐賀県）の家老になり、治水工事や用水建設など100か所以上の工事にかかわった。当時、筑後国（福岡県南部）との国境を流れる筑後川は、毎年のようにはんらんし、流域の村々に大きな被害をあたえていた。12年をかけて、南茂安村から北茂安村（ともに佐賀県みやき町）まで長さ12kmの堤防（千栗堤防）を築き、洪水から人々を守った。また、1620年ごろ、嘉瀬川を水源とする用水をひいて、佐賀の城下町（佐賀市）をうるおした。そのとき兵庫がつくった石井樋（嘉瀬川の水を多布施川にとり入れる施設）が現在復原され、石井樋公園になっている。

▲石井樋公園
（嘉瀬川防災施設 さが水ものがたり館）

なるせじんぞう

教育

成瀬仁蔵 1858〜1919年

女子教育の発展につくした日本女子大学の創設者

明治時代〜大正時代の教育者。

周防国吉敷郡（現在の山口県山口市）の毛利家の一門につかえる家に生まれる。1876（明治9）年、山口県教員養成所の小学師範科を卒業し、小学校教員となる。翌年、大阪でキリスト教に入信。梅花女学校（現在の梅花女子大学）の主任教師となり、奈良や新潟の教会で熱烈な伝道をおこない、新潟女学校や北越学館の創立にもかかわった。1890年、アメリカ合衆国へ留学、アンドーバー神学校、クラーク大学で社会学、教育学を学び、女子教育の現場を視察した。帰国後、梅花高等女学校校長となり、その後、西園寺公望、渋沢栄一、広岡浅子ら有力者の支援を得て、1901年、日本女子大学校を創立、初代校長となる。日本女子大学校は日本の女子高等教育機関の先がけであり、成瀬は自発性を尊重する女子教育を進めた。

なるひとしんのう（こうたいし）

王族・皇族

徳仁親王（皇太子） 1960年〜

皇室の親善外交を進める皇太子

今上天皇（明仁）の皇子。

1960（昭和35）年、皇太子明仁親王と美智子妃の第1皇子として生まれ、称号を浩宮という。幼稚園から大学まで学習院で学び、1982年、学習院大学文学部史学科を卒業し、1983年から2年間イギリスのオックスフォード大学に留学した。1988年、学習院大学大学院に入学し、中世の交通、流通史を専攻、1988年人文科学研究科博士前期課程を修了し人文学修士となる。1989年、昭和天皇が亡くなり、父明仁親王が皇位をついだので事実上の皇太子となり、1991（平成3）年、

31歳で立太子の礼がおこなわれた。1993年、小和田雅子（現在の雅子妃）と結婚し、2001年に長女敬宮愛子内親王が生まれた。皇太子となってからたびたび外国を訪問し、皇室の親善外交を進めた。また、2005年には愛知県でひらかれた日本国際博覧会（愛知万博）の名誉総裁をつとめた。今上天皇の海外訪問期間中や病気療養期間中に天皇の国事行為臨時代行をつとめている。

なわながとし　貴族・武将

名和長年　?〜1336年

後醍醐天皇を助け、建武の新政の開始に貢献

鎌倉時代〜南北朝時代の武将。

はじめ、伯耆国（現在の鳥取県中部と西部）長田荘にいて長田又太郎長高と称したが、のちに名和（鳥取県大山町）に移って名和氏を称した。名和浦を拠点に、日本海沿岸の海上交通や商業活動によって富をたくわえた。1333年、隠岐国（島根県隠岐諸島）を脱出した後醍醐天皇が伯耆国に上陸すると、長高はこれをむかえて船上山（鳥取県）に立てこもり、近くの軍兵を集めて天皇を護衛し、鎌倉幕府軍を撃退した。倒幕に大きな貢献をしたため、天皇のあつい信頼を得ることになり、名を長年と改め、伯耆守に任じられた。建武の新政がはじまると、京都の商業活動を管理するなどの重用な役職について活躍した。しかし、1336年に足利尊氏が九州から京都へ攻めのぼったため、天皇とともに比叡山（京都市・滋賀県大津市）に避難するが、その後の京都での戦いで戦死した。楠木正成とともに、建武の新政の下で天皇に重用され、権勢をきわめた4人「三木一草」の一人にあげられる。

なんかいじん

南懐仁 → フェルビースト，フェルディナント

ナンセン，フリチョフ　探検・開拓

フリチョフ・ナンセン　1861〜1930年

北極探検家から、ノーベル平和賞受賞者へ

ノルウェーの探検家、海洋学者、政治家。

首都クリスチャニア（現在のオスロ）に生まれる。幼いころからスキーで森などを探検、大学では動物学を専攻した。船上からみたグリーンランドの景色がわすれられず、横断を決意した。1888年に、グリーンランド横断に成功した。

1893年からは北極探検に出発。フラム号という船で、北極点をめざした。1895年、最終的に犬ぞりとスキーで北緯86度13.6分の地点に到達。これまでの新記録となった。ナンセンの探検により、北極点周辺に陸地はないことがわかった。

帰国後は大学教授として、海洋学を研究。1905年にノルウェーがスウェーデン王を君主とする連合王国を解消するときには、自身の名前と立場をつかって、各国にも協力をはたらきかけた。

第一次世界大戦後は、政治家として国際連盟の結成や、捕虜、難民問題に力をつくす。国際連盟の初代難民高等弁務官に任命され、1922年にはノーベル平和賞を受賞。難民支援促進のためのナンセン難民賞は、彼の名にちなんでいる。

学 ノーベル賞受賞者一覧

なんとうきちざえもん　郷土

楠藤吉左衛門　1652〜1724年

袋井用水を築いた庄屋

▲楠藤吉左衛門の顕彰碑

（徳島市教育委員会）

江戸時代前期〜中期の農民、治水家。

阿波国名東郡島田村（現在の徳島市）の庄屋（村の長）の家に生まれた。島田村や付近の村は、田畑に水がとぼしく、干ばつの年は、イネがほとんど収穫できなかった。代官（地方の事務をおこなう役職）に年貢減免を願いでたが、ゆるされなかったので、用水路づくりを決意した。島田村西方を流れる鮎喰川付近のアシ原に水がわいているのを発見し、地下に水が流れていることを確信した。1692年、藩に許可を願いでて、2年後、長さ約180 m、幅約18 mの池をほる許可を得た。村人が参加して工事が進められたが、水は少ししか出なかった。代官は工事中止を命じたが、私財を投じてつづけることで、続行がゆるされた。1699年、大量の水がわく水源をほりあてた。三方を堤でかこみ、一方の口から水が出るようにした池は、袋に似ていることから、袋井と名づけられた。工事は子孫によって受けつがれ、1776年、用水が行きわたった。

なんばだいすけ　政治

難波大助　1899〜1924年

皇太子を狙撃した虎ノ門事件の犯人

大正時代のアナキスト（無政府主義者）。

山口県生まれ。父は衆議院議員をつとめた難波作之進。中

学を中退し、上京して予備校にかよう。四谷に住んで貧民窟の

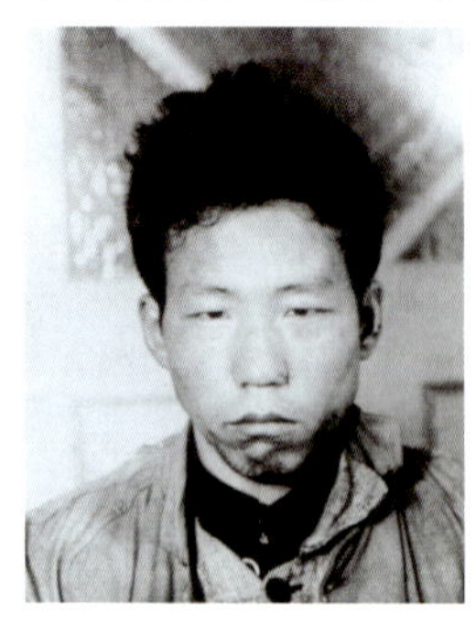

実情をまのあたりにし、さらに河上肇の随想的論文『断片』などを読み強く影響を受けたことで、社会に対して批判の目をむけるようになった。1922（大正11）年、早稲田第一高等学院に入学したが、労働運動や社会主義運動に触発され、1年ほどで退学。日雇い労働者としての生活を体験し、しだいにテロリストの道に進む。帰郷中の1923年、関東大震災後に社会主義者が殺された甘粕事件や労働者運動を弾圧した亀戸事件などに憤激。父のステッキ銃を入手し、ふたたび上京した。12月27日、東京、虎ノ門近くで第48帝国議会開院式にのぞむ裕仁親王（のちの昭和天皇）を狙撃したが、弾丸は命中せず失敗に終わった（虎ノ門事件）。難波はその場で逮捕され、大審院でも天皇制否定の主張を曲げなかったため、大逆罪で1924年11月15日に死刑が執行された。

なんぶよういちろう

学問

南部陽一郎　1921〜2015年

アメリカに帰化した、ノーベル賞受賞の物理学者

日本生まれのアメリカ合衆国の理論物理学者。

東京生まれ。2歳のときに関東大震災により、実家のある福井市に移る。第一高等学校（現在の東京大学教養学部）時代に湯川秀樹の活躍に影響されて理論物理学研究をめざし、東京帝国大学（東京大学）理学部へ進む。卒業後、第二次世界大戦中に召集されるが、終戦後に同大学の理学部物理学教室に復帰して、朝永振一郎の研究グループに参加した。1950（昭和25）年には、大阪市立大学理工学部に、理論物理学グループを発足させて研究を進めた。1952年、朝永の推薦により、アメリカのプリンストン高等研究所に移り、翌年にはカリフォルニア工科大学でも研究をおこなう。のちにシカゴ大学の核物理研究所に入り、1970年、アメリカに帰化。この間の1960年代に、クォーク（陽子、中性子などを構成する素粒子）についての色荷導入など、原子核内ではたらく強い相互作用に関係する先駆的な研究を多数おこなった。1978年に文化勲章受章。2008（平成20）年には、とくに「自発的対称性のやぶれ」といわれる概念をつくった業績により、ノーベル物理学賞を受賞した。学 ノーベル賞受賞者一覧　学 文化勲章受章者一覧

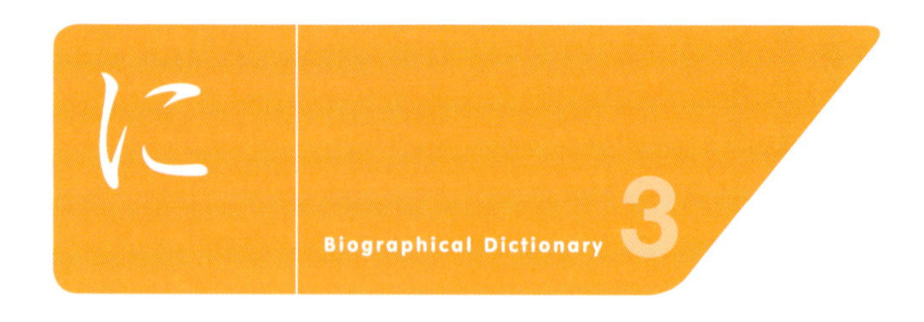

にいじまじょう

教育

新島襄　1843〜1890年

同志社大学を創立した

▲新島襄　（国立国会図書館）

明治時代のキリスト教牧師、教育者。

江戸（現在の東京）の神田で、上野国（群馬県）安中藩の藩士、新島民治の長男として生まれる。幼名は七五三太。藩でえらばれて漢学と蘭学を学ぶ。

1860年、築地にある幕府の軍艦操練所に入り、航海実習に従事した。漢訳聖書を読んで感銘を受け、ヨーロッパやアメリカ合衆国の文化とキリスト教を学ぼうと、箱館（函館）に行き、ロシア人司祭のニコライの家に住んで日本語教師となる。

1864年6月に脱藩。さらに箱館より密出国してアメリカのボストンに行き、船主ハーディ夫妻の援助を受けてキリスト教に入信する。名門のアマースト大学を卒業後、アンドーバー神学校で神学を学んだ。アメリカ行きの船内で船長のホレイス・テイラーに「ジョー」とよばれたことから、帰国後は「譲」、のちに「襄」と名のったという。

神学校在学中の1872（明治5）年、語学力が木戸孝允の目にとまり、通訳として岩倉具視の使節団について、ヨーロッパやアメリカの教育事情を視察する。7か月かけて、報告書である『理事功程』を編集し、日本の教育の発展のために貢献した。

1874年、アメリカン・ボード（アメリカ海外伝道委員会）の日本ミッション宣教師補として帰国し、同志社英学校（現在の同志社大学）を創立し、キリスト教精神にもとづく教育と、伝道に力をつくした。ここで徳富蘇峰やその弟の徳富蘆花、安部磯雄らが学び、明治時代のキリスト教社会主義の源流となった。

▲妻・八重との写真　（同志社大学）

1876年には、会津藩（福島県西部）出身でよき協力者の京都府

顧問である山本覚馬の妹、八重と結婚。当時としてはめずらしい自立した女性だった新島八重と襄は、たがいに尊重し合い、とても仲のよい夫婦だった。1877年には同志社分校女紅場を開校、さらに教育と伝道の方法を研究するために1884年に2度目の視察に渡米した。帰国後の1887年、仙台に東華学校、京都に同志社病院、京都看病婦学校を次々とひらいた。1890年、大学設立運動の途上で持病の心臓疾患が悪化し、神奈川県大磯で静養中に48歳で亡くなった。

福沢諭吉らとともに、明治六大教育家の一人とされ、私学教育の重要性を説いて徳育を基本とする自由教育を広めた。

学 切手の肖像になった人物一覧

にいたいちろう

郷土

仁井田一郎　1912～1975年

栃木県をイチゴの産地にした功労者

明治時代～昭和時代の果樹栽培家。

栃木県足利郡御厨町（現在の足利市）に生まれた。町会議員となり農業対策委員をつとめた。町の農業をさかんにするため、当時、栽培の北限は神奈川県とされていたイチゴの栽培を提案した。1950（昭和25）年、農業視察団に加わり、静岡県の石垣イチゴの栽培を視察した。イチゴの苗を持ちかえって植えると失敗ばかりだったが、静岡や神奈川の農家をまわり、研究を重ねた。1951年、議員をやめて、本格的にイチゴ栽培にとりくんだ。1958年、高冷地の日光戦場ヶ原で、苗の栽培に成功した。1965年、東京のほか、北海道、新潟にも出荷され、栃木県のイチゴ栽培はさかんになった。

ニーチェ，フリードリヒ

思想・哲学

フリードリヒ・ニーチェ　1844～1900年

ニヒリズムを克服する「超人」を主張した哲学者

ドイツの哲学者、思想家、詩人。

ザクセン州でルター派の牧師の子として生まれる。幼少時に父を亡くす。ボン大学、ライプツィヒ大学に学び、哲学者ショーペンハウアーや音楽家ワーグナーに傾倒した。24歳でバーゼル大学の古典文献学教授となる。その後、「神は死んだ」とのことばで、キリスト教や近代文明の批判を深めた。生を肯定し、永劫回帰のニヒリズムにいたり、それを体現する「超人」として生きることを主張した。つまり、目的もなく意味もない永遠のくりかえしであるニヒリズムを直視し、それを積極的に生きることによって、ニヒリズムを克服しようとするものであった。文明批評をはじめ、人間の生き方や真理について語った格言が注目され、文学的価値も高い。1879年に健康を害して大学を辞職、スイスやイタリアを転々としながら著作活動をつづけたが、1889年、精神に支障をきたし、1900年に55歳で没した。主な著書に『悲劇の誕生』『ツァラトゥストラはこう語った』などがある。

にいみなんきち

絵本・児童

新美南吉　1913～1943年

動物との心のふれ合いをえがく

（日本近代文学館）

昭和時代の児童文学作家。

愛知県生まれ。本名は正八。幼いころに母を亡くし、父が再婚して養子にだされるなど、さびしい幼少期をすごした。この体験が、悲しみの中にも心のふれ合いや善意を見いだし、美しい生き方を求めるといった作品のテーマに影響をあたえた。旧制中学のころから文学に興味をもち、同人誌をつくって創作をはじめる。東京外国語学校（現在の東京外国語大学）に入学した1932（昭和7）年、『ごんぎつね』が鈴木三重吉にみとめられて雑誌『赤い鳥』に掲載される。

卒業後は病気のため故郷に帰り、教師をしながら新聞や雑誌に『最後の胡弓ひき』『久助君の話』などの作品を発表する。1942年に童話集『おじいさんのランプ』を出版するが、翌年、結核のため31歳の若さでこの世を去った。没後に童話集『花のき村と盗人たち』『牛をつないだ椿の木』が刊行された。多くの作品は第二次世界大戦後に高く評価されるようになり、『ごんぎつね』は、小学校の教科書にとり上げられている。

ニクソン，リチャード

政治

リチャード・ニクソン　1913～1994年

ベトナム戦争からアメリカ軍を撤退させた大統領

アメリカ合衆国の政治家。第37代大統領（在任1969～1974年）。

カリフォルニア州の貧しい雑貨商の子として生まれる。ホイッティア大学を卒業後、デューク大学で法律を学び、弁護士となる。1946年、共和党から下院議員に当選、国内の反体制的活動をとりしまる非米活動委員会で名を上げ、1950年に上院議員に当選。40歳でアイゼンハワー政権の副大統領に就任。1960年には大統領選挙に出馬したが、民主党のケネディに惜敗し、一時、政界を引退。1968年、「法と秩序」をかかげ、再度大統領選挙にいどみ、翌年、大統領となる。

泥沼化するベトナム戦争の早期解決、経済不振の回復などをめざした。しかし、ベトナム戦争は拡大、危機的状況にあったドルの防衛策として発表した金ドル交換停止は、世界経済を混乱させた。

一方、1972年に中華人民共和国を訪問して国交回復の道をひらき、翌年、ベトナム和平協定を締結、ベトナムからアメリカ軍の撤退を実現した。1974年、大統領選挙の際の盗聴未遂事件・ウォーターゲート事件の責任を追及され、辞任した。アメリカ史上はじめて任期中に辞任した大統領となった。

学 アメリカ合衆国大統領一覧

ニクラウス，ジャック

スポーツ

ジャック・ニクラウス　1940年～

世界のトップゴルファーとして活躍

アメリカ合衆国のプロゴルファー。

ニクラスともいう。スポーツ選手だった父の手ほどきで10歳からゴルフをはじめる。1959年、1961年と全米アマチュアゴルフ選手権で優勝し、1962年からプロとして活躍した。以後、20年以上にわたってトッププレーヤーとして活躍し、ゴルフがメジャースポーツとして発展するために大きく貢献した。

ゴルフの四大メジャー大会（全米オープン、全英オープン、マスターズ、全米プロゴルフ選手権）で通算18勝（歴代1位）をあげ、50歳をむかえた1990年からはシニアツアーにも参加した。

シニアのメジャー大会でも8勝するなど数々の記録を打ち立て、史上最高のゴルファーとよばれている。

ニコライいっせい

王族・皇族

ニコライ1世　1796～1855年

ウィーン体制をささえ、クリミア戦争をおこした

ロシア、ロマノフ朝の第11代皇帝（在位1825～1855年）。

パーベル1世の子。兄アレクサンドル1世の急死により、あとをついだ。

即位後まもなくおこった、デカブリストの反乱を鎮圧。内政では、秘密警察といわれた官房第3課をつくり、「ロシア正教、専制政治、国粋主義」の3原則によって国民をきびしくとりしまった。在位中は農奴制から近代資本主義への転換期で、木綿工業や鉄道産業などが発展し、新紙幣の発行や保護関税政策などで産業の振興を進めた。

ウィーン体制を支持して絶対王政を守り、領土拡大をめざして革命運動の鎮圧に協力。先帝の時代につづき、「ヨーロッパの憲兵」といわれた。1853年、オスマン帝国とのあいだでクリミア戦争をおこしたが、イギリス、フランスの介入でやぶれた。

学 世界の主な王朝と王・皇帝

ニコライにせい

王族・皇族

ニコライ2世　1868～1918年

二月革命で退位したロシア最後の皇帝

ロシア、ロマノフ朝の第14代皇帝（在位1894～1917年）。

アレクサンドル3世の長男。1891年、皇太子時代に来日し、日本の警察官津田三蔵におそわれる（大津事件）。国内では、農民の反乱、要人の暗殺、ストライキなどの問題が次々におこったが、伝統的な専制政治をおこない、立憲政治をとり入れることに反対した。対外的には1895年、ドイツのウィルヘルム2世と協力して三国干渉に成功し、また遼東半島、満州（中国東北部）占領などで積極的に極東に進出した。

1899年、ハーグ平和会議を提唱し開催したが、義和団事件のあと、満州占領をつづけたため、日露戦争をひきおこした。そのさなか、国内で血の日曜日事件がおき、第一次ロシア革命をまねいた。ウィッテの内政改革で危機を脱し、また、革命の勢いがおとろえたこともあって、ストルイピンが反動政治を復活。

しかし、1912年以降、ふたたび社会不安が増大し、1917年の二月革命によって帝政は崩壊、ロシア最後の皇帝となった。翌年、皇后、皇太子ら家族6人とともに銃殺された。

学 世界の主な王朝と王・皇帝

ニザーム・アルムルク

政治

ニザーム・アルムルク　1018～1092年

最盛期のセルジューク朝宰相

西アジア、セルジューク朝の宰相。

イラン東部のホラーサーンに生まれる。ガズナ朝のホラーサーン総督、セルジューク朝のチャグリー・ベク（トゥグリル・ベクの兄）につかえたのち、その息子で第2代スルタン（イスラム国家の政治的最高権力者）のアルプ・アルスラーン、孫で第3代スルタンのマリク・シャーの宰相となった。

宗教と教育の発展に力をつくし、各地にニザーミーヤ学院（法学・神学校）を開設。地方官の給与制度や、軍制の整備など多くの改革をおこなった。

君主に対し統治理念を説いた、著書の『スィヤーサト・ナーメ（政治の書）』は、ペルシア語散文学の傑作であり、史料としても貴重である。イスラム教スンナ派の敬虔な信者であり、シーア派を弾圧したため、その刺客に殺されたといわれている。

にしあまね

思想・哲学　教育

西周　1829〜1897年

日本に西洋哲学を導入

(国立国会図書館)

明治時代の思想家、西洋哲学者。

石見国（現在の島根県西部）津和野に、藩医の子として生まれる。藩校養老館や大坂（阪）で儒教などを学んだ。1853年に江戸（東京）へ出て、ペリーの来航をきっかけに蘭学や英語を学びはじめ、翌年、洋学に専念するために脱藩する。

1857年より、幕府の蕃書調所につとめる。1863年から2年間、幕府の派遣留学生としてオランダに留学し、ライデン大学で、法律、経済、哲学などを学んだ。帰国してから開成所の教授となり、国際法の教科書『万国公法』の翻訳をてがける。明治維新後は明治政府の陸軍省、文部省につとめ、『軍人勅諭』などの起草にあたり、そのかたわら、私塾の育英舎をひらいた。また、森有礼らと学術団体、明六社を結成し、近代思想の紹介につとめた。その後、東京師範学校（現在の筑波大学）校長、学士会院院長、貴族院議員などを歴任する。哲学、心理学の専門用語をつくり、日本における西洋哲学受容の基礎を築いた。

学 切手の肖像になった人物一覧

にしおすえひろ

政治

西尾末広　1891〜1981年

日本社会党の事実上の創設者

(国立国会図書館)

明治時代〜昭和時代の労働運動家、政治家。

香川県生まれ。小学校中退後、14歳で旋盤工となり、1919（大正8）年、労働者団体である友愛会に入る。1926年、社会民衆党の結成に参加。1928（昭和3）年、第1回普通選挙で衆議院議員に初当選。1938年、衆議院本会議での国家総動員法案の賛成演説中、スターリンの名をあげて議員を除名されるが、翌年の補欠選挙で復活。1940年の斎藤隆夫の反軍演説による議員除名問題で反対の立場をとり、党を除名される。1942年には非推薦で当選。大政翼賛会、産業報告会には加わらず、第二次世界大戦後の公職追放をまぬかれた。1945年、日本社会党に参加し、翌年、書記長就任。1947年、片山哲内閣で内閣官房長官、翌年、芦田均内閣で副総理。1948年、昭和電工による贈収賄汚職事件で逮捕されるが、のちに無罪となる。1952年、衆議院議員に復職、右派社会党をへて1955年、日本社会党顧問。1960年、民主社会党を結成し、初代委員長に就任。1967年に退任、常任顧問となる。1972年、政界を引退した。

にしかわじょけん

学問

西川如見　1648〜1724年

西洋の知識を天文学に生かした

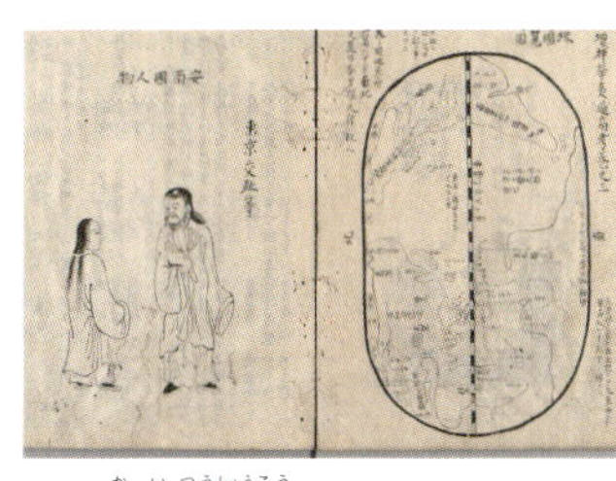
▲『華夷通商考』　(国立国会図書館)

江戸時代中期の天文・地理学者。

長崎で生糸の鑑定などをおこなう土地の役人の子として生まれる。学問の道を志し、儒学と天文学を学んだ。オランダ人との交流で得た知識をもとに1695年、地誌『華夷通商考』を著し、中国をはじめ諸外国の位置、風土、人口、産物などをはじめて日本に紹介した。1697年、50歳のときに隠居して研究にはげみ、多くの著書を著した。1719年、如見の評判を聞いた江戸幕府第8代将軍徳川吉宗にまねかれて、江戸（現在の東京）に行き、天文学の質問に答えた。

著書に、長崎での見聞をまとめた『長崎夜話草』や、町人や農民の道徳や学問の心得を、わかりやすく説いた『町人嚢』『百姓嚢』などがある。また、天体の位置を観測する渾天儀をかんたんにした簡天儀をつくった。子の西川正休も天文学者になり、幕府の天文方（天体観測や改暦をおこなった役職）に登用された。

にしかわみつじろう

政治

西川光二郎　1876〜1940年

社会主義から離脱した運動家

明治時代の社会主義者。

兵庫県に生まれる。札幌農学校（現在の北海道大学）、東京専門学校（早稲田大学）で学び、1897（明治30）年、片山潜らとともに労働組合期成会の機関誌『労働世界』を発行する。

1901年に社会民主党の結成にかかわり、幸徳秋水らの平民社や日本社会党に参加して、日露戦争に反対した。1907年、社会主義運動が幸徳派と片山派に分かれると、片山派につくが、翌年には片山からもはなれ、『東京社会新聞』を発刊した。この間、東京市電値上反対運動などで、数回投獄される。社会主義運動の弾圧を目的とした大逆事件がおこると、「社会主義者の詫証文（謝罪状）」といわれた『心懐語』を書き、社会主義からはなれる。

にしじまはちべえ

郷土

● 西嶋八兵衛　1596～1680年

雲出井用水をひらいた武士

（津市教育委員会）

江戸時代前期の武士。遠江国浜松（現在の静岡県浜松市）に生まれた。17歳のとき津藩（三重県西部、南部）藩主の藤堂高虎にめしかかえられ、京都の二条城や大坂（阪）城の築城にたずさわった。1625年、讃岐国（香川県）が干ばつの被害を受けたとき、高虎の娘がとついでいた高松藩（香川県東部）の家臣となり、満濃池の改修をはじめとして、龍満池、小田池、瀬丸池など90あまりのため池を築き、改修して干ばつにそなえた。1639年、伊勢国（三重県東部）に帰国し、津藩の奉行（行政を担当する役人）となった。その後、一志郡（三重県中部）一帯に大干ばつがおこり、農民は凶作に苦しんだので、一志郡を流れる雲出川に堰を築いて、村々に用水をひく計画を立て、村人を動員して工事をした。戸木村（三重県津市）に雲出井を完成させ、延長約13kmの用水路をつくり、流域の14か村、約600haの水田がうるおった。

にしだきたろう

思想・哲学

● 西田幾多郎　1870～1945年

ヨーロッパやアメリカの哲学と禅を融合させた

（石川県西田幾太郎記念館）

明治時代～昭和時代の哲学者。石川県出身。号は寸心。東京帝国大学（現在の東京大学）哲学科撰科を卒業し、金沢の旧制第四高等学校、学習院の教授をへて、1910（明治43）年、京都帝国大学（京都大学）助教授となる。哲学や倫理学、宗教哲学を教え、1913（大正2）年、文学博士。その間、座禅に専念し、のちの西田の根本思想となる禅について思索を深めた。明治維新後の当時は、ヨーロッパやアメリカ合衆国の学問や芸術が入ってきて日本の文化が大きく変化した時期だった。西田はそれらの哲学を紹介し、すぐれた点をとり入れて、禅と儒教の精神を統合させた独自の哲学「西田哲学」をつくった。数多い著作の中でも、近代日本最初の独創的な哲学書といわれる『善の研究』や、自身が「悪戦苦闘のドキュメントである」と序にのべている『自覚に於ける直観と反省』は、当時の哲学青年たちに大きな影響をあたえた。1940（昭和15）年、文化勲章を受章。1945年に急死。終生の友である鈴木大拙は、その死に号泣したという。

学 切手の肖像になった人物一覧　学 文化勲章受章者一覧

にしだみつぎ

政治

● 西田税　1901～1937年

北一輝と陸軍青年将校をむすびつけた国家主義者

大正時代～昭和時代の軍人、思想家、国家主義者。鳥取県米子市生まれ。陸軍士官学校在学中から大アジア主義に傾倒し、北一輝の『日本改造法案大綱』を読んで深い感銘を受けた。その後、騎兵少尉になるが、1925（大正14）年、病気のため退官し、予備役となる。大川周明らが結成した右翼団体の行地社に入り、右翼活動家として頭角をあらわし機関誌『月刊日本』の編集を担当。1926年、内紛で行地社が分裂すると、大川と対立して退社。北の門下に入り、国家改造運動の活動を本格化させる。自宅を士林荘と称して多数の青年将校とまじわり、彼らと北をむすびつけるという大きな役割をはたした。1927（昭和2）年、士官学校の卒業式に『天剣党規約』などを配布して取り調べを受ける。1932年の五・一五事件では、時期尚早として参加をこばみ、うらぎり者とみなされ井上日召の弟子に撃たれて瀕死の重傷を負う。1936年、二・二六事件に連座、翌年、北とともに銃殺刑に処された。

にしなよしお

学問

● 仁科芳雄　1890～1951年

日本の核物理学の基礎を築いた物理学者

昭和時代の物理学者。岡山県生まれ。中学、高校を首席で卒業し、1914（大正3）年、東京帝国大学工科大学（現在の東京大学工学部）に進む。卒業後は大学院工科をへて、1920年、理化学研究所（理研）に入所。翌年からヨーロッパに留学して、キャベンディッシュ研究所やゲッティンゲン大学で学び、1923年、量子力学の中心であったコペンハーゲン大学のボーアの研究室に移って、X線天文学で用いられる「クライン=仁科公式」をみちびきだした。帰国後の1931（昭和6）年には、理研で仁科研究室を立ち上げ、1937年に粒子加速器（サイクロトロン）を完成させるなど、国内で例のない核物理学の研究を推進した。

第二次世界大戦中は日本軍の指示による原爆開発を進めるが、終戦によって未完に終わった。戦後は、株式会社化された理研の社長、株式会社科学研究所（科研製薬）社長などをつとめた。なお、1946年に文化勲章を受章した。湯川秀樹や朝永振一郎などの後進を育て、日本の核物理学の基礎を築いた功績から、死後、仁科記念財団が設立され、理研には仁科加速器研究センターが開設されている。 学 文化勲章受章者一覧

にしのえしょう

郷土

西野恵荘 1778〜1849年

余呉川に西野水道をひらいた僧

（充満寺/高月観音の里歴史民俗資料館）

江戸時代後期の僧。

近江国伊香郡西野村（現在の滋賀県長浜市高月町）の浄土真宗の寺、充満寺の僧の子として生まれ、11代住職となった。三方を山にかこまれた村は、大雨がふると、余呉川があふれ、ときには田畑や家が泥水にうまって農作物が全滅し、村人はどんぐりや雑草などを食べて飢えをしのいだ。西の山をほりぬいて隧道（トンネル）をつくり、余呉川の水を琵琶湖に流すことが、村を救う方法だと考えて、彦根藩（滋賀県東部）に工事の許可を願いでた。1840年、藩から許可がおり、能登国（石川県能登半島）から石工（石をほる職人）をよび、村人も協力して工事をはじめたが、岩はかたく、金づちとのみでは1年間で35mしかほれなかった。新しい石工をさがしまわり、伊勢国（三重県東部）から石工をよび、1845年、約230mのトンネル（西野水道）が貫通した。村は水害から救われ、その後、村人の努力によって村は豊かになった。

にしはらかめぞう

政治 産業

西原亀三 1873〜1954年

中国の段祺瑞政権に多額の資金を貸しつけた

（『夢の七十余年―西原亀三自伝』平凡社）

明治時代〜昭和時代の実業家。

京都生まれ。小学校卒業後、京都府与謝郡雲原村（現在の福知山市）で製糸業をいとなむ家業をてつだっていたが、糸価暴落と父の死により京都へでっち奉公に出た。のちに上京し、同郷の先輩神鞭知常の影響を受ける。アジア問題に関心をもち、日露戦争後、朝鮮半島にわたる。1907（明治40）年、共益社を設立し綿製品の貿易事業をおこなう。初代朝鮮総督の寺内正毅に見いだされ、側近となる。1916（大正5）年、帰国し、寺内内閣の中国政策に関与。中国の経済利権の確保をねらって、大蔵大臣の勝田主計とともに、北京の段祺瑞政権へ総額1億4500万円というばく大な資金を貸しつけたが（西原借款）、大部分が回収不能となり、国民から非難をあびた。日中関係が日々悪化するのをうれい、日本の政党を連合させ強力な内閣をつくり、軍部をおさえて日中親善をはかろうとしたが、実現はむずかしかった。1938（昭和13）年以降は郷里にもどり、雲原村村長として農村改革運動を進めた。

にしむらしげき

教育

西村茂樹 1828〜1902年

日本の道徳教育の再建に尽力

（国立国会図書館）

明治時代の教育家。

下総国佐倉藩（現在の千葉県佐倉市）の出身。1841年、藩がまねいた安井息軒に儒学を、1851年、佐久間象山に兵学や砲術を学んだのち、1853年に藩の政治に加わる。藩主堀田正睦が老中首座（老中の筆頭）となり外国事務専任となると、側近として活躍した。1861年、手塚律蔵に蘭学と英学を学んだ。

1873（明治6）年、森有礼や西周、福沢諭吉らの設立した明六社に参加し啓蒙活動をおこなった。また、文部省に出仕し編書課長となり、板垣退助らの提出した民撰議院設立建白書の採用を元老院に願いでた。

1876年、東京修身学社（現在の日本弘道会）を創設して修身道徳を研究した。翌年、文部大書記官に就任し各地の学校を視察するなど、教科書の編集や教育制度の確立に尽力した。1879年には百科事典『古事類苑』の編さんを開始した。東京学士院（日本学士院）会員や宮中顧問官として皇太子である東宮の教育係もつとめた。1887年、儒教道徳を基本とした『日本道徳論』を著し、ヨーロッパやアメリカ合衆国を模倣した風俗を批判した。1888年、華族女学校校長に就任し、1890年、貴族院議員となるなど広く活躍した。

にしむらひこざえもん

郷土

西村彦左衛門 1774〜1830年

櫛田川に立梅用水をひいた地士

江戸時代後期の農民、治水家。

伊勢国丹生村（現在の三重県多気町）の地士（武士の待

遇を受けていた旧家、郷士）。水利が悪く、雑穀をつくりくらしていた村を、米のとれる豊かな村にかえようと考え、櫛田川から用水をひき、新田を開発することを計画した。1808年、紀州藩（和歌山県）に用水路開発を願いでて、自費で村人を集めて工事をはじめたが、岩山などにより、進まなかった。1820年、藩が立梅井堰（取水口）の工事を決定した。のべ約24万人を動員して、3年後に立梅井堰が完成した。全長約30kmの用水路（立梅用水）がひかれ、約160haの水田がひらかれた。その後、何度もこわれたが、そのたびに修復された。

にしもとけいすけ

文学　絵本・児童

西本鶏介　1934年～

評論で児童文学の発展に力をつくす

児童文学評論家、児童文学作家。

奈良県生まれ。本名は敬介。国学院大学文学部卒業。大学3年生のときに句集『薔薇と母』を刊行。詩人の山本和夫らが創刊した児童文学雑誌『トナカイ村』に参加する。1960年代にさかんだった現実リアリズム論や未明童話批判に対して、新ロマンチシズム文学を主張し、1970（昭和45）年に評論集『児童文学の創造』でデビューする。その後も、児童文学の評論のほか、伝記、童話や絵本の創作、民話の研究などに広く活躍する。民話などをこどもむけにわかりやすく書き直した再話も多い。

2006（平成18）年に『おじいちゃんのごくらくごくらく』（絵・長谷川義史）でけんぶち絵本の里びばからす賞、2013年には、約50年におよぶ評論をまとめた『西本鶏介児童文学論コレクション』で巌谷小波文芸賞特別賞を受賞。1988年から昭和女子大学で教えるかたわら、児童文学賞の選考委員をつとめるなど、教育や新人の発掘にも力をそそぐ。

にしやまそういん

詩・歌・俳句

西山宗因　1605～1682年

井原西鶴、松尾芭蕉に影響をあたえた俳人

江戸時代前期の連歌師、俳諧師。

肥後国（現在の熊本県）に生まれる。本名は豊一。梅翁などの別号がある。熊本藩家老の加藤氏につかえ、加藤氏の影響で、連歌に親しむ。1632年、加藤家の改易（領地を没収されること）により浪人になった。その後、京都へ移り住み、絵師の狩野探幽の娘と結婚して宗因を名のった。1647年には大坂天満宮におかれた連歌所で、宗匠（連歌の指導者）をつとめる。また、俳諧師の松永貞徳の弟子から、俳諧（こっけいみをおびた和歌や連歌、のちの俳句など）を学んだ。

（八代市立博物館）

連歌から生まれた俳諧は、より庶民的で、江戸時代はじめは貞徳の一門に人が集まっていた。やがて宗因が、奇抜な発想と軽妙ないいまわしを特色とする談林俳諧をはじめると、貞徳の貞門俳諧にかわって流行した。弟子に、町人の生活や風俗をえがいた小説、浮世草子の作者の井原西鶴がおり、松尾芭蕉にも影響をあたえた。

にじょうてんのう

王族・皇族

二条天皇　1143～1165年

後白河上皇と対立してみずから政治をおこなった

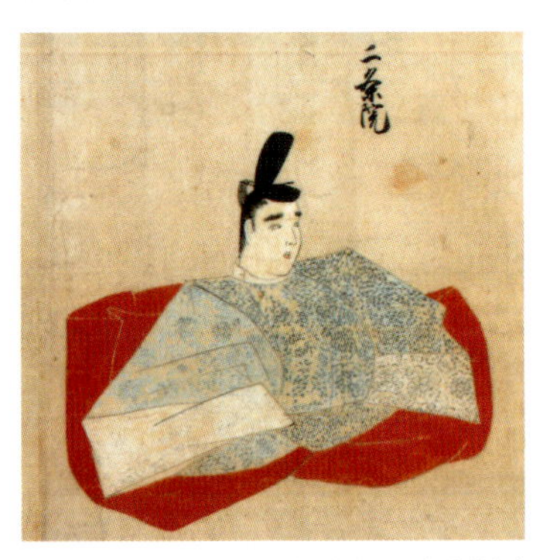

（宮内庁三の丸尚蔵館）

平安時代後期の第78代天皇（在位1158～1165年）。

後白河天皇の子。即位する前は守仁親王とよばれた。

1155年、近衛天皇が亡くなって後白河天皇が即位すると、守仁親王は皇太子に立てられ、のちに位をゆずられて二条天皇として即位した。1159（平治元）年の平治の乱で、源義朝らにより後白河上皇（譲位後の後白河天皇）の院である三条殿がおそわれたとき、上皇とともに天皇の住まいの内裏の御殿にとじこめられたが、平清盛の手配により、宮中からひそかに脱出して、清盛の館の六波羅邸にのがれた。その後、院政をおこなおうとする後白河上皇をみとめず、平清盛や後見者の藤原氏を重用して、みずから政治をおこなおうとしたので、上皇との仲はうまくいかなかった。23歳の若さで亡くなったので、ふたたび上皇が権力をにぎった。

学 天皇系図

にじょうよしもと

詩・歌・俳句

二条良基　1320～1388年

連歌の確立に力をつくした歌人

南北朝時代の公家、歌人、連歌師、学者。

関白二条道平の子。はじめ後醍醐天皇につかえたが、南北朝時代は北朝の光明天皇から後小松天皇まで5代につかえ、関白や摂政をつとめた。朝廷の政務や儀式がすたれていくことを嘆き、『百寮訓要抄』や『衣かつぎの記』などを著す。また、和歌の師である頓阿とともに歌論書『愚問賢注』を著すなど、中世の和歌の振興に力をつくした。

一方、青年時代から館で連歌会をもよおすなど、連歌（和歌の上の句（五・七・五）と下の句（七・七）を、数人が次々とつづけてつくっていく形式の文芸）に情熱をそそぎ、連歌師今川貞世（今川了俊）、大内義弘らを支援した。また、連歌師の救済に学び、連歌のつくり方を定めた『応安新式』を著すなど、文芸としての連歌の確立に力をつくした。連歌集『菟玖波集』や『連理秘抄』『筑波問答』『九州問答』などは、その後の連歌に大きな影響をあたえた。また、『新後拾遺和歌集』仮名序で、はじめて武士階層（足利氏）の政治的業績を評価するなど、現実的な思想で北朝の保持にもつとめた。

ニジンスキー，バツラフ

映画・演劇

バツラフ・ニジンスキー　1890～1950年

高いジャンプをとんだダンサー

ロシアのバレエダンサー。

キエフに生まれる。両親はポーランド出身のダンサーで、4歳で踊りをはじめた。9歳のときロシア帝室マリンスキー劇場の舞踊学校に入学する。学校時代はいじめにあったが、卒業後は劇場のバレエ団員として、とびぬけた才能をみせた。1909年、芸術プロデューサーのディアギレフが創立したロシアバレエ団に参加する。その年のパリ公演でおどり、「天才があらわれた」と絶賛された。1912年、代表作となる『牧神の午後』をみずから振り付けしておどった。1913年の南米公演中にディアギレフに無断で結婚し、バレエ団をやめさせられるが、3年後に復帰した。1917年にバレエ団を引退する。1919年ごろから精神をわずらい、入退院をくりかえし、生涯を終えた。

ジャンプが高く、空中にとどまる時間が長いので、「空気より軽い肉体」といわれた。みずからてがけた振り付けも斬新で、20世紀以降のバレエやモダンダンスに影響をあたえている。

にちれん

宗教

日蓮　1222～1282年

「南無妙法蓮華経」をとなえる日蓮宗の開祖

鎌倉時代中期の僧。

安房国小湊（現在の千葉県鴨川市）の漁師の子として生まれる。1233年、12歳のとき清澄寺（鴨川市）に入り、16歳で出家した。その後、比叡山延暦寺（京都市・滋賀県大津市）や高野山（和歌山県）などで修行を積み、「仏教の中で法華経だけが一番の教えだ」とさとり、法華経によって国を救うことを使命とした。

▲日蓮木像　（大本山池上本門寺）

1253年、故郷に帰り、「南無妙法蓮華経」という7字の題目をとなえて法華宗（日蓮宗）をひらいた。その後、鎌倉に移って道ばたで辻説法をおこない、布教しようとした。

1260年、『立正安国論』を得宗（北条氏本家の当主）北条時頼にさしだした。暴風や地震、ききんがたびたびおこり死者が出るのは、法華経以外の誤った宗教、とくに念仏宗（浄土宗や浄土真宗など）を信仰するからだと説き、このままでは内乱や外国の侵略がおこると警告したが幕府は無視した。その年、日蓮の説におこった浄土宗の信者に草庵をおそわれ、あやうく難をのがれた。

1261年、辻説法をつづける日蓮は、幕府から社会を乱す危険な人物だとみなされ、伊豆（静岡県）へ流罪となった。1263年、ゆるされて故郷の安房にもどるが、翌年、法華経の布教をみとめない安房国地頭（諸国の荘園や公領の管理と年貢徴収を担当する役職）で浄土宗信者の東条景信におそわれて、眉間に傷を負うという危難にあった。

1271年、浄土宗、禅宗、律宗、真言宗をはげしく非難したので幕府にうったえられ、幕府の内管領（北条氏の家督をついだ得宗家の執事）平頼綱にとらえられ、処刑されそうになったが、奇跡的に助かり、佐渡（新潟県佐渡市）に流罪となった。

1274（文永11）年、日蓮の予言があたったかのように、中国の元軍が襲来する元寇（文永の役）がおこったので、日蓮を信じる人々もふえた。同年、ゆるされて鎌倉にもどったのち、身延山（山梨県）に登り、法華経の行者として修行し、久遠寺をひらき、著述や弟子の教育にあたった。しかし、健康を害して病が重くなったので1282年、療養のため常陸国（茨城県）の温泉にむかう途中、武蔵国池上（東京都大田区、池上本門寺のある場所）の地で亡くなった。日蓮宗は弟子たちによって受けつがれ、地方の武士や商人、職人たちに支持されていった。

▲日蓮が生涯を終えた地にある池上本門寺の祖師堂　（大本山池上本門寺）

にっしん

宗教

日親　1407～1488年

日蓮宗のみの信仰を求め、きびしい弾圧を受けた

室町時代の日蓮宗の僧。

上総国（現在の千葉県中部）に生まれ、日蓮宗大本山の中山法華経寺に入って修行した。のちに京都にのぼって布教活動

をおこない、さらに九州での布教をまかされて肥前国（佐賀県・長崎県）に移った。しかし、法華経の信仰に対する厳格な姿勢が周囲の反発をまねき、中山流を破門される。1437年、ふたたび京都へ行き、本法寺をひらいて新たな拠点とした。翌年、『立正治国論』を著し、室町幕府の第6代将軍足利義教に対して日蓮宗だけを信仰するよううったえようとしたが、かえって投獄され、本法寺はとりこわされた。1441（嘉吉元）年、嘉吉の乱で義教が殺されたため、日親はゆるされて出獄すると、本法寺を再建し、布教活動を再開した。

（国立国会図書館）

日親の教えは「不授不施派」とよばれ、ほかの宗派をみとめないきびしいものであったため、たびたび弾圧を受けた。1463年には、焼いたなべを頭からかぶらされる拷問を受けたため、「なべかぶり日親」の異名でも知られている。

にったじろう

文学

新田次郎　1912～1980年

山岳小説で人気の作家

昭和時代の作家。

長野県生まれ。本名は藤原寛人。妻は作家の藤原てい。無線電信講習所（現在の電気通信大学）を卒業し、中央気象台（気象庁）に就職。富士山観測所（富士山測候所）や満州中央気象台などに34年間つとめる。妻のていが書いた『流れる星は生きている』がベストセラーになったことをきっかけに小説を書きはじめる。気象台ではたらいた経験と専門的な知識を生かし、山岳小説や歴史小説を数多く書いた。1955（昭和30）年、富士山の荷揚げをおこなう強力たちの友情をえがいた『強力伝』で直木賞を受賞。代表作に『孤高の人』『八甲田山死の彷徨』『アラスカ物語』『聖職の碑』『武田信玄』などがある。

学 芥川賞・直木賞受賞者一覧

にったよしさだ

貴族・武将

新田義貞　1301?～1338年

後醍醐天皇につくした、足利尊氏のライバル

鎌倉時代後期～南北朝時代の武将。

上野国新田荘（現在の群馬県南部と埼玉県北部）生まれ。1317年ごろに家をつぎ、新田氏の惣領となる。源氏の流れをくむ新田氏は、かつては同じ源氏の足利氏とならぶ力をもっていたが、義貞のころには鎌倉幕府から冷遇されていた。

1331（元弘元）年、後醍醐天皇を中心に鎌倉幕府倒幕運動（元弘の変）がおきると、足利高氏（のちの足利尊氏）らとともに、はじめ幕府側について楠木正成らと戦ったが、途中で帰国。後醍醐天皇は幕府にとらえられ、隠岐（島根県隠岐諸島）に流されたが脱出し、ふたたび倒幕運動を再開した。1333年には義貞も幕府に反逆し、天皇の皇子、護良親王の令旨を得て、兵をあげた。新田の軍は関東各地の反幕府勢力を結集し、小手指原、分倍河原の合戦に勝って兵を進め、鎌倉を攻撃。鎌倉は自然の要塞ともいわれる攻めにくい地形だったが、義貞が海の神に太刀をささげるとみるみる潮がひき、鎌倉へつづく砂浜が広がって攻め入ることができたという伝説がのこっている。そして、北条家の当主の北条高時らを自殺に追いこみ、鎌倉幕府をほろぼした。

▲府中市の分倍河原駅前にある新田義貞の銅像

その功により、後醍醐天皇が権力をにぎった建武の新政の下では、重く用いられることとなる。しかし、公家中心の政治をおこなおうとした天皇に、足利尊氏らが反発してはなれると、義貞は尊氏とはげしく対立。1335年、箱根竹の下の戦いでは尊氏にやぶれたものの、直後に京都へのぼってきた尊氏を北畠顕家の助けを得てむかえ撃ち、一時、尊氏を九州まで後退させた。しかしその翌年、再度、尊氏との戦いにあたってやぶれたため、越前国（福井県）にのがれ、藤島の戦いで戦死。同じころ、尊氏は室町幕府を成立させ北朝の天皇を擁立した。天皇家は後醍醐天皇の南朝と分立し、南北朝時代へと移っていった。

義貞の死後、首は京都に送られ、獄門にかけられた。義貞は、当時権力をにぎっていた北朝からみれば逆賊であったためのしうちだった。しかし死後500年以上たち、1882（明治15）年には、朝廷につくした忠臣として再評価され、正一位を贈られた。

にとべいなぞう

教育

新渡戸稲造　1862～1933年

『武士道』で日本文化を海外に紹介

（国立国会図書館）

明治時代～大正時代の教育家、農業経済学者。

南部藩盛岡（現在の岩手県盛岡市）に生まれる。新渡戸家は開拓事業をおこなってきた藩士で、幼名は稲之助。5歳のときに父を亡くし、1871（明治4）年、おじの太田時敏をたよって上京し、築地の東京英語

学校に進んで英語と英文学を学ぶ。1877 年、農業を学ぶために、札幌農学校（現在の北海道大学）の第 2 期生となる。すでに初代学長のクラーク博士は札幌を去っていたが、同級生の内村鑑三とともに、クラーク博士がのこした「イエスを信じる者の契約」に署名をして、キリスト教に入信した。一度は官僚になるが、1883 年、東京帝国大学（東京大学）に入学。このときの面接試験で「何がやりたいのか」と質問され、「太平洋の橋になりたい」と答えている。これが、生涯の目的になった。

1884 年、アメリカ合衆国に留学し、さらにドイツで農業経済学を学んだ。その後、札幌農学校助教授をつとめ、1891 年に結婚したアメリカ人の妻メリーと協力して、学校にかよえないこどもが無料で学べる遠友夜学校をひらいている。

1901 年には台湾総督府に技士としてまねかれ、台湾の農業の発展につくした。その後、京都帝国大学（京都大学）教授、東京帝国大学教授、第一高等学校（東京大学教養学部）校長、東京女子大学学長などを歴任。キリスト教と東洋思想をあわせた独特の理念の下で、個性と教養を尊重する人間教育の重要性をうったえた。平和主義を主張し、1920（大正 9）年から 1926 年のあいだ、国際連盟の事務局次長として活躍した。1933（昭和 8）年、カナダの太平洋会議に出席したあと、カナダで亡くなった。

稲造が 1900 年にアメリカで出版した『BUSHIDO：The soul of Japan』（『武士道』）は、世界的に大きな反響をよんだ。執筆のきっかけは、ベルギー人の学者に「宗教教育がないのに、どうやってこどもに道徳をさずけるのか」と質問されたことだった。また、妻のメリーに、日本人の考え方や習慣についてよく質問を受けていた稲造は、10 年あまりも考え、「目にみえない心の掟」としての「武士道」に焦点をあてて、日本人の生き方や精神のよりどころを説明した。この本は、いまも広く読みつがれている。

学 お札の肖像になった人物一覧　学 切手の肖像になった人物一覧

にとべつとう

郷土

● 新渡戸傳　1793～1871年

青森県南の農業の発展につくした武士

江戸時代後期の武士、役人。

陸奥国盛岡藩（現在の岩手県中北部、青森県東部）の藩士の子として、花巻（岩手県花巻市）に生まれた。28 歳のとき、父が藩の政策に反対したのをとがめられ、下北郡川内村（むつ市）に流罪となった。傳は材木商となり、だれも目をつけなかった十和田山中の木を切りだし、江戸（東京）や大坂（阪）にはこんで販売し、大きな利益を得た。

1838 年、46 歳で藩にめしかかえられ、山林を管理、監督する山奉行に任命されて、各地に防風林をつくった。また、領内 21 か村の開拓に成功した。そんななかで、たびたび凶作にみまわれ、ききんに苦しむ農民たちを救おうと考えた。

1855 年、63 歳のとき、藩の許可を得て新田開発に最適だと考えた三本木（十和田市周辺）の広大な原野約 2500ha の開拓をはじめた。しかし、荒れ地の三本木原は、周辺を流れる川から 30m も高い台地だった。しかし、この台地に水をひこうと考えた。

▲新渡戸傳
（十和田市立新渡戸記念館）

1856 年、十和田湖から流れ出る奥入瀬川の上流から水をひくため、途中のかたい岩盤をばんづるという道具などをつかって、少しずつほりけずるという難工事をおこなって、約 2.5km の鞍出山穴堰（トンネル）をほり、そこから約 2.7km の用水路をひいた。

そのころ勘定奉行（税の徴収など幕府の財政運営を担当する役職）に任命され、藩の財政を立て直すため江戸におもむいた。開発は長男の十次郎がひきつぎ、1857 年約 1.6km の天狗山穴堰を築き、3.4km の新用水路（現在の稲生川）を完成させた。1859 年、堰の水門がひらかれ、奥入瀬川の水が三本木原の原野に流れこんだ。翌年から米づくりがはじまり、1865 年には 930 石を収穫した。

新田開発と前後し、1860 年ごろから、十次郎によって三本木原の町づくりがはじまった。京都の町並みをまねて碁盤の目のような広い道路をつくって町をくぎり、住宅地区、商業地区、耕作地区などに分けた。山や海から吹く風をふせぐための防風林も築いた。

一方で十次郎は、三本木の人々に養蚕、焼き物、鋳物づくりをすすめ、町の発展につくした。

ちなみに、第二次世界大戦前、国際連盟の事務次長として活躍し、旧 5000 円札の肖像にもなった新渡戸稲造は傳の孫である。

▲天狗山穴堰から流れ出る稲生川
（十和田市立新渡戸記念館）

にながわゆきお

映画・演劇

● 蜷川幸雄　1935～2016年

国際的に活躍した演出家

昭和時代～平成時代の演出家、俳優、映画監督。

埼玉県生まれ。開成高校を卒業後、画家を志していたが、劇団青俳の安部公房作『制服』に衝撃を受け、入団。俳優として活躍したが、しだいに演出家を志望するようになり、1969（昭和 44）年に退団。同年、現代人劇場の清水邦夫作『真情あふるる軽薄さ』の演出を担当した。2 人が組んだ作品は、若年層を中心に大ヒットし、小劇場演劇をリードする存在となった。

1974年には日生劇場で『ロミオとジュリエット』の演出を担当、

商業演劇界にも進出した。演出作品は日本の現代劇から近松門左衛門、谷崎潤一郎、シェークスピア、ギリシャ悲劇と幅広く、ダイナミックな群衆演出が特徴だった。1983年に『王女メディア』をギリシャのアテネで公演。以後毎年海外での公演をおこなうなど、国際的に活躍した。

イギリス、ロンドンのグローブ座のアーティスティックディレクターの一人でもあった。2003（平成15）年から8年間、桐朋学園芸術短期大学学長をつとめた。

2006年には彩の国さいたま芸術劇場芸術監督に就任。2010年、文化勲章を受章した。

学 文化勲章受章者一覧

にのみやそんとく

江戸時代 郷土

● 二宮尊徳 1787〜1856年

農村復興に力をつくした

▲二宮尊徳 （報徳記念館所蔵）

江戸時代後期の農政家。相模国栢山村（現在の神奈川県小田原市）の農家に生まれた。幼名は金次郎。10代で両親を亡くし、おじの家にあずけられた。農作業をてつだうかたわら勉強にはげみ、1806年、20歳で没落した家を立て直した。

1818年、32歳のとき小田原藩（小田原市）の家老（位の高い家臣）服部家の財政立て直しに成功。その手腕を買われ、1822年、36歳のとき、藩主大久保忠真から分家にあたる宇津家の領地、下野国桜町領（栃木県真岡市）の復興を命じられた。桜町領では、宇津家が長年にわたってきびしい年貢の取り立てをおこなったため、多くの農民が村を去って田畑が荒れていた。

10年の約束で復興をひきうけた尊徳は、家屋敷を処分して家族とともに桜町領に移住した。最初は、農民出身の尊徳の活動をこころよく思わなかった藩士たちに妨害され、うまくいかなかったが、村人に根気よく倹約を指導し、働き者にほうびをあたえるなどして勤労意欲を高めた。

また、荒れ地の開墾や用水路、農道の整備をおこなって村を復興した。

▲各地に立てられた薪を背負い、本を読む二宮尊徳の像

この間、天保のききん（1833〜1839年）がおこるが、凶作を予測して農民にヒエを栽培させていたので、餓死者を一人もださなかった。

桜町領を復興させたことにより尊徳の名声は高まり、北関東各地の諸藩から依頼が殺到し、烏山藩（栃木県那須烏山市）、下館藩（茨城県筑西市）などで農村の復興にとりくんだ。1842年、その功績をみとめられて幕府の家臣にとりたてられ、日光神領（日光東照宮の領地）の復興を命じられた。

しかし、立て直しなかばの1856年、70歳で亡くなった。尊徳の農村復興策は報徳仕法とよばれ、弟子たちに受けつがれて広められた。

学 お札の肖像になった人物一覧　学 日本と世界の名言

にのみやちゅうはち

発明・発見

● 二宮忠八 1866〜1936年

飛行機の実現を願った研究者

（飛行神社提供）

明治時代〜大正時代の飛行機の研究者、実業家。

伊予国（現在の愛媛県）の商家に生まれる。12歳で奉公に出て、はたらきながら物理学や化学の本を読みふけり、手づくりの奇抜なたこの作成などで、まわりをおどろかせた。

21歳で徴兵され、1889（明治22）年、陸軍での演習中に、カラスが飛ぶ姿からアイディアを得て、ゴムでプロペラを回転させる紙製のカラス型模型飛行器（機）を完成させた。

1893年には、自由に方向がかえられる2枚翼の玉虫型飛行器の模型を作成する。設計図をもって政府に飛行機の開発を求めたが、不採用になる。のちに除隊し、製薬会社を設立して自力で研究をつづけたが、1903年にライト兄弟が人を乗せることができる飛行機を実現すると、のちにそれを知った忠八は研究を断念した。

晩年は航空事故で亡くなった人たちをいたみ、1915（大正4）年、京都府八幡市に飛行神社を設立して、みずから神主となり、航空界の安全を願ってすごした。1922年、ようやく軍部に研究をみとめられ、数々の表彰を受けた。

ニューコメン，トーマス

発明・発見

トーマス・ニューコメン　1664～1729年

世界初の実用的な蒸気機関を建造した技術者

17 ～ 18 世紀のイギリスの技術者。

イングランド南西部のダートマス生まれ。学校教育はわずかに受けただけではたらきはじめ、鉄加工の小工場を経営。同郷の友人であるキャリーの助力を得て、1712 年に世界ではじめての実用的な蒸気機関を建造した。この機関は、のちにイギリスの工学者であるスミートンによって高効率化の改良がなされ、鉱山からの排水のための蒸気揚水機関として広く普及した。ニューコメンの蒸気機関は、ワットの蒸気機関が開発されるまで半世紀以上にわたって使用され、イギリスの石炭産業の発展に大きく貢献し、産業革命をみちびいた原動力として、「ニューコメン機関」の名で知られている。

ニュートン，アイザック

学問　発明・発見

アイザック・ニュートン　1642～1727年

万有引力の法則を発見、理論物理学の基礎を築く

▲アイザック・ニュートン

イギリスの物理学者、数学者、天文学者。

ロンドン北方の農村ウールスソープに生まれる。父は自作農だったが、ニュートンが生まれる前に亡くなり、母はニュートンをおいて再婚し、祖母に育てられた。孤独な幼少期の体験が、他人に心をとざした性格を形成したともいわれる。好奇心は非常に強く、こどものころから科学的な考え方に非凡なものがあり、日時計などをつくって遊んだ。

18 歳でケンブリッジ大学に入学し、数学や光学、力学を学ぶ。1665 年に学位を得て卒業するが、この年にペストが流行して大学が閉鎖されたため、故郷のウールスソープに帰った。ここでリンゴが木から落ちるのをみて、万有引力の法則を発見したというエピソードが伝わっている。また、光の分光現象や数学の微積分などの着想も、この時期に得たという。

1667 年、大学にもどり、光学の研究をつづけ、プリズムの実験をおこない、太陽光はことなった波長をもつ光線が混合したものであることを発見。屈折の原理を利用した望遠鏡では限界があると考え、レンズのかわりにへこんだ鏡（凹面鏡）をつかった反射望遠鏡をつくった。26 歳でケンブリッジ大学の教授となり、数学や光学を研究し、講義をおこなう。そして、反射望遠鏡をつくったことが評価され、1672 年、ロイヤル・ソサエティ（ロンドン王立協会）の会員にえらばれた。

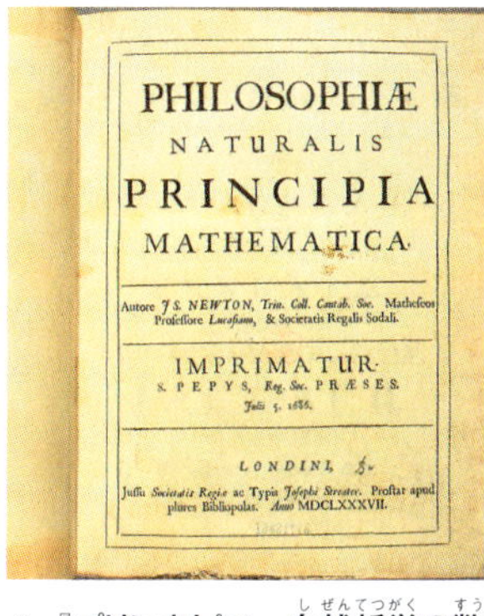

PHILOSOPHIÆ
NATURALIS
PRINCIPIA
MATHEMATICA
Autore J S. NEWTON, Trin. Coll. Cantab. Soc. Matheseos Professore Lucasiano, & Societatis Regalis Sodali.
IMPRIMATUR.
S. PEPYS, Reg. Soc. PRÆSES.
Julii 5. 1686.
LONDINI,
Jussu Societatis Regiæ ac Typis Josephi Streater. Prostat apud plures Bibliopolas. Anno MDCLXXXVII.

▲『プリンキピア―自然哲学の数学的原理』のとびらページ
（国立国会図書館）

1687 年に『プリンキピア―自然哲学の数学的原理』を出版。本書で、地球上で物体が落下するのも、地球のまわりをまわる月がとび去っていかないのも、同じ引力がはたらいているからで、地上の物体の動きから天上の惑星の動きまで、一つの法則によって支配されていることを明らかにした。ここではまた、飛んでいく弾丸のように変化する動きをあつかう数学の微積分の概念もしめした。こうして力学の理論体系を打ち立て、理論物理学の基礎を築いた。

自然科学以外の方面では、53 歳で造幣局の監事に任命され、にせ金づくりをとりしまり、重量を正確に決めた貨幣の鋳造に尽力した。1703 年、ロイヤル・ソサエティの会長となり、2 年後、ナイトの爵位をさずけられた。あまり知られていないが、キリスト教についても熱心に研究していた。

数学や力学、光学、天文学など広範囲におよぶ自然科学の世界で、多くの業績をのこし、84 歳で亡くなった。

にわふみお

文学

丹羽文雄　1904～2005年

風俗小説から仏教小説へ

昭和時代～平成時代の作家。

三重県生まれ。浄土真宗の寺院の長男として、複雑な家庭環境に育つ。早稲田大学国文科卒業。いったんは僧侶となるが、1932（昭和 7）年、『鮎』で注目されたことをきっかけに、無断で上京し、文学の道に入る。第二次世界大戦前後、当時の世相や風俗をえがいた『顔』『東京の女性』『日日の背信』などが映画やテレビドラマ化され、人気を得る。1947 年、高齢者問題をテーマにした『厭がらせの年齢』が注目される。後年は『菩提樹』『一路』など仏教に関する作品をてがけ、1970 年に『親鸞』で仏教伝道文化賞、1983 年には『蓮如』で野間文芸賞を受賞。私財を投じて同人誌『文学者』を発行し、瀬戸内寂聴、吉村昭、新田次郎など多くの文学者を送りだす。1977 年、文化勲章を受章。

学 文化勲章受章者一覧

にわやすじろう

発明・発見

丹羽保次郎　1893～1975年

ファクシミリの開発者

大正時代～昭和時代の電気工学者。

三重県生まれ。1916（大正 5）年、東京帝国大学工科大学（現在の東京大学工学部）を卒業。逓信省（その後の郵政省、および現在の総務省）の電気試験所の技師をへて、1924 年、

日本電気に入社した。写真を電送する研究にとりくみ、1928（昭和3）年、NE式写真電送装置（ファクシミリ）を完成。同年、京都でおこなわれた昭和天皇の即位式の写真電送につかわれ、ドイツやフランスの技術を上まわっていたことから注目された。翌年には無線による東京～伊東間の写真電送を実現、1936年、ベルリンオリンピック大会の無線写真電送にも成功した。1949年、東京電機大学の総長に就任。1959年に文化勲章、1971年に勲一等瑞宝章を受章した。特許庁が選定した「日本の十大発明家」の一人にもえらばれている。

学 文化勲章受章者一覧

にんしょう

宗教

忍性　1217～1303年

貧民や病人、孤児などを救うための悲田院を建設した

（国立国会図書館）

鎌倉時代中期～後期の僧。

良観ともいう。大和国（現在の奈良県）出身。1232年、母が亡くなり額安寺（大和郡山市）で出家して僧になった。翌年、東大寺で受戒（僧になるための戒律をさずかること）して修行し、社会事業をおこなった奈良時代の僧、行基を尊敬するようになった。1239年、西大寺（奈良市）の僧、叡尊の弟子となり、1243年、ハンセン病などの重病人を救うための北山十八間戸（奈良市）を創設した。1245年、行基のひらいた家原寺（大阪府堺市）で叡尊から新たに戒律をさずけられ比丘（正式な僧）となった。

1252年、関東に行き、常陸国三村寺（茨城県つくば市にあった寺）を拠点として律宗（戒律を中心とし授戒を重んじる宗教）を広めた。1261年、鎌倉（神奈川県鎌倉市）に行き、執権（鎌倉幕府の政治を統括する職）北条時頼、北条実時（金沢実時）らの信頼を得た。

1262年、北条時頼のまねきで鎌倉にきた叡尊が病気がちだったので、叡尊にかわって授戒活動をおこなった。1267年、生涯の活動の拠点となる極楽寺（鎌倉市）をひらき、長老（律宗の長）となった。1281（弘安4）年の元寇（元軍の襲来、弘安の役）のとき、執権北条時宗に命じられ、異国退散の祈とうをおこなった。1287年ころ、幕府の支援で病院をつくり、以後20年間に4万6800人を治療したといわれる。1294年、四天王寺（大阪市）の別当（寺務をとりしきる長官）となり、貧民や病人、孤児などを救うための悲田院を建設した。

忍性は、その生涯を通じて各地で社会的な救済活動、慈善事業をおこなったので、1328年、後醍醐天皇から忍性菩薩の称号をあたえられた。

にんとくてんのう

王族・皇族

仁徳天皇　生没年不詳

仁にあつく、徳の高い天皇

▲仁徳天皇　（国立国会図書館）

古墳時代の第16代天皇（在位4世紀ごろ）。

『古事記』『日本書紀』によれば、応神天皇の子で、履中天皇、反正天皇、允恭天皇の父にあたる。応神天皇は、仁徳天皇の異母弟を皇太子とした。応神天皇の死後、弟の皇太子は兄の仁徳に皇位をゆずろうとしたが、仁徳はかたく辞退したので天皇が不在になった。これをねらって異母兄が兵をあげたが、仁徳天皇がしずめた。しかし、その後も即位を辞退しつづけたので、異母弟は天下をわずらわせないようにみずから命を絶った。仁徳天皇は悲しんだが、ついに即位して難波高津宮（大阪市）を造営した。

あるとき、都をながめた仁徳天皇は、人家のかまどから煙が立ちのぼっていないことに気づいた。「民が貧しく、食事もできないのだろう」と思い、「3年間税をとるな」と命令した。仁徳天皇自身も衣服や食事を質素にし、宮殿も修理させなかったので屋根がくずれ、雨がもり、夜は室内から星がみえた。3年後、人家から煙が立ちのぼったので、ようやく宮殿の修理をさせたという。

また、大阪平野を流れる川のはんらんをふせぐため、難波（現在の大阪市）に水路をほらせ、大阪平野にあった大きな湖（河内湖）から大阪湾へ川を通すという大規模な土木工事をおこなった。さらに、各地に堤を築き、溝や池をほって田に水をひかせて人々の暮らしを豊かにした。

これらの話は、仁徳天皇が徳の高い天皇だということをしめすもので、仁徳という名もそこからつけられたという。

中国の歴史書『宋書』に出てくる倭の五王のうち、讃または珍にあたると考えられている。讃は応神天皇、履中天皇、珍は反正天皇とする説もある。墓は大阪府堺市にある大仙（大山）古墳（百舌鳥耳原中陵）とされているが、証明されていない。

▲大仙（大山）古墳
（宮内庁書陵部）

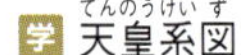
学 天皇系図

にんみょうてんのう

王族・皇族

仁明天皇　810～850年

承和の変で、みずからの子を皇太子に

平安時代前期の第54代天皇（在位833～850年）。嵯峨天皇の子。即位する前は正良親王とよばれた。

823年、淳和天皇の皇太子に立てられ、833年に即位。皇太子には、淳和天皇の子、恒貞親王を立てた。翌年には養老律令の注釈書である『令義解』を施行し、『日本後紀』の編さんを進めた。しかし842年、藤原氏が、政界の有力貴族の伴氏、橘氏らを陰謀によって追い落とすという事件（承和の変）がおき、事件に関係した人物として恒貞親王が皇太子をやめさせられると、子の道康親王（のちの文徳天皇）を皇太子に立てた。漢学などの学問などにも明るかったが、病弱だった。

学 天皇系図

Biographical Dictionary 3

ぬかたのおおきみ

詩・歌・俳句

額田王　生没年不詳

『万葉集』第一の女性歌人

▲安田靫彦画『飛鳥の春の額田王』（滋賀県立近代美術館蔵）

『万葉集』の代表的な女性歌人。はじめ大海人皇子（のちの天武天皇）の妻となり、十市皇女（大友皇子のきさき）を産む。その後、中大兄皇子（大海人皇子の兄、のちの天智天皇）の妻となる。

宮中を代表する歌人で、主に天皇の近くにつかえて、天皇のかわりに祝いや願いの歌をよんだとされる。『万葉集』には長歌3首、短歌9首がのっている。それらの歌がつくられたのは、648年から668年におよぶことから、7世紀後半に活躍したと考えられている。こまやかな恋愛の歌や、情熱的な心をよんだ歌、朝廷の公式の場で宮廷人たちの気持ちを一つにまとめる歌などがある。661年に、日本と親交のあった朝鮮半島の国、百済の救援にむかう斉明天皇（皇極天皇）と中大兄皇子の船団にむかって船出を祝うためによんだ歌「熟田津に　船のりせむと　月まてば　潮もかなひぬ　今は漕ぎ出でな」は、格調高く、とくに有名である。

ぬかたべのおうじょ

額田部皇女 → 推古天皇

ぬなみろうざん

工芸　郷土

沼波弄山　1718～1777年

萬古焼を創始した陶工

（桑名市博物館）

江戸時代中期の商人、陶工。伊勢国桑名（現在の三重県桑名市）の商人の家に生まれた。幼いころから茶道に親しみ、焼き物を趣味とした。20歳のころ小向村（三重県朝日町）に窯をつくり、陶器づくりをはじめた。やがて作品が評判になり、30代後半に江戸（東京）に出て、向島（墨田区）に窯を築いて陶器

をつくり、将軍家からの注文も受けた。弄山は、作品に「萬古」という印をおした。これは「萬古不易」ということばからとったもので、「永久にかわらず、伝わるように」という意味がこめられていた。この萬古焼は、京都の陶工、尾形乾山に学んだともいわれるが、明（中国）の赤絵とよばれる焼き物や、オランダの陶器の様式などもとり入れて、くふうしたものという。弄山の死後萬古焼は一時中断したが、19世紀に再開され、明治時代には四日市（三重県四日市市）で生産されるようになり、海外にも輸出された。現在は、四日市萬古焼として生産されている。

ぬまざわいせ

郷土

沼沢伊勢　生没年不詳

最上川に諏訪堰をひらいた郷士

▲現在の諏訪堰　（白鷹町土地改良区）

江戸時代前期の郷士。

出羽国東根村浅立（現在の山形県長井市）の郷士（武士の待遇を受けていた旧家）の家に生まれた。村は、十数軒の小さな集落で、米もあまりとれなかった。最上川から用水をひき、周辺の原野を開拓する。

1603年、広野村（山形県白鷹町）の肝煎（村の長）の新野和泉と相談して、用水をひく計画を立てた。最上川から用水をひくためには4km上流から水をとり入れなければならない。用水路は、山麓ぞいをほり進む大工事となった。水の神とされている諏訪明神（長野県諏訪市）に参詣して、成功を祈り、数年をついやして用水を完成させた。伊勢は、諏訪神社を建てて、あつく信仰し、用水路を諏訪堰と名づけた。

諏訪堰が完成したことにより、最上川左岸の浅立、広野、東五十川、畔藤の村々に水田がひらかれた。

ヌルハチ

王族・皇族

ヌルハチ　1559～1626年

清の発展の基礎を築いた

中国、清の初代皇帝（在位1616～1626年）。

太祖ともいう。満州（中国東北部）に住んでいた女真族の一派である建州女真族の族長の子として生まれる。姓は愛新覚羅（アイシンギョロ）。

1583年、24歳のとき、祖父と父が明軍に討たれて亡くなると、一族の再興をはかって独立。明の司令官李成梁とむすんで周辺の部族をしたがえ、1589年ころまでに満州南東部の建州女真族を統一した。つづいて1593年、満州中部を支配する海西女真族を中心とする連合軍と戦って勝利し、海西女真族の諸部族を併合し、1613年ころには、ほぼ満州全域を支配下におさめた。

▲ヌルハチ

この間に、新たに満州文字を制定し国史の編さんを命じ、都をヘトアラ（興京老城、現在の遼寧省撫順郊外）に定めた。また、八旗という軍事組織をもうけ、軍事力を強化した。八旗に属するものは旗人とよばれ、役人または兵士となるかわりに土地をあたえられ、行政組織の基礎となった。

ヌルハチの勢力が強大になることをおそれた明が、海西女真族の勢力を集めて圧力をかけてくると、これに対抗してヌルハチは、1616年、アイシン（後金、のちの清）を建国し、みずからハンの位についた。そして明への7つの抗議文「七大恨」をかかげて、1619年、進軍を開始。10万ともいわれる明の大軍を相手に、サルフ（撫順の東にある山）の戦いで勝利した。

1621年には、瀋陽、遼陽に進撃し、遼川の東側の地域を占領し、都を瀋陽に移した。さらに1626年、遼川の西に侵入し、寧遠城を包囲したが、ポルトガルの大砲をつかった明軍に撃退され、瀋陽にしりぞき、まもなく亡くなった。

その後、第8子のホンタイジがあとをつぎ、10年後の1636年、国号を清にあらためた。ヌルハチは投降してきた中国人には、満州の風俗である弁髪を強制したが、この方針はその後、清が中国を支配していた約300年間、つづけられた。

▲中国、北京にある紫禁城の門に書かれた満州文字（左）

学 世界の主な王朝と王・皇帝

ね

Biographical Dictionary 3

ネ・ウィン

政治

ネ・ウィン　1911〜2002年

「ビルマ式社会主義」をかかげた独裁的政治家

ビルマ（現在のミャンマー）の軍人、政治家。大統領（在任 1974 〜 1981 年）。

1932 年にラングーン大学を退学後、タキン党員としてイギリスによる統治に反対、独立運動に参加。1941 年、日本占領下の中国の海南島で、ビルマ独立の父アウン・サンとともに日本軍の軍事訓練を受け、日本軍とともにイギリス軍と戦った。しかし、日本が劣勢となると、抗日運動に転じる。1948 年、ビルマ連邦として独立をはたすと参謀総長に就任。1962 年、軍事クーデターをおこし、独裁的な軍事政権を樹立。「ビルマ式社会主義」をかかげ、産業を国有化、外国との交流を極端に制限した。1974 年、国名をビルマ連邦社会主義共和国とあらため、みずから大統領に就任。1981 年には大統領の座を明けわたすが、単一支配政党のビルマ社会主義計画党議長として影響力をもちつづけた。独裁体制や経済の崩壊への不満から民主化運動がおこり、1988 年、すべての公職を辞任、引退した。

ネーピア，ジョン

学問

ジョン・ネーピア　1550〜1617年

小数の表記の完成者

イギリスの数学者。

スコットランドの貴族の家に生まれる。数学や自然科学を研究し、幅広い発想から、発明などをてがけた。

数学では、小数点記号を考えだし、数字の表記の使用に貢献した。また、指数（x^n の n）による計算方法を研究し、『驚くべき対数規則の記述』を発表し、「対数」という考え方を導入した。のちに、幾何学者ブリッグスと共同して、常用対数表の作成にとりくんだ。その後、手軽に計算できる対数尺が開発された。同じ時代に開発された天体望遠鏡が、天体観測を一変させて、複雑な数値計算を必要としたため、天文学の発展に役だった。

ねぎしえいいち

学問

根岸英一　1935年〜

「根岸カップリング」によりノーベル化学賞を受賞

化学者。

満州（現在の中華人民共和国東北部）生まれ。父の転勤にともない、中国や朝鮮半島を移り住んだのち、第二次世界大戦後の 1945（昭和 20）年に引き揚げ帰国した。東京大学工学部応用化学科を 1958 年に卒業し、帝国人造絹糸（現在の帝人）に入社する。1966 年にアメリカ合衆国のパデュー大学博士研究員となり、同大学助教授、シラキュース大学助教授、准教授をへて、1979 年にパデュー大学教授に就任。1999（平成 11）年からは同大学ブラウン化学研究室特別教授となる。根岸はパラジウムという金属を用いることで、ことなる分子の炭素と炭素をつなげる方法をはじめて発見し、この「根岸カップリング」の功績により、2010 年にノーベル化学賞を受賞、同年文化勲章を受章した。

学 ノーベル賞受賞者一覧　学 文化勲章受章者一覧

ねじめしょういち

文学　詩・歌・俳句

ねじめ正一　1948年〜

現代詩の大衆化に力をつくす

詩人、作家。

東京生まれ。本姓は禰寝。青山学院大学中退。実家は東京都杉並区の高円寺で乾物屋をしていたが、その後、廃業して阿佐谷で民芸店をひらく。民芸店をいとなみながら詩を書き、詩の大衆化、芸能化を意識した最初の詩集『ふ』で、1981（昭和 56）年に H 氏賞を受賞した。1989（平成元）年に、少年時代の思い出を下敷きに、人々の日常をえがいた小説『高円寺純情商店街』で直木賞を受賞する。詩や小説のほか、児童文学、エッセーなどで活躍する。ほかに詩集『ひとりぼっち爆弾』、エッセー『ねじめの歯ぎしり』、児童書に『ひゃくえんだま』『わがままいもうと』などがある。

学 芥川賞・直木賞受賞者一覧

ネストリウス

宗教

ネストリウス　381ごろ〜481年ごろ

キリスト教の異端とされた総主教

キリスト教、コンスタンティノープル総主教（在位 428 〜 431 年）。

シリアのゲルマニキア生まれ。アンティオキア学派の長老、修道士、説教者として名声を博した。428 年、ビザンツ帝国（東ローマ帝国）の皇帝、テオドシウス 2 世によって、コンスタンティノープル（現在のトルコのイスタンブール）の総主教としてまねかれ、聖職者の規律をひきしめ、異端の撲滅をおこなった。ネストリウスはキリストの神性と人性を区別し、当時、教父たちが聖母マリアに対して用いていた「神の母」は神性を強調すると反対し、「キリストの母」とよぶべきであると主張。これはキリストの人性のみを説いたと曲解され、エフェソス公会議で異端と断罪され、436年エジプトに追放となった。ネストリウス派のキリスト教はペルシア、インドなど東方に広がって独自の発展をとげ、中国には唐の時代に伝わり、景教といわれた。

ねづかいちろう

産業

根津嘉一郎　1860〜1940年

東武鉄道を再建した日本の鉄道王

(国立国会図書館)

明治時代〜大正時代の実業家、政治家。

甲斐国（現在の山梨県）生まれ。実家は雑穀商や質屋業をいとなむ豪商。20歳で上京し漢学を学んだ。帰郷後、地方政界で活躍し、ふたたび上京。同郷の若尾逸平や雨宮敬次郎らと知り合い、株式投資で財を築いて甲州財閥とよばれる。投資先は電力、金融、保険、紡績など多業種にわたり、多くの会社の社長や重役を兼任して、経営に参加した。1905（明治38）年、当時苦境にあった東武鉄道にこわれて社長となり、日光・鬼怒川の観光地開発は私鉄経営のモデルとなった。そのほか東京地下鉄など20数社の鉄道経営にも参加し、国内初の地下鉄開通にたずさわる。鉄道界に大きな影響をもち、「鉄道王」とよばれた。「社会から得た利益は社会に還元する義務がある」という信念のもと教育事業も手がけ、私財で武蔵高等高校（現在の武蔵大学）や根津化学研究所を設立。

1904年から4期衆院議員、後年には貴族院議員もつとめた。また、茶人としても知られ、没後、収集品の寄付によって東京青山に根津美術館が設立された。

ネッケル，ジャック

政治

ジャック・ネッケル　1732〜1804年

ルイ16世の財務長官

フランスの銀行家、政治家。

スイスのジュネーブ近郊に生まれる。父は法学者。1747年、15歳のときにパリに出て銀行員となる。1763年に銀行を設立し、経済理論家としても有名になった。1777年、フランス国王ルイ16世の財務長官に任じられ、財政の赤字を立て直すため、外国銀行からの借り入れをはじめ、租税の負担を公平にする改革を進めたが、貴族の反対にあい、1781年に辞任した。1788年、ふたたび財務長官に登用され、僧侶、貴族、平民からなる議会である三部会では、平民の議員を倍増させ、貴族の反対にあって罷免。これにおこった民衆は、パリのバスティーユ牢獄を占拠したため、国王は彼を復職させた。その後も財政改革をおこなうが、議会と対立。1790年、公職を引退し、ジュネーブ近郊で晩年をすごした。

ネフェルティティ

王族・皇族

ネフェルティティ　生没年不詳

美しい胸像で知られるエジプトの女王

古代エジプト、第18王朝のアメンホテプ4世のきさき。

紀元前14世紀中ごろの人で、出身はメソポタミア北部のミタンニ王国の王女という説と、貴族の娘という説がある。アメンホテプ4世と結婚し、6人の娘をもうけた。このうちの一人が、ツタンカーメン王と結婚することになる。夫のアメンホテプ4世は、即位するとアメン神を否定して、アトン神への信仰を強制した。ネフェルティティも熱心なアトン信者となり、王が晩年、テーベのアメン神の神官団と和解に乗りだしたときも、これに反対して、退席させられたといわれる。

エジプトで発見されたネフェルティティの胸像はドイツ、ベルリンの国立博物館にあり、その美しさは世界的に有名である。

ネブカドネザルにせい

王族・皇族

ネブカドネザル2世　?〜紀元前562年

ユダ王国をほろぼし、ユダヤ人をバビロンに連行した

新バビロニア王国の王（在位紀元前605〜紀元前562年）。

新バビロニア王国の建国者ナボポラッサルの長男。皇太子のときから各地に遠征し、紀元前606年、アッシリアの勢力を攻撃して、アッシリアの援護にきたエジプト軍をカルケミシュの戦いでやぶる。その直後、父が亡くなったため王位をつぎ、シリアの諸都市を次々に征服して、最大領土を築いた。さらにユダ王国を属国として、反乱がおこるとこれをほろぼす。そしてユダ王国の首都エルサレムに住む多数のユダヤ人を拉致して、自国の首都バビロンに連行した（バビロン捕囚）。

交易を促進するなどして国を繁栄させ、大規模な建築事業をおこなった。バビロンを城壁でかこみ、宮殿につづく大通りをつくり、また、美しいことで有名なイシュタル門を建設した。壮大なマルドゥク神殿や、巨大な聖塔（ジッグラト）を補修して完成させ、さらに世界七不思議の一つである空中庭園（実際は、屋上庭園だったといわれる）をつくったことでも知られている。

ネルー，ジャワハルラール

政治

ジャワハルラール・ネルー　1889〜1964年

インドの独立と近代化につくした政治家

インドの政治家。インド共和国の初代首相（在任1947〜1964年）。

北部の都市アラハバードに生まれる。父は裕福な弁護士で政治家。

▲ジャワハルラール・ネルー

1905年、16歳のとき、イギリスにわたり、名門のハロー校に入学。ついでケンブリッジ大学に進み、自然科学や法学を学び、弁護士の資格を得た。

1912年に帰国して弁護士になるが、4年後、インドの民族運動の政治結社・国民会議派に参加。1919年、イギリス軍が発砲して多数の死者をだしたアムリットサル事件がおこると、ガンディーが指導する非暴力・非服従の運動に参加し、インド独立のために戦うことを決意した。その後、国民会議派の急進派に立ち、ガンディーと対立することもあった。

1921年、ストライキを指導して投獄される。1945年まで計9回投獄され、獄中ですごした年数は9年におよんだ。1929年、国民会議派の議長にえらばれ、インドの完全独立を決議し、将来とるべき道として社会主義をかかげた。

1947年、インドが独立すると、初代首相兼外相となり、国家の建設と発展につくす。憲法の制定、経済の5か年計画、総選挙の実施などにより国内体制をととのえ、社会主義社会の建設を試みた。しかし、地主や資本家の発言力が強く、思うようには進まなかった。

外交では、1954年、中華人民共和国（中国）とのあいだで平和5原則をむすび、翌年にはインドネシアのバンドンでおこなわれたアジア・アフリカ会議で主導的な役割をはたし、民族の独立、平和共存などをうたった平和10原則を採択した。その後も、アメリカ合衆国とソビエト連邦を中心とする東西両陣営のいずれにも加わらない非同盟の立場をとり、国際政治に大きな影響力をもった。

1962年、中国とのあいだで国境紛争がおこり、インドは敗北、国内の経済も停滞し、ネルーの指導力は低下。1964年に74歳で死去した。

独立までは国民会議派の指導者として活動し、独立後は初代首相としてインドの近代化に尽力した功績は大きい。親日家でもあり、1949（昭和24）年に上野動物園にゾウを贈り、1957年、日本を訪問し歓迎を受けた。主な著書に『自伝』『父が子に語る世界史』などがある。

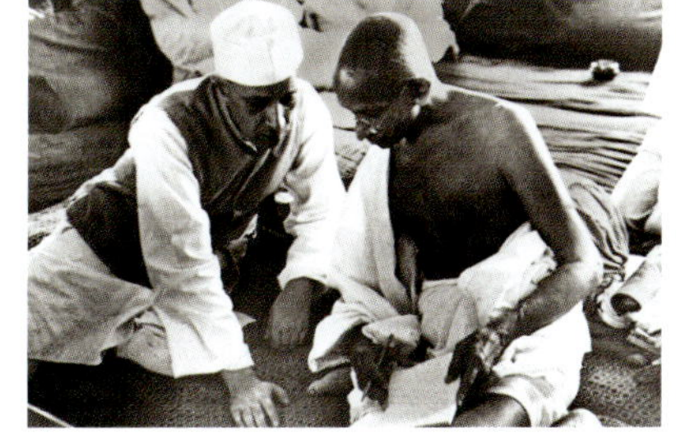
▲ネルー　ガンディー（右）と（1942年）。

ネルウァ，マルクス・コッケイウス

王族・皇族　古代

マルクス・コッケイウス・ネルウァ　30?～98年

五賢帝のはじめの一人

ローマ帝国の皇帝（在位96～98年）。

イタリアのナルニで法学者の家系に生まれる。自身も法務官となり、71年、90年の2度にわたり執政官（コンスル）をつとめた。恐怖政治をおこなったドミティアヌス帝が96年に暗殺されると、元老院に指名され、皇帝に就任した。

貧しい農民を保護し、穀物の分配や水道の整備などをして内政を安定させた。しかし軍からの支持が得られず、また高齢でこどももいなかったため、97年、上ゲルマニア州総督トラヤヌス帝を養子にして、後継者に指名した。以降、養子をあとつぎとした皇帝の交代がおこなわれるようになる。ネルウァの治世は、帝国がもっとも繁栄した時代「パックス・ロマーナ（ローマの平和）」のはじまりで、五賢帝とよばれるすぐれた皇帝のはじめの一人に数えられる。

ネルソン，ホレーショ

政治

ホレーショ・ネルソン　1758～1805年

ナポレオン軍をやぶったイギリスの軍人

イギリスの海軍提督。

ノーフォーク州の牧師の子として生まれる。1770年、12歳で海軍に入り、20歳のときに艦長に昇進した。1793年以降、フランスとの海戦がはじまると、地中海方面を転戦し、右目と右腕を失うなどして活躍した。1798年、エジプトのナイル川河口のアブキール湾で、フランスのナポレオン（のちのナポレオン1世）ひきいるエジプト遠征護衛艦隊をやぶった。1805年にはスペイン南端でおこなわれたトラファルガーの海戦で、イギリス本土上陸をねらうナポレオン1世ひきいるフランス・スペインの連合艦隊をやぶる。その際、「英国は各員がその義務をつくすことを期待する」と艦隊に信号を送り、士気を高めたことが有名である。しかし、この海戦で、みずからも銃弾にあたり戦死した。その後、彼の栄誉と海戦勝利を記念して、ロンドンにトラファルガー広場がつくられた。

ネロ・クラウディウス・カエサル

王族・皇族　古代

ネロ・クラウディウス・カエサル　37～68年

ローマの大火でキリスト教徒を迫害した暴君

ローマ帝国の皇帝（在位54～68年）。

ローマの貴族の出身。父の死後、母は皇帝クラウディウスと結婚して、ネロは養子となり、皇帝の娘と結婚する。その後、母が夫を毒殺すると、ネロは皇帝の座についた。最初の5年は、哲学者セネカらの補佐もあって、よい政治をおこなっていたが、しだいに乱暴で無謀な行動をおこすようになり、母、妻、愛人を次々に殺害した。また、64年のローマの大火の際には、その罪をキリスト教に負わせて大虐殺した。やがて民衆の信頼を失い、各地で反乱がおこると、元老院や軍隊からも見捨てられ、自殺した。暴君の顔をもつ一方で、詩を書き、民衆の前でたて琴をかなでて歌うなど、芸術を愛する人物でもあった。

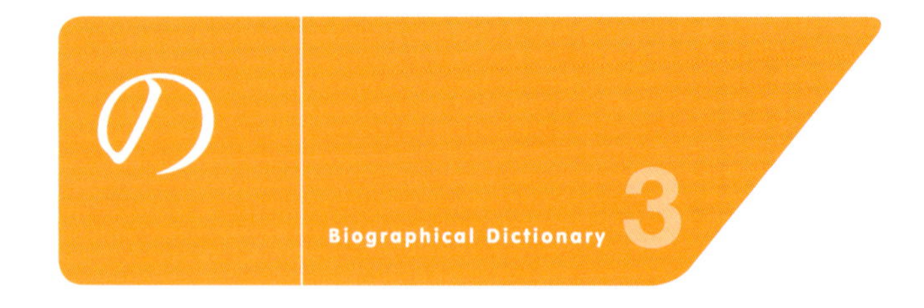

のあみわさぶろう

郷土

野網和三郎　1908〜1969年

ハマチの養殖に成功した漁師

（香川県水産課）

明治時代〜昭和時代の網元。

香川県大川郡引田村（現在の東かがわ市）の裕福な網元の家に生まれた。小学校を卒業後、三重県立志摩水産学校で学びながら、村の漁業をさかんにする方法を考えた。友人と釣りに行った志摩の海で、大きな網の中にイワシが泳ぎ、ハマチの稚魚がまじっているのをみた。和三郎の父は「魚が網の中のえさを食べるなら、養殖できるかもしれない」といい、海水が出入りする塩湖、安戸池で試みることをすすめた。海の魚を飼うことは、当時の漁業の常識にはずれていたが、漁業組合の許可を得て、魚の養殖にとりくんだ。1927（昭和2）年、サバとアジ、次にタイを池にはなしたが、失敗した。ハマチの稚魚を池にはなし、イワシ、サバ、イカをすりつぶしたえさをあたえると、順調に育ったので、翌年、本格的にハマチ養殖の事業化を進めた。ハマチ養殖は、香川県の漁業の中心となった。

のいくらじんべえ

郷土

野井倉甚兵衛　1872〜1960年

野井倉台地に水田をひらいた地主

（野井倉土地改良区）

明治時代〜昭和時代の農民、開拓者。

鹿児島県野井倉村（現在の志布志市）の地主だった。村のある野井倉台地は、火山灰でできたシラス台地だったため、水にとぼしく、サツマイモやソバ、アワなどしか育たなかった。20歳のころ、菱田川から用水をひき、水田をひらく計画を立てたが、協力者は少なく、資金が集まらなかった。そこで、国や鹿児島県にうったえ、1921（大正10）年から国による調査がはじまった。

しかし、ばく大な費用がかかることがわかり、工事は実現しなかった。甚兵衛はあきらめず、くりかえし国にうったえた結果、1941（昭和16）年、約520haの水田と100haの畑をひらく計画が立てられ、翌年から工事がはじまった。第二次世界大戦がおこり、中断することもあったが、戦後の1949年、ついに用水路が完成して通水式がおこなわれた。その後、野井倉台地は広大な新田にかわった。

ノイマン，ジョン・フォン

学問　発明・発見

ジョン・フォン・ノイマン　1903〜1957年

コンピューターの先駆者

20世紀のハンガリー生まれのアメリカ合衆国の数学者。

ユダヤ系ドイツ移民の子としてブダペストで生まれる。幼いときから英才教育を受けて語学や数学の才能を発揮し、ブダペスト大学の数学者に個人教授を受ける。1921年からブダペスト大学の大学院で数学を、ベルリン大学やチューリヒ工科大学で化学工学を学ぶ。成績優秀で23歳で数学、物理、化学の博士号を受けた。1926年、ゲッティンゲン大学で数学者ヒルベルトに師事した。

1930年、ナチスの台頭によりアメリカへ移住し、同年にプリンストン高等研究所の所員にえらばれる。同研究所で数学教授をつとめたあと、数学や量子力学の理論、電子計算機開発の分野でいちじるしい成果を上げた。経済学にゲーム理論を導入したことでも知られる。

しかし、がんをわずらい、53歳の若さで亡くなった。第二次世界大戦中にかかわった原子爆弾製造計画（マンハッタン計画）であびた放射線が原因と考えられる。

20世紀の科学技術発達をささえたもっとも重要な人物の一人とされ、その後のコンピューター技術の基礎となったプログラム内蔵方式が「ノイマン型コンピューター」とよばれている。

のういん

詩・歌・俳句

能因　988〜?年

美しいもみじの歌で知られる

平安時代中期の歌人。

俗名は橘永愷。文章生（朝廷の役人養成機関である大学寮で歴史や詩文を学ぶ学生）となったが、26歳ころに出家して僧になったという。和歌は藤原長能に学んだ。宮中の歌人と交流し、甲斐（山梨県）や東北地方などに旅をして多くの歌をのこした。個人の歌を集めた私家集『能因法師集』をのこし、勅撰集『後拾遺和歌集』などに65首がのこされている。

三十六歌仙（藤原公任がえらんだ36人の歌人）の一人。代表作「あらし吹く　三室の山の　もみぢ葉は　龍田の川の　錦なりけり」は、『後拾遺和歌集』にのせられ、のちに藤原定家がまとめた『小倉百人一首』にもえらばれている。

学 人名別 小倉百人一首

ノートン，メアリー

絵本・児童

メアリー・ノートン　1903〜1992年

『床下の小人たち』のファンタジー作者

イギリスの児童文学作家。

ロンドン生まれ。女子修道院つきの学校で学んだ。はじめは俳優をめざすが、1927年に結婚して、ポルトガルに移り住む。その後、ニューヨークへわたり、短編小説などを書きはじめる。1943年にロンドンにもどり『魔法のベッド南の島へ』を出版してから本格的に児童文学に専念。1952年には、魔法の力をもたない小人の物語『床下の小人たち』を出版、カーネギー賞を受賞。2010（平成22）年にスタジオジブリが制作したアニメ映画『借りぐらしのアリエッティ』の原作でもある。

日常のできごとを想像力豊かに展開し、細かい描写で表現する。1950年代を代表するファンタジー作家として人気を得た。『魔法のベッド南の島へ』のシリーズと『床下の小人たち』を原作として映画作品もつくられている。

ノーベル，アルフレッド

発明・発見

アルフレッド・ノーベル　1833〜1896年

ノーベル賞を創設した

▲アルフレッド・ノーベル

スウェーデンの化学者、発明家、企業家。

首都ストックホルムに生まれる。1842年に一家はロシアのサンクトペテルブルクに移る。1850年、17歳のとき、スウェーデン、ドイツ、フランス、イタリア、アメリカ合衆国などを遊学し、約2年間、化学や機械工学、外国語などを学んだ。

1853年、クリミア戦争がおこると、爆薬の製造をしていた父の仕事をてつだい、その後も爆薬の改良にとりくんだ。1863年、ストックホルムの工場で、黒色火薬をつかって液状のニトログリセリンを爆発させることに成功、これを実用化して、鉱山などでつかわれるようになった。1864年に工場が爆発して弟のエミールを失ったため、1865年にはさらに高性能の火薬を開発。信用を回復し各地に送られたが、輸送中や貯蔵中に爆発事故をおこし、批判をあびることもあった。

そのため実験をくりかえし、ニトログリセリンをけい藻土にしみこませ、あつかいやすい固形にして、雷管という起爆装置をつけた火薬をつくることに成功。ダイナマイトと名づけて、1867年に特許をとった。その後も、爆発力が高く、しかも安全性の高いゼラチン状のダイナマイトや、無煙火薬などを発明し、約355件の特許をとった。産業が飛躍的に発展する時代にあって、ダイナマイトは鉄道の建設や土木事業、鉱山の開発などにつかわれ、世界中で需要が高まったため、ドイツやイギリス、アメリカなどに工場を建て、ノーベル・ダイナマイト・トラストという会社を創設した。さらにアゼルバイジャンのバクー油田の開発もおこない、巨万の富を築いた。

平和を愛し科学の進歩を信じていたノーベルは、ダイナマイトが戦争にもつかわれ、多くの人命をうばっていることに心を痛めていた。そこで彼はみずからの遺産を基金として、国籍や宗教などにかかわりなく、人類の福祉に最大の貢献をした人を表彰するよう遺言をのこして、1896年、63歳で亡くなった。遺産はスウェーデン王立アカデミーに送られ、ノーベル財団が設立された。1901年以来、物理学賞、化学賞、生理学・医学賞、文学賞、平和賞の5部門（経済学賞は1968年創設）にノーベル賞が授与され、いまでは世界でもっとも権威ある賞とされている。

▲ノーベル賞受賞者に贈られるメダル

のがみやえこ

文学

野上弥生子　1885〜1985年

漱石文学の理想主義を受けつぐ

明治時代〜昭和時代の作家。

大分県生まれ。本名はヤエ。夫は英文学者で能楽研究家の豊一郎。明治女学校卒業。夏目漱石の門下だった豊一郎のすすめで創作をはじめ、漱石の指導のもと、雑誌『ホトトギス』などに作品を発表する。またギリシャ・ローマ神話『伝説の時代』の翻訳もてがけた。1914（大正3）年に書いた児童文学『人形の望』では、生きるうえでもっともたいせつなのは知恵であるという野上文学の原点をえがいている。漱石文学の理想主義をもっともよく受けつぐといわれる。

1922年に発表した『海神丸』で広くみとめられる。その後、昭和時代初期を背景に知識人としての青年の苦悩をえがいた長編小説『迷路』を発表、当時の日本と日本人をとらえて話題をよんだ。ほかに政治家と芸術家の対立する関係をえがいた代表作『秀吉と利休』などがある。評論、随筆なども多い。1965（昭和40）年、文化功労者。1971年、文化勲章受章。

学 文化勲章受章者一覧

のぎまれすけ

政治

乃木希典　1849〜1912年

天皇に殉じた、日本陸軍の指揮官

（国立国会図書館）

明治時代の軍人。

長州藩（現在の山口県）の支藩、長府藩（山口県下関市）の藩士、乃木希次の3男として江戸（東京）の藩邸で生まれる。幼名は無人。10歳まで江戸で育つが、幼少時はからだが弱くおくびょうだったため、父にきびしく育てられた。また幼いころ、左目を失明している。

1858年に父にしたがい長府藩へ移ると、漢籍や詩文に加え、武芸を学んだ。元服すると源三と名をあらためた。16歳のころには、学者を志して父と対立。家出して、萩の藩校である明倫館に学ぶ。このころ一刀流剣術も学びはじめ、目録伝授（技術習得の証明）されるほどの腕前だった。

1864年には、友人たちと報国隊を組織し、翌年の第二次長州出兵では山県有朋の指揮下で戦った。1868年の戊辰戦争では東北を転戦。明治維新後はフランス式軍事教育を受け、陸軍少佐となる。1877（明治4）年の西南戦争で苦戦し、西郷隆盛軍に軍旗をうばわれたことを一生の恥としていた。ドイツ留学をへて、帰国後一時休職するが、日清戦争には旅団長として参加。戦争末期に第2師団長となり、1896年、台湾総督に就任した。

1904年の日露戦争では、第3軍司令官として旅順の戦いの指揮をとった。旅順は中国から当時ロシアが租借し、太平洋艦隊の大規模な基地となっていた。12月5日、乃木指揮の下、ロシア艦隊の動きを止めるため、日本陸軍（第3軍）が二〇三高地に攻撃をしかけて攻略。日本側も被害が大きく、自身も勝典、保典の2人の息子を失った。乃木は被害の責任をとって自刃したいと天皇に申しでたが、「死ぬなら朕が世を去ったあとにせよ」といったことばを受け、ふみとどまる。
激戦を制した指揮官というだけでなく、降伏兵のあつかいが寛大であったとされ、のちに各国王室や政府などから勲章をあたえられた。
戦後は、天皇の孫、裕仁親王（のちの昭和天皇）が初等科に入学した学習院の院長をつとめ、その教育にあたった。1912年に明治天皇が亡くなり、9月、大葬がおこなわれた日の夜、妻とともに天皇のあとを追って自刃。のちに乃木を祭った乃木神社が各地に建立された。

ノグチ，イサム

彫刻

イサム・ノグチ　1904～1988年

庭園の造形にも才能を発揮した彫刻家

アメリカ合衆国の彫刻家。
ロサンゼルス生まれ。父は英文学者で詩人の野口米次郎、母はアメリカ人作家レオニー・ギルモア。少年時代を日本ですごす。1918年、アメリカにわたり、ガストン・ボーグラムに彫刻を学ぶ。1927年から2年間、フランスでブランクーシの助手をつとめ、その抽象表現に傾倒した。1930年代は、日本や中国、メキシコ、ヨーロッパなどを旅行し、陶芸や水墨画など東西の文化を吸収する。1938年、AP通信ビルの玄関に設置するレリーフのコンペで1等賞となり、一躍名を知られる。第二次世界大戦後の1946年、「14人のアメリカ人展」にえらばれ、世界的に評価された。1954年の「あかり」展では、日本の伝統に目をむけ、紙とタケと鉄の彫刻を発表した。
作品は、彫刻のほか、家具、照明、舞台美術など、幅広い。代表作は、パリのUNESCO本部の日本庭園、大阪万国博覧会の噴水、ニューヨークのイサム・ノグチ庭園美術館などがある。

のぐちうじょう

詩・歌・俳句　音楽

野口雨情　1882～1945年

近代の童謡の基礎をつくる

明治時代～昭和時代の詩人、作詞家。
茨城県生まれ。本名は英吉。東京専門学校（現在の早稲田大学）中退。廻船業をいとなむ名家に育ち、少年のころから文学に親しむ。1905（明治38）年に創作民謡集『枯草』を自費出版。職を転々とし、北海道で新聞記者をしていたとき石川啄木と交流する。1919（大正8）年ころから童謡運動に参加、児童雑誌『金の船』（のち『金の星』）を中心に『七つの子』『赤い靴』『青い目の人形』などの作品を発表。『赤い鳥』で活躍していた北原白秋らと、近代童謡の基礎をつくった。

（日本近代文学館）

日本各地の特色をとり入れた田園的で素朴な民謡や童謡が多く、作曲家の本居長世や中山晋平らの曲とともに、いまも広く愛唱されている。民謡集『別後』『雨情民謡百篇』、童謡集『十五夜お月さん』などがある。歌謡曲の作詞でも知られ、『船頭小唄』をはじめ、『波浮の港』（1928年）、『紅屋の娘』（1929年）などのヒット曲を生んだ。

のぐちしたがう

産業

野口遵　1873～1944年

新興財閥の日窒コンツェルンの創立者

（野口遵顕彰会提供）

明治時代～昭和時代の実業家。
石川県生まれ。帝国大学工科大学（現在の東京大学）卒業。郡山電灯で技師長、シーメンス東京支社勤務、仙台で日本初のカーバイド（炭化物）製造などをへて、1906（明治39）年、曽木電気（チッソ、旭化成、積水化学工業、積水ハウス、信越化学工業）を設立。1908年、曽木電気と日本カーバイド商会を合併して、熊本県水俣に日本窒素肥料を設立。同社ではフランク・カロー法による日本最初の石灰窒素、変成硫安の生産を開始。さらに1923（大正12）年にカザレー法によるアンモニアの生産と人造絹糸の製造に成功し、昭和時代に入ると電力を求めて朝鮮に進出。赴戦江、長津江の電源開発を進め、1927（昭和2）年に設立の朝鮮窒素肥料を中心とする電気化学工業コンビナートを建設した。数多くの子会社が設立されてこれらの事業をにない、新興財閥の一つ、日窒コンツェルンを形成した。数々の実績をあげた技術者であり、敏腕な事業家でもある野口は「電気化学工業の父」や「朝鮮半島の事業王」などと称された。

のぐちそういち

探検・開拓

野口聡一　1965年～

日本人初のISSで船外活動をおこなった宇宙飛行士

宇宙飛行士。
神奈川県生まれ。兵庫県で幼少期をすごしたあと、神奈川県にもどって東京大学工学部航空学科を卒業。同大学大学院の修士課程を修了後、石川島播磨重工業（現在のＩＨＩ）で超音速旅客機のエンジン開発をおこなう。1996（平成8）年に宇宙飛行士候補者に選定され、訓練をへて、2005年にアメリカ合衆国のスペースシャトル・ディスカバリーに搭乗。2009年から2010年には、ロシアのソユーズ宇宙船で国際宇宙ステーション（ＩＳＳ）におもむき、日本実験棟「きぼう」のメンテナンスと微少重力を利用した実験などを実施した。インターネットを通じて、地上とのコミュニケーションにも力をそそいだ。2014年には、アジア人としてはじめて宇宙探検家協会（ASE）会長にえらばれている。

のぐちひでよ

学問　医学

野口英世　1876～1928年

障害を克服し、世界的な業績を上げた細菌学者

▲野口英世
（公益財団法人野口英世記念館）

明治時代～昭和時代の細菌学者。

福島県生まれ。旧名は清作。1歳のとき、いろりに落ちて左手に障害を負う。高等小学校のとき、友人たちの援助により手術を受けて、不自由ながらも指が動かせるようになり、これをきっかけに医学の道をめざす。卒業後、手術をおこなった医院に住みこみ、書生としてはたらきながら、医学の基礎を学んだ。この時期、生涯の支援者となる歯科医の血脇守之助と出会う。1896（明治29）年、医師免許を取得するために上京。途中で資金を遊びでつかいはたしてしまうが、血脇の好意に助けられて試験に合格、翌年、21歳で医師免許を取得した。その後、高山高等歯科医学院の講師となり、1898年、北里柴三郎が所長をつとめる伝染病研究所の助手に就任、細菌学を学びはじめた。なお、この年に英世と改名している。

1899年に横浜港検疫所検疫官補となり、入港した船内でペスト患者を発見し診断。同所でのはたらきがみとめられ、伝染病研究所の国際防疫班にえらばれて清国にわたる。清国の社会情勢悪化により、翌年帰国するが、当時の婚約者の持参金や借金を渡航費にあててアメリカ合衆国へわたり、ペンシルベニア大学医学部の助手となった。1903年には、コペンハーゲンの血清研究所に留学して血清学の研究をおこない、翌年、アメリカのロックフェラー医学研究所に移籍。1911年、梅毒スピロヘータだけを抽出する純粋培養に成功したと発表、世界的に名を知られ、京都帝国大学（現在の京都大学）より医学博士号を受けた。

▲ガーナに残る野口英世がつかっていた研究室　現在もガーナ大学の医学生らの実験室としてつかわれている。

1915（大正4）年、15年ぶりに帰国して老母と再会。1918年、エクアドル、翌年、メキシコにおもむいて黄熱（発熱、黄疸がみられる感染症。黄熱病ともいう）治療の研究をおこなう。1927年、周囲の反対をおしきり，危険を覚悟で黄熱研究のため、イギリス領ガーナ（現在のガーナ共和国）へ渡航。翌年、黄熱に感染して、51歳で死去した。

主に細菌学の分野で多数の業績を上げ、ノーベル賞の候補に3度名前が上がったすぐれた細菌学者であった。金銭感覚にはうとく、浪費ぐせがあったが、勤勉で情にあつい人がらで、多くの伝記でとり上げられるように、母親思いだったことが知られている。2004（平成16）年から発行の1000円札に、英世の肖像画が用いられている。

学 お札の肖像になった人物一覧　学 切手の肖像になった人物一覧
学 日本と世界の名言

のぐにそうかん

郷土

野國總管　生没年不詳

サツマイモの苗を中国から持ち帰った農民

江戸時代初期の農民。

琉球の野国村（現在の沖縄県嘉手納町）出身。明（中国）への貿易船の乗組役人だったといわれる。村々の農民が干ばつなどで苦しんでいるのをみていた總管は、1605年に中国にわたって蛮薯（サツマイモ）を知り、苗を持ちかえって野国村で試作した。蛮薯は土地に合っていたのでよく根づき、周辺の村々でさかんに栽培されたので、凶作のときにも餓死者をださなかった。それを知った儀間村（沖縄県那覇市）の役人、儀間真常は總管のもとへ行って蛮薯の栽培方法を習い国中に広めた。やがて蛮薯は薩摩国（鹿児島県西部）にもたらされ、「薩摩芋」として全国に普及し、ききんのときに飢えから救う食物となった。

のさかあきゆき

文学

野坂昭如　1930～2015年

戦後派を代表する作家の一人

昭和時代～平成時代の作家、作詞家。

神奈川県生まれ。早稲田大学仏文科中退。第二次世界大戦中、神戸大空襲にあい、疎開先で幼い義理の妹を亡くした。大学を中退したころからコマーシャルソングの作詞家や、コント作家などさまざまな仕事を経験。1963（昭和38）年に発表した『エロ事師たち』が三島由紀夫らに絶賛される。また、同年に作詞した『おもちゃのチャチャチャ』で日本レコード大賞童謡賞を受賞。1967年に自身の戦争体験をまじえた『火垂るの墓』『アメリカひじき』で直木賞を受賞する。焼け跡闇市派を自称し、戦中戦後の混乱期を生きぬいた人間のたくましさと怒りとユーモアを

こめた作品をのこす。参議院議員や歌手、テレビ討論会のコメンテーターなど、幅広い分野で活躍した。

学 芥川賞・直木賞受賞者一覧

のさかさんぞう

政治

野坂参三　1892〜1993年

晩年に除名された、日本共産党の指導者

大正時代〜昭和時代の社会運動家、政治家。

山口県萩の生まれ。慶應義塾大学在学中に労働者団体の友愛会（のちの日本労働総同盟）に入り、卒業後、常任書記となる。1919（大正8）年、イギリスにわたり、英国共産党に入党。1922年に帰国、総同盟顧問となり日本共産党の創立に参加。産業労働調査所を創設する。1928（昭和3）年、三・一五事件で検挙されたが、眼病のため釈放され、1931年にソビエト連邦（ソ連）にわたり、その後共産主義政党の国際組織であるコミンテルンの執行委員となる。1940年、中華民国の延安へ行き、「岡野進」名で日本人反戦同盟を組織。第二次世界大戦後の1946年に帰国、徳田球一らと日本共産党を再建、戦後初の衆議院議員総選挙で当選し共産党の要職を歴任する。1992（平成4）年、戦前のスパイ活動を理由に除名された。

のざわぼんちょう

野沢凡兆 → 凡兆

ノストラダムス

学問

ノストラダムス　1503〜1566年

『予言集』で有名な占星術師

フランスの占星術師、医者、詩人。

南フランスのサン・レミ・ド・プロバンスの、キリスト教に改宗したユダヤ人家庭に生まれる。本名はミシェル・ド・ノートルダム。幼いころから学問を好み、複数の大学で、古典、法学、医学などを学んだ。1529年には医学博士となり、各地を旅しながら医療をおこない、当時流行していたペストの治療で成果をあげて、名を知られるようになった。1555年、医学などの知識と占星術による『予言集』を出版して注目され、王位の継承などをいいあてるとして、フランス王妃カトリーヌ・ド・メディシスをはじめ、王家や貴族にも重く用いられた。

ノストラダムスの言動は数々の伝説となり、抽象的な4行詩によって書かれた『予言集』の予言は、さまざまな解釈が可能なため、近代以降も神秘的、超自然的な物事を探求するオカルトの分野で、多くの話題を提供した。とくに20世紀末の1999年に世界が終わるという予言は広く知られ、日本でもノストラダムスの一大ブームがおきた。

のだよしひこ

政治

野田佳彦　1957年〜

東日本大震災を受け、消費税増税法を成立させた

政治家。第95代内閣総理大臣（在任2011〜2012年）。

千葉県生まれ。早稲田大学政治経済学部卒業。松下政経塾第1期生。

1987（昭和62）年、千葉県議会議員選挙に当選、2期つとめる。1992（平成4）年、日本新党の結党に参加し、翌年、衆議院議員に当選。1994年、新進党結党に参加。1996年、衆院選で落選、民主党に入党。2000年の衆院選で当選、国政に復帰した。以後、幹事長代理、財務副大臣などをへて、2010年、菅直人内閣で財務大臣として初入閣。翌年3月に東日本大震災が発生し、同年9月、海江田万里をやぶって民主党代表となり、内閣総理大臣に就任。震災からの復興をかかげて消費税増税を柱とする社会保障・税一体改革関連8法案を可決させた。2012年の衆議院解散総選挙で自由民主党に大敗、内閣は総辞職した。

学 歴代の内閣総理大臣一覧

ノテウ

政治

盧泰愚　1932年〜

民主化を進め、外交面でも実績をのこした

大韓民国（韓国）の軍人、政治家。大統領（在任1988〜1993年）。

慶尚北道生まれ。陸軍士官学校卒業後、陸軍に入り、将校を歴任、陸軍大学を卒業し、指揮官として経験を積んだ。1979年、朴正熙大統領暗殺後の軍部による粛軍クーデターでは、全斗煥とともに主導的役割をはたし、全斗煥政権成立に貢献した。1981年、軍人を引退、政界入り。1983年にオリンピック組織委員会委員長に就任、1985年には国会議員に当選した。1987年、民主正義党の大統領候補となると、民主化宣言をおこない、党総裁として大統領選に勝利し、翌年、大統領に就任した。韓国では選挙による初の大統領となった。

大統領任期中は、ソウルオリンピックを成功させ、中華人民共和国（中国）、ソビエト連邦（ソ連）との国交を樹立、朝鮮民主主義人民共和国（北朝鮮）とともに国連に加盟するなど、外交面で実績をのこした。退任後、在任中の金銭不正処理の問題が発覚、粛軍クーデターの首謀者としても有罪判決を受けたが、その後、特赦で釈放された。

学 主な国・地域の大統領・首相一覧

のなかいたる

学問

野中到　1867〜1955年

富士山頂に気象観測所を建設した気象観測家

明治時代の気象観測家。

筑前国早良郡（現在の福岡県福岡市）で、筑前福岡藩士の子として生まれる。大学予備門（現在の東京大学）に入学するが、富士山山頂における連続気象観測の重要性に気づき、観測所の設立をめざして、1889（明治22）年に中退。1895年には、富士山冬季初登頂をおこなって山頂での越冬が可能であると考え、私財を投じて測候用の小屋を建設し、決死の観測活動を開始。支援のために妻千代子も合流するが、2人は高山病と栄養失調で歩行不能となり、越冬を断念した。その後も富士山気象観測の重要性をうったえ、この事業はのちに気象庁の中央気象台が受けつぐことになった。夫妻の勇気ある科学的挑戦は、新田次郎による小説『芙蓉の人』など多数の作品を生んだ。富士山山頂での有人気象観測は2004（平成16）年までおこなわれたが、現在は無人化されている。

のなかきんえもん

郷土

野中金右衛門　1767〜1846年

飫肥杉の植林事業をした武士

江戸時代中期〜後期の武士。

日向国飫肥藩（現在の宮崎県日南市）の藩士だった。1796年、30歳のとき、藩の植木方に任命された。飫肥藩では、苦しい財政を立て直すため、江戸時代初期から、スギの植林をはじめた。成長したスギを伐採して販売するときには、植林をおこなった者が、利益を藩と分け合うという制度もつくられたので、植林がさかんになった。飫肥杉（日南市周辺で育つスギ）は、とくに造船に用いられ、その利益は、藩の重要な財源になった。金右衛門は、領内の山野を歩きまわり、ときには、山野で寝泊まりしながら、精力的に植林をおこなった。79歳で植木方を辞職するまで、50年にわたって、100万本のスギを植え、約1000haの杉林をつくったといわれる。植木方として指導にあたり、スギの品種改良につくし、現在の林業の基礎を築いたとされている。

▲飫肥杉　（宮崎県日南市）

のなかけんざん

江戸時代　郷土

野中兼山　1615〜1663年

新田開発で土佐藩の財政を立て直す

江戸時代前期の土佐藩（現在の高知県）の藩士。

播磨国姫路（兵庫県姫路市）に生まれた。本名は良継。父は土佐藩の初代藩主山内一豊のおいにあたるが、一豊の死後、浪人になった。1618年、4歳のとき父が亡くなり、母とともに土佐へ帰り、一族の野中直継の養子になった。1631年、17歳のとき、藩主山内忠義から奉行職（藩の政治をみる役職）に抜てきされ、悪化していた藩財政を立て直すため藩政改革にとりくんだ。

▲野中兼山　（国立国会図書館）

兼山は、水田の少ない土佐国を豊かにするため、物部川の山田堰など、各地の河川に堰を築いて用水路を建設し、大規模な新田を開発した。新田開発には、かつて土佐を支配していた戦国大名長宗我部氏の元家臣たちを参加させ、郷士（武士の待遇を受けていた旧家）にとりたてて不満をやわらげた。

また、室津港（室戸市）や手結港（香南市）などの港湾を改修整備した。植林をさかんにおこなう一方で、乱伐による山の荒廃をふせぐため、輪伐制（木を切る場所を順番で決める制度）を採用して山林資源を有効に活用するようにした。農民には商品作物（アブラナ、アイ、ワタ、チャなど売ることを目的に栽培される作物）の栽培をすすめ、さらに、紙やチャなどを専売制（領民が生産した特定の産物を藩が独占的に買い上げ売りさばく政策）にして利益を上げげた。

この間、儒学者の谷時中から、山崎闇斎とともに儒学の一派である朱子学を学び、南学（土佐におこった朱子学の一派）の普及につとめた。

こうして30年にわたってさまざまな政策を打ちだして藩政の基礎を築いたが、兼山の功績をこころよく思わない重臣たちから、急進的な政策を批判された。農民たちのあいだにもきびしい土木工事や専売制に対する不満が高まった。そのころ、藩主忠義が隠居したこともあり、1663年、重臣たちより奉行職を辞職させられ、土佐山田（香美市）に隠居した。まもなく亡くなったが、野中家はとりつぶされ、一族は宿毛（宿毛市）に幽閉された。

▲兼山が26年がかりで築いた山田堰の跡　（香美市観光協会）

ののむらにんせい

工芸

野々村仁清　生没年不詳

茶道や懐石の道具を制作

江戸時代前期の陶工。

17世紀の後半に活躍したが、生没年などくわしい経歴はわかっていない。丹波国野々村（現在の京都府南丹市）の出身といわれる。本名は清右衛門。京都の粟田口や瀬戸（愛知県瀬戸市）で陶芸の修業を積んだのち、1647年ごろ、茶人の金森宗和の指導を受けて、仁和寺（京都市）の門前に御室窯をひらいた。「仁清」という名前は、仁和寺の仁と清右衛門の清をあわせたものといわれる。公家や大名、裕福な町人たちと交流し、求めに応じて茶碗、香合（香をおさめる容器）など茶道に用いられる器や懐石（茶会でだされる食事）道具を制作した。とくに、ろくろの技術にすぐれ、蒔絵のおもむきのあるはなやかな色彩の色絵陶器を完成し、作品には国宝の『色絵藤花文茶壺』をはじめ、国指定の重要文化財である『色絵吉野山図茶壺』『色絵月梅図茶壺』などがある。

▲『色絵藤花文茶壺』国宝
（MOA美術館）

ノバーリス

文学　詩・歌・俳句

ノバーリス　1772〜1801年

ドイツロマン主義の中心人物

ドイツの詩人、作家。

ハルツ地方の貴族の家に生まれる。本名はフリードリヒ・フォン・ハルデンベルク。ウィッテンベルク大学で法律を学び、このころ、詩人のシュレーゲル兄弟と親交をもつ。その後、文学や哲学、鉱山学、自然科学などを幅広く学んだ。

代表作は、10歳年下の運命の恋人と出会い死別した体験をもとにえがいた小説『青い花』、夜とやみをたたえる長編の詩『夜の讃歌』、自然とは何かを問う小説『サイスの弟子たち』など。シュレーゲル兄弟らとともに、理想や神秘にあこがれるドイツロマン主義の中心人物となるが、結核になり、29歳の若さでこの世を去った。

のまひろし

文学

野間宏　1915〜1991年

第一次戦後派を代表する作家

（日本近代文学館）

昭和時代の作家。

兵庫県生まれ。京都帝国大学（現在の京都大学）仏文科卒業。大学在学中に、人間の内面を象徴によってあらわす象徴派の文学に影響を受け、詩や小説を書く。また、社会主義や共産主義社会をめざすマルクス主義にひかれ社会運動に加わった。第二次世界大戦では、招集されてフィリピンなどで戦闘に参加、治安を乱したとして陸軍刑務所に入れられた。

1946（昭和21）年に戦争中の学生活動家たちをえがいた『暗い絵』を発表して注目される。戦中に受けた傷に苦しむ人間の内面をえがき、埴谷雄高らとともに第一次戦後派とよばれる。代表作の『真空地帯』では、戦時中の日本軍の内部をえがいた。ほかに『青年の環』『崩解感覚』などがある。

ノムヒョン

政治

盧武鉉　1946〜2009年

韓国の民主化の確立をめざした大統領

大韓民国（韓国）の政治家。大統領（在任2003〜2008年）。

慶尚南道生まれ。商業高校を卒業後、軍隊に入り、除隊後、独学で司法試験に合格した。判事をつとめ、弁護士に転じ、民主憲法を求める民主化運動に参加した。人権派弁護士としての活躍が、金泳三の目にとまり政界に入り、1988年の国会議員選挙で当選すると、全斗煥前大統領の不正を追及するなどして注目された。1997年の金大中の大統領当選に貢献し、政権の要職を得る。2002年、大統領選挙に出馬、選挙活動にインターネットをつかい、若い世代から人気を集めて勝利し、翌年、大統領に就任した。

国内では民主化の確立をめざし、朝鮮民主主義人民共和国（北朝鮮）対策には「太陽政策」を継承したが、北朝鮮の核問題の解決はできなかった。イラク戦争ではアメリカ合衆国を支持し、韓国軍を派遣したことにより、支持率を下げた。また、支持率低下とともに、極端な反日的発言がふえていった。任期後の2009年、親族の金銭不正疑惑の捜査を受け、自殺した。

学 主な国・地域の大統領・首相一覧

のむらきちさぶろう

政治

野村吉三郎　1877〜1964年

太平洋戦争回避の交渉をおこなった

大正時代〜昭和時代の軍人、外交官、政治家。

和歌山県生まれ。海軍兵学校卒業後、海軍軍人として、オーストリア、ドイツに駐在、在米日本大使館駐在武官を歴任、パリ講和会議、ワシントン海軍軍縮会議に全権随員として出席する。1926（大正

15）年に軍令部次長、呉・横須賀鎮守府司令官をへて、1932（昭和7）年、上海事変時には第3艦隊指令長官として陸軍の上海派遣軍を支援。停戦交渉中におきた上海爆弾事件で右目を失明した。1937年、予備役となったあとは官立学校の学習院長をつとめた。

1939年、阿部信行内閣で外務大臣に抜てきされるが、3か月あまりで内閣は総辞職。日米関係が冷えこむ中、1941年には駐米大使としてハル米国務長官と戦争回避のための交渉をおこなうが難航。日本はアメリカ合衆国、イギリスなどを相手に太平洋戦争を開戦するが、日米交渉はその後もつづけられた。

終戦後は公職追放となるが、日本ビクターの社長に就任、追放解除後は参議院議員に当選し、防衛政策などを担当した。

のむらただひろ

スポーツ

野村忠宏　1974年～

オリンピック3大会で優勝した柔道家

柔道選手。

奈良県生まれ。柔道一家に育ち、祖父の道場で柔道をはじめる。幼いころはからだが小さく、なかなか勝てなかったが、着実に実力をつけ、1996（平成8）年の全日本選抜柔道体重別選手権60kg以下級で初優勝した。同年のアトランタオリンピックで金メダルを獲得。2000年のシドニーオリンピックでは、「全試合ちがう技で勝って金メダル」という宣言どおりに優勝した。2年間の休養ののち競技に復帰し、2004年のアテネオリンピックでも圧倒的な強さで優勝し、3連覇をなしとげた。背負い投げや内またが得意技だった。2015年に現役を引退した。

学 オリンピック日本代表選手 メダル受賞者一覧

のむらまんさく

伝統芸能

野村万作　1931年～

狂言の地位の向上をめざす2世

和泉流の狂言師。

東京生まれ。本名は二朗。父は6世野村万蔵。3歳のとき『靱猿』の子ザル役で初舞台をふむ。早稲田大学に入学後、歌舞伎や新劇にかようち、狂言の魅力にあらためて気づく。1950（昭和25）年、父の幼名を襲名し、2世万作となる。1954年の能形式の現代劇『夕鶴』出演をきっかけに、狂言以外の分野にも意欲的に挑戦。また1957年、フランスのパリで狂言初の海外公演に出演した。以降、ワシントン大学客員教授就任をはじめ、世界各地をまわり、演劇界でも能楽界でも評価が低かった、狂言の地位の向上をめざし、さまざまな分野にとびこんでいった。

「狂言は、室町時代の現代劇。日本人がつくった“人間讃歌”の劇」と、妥協をゆるさずに芸を追求し、80歳をこえても、精力的に舞台をこなしている。1995（平成7）年に紫綬褒章を受章し、2007年には、父につづき重要無形文化財保持者（人間国宝）の認定を受けた。長男は、2世野村萬斎である。

のむらもとに

幕末

野村望東尼　1806～1867年

夫の死後出家し、勤皇の志士に協力

江戸時代後期の歌人。

名は「ぼうとうに」とも読む。本名はもと子。福岡藩（現在の福岡県）の藩士の子に生まれる。幼いころから読書を好み、和歌や書道にはげんだという。17歳でとついだが半年ほどで離縁され、24歳で福岡藩士野村貞貫と再婚し、夫とともに歌人大隈言道の門人となった。夫が隠居すると、福岡の平尾山荘に移る。1859年、夫が亡くなると出家し、望東尼と称した。1861年、京都へ行き、混乱する政治状況を見聞して政治に関心をもって、尊王攘夷派（天皇をうやまい外国勢力を追いはらうという考えの人々）と交流した。福岡にもどると、平尾山荘に高杉晋作や平野国臣など多くの志士をかくまい、密談の場を提供した。1865年、福岡藩が尊王攘夷派を弾圧すると自宅謹慎を命じられ、さらに姫島に流罪となった。翌年、高杉晋作の手引きで脱出し、下関の商家にかくまわれた。1867年、病にたおれた高杉の最期をみとり、同年に亡くなった。

のもひでお

スポーツ

野茂英雄　1968年～

日本人メジャーリーガーの先駆者

プロ野球選手。

大阪府生まれ。高校卒業後、新日本製鐵堺に入社して社会人野球で活躍した。1990（平成2）年、近鉄バファローズ（現在のオリックス・バファローズ）に入団し、豪速球とするどく落ちるフォークボールを武器に次々と三振をうばい、最多勝、最優秀防御率、最多奪三振、新人王、MVP（最優秀選手）などのタイトルを獲得した。1995年、メジャーリーグのロサンゼルス・ドジャースに入団し、その年、13勝をあげて新人王となった。上半身を大きくひねる独特の投球フォームは「トルネード投法」と名づけられ、アメリカ合衆国のファンにも知られるようになった。2度のノーヒットノーランや、メジャーリーグ通算100勝、日米通算200勝などの記録を達成し、2008年に現役を引退した。

のよりりょうじ

学問

野依良治　1938年～

不斉合成反応の発見でノーベル化学賞を受賞

化学者。

兵庫県生まれ。京都大学工学部工業化学科に入学し、1963

（昭和 38）年に同大学大学院工学研究科修士課程を修了。その後、同大学研究室助手、名古屋大学理学部助教授をへて、1969 年、ハーバード大学博士研究員となる。帰国後の 1972 年には名古屋大学理学部教授となった。

分子には右手型と左手型という左右対称のものが存在するが、BINAP という触媒（ほかの物質に化学反応をおこさせる能力をもつ物質）をつかって、右手型、左手型をつくり分ける方法（不斉合成反応）を発見した。この方法により、医薬品の副作用をおさえ、安全性を高めることなどが可能となり、2000（平成 12）年に文化勲章受章。2001 年にはノーベル化学賞を受賞した。2003 年には理化学研究所理事長となるが、「STAP 細胞不正論文事件」の責任をとって、2015 年に退任した。

学 ノーベル賞受賞者一覧　学 文化勲章受章者一覧

ノルマンディーこうウィリアム

王族・皇族

ノルマンディー公ウィリアム　1028〜1087年

現在までつづくイギリス王室の祖

フランス、ノルマンディー公（在位 1035 〜 1087 年）、イングランド、ノルマン朝の初代国王（在位 1066 〜 1087 年）。

ノルマン人が支配するノルマンディー地方（フランス北部）の君主ノルマンディー公ロベールの子。フランス語ではギョーム。父のあとをついでノルマンディー公となり、1066 年、イングランドのエドワード懺悔王が死ぬと、その遠縁にあたることなどを理由にイングランドに侵入。王の義弟ハロルド 2 世をやぶって、ウィリアム 1 世としてイングランド王に即位した（ノルマン・コンクエスト）。このことから「征服王」といわれる。ノルマンディー公としてフランス国王に忠誠を誓いながら、イングランド王をつとめた。即位後はノルマン風の封建制度をとり入れ、旧勢力のアングロ・サクソン人貴族の土地をうばってノルマン人の家臣にあたえた。また王の領地を広げ、宗教界を支配下において王権を拡大。最初の土地台帳といわれるドゥームズデー・ブックを作成し、税制度を定めた。ノルマン朝以後、イングランドは外国によって征服されたことはなく、その血筋は現在の王室につながっている。

のろえいたろう

学問

野呂栄太郎　1900〜1934年

マルクス主義の立場から日本の資本主義を分析

大正時代〜昭和時代の経済学者、社会主義者。

北海道生まれ。慶應義塾大学在学中から労働者問題に関心をもち、社会運動にかかわる。卒業後は、社会問題を調査・研究する組織に身をおいた。1926（大正 15）年、これらの活動が治安維持法に違反するとして検挙され、実刑判決を受けたが、その後も研究をつづけた。1930 年、共産党に入ったが、2 年後に党の幹部がいっせいに逮捕され、党は壊滅状態となった。以後、公の場から身をかくし、ひそかに党再建のために活動するが、1933 年に逮捕され、翌年、警察署における過酷な取り調べにより、病気が悪化、33 歳で死去した。

（日本共産党赤旗写真部）

マルクス主義の立場から、日本の資本主義の段階的な発達の必然性を主張して、『日本資本主義発達史講座』を刊行。これはその後の社会科学研究に大きな影響をあたえた。また、猪俣津南雄を中心とする労農派と対立して、大正時代〜昭和時代初期の経済議論を深めた。

のろげんじょう

学問

野呂元丈　1693〜1761年

西洋の博物学を日本にはじめて紹介

（国立国会図書館）

江戸時代中期の学者。

伊勢国（現在の三重県東部）に生まれる。京都に出て医学と儒学をおさめ、稲生若水に本草学を学んだ。1720 年、江戸幕府の第 8 代将軍徳川吉宗から幕府の採薬御用を命じられ、日光、箱根、富士山、吉野山など日本各地の山野を歩いて薬草を採取した。その後、将軍に会うことができる御目見医師になった。

翌年、蘭学者の青木昆陽とともにオランダ語の学習を命じられると、年に 1 度、長崎の出島から江戸へ参府するオランダ人からオランダの動植物について学び、『阿蘭陀禽獣虫魚図和解』や『阿蘭陀本草和解』を著して、西洋の博物学を日本にはじめて紹介した。

のろりざえもん

郷土

野呂理左衛門　？〜1719年

七里長浜にマツを植林した武士

江戸時代前期の武士。

陸奥国弘前藩（現在の青森県西部）の藩士の子として亀ヶ岡村（つがる市木造）に生まれた。藩主津軽信政により新田普請奉行（堤防や港湾の工事をあつかう役職）に任命され、亀ヶ岡村北方の湿地帯を新田にかえるために一生をささげた。大開村（青森県鶴田町）から十三村（五所川原市）まで、幅約4km、長さ約40kmの七里長浜とよばれる大砂丘に植林したが、1682年から20年をかけて約70万本のアカマツなどを植えるという大事業だった。

こうしてそれまで苦しんでいた日本海からの潮風と砂による水田への被害をふせいだ。この松林は屏風のようだということから、屏風山丘陵とよばれている。松林ができたことで66か村、約4000haの田畑が開墾された。

理左衛門の死後も、開墾は明治時代まで代々受けつがれ、20万石の米が収穫できるようになった。つがる市や五所川原市周辺は、現在も屏風山丘陵の恩恵を受けている。

▲屏風山の防風林
（津軽森林管理署金木支署）

は

Biographical Dictionary 3

パーカー，チャーリー

音楽

チャーリー・パーカー　1920～1955年

ジャズの新スタイル、ビバップをつくる

アメリカ合衆国のアルトサックス奏者、作曲家。

カンザス州生まれ。本名はチャールズ・クリストファー。愛称はバード。11歳のとき母からアルトサックスを贈られ、猛練習を重ねて14歳でプロデビューをはたす。1941年、ニューヨークに出て、ジャズトランペット奏者のディジー・ガレスピーと共演、ジャズの新しい演奏スタイル、ビバップを生みだした。1945年からマイルス・デイビスらとともに活動、天才的な演奏で名声をあげるが、私生活は不安定で、アルコールと麻薬からのがれることができず、入退院をくりかえした末、わずか34歳でこの世を去った。独創的な旋律とハーモニー、高度な技術をつかった独特のはげしいビートの即興演奏が得意で、その後のモダンジャズの発展に大きな影響をあたえた。代表曲に『ナウズ・ザ・タイム』『ココ』『ヤードバード組曲』、アルバムに『バード・アンド・ディズ』『オン・ダイアル』などがある。

パークス，ハリー

幕末

ハリー・パークス　1828～1885年

日本の倒幕、明治維新を援助した

幕末～明治時代に来日した、イギリスの外交官、駐日イギリス公使。

中西部のスタッフォードシャーに生まれる。幼少のとき両親が亡くなり、その後、おじも亡くなったため、13歳で中国にわたり公務についた。1844年、厦門の領事オールコックの通訳官としてみとめられ、1856年、広東領事代理となる。中国の清とイギリス・フランス連合軍とのあいだでアロー戦争がはじまると、清政府との交渉にあたった。

1865年、駐日公使となり、日本の横浜に着任。江戸幕府に関税率を約20%から一律5%にひき下げる改税約書をむすばせた。また、倒幕派の薩摩藩（現在の鹿児島県西部）や長州藩（山口県）に接近し、幕府を支援するフランス公使ロッシュに対抗した。新政府軍と旧幕府軍が戦う戊辰戦争では中立を宣言し、明治新政府をいち早く承認。日本の近代化にさまざまな助言をおこなった。1883（明治16）年、中国の公使に就任し、1885年、中国で亡くなった。

パークス，ローザ

政治

ローザ・パークス　1919〜2005年

公民権運動のきっかけとなった事件の当事者

アメリカ合衆国の活動家。

アラバマ州タスキーギに生まれる。アフリカ系アメリカ人。16歳で服の縫製工場につとめ、1932年に結婚した。当時アメリカ南部の州には、ジム・クロウ法とよばれる人種分離法があり、日常生活のあらゆる場所で黒人と白人は隔離されていた。公共の場での人種隔離に加え、投票権なども制限された。そんな中、全国有色人種向上協会に参加していたパークスは、乗車したバスで運転手から白人に席をゆずるよう求められたが拒否し、逮捕される。この事件をきっかけに、キング牧師らのよびかけでバス・ボイコット運動が展開された。

のちに職を失い、家族とともにほかの州へ移住したが、彼女の行動は称賛され「公民権運動の母」とよばれた。

バーグマン，イングリッド

映画・演劇

イングリッド・バーグマン　1915〜1982年

映画界の永遠のヒロイン

スウェーデン出身の俳優。

ストックホルム生まれ。こどものころ両親が亡くなり、おじに育てられる。演技に興味をもち、王立演劇学校で学んだ。

1935年に映画デビューし、翌年『間奏曲』の主演で注目を集める。その作品をみたアメリカ合衆国の映画製作者に、ハリウッドへまねかれる。『カサブランカ』『ガス燈』（アカデミー賞主演女優賞）などの映画に立てつづけに主演し、世界中を魅了する大スターになった。

1950年にイタリアの映画監督との恋愛スキャンダルが原因で、ハリウッドから追放されるが復帰し、1956年の『追想』で2度目のアカデミー賞主演女優賞に輝く。たしかな演技力と圧倒的な美しさで、銀幕の永遠のヒロインとして、いまでも熱烈なファンをもつ。

ハーグリーブス，ジェームズ

発明・発見

ジェームズ・ハーグリーブス　1720？〜1778年

ジェニー紡績機を発明

イギリスの発明家。

イングランド北西部のランカシャー生まれ。織物職人としてはたらいていたが、1764年に新しい紡績機械を発明した。それまでは、一人が1本の糸しかつむげなかったが、この機械は一人で複数の糸をつむぐことができる画期的なもので、ジェニー紡績機と名づけられた。1767年には商品として販売をはじめたが、機械化によって失業することをおそれた職人の反発にあい、機械をこわされるなどしたため、ノッティンガムに移転して、紡績工場をつくった。1770年にジェニー紡績機の特許申請をしたが、すでに販売をはじめていたためにみとめられず、特許使用料などの利益を受けることはできなかった。

ハーグリーブスは実業家としては成功しなかったが、ジェニー紡績機は、のちにさらに多くの糸をつむげるように改良されて広く普及し、クロンプトンの動力つき紡績機（ミュール紡績機）が発明されるまで、長く使用された。

ハーシェル，ウィリアム

学問　発明・発見

ウィリアム・ハーシェル　1738〜1822年

高精度の望遠鏡を製作し、天王星を発見した天文学者

18世紀のイギリスの天文学者、音楽家。

ドイツのハノーファー生まれ。10代で父と兄がつとめていた軍楽隊にオーボエ奏者として入団し、楽団の赴任にともない、1757年、イギリスにわたる。音楽教師やオルガン奏者としてはたらくが、数学や天文学に興味をいだくようになる。みずから望遠鏡を製作、しだいに大型化していき、月面の山の高さをはかったり、二重星のカタログを編さんしたりした。1781年、自宅で観測中、偶然に天王星を発見して、名を知られるようになり、王立協会への推薦を受ける。翌年には国王ジョージ3世から国王づき天文官に任命された。

生涯に400台以上の望遠鏡を製作し、なかでも焦点距離12m、口径126cmの反射望遠鏡は大望遠鏡の先がけとなった。また、土星の衛星エンケラドゥスとミマス、天王星の衛星チタニアとオベロンを発見。

さらに、膨大な数の恒星の観測から、天の川銀河全体の構造をえがき、『星雲・星団目録』を作成するなど、天文学史上に多数の業績をのこした。

ハースト，ウィリアム・ランドルフ

産業

ウィリアム・ランドルフ・ハースト　1863～1951年

感情をあおるセンセーショナルな新聞を発行した

19～20世紀のアメリカ合衆国の実業家、新聞経営者。

サンフランシスコに、鉱山主の子として生まれる。ハーバード大学中退後、父からまかされた『サンフランシスコ・エグザミナー』紙の経営に乗りだし、成功をおさめる。1895年、『ニューヨーク・モーニング・ジャーナル』紙を買収。有力紙として目標にしていた、ピュリッツァーの『ワールド』紙と熾烈な発行部数争いを展開し、感情をあおる記事を連発。捏造記事まで利用して人心をあやつったとして、「イエロージャーナリズム」と評された。一方、現代大衆紙の原型をつくったとの評価もある。のちに、雑誌業界にも進出、『コスモポリタン』『ハーパーズ・バサー』などの定期刊行物をだした。1903年に下院議員、のちにニューヨーク市長もつとめるが、1906年のニューヨーク州知事選挙では敗北、政界への道は断念した。多数の新聞や雑誌、ラジオ放送局、映画会社を経営し、大資産を築いたが、スキャンダルにもさらされた。映画『市民ケーン』は、ハーストをモデルにしている。

ハーディ，トマス

文学　詩・歌・俳句

トマス・ハーディ　1840～1928年

運命に支配される人間の姿をえがく

イギリスの作家、詩人。

イングランド南西部ドーセットで石材加工職人の息子として生まれる。若いころから詩作や読書に熱中していた。ロンドンの建築事務所につとめるが、健康を害して故郷に帰り、執筆をはじめる。1872年に長編小説『緑の木陰』を発表して好評を得る。つづく『狂乱の群れを離れて』では、ストーリーのおもしろさと詩的な雰囲気が人気を得て作家としてみとめられた。

故郷の美しい自然の中で運命に支配される人間の姿を容赦なくえがいた。当時の古い因習や道徳を批判し、社会から非難をあびたこともある。代表作に『帰郷』『テス』がある。詩劇や叙情詩も多くのこし、詩人としても高く評価される。

ハーディング，ウォレン

政治

ウォレン・ハーディング　1865～1923年

戦時体制から平常にもどることをかかげ、大統領に

アメリカ合衆国の政治家。第29代大統領（在任1921～1923年）。

オハイオ州出身。大学卒業後、新聞記者となり、新聞社経営をへて、1904年、オハイオ州上院議員となる。同年、オハイオ州知事、1914年、連邦上院議員をつとめた。共和党の保守派で、革新主義とは距離をおいた。第一次世界大戦ではベルサイユ条約が国内で同意を得られるよう動いたが、アメリカの国際連盟加入には反対した。1920年の大統領選挙では、「アメリカがいま必要としているのは英雄的行為ではなく療養である。特効薬ではなく常態である。革命ではなく復興である」と、戦時体制から「平常への復帰」をとなえ、民主党のコックス候補を大差でやぶり当選した。しかし、その後は汚職事件やスキャンダルがつづいて人気を落とした。任期途中で急死した。

学 アメリカ合衆国大統領一覧

バード，イザベラ

探検・開拓

イザベラ・バード　1831～1904年

明治時代の日本奥地を旅したイギリス人女性

明治時代に来日した、イギリスの旅行家、紀行作家。

中部のヨークシャー州で牧師の長女として生まれる。幼少のころから病弱で、1854年、医師に航海をすすめられ、アメリカ合衆国、カナダを旅行。そのときの体験をもとに『イギリス女性が見たアメリカ』を出版した。1872年には、オーストラリア、ニュージーランド、ハワイ、アメリカなどを旅行。翌年、『ハワイ諸島からの6ヶ月』を出版した。つづいて1878年、日本にむけて出発。6～9月にかけて日光、新潟、山形、秋田へ、さらに北海道にわたりアイヌの村もおとずれた。欧米人がおとずれたことのない奥地の自然や風俗、文化などをくわしくえがいた記録は『日本奥地紀行』として出版され、絶賛された。

その後も、インド、チベット、ペルシア、さらに朝鮮、中国、モロッコなど各地を精力的におとずれ、旅行記を出版した。1893年、イギリス地理学会特別会員となる。

バートン，バージニア・リー

絵本・児童

バージニア・リー・バートン　1909～1968年

『いたずらきかんしゃちゅうちゅう』の作者

アメリカ合衆国の絵本作家、デザイナー。

マサチューセッツ州に生まれる。カリフォルニア美術学校で絵画を学び、サンフランシスコでバレエを学んだ。美術学校の恩師で彫刻家のディメトリオスと結婚して、2人の息子をもうける。1935年、子育てをしながら絵本制作をはじめる。

1937年の『いたずらきかんしゃちゅうちゅう』は長男、1939年の『マイク・マリガンとスチーム・ショベル』は次男と、作品のほとんどは自分のこどものために書いた。

1942年の『ちいさいおうち』は、自分の家の引越しを題材にした作品で、アメリカでその年のもっともすぐれたこどもの本に贈られるコルデコット賞を受賞した。みずからデザイナー団体「フォリー・コーブ・デザイナーズ」を設立し、創作活動を充実させた。

明るく動きのある絵と明快でリズミカルな文により、世界中のこどもたちに親しまれている。1964（昭和39）年に来日して、石井桃子らと交流した。

バーネット，フランシス・ホジソン

絵本・児童

フランシス・ホジソン・バーネット　1849〜1924年

『小公女』『秘密の花園』の作者

アメリカ合衆国の作家。

イギリス北部で裕福な金物商の家に生まれる。3歳のときに父を亡くし、このころから空想の物語をつくり、まわりのこどもたちに話して聞かせた。

16歳のとき、親類をたよって一家でアメリカのテネシー州へわたる。翌年から家計を助けるため、物語を書いて雑誌に投稿をはじめた。おとなむけの小説や少年少女むけの小説を発表した。

1886年、次男をモデルにした小説『小公子』が雑誌で連載され大評判となる。つづく『小公女』『秘密の花園』で作家として名をあげた。自分の境遇に打ちひしがれず、前向きに生きる少年少女の成長を細やかな描写で表現した。日本でも明治時代に翻訳され、多くの読者を得た。アメリカ児童文学を代表する作家の一人である。

バーバリー，トーマス

デザイン

トーマス・バーバリー　1835〜1926年

英国王室御用達の服飾デザイナー

イギリスの服飾デザイナー。

サリー州生まれ。学校を卒業すると、地元の洋服店で仕立ての修業をする。21歳のとき、ハンプシャー州ベイジングストークで、小さな仕立て屋を開業した。

スポーツ用ジャケットで評判の店になったが、よりよいものを提供したいと考える。ヨークシャーの羊飼いが着るリネンのスモックをヒントに、木綿で防水効果の高い新素材、ギャバジンを開発した。1888年に特許をとり、レーンコートや軍隊のトレンチコートなどをつくり、確固たる地位を築いた。

品質がよく、じょうぶなことでも有名で、エドワード7世に愛用された。現在も英国王室御用達のブランドである。

バーバンク，ルーサー

学問

ルーサー・バーバンク　1849〜1926年

植物の魔術師とよばれた植物育種家

アメリカ合衆国の植物育種家。

マサチューセッツ州に生まれる。農民の父と、植物好きの母のもとに育ち、独学で植物学を学んだ。1868年に出版された博物学者ダーウィンの著作『飼育、栽培下での動植物の変異』に大きな影響を受け、農場を買って園芸業をはじめ、ジャガイモの改良などに成功する。1875年、カリフォルニア州の農園に移り、園芸植物や農作物の育種（品種改良）に打ちこんだ。世界中からさまざまな品種の植物を集め、ダーウィンの理論にもとづいて交配をおこなった。種なしスモモ、とげなしサボテンをはじめ、3000以上の新しい品種をつくりだし、植物の魔術師とよばれた。

バーブル

王族・皇族

バーブル　1483〜1530年

インド史上最大のイスラム王朝を築いた

インド、ムガル帝国の創始者（在位1526～1530年）。

中央アジアから西アジアを支配したティムール朝の王子として、フェルガナ地方アンディジャーン（現在のウズベキスタン東部）に生まれる。誕生当時、ティムール朝は分裂していた。1494年に父が事故死すると、フェルガナの領主をつぎ、ティムール朝の復活をめざした。しかし、北方のウズベク（シャイバーニー朝）の侵攻で自領をうばわれ、南下。カブール（アフガニスタンの首都）を征服するも、ティムール朝復活は失敗に終わった。そこで、ロディー朝の内紛で混乱するインドへ遠征を開始。1526年、パーニーパットの戦いで、新兵器（鉄砲、大砲）をたくみにつかい、自軍の10倍ともいわれるロディー朝の大軍をやぶった。首都のアグラを本拠地とし、ムガル帝国（インドのティムール朝）を建国。北インド主要部も征服し、北インドのイスラム支配の基礎を築いた。文人としての評価も高く、みずからの半生を著した回想録『バーブル・ナーマ』は、文学的にも史料的にも傑作とされる。

学 世界の主な王朝と王・皇帝

ハーベー，ウィリアム

医 学

ウィリアム・ハーベー　1578〜1657年

血液循環説をとなえた17世紀の医学者

イギリスの医学者。

南部のフォークストンの商人の家に生まれる。ケンブリッジ大学、イタリアのパドバ大学で医学を学ぶ。ロンドンで開業し、1618年には国王ジェームズ1世の侍医となり、のちにチャールズ1世につかえた。1628年、血液は心臓から出て動脈を通って全身の各部をめぐり、静脈をへて心臓へもどるという血液循環説をとなえる（それまでは、血液が心臓にもどってくるとは考えられていなかった）。アリストテレス派の学者からはげしい反論を受けるが、デカルトをはじめとした賛同者の声が強まり、多くの実験によっても実証され、ハーベーの学説は近代生理学の基礎となった。

晩年は発生学にとりくみ、シカの観察からアリストテレスの自然発生説（生物が親なしで生まれることがあるという説）を否定した。「すべての動物は卵から」という名言をのこし、80歳で死去した。

パーマー，ヘンリー

郷土

ヘンリー・パーマー　1838〜1893年

日本の近代水道の父

明治時代に来日したイギリス人技術者。

イギリス陸軍の軍人で、1883（明治16）年に来日し、横浜（神奈川県横浜市）をはじめ、各地の水道建設を指導した。

1890年、淡河川上流から印南野台地（兵庫県南西部）まで水をひく約26kmの淡河川疏水（人工の水路）の建設工事にあたり、志染川の上を横断する御坂サイホン橋を設計した。イギリスからとりよせた鉄管を使用し、全長54mの石造の橋の中を通すという工法だった。疏水の工事は1888年にはじまり、3年後に完成して、水のとぼしい印南野台地に水がひかれた。淡河川疏水は、のちにつくられた山田川疏水とともに印南野台地の農地のかんがい用水として、利用されている。

ハールーン・アッラシード

王族・皇族　宗教

ハールーン・アッラシード　766〜809年

イスラム帝国アッバース朝全盛期の君主

イスラム帝国アッバース朝第5代カリフ（在位786〜809年）。

父は第3代カリフのマフディー、母はイエメン出身の元奴隷ハイズラーン。若いころからビザンツ帝国（東ローマ帝国）との戦争などに参加。功績をたて、父からアル=ラッシード（正道をふむ者）の名をもらった。同母兄の第4代カリフのハーディーの急死後に即位。母とバルマク家の官僚ヤフヤー・イブン=ハーリドの後見を受けたが、母の死後、権勢をにぎりすぎたバルマク家を803年に追放し、カリフによる直接統治をおこなう。

797年、803年、806年と3度にわたっておこなわれたビザンツ帝国への遠征でいずれも勝利をおさめ、アッバース朝の勢力は最盛期をむかえた。

フランク王国のカール大帝とは贈り物の交換をしている。文化の面でも文芸や芸術を好み、芸術家を保護し、繁栄をもたらした。説話集『千夜一夜物語』（『アラビアンナイト』）では偉大な皇帝として語りつがれている。しかし、内政的には広大なイスラム帝国のすみずみにまでカリフの権威が行きわたらないようになり、アッバース朝は衰退にむかいはじめていた。

学 世界の主な王朝と王・皇帝

バール・ガンガダール・ティラク

政治

バール・ガンガダール・ティラク　1856〜1920年

イギリスからの民族解放運動を積極的におこなった

インドの独立運動指導者、政治家。

マハラーシュトラ州プーナに生まれる。大学卒業後、英語やマラーティー語で新聞を発行し、反帝国主義、反英主義の思想をとなえた。なかなか改革が進まない状況をかえようと、積極的にイギリスに対する独立闘争運動にはげみ、青年層に大きな影響をあたえた。しかし1908年、イギリスの警察に不当に逮捕され、1914年までビルマ（現在のミャンマー）で獄中生活を送った。出獄後もスワラージ（自治獲得）をめざし、イギリスからの民族解放運動をつづけた。

1919年にイギリスにわたり、ロシア革命と第一次世界大戦の影響で情勢が不安定になったヨーロッパの実態をみてまわった。帰国後、労働運動にも積極的にとりくんだが、こころざしなかばでボンベイ（ムンバイ）で急死した。

ハーン，ラフカディオ

ハーン，ラフカディオ → 小泉八雲

バーンスタイン，レナード

音楽

レナード・バーンスタイン　1918〜1990年

ダイナミックな指揮とすぐれた解釈で人気

アメリカ合衆国の現代の指揮者、作曲家。

マサチューセッツ州に生まれる。10歳でピアノをはじめ、父の反対をおしきって音楽家をめざす。ハーバード大学、カーティス音楽学校で、作曲、ピアノ、指揮を学んだ。

1943年に指揮者としてデビューし、1958年からはニューヨーク・フィルハーモニー交響楽団の音楽監督をつとめる。ダイナミックな指揮と作品へのすぐれた解釈で人気を得ると、世界の有名オーケストラに客演した。1961（昭和36）年に初来日後、広島での平和コンサートや、札幌での若手音楽家育成のための国際教育音楽祭（PMF）を提唱するなど、日本とのかかわりも深い。

作品は交響曲第3番『カディッシュ』やバレエ音楽『ファンシー・

フリー』などから、ミュージカル『ウエストサイド物語』やボルテールの小説を下地にした『キャンディード』などまで幅広い。

1958年にニューヨーク・フィルハーモニー交響楽団とカーネギーホールではじめた『青少年音楽コンサート』はテレビ放映され、その後一部がビデオ、DVDとなって発売、また同名の本にもなっている。著書に『音楽のよろこび』などがある。

はいせいせい

政治

裴世清　生没年不詳

遣隋使の返礼使節として来日

飛鳥時代に来日した、中国の隋・唐の官人。

外交の事務をあつかう役人だった。608年、遣隋使の小野妹子が倭（日本）に帰国するとき、隋の使節として妹子らを送って来日した。飛鳥（現在の奈良県明日香村）の朝廷で、推古天皇、聖徳太子に拝謁し、隋の皇帝、煬帝からの国書を提出した。

同年、帰国するとき、ふたたび遣隋使となった小野妹子、留学生の高向玄理、南淵請安、僧の旻をともなった。

ハイゼンベルク，ウェルナー

学問

ウェルナー・ハイゼンベルク　1901～1976年

量子力学を発展させた物理学者

20世紀のドイツの理論物理学者。

バイエルン州生まれ。ミュンヘン大学のゾンマーフェルトのもとで物理学を学び、ゲッティンゲン大学でボルンに師事したのち、コペンハーゲンのボーアのもとで研究をおこなう。1925年、「行列力学」を提唱、1927年には「不確定性原理」をみちびきだし、量子力学を飛躍的に前進させた。同年、ライプツィヒ大学教授に就任。1932年、31歳の若さでノーベル物理学賞を受賞。同年の中性子の発見後、原子核は陽子と電子からではなく、陽子と中性子から構成されていると主張した。ナチスドイツの台頭により、多くの科学者が国外に去るなか、国家の戦後を考えてドイツにのこり、研究をつづけた。第二次世界大戦中はナチス政権の命令で原爆開発に加わるが、ヒトラーによる原爆の使用を警戒していたといわれる。

戦後1946年には、マックス・プランク物理学研究所の所長に就任。のちにドイツ国防軍の核武装に反対する「ゲッティンゲン宣言」を主導した。多才であり、ピアノ、スキーなどの腕前も卓越していた。

学 ノーベル賞受賞者一覧

はいたにけんじろう

絵本・児童

灰谷健次郎　1934～2006年

『兎の眼』で知られる児童文学作家

昭和時代～平成時代の児童文学者。

兵庫県生まれ。大阪学芸大学（現在の大阪教育大学）卒業。小学校の教師をしながら詩や小説を発表し、児童詩誌『きりん』の編集にたずさわる。

教師をやめたあと、2年間の放浪生活を送る。1974（昭和49）年、体あたりでこどもたちとむきあう女性教師をえがいた小説『兎の眼』を出版、日本児童文学者協会新人賞を受賞する。教育や教育者のあるべき姿を追求したこの小説はベストセラーとなり、映画やテレビドラマの原作にもなった。

1978年には第二次世界大戦の沖縄戦にふれた『太陽の子』を発表。同年、不就学児の問題にとりくんだ『ひとりぼっちの動物園』を発表するなど、社会問題を作品にもりこみ話題となる。1979年には第1回路傍の石文学賞を『兎の眼』『太陽の子』などの作家活動によって受賞。ほかに『はるかニライ・カナイ』『我利馬の船出』『天の瞳』、エッセー集『優しい時間』などがある。

ハイデッガー，マルティン

思想・哲学

マルティン・ハイデッガー　1889～1976年

人間を「現存在」とした、実存主義を代表する哲学者

ドイツの哲学者。

南西部のメスキルヒ生まれ。フライブルク大学で神学と哲学を学ぶ。哲学はフッサールに師事し、現象学を研究した。1923年、マールブルク大学教授となり、1927年には『存在と時間』を著し、ドイツ哲学・思想界に影響をあたえた。1928年、フライブルク大学にもどり、5年後には総長となる。そのあいだも『形而上学とは何か』などを発表。同時期にナチスに入党し、このことにより、第二次世界大戦後には教職から追放された。のちに復職したが、亡くなるまで山荘にこもって学問をつづけ、『森の道』『ニーチェ』などを著した。

ハイデッガーは人間を「現にここにある存在=現存在」とよん

だ。そして、人間は日常生活においては周囲に自分をあわせてしまい、個性を失い、本来の生き方ができない。そこで、「現存在」である人間は、本来の自己を回復するために、死という有限性を自覚し、良心の声にしたがい、真の自己の生き方をするべきであると主張した。

ハイドゥ

王族・皇族

ハイドゥ　1235?～1301年

フビライ・ハンと対立した遊牧民の英雄

オゴタイ・ハン国の第4代君主。

モンゴル帝国の第2代皇帝オゴタイ・ハンの孫。モンゴル帝国第3代皇帝グユクのあと、モンケ・ハンが第4代皇帝になると、オゴタイ一門は追放された。これに不満をもち、モンケを暗殺しようとするも失敗。フビライ・ハンが即位するときに、弟のアリク・ブハと対立すると、アリク・ブハを支持した。1264年にフビライが第5代皇帝となると、中央アジアにハイドゥ王国を建国し、モンゴル帝国から独立した。その後、30年以上にわたり、フビライが中国を統一して建てた国である元と対立をつづけた。1300年、総力をあげた元との戦いで大敗し、戦傷がもとで死亡。1306年、後継者らは元に降伏して、反乱は終わった。元と対立し、中央アジアを制覇した遊牧民の英雄といわれる。

ハイドン，フランツ・ヨーゼフ

音楽

フランツ・ヨーゼフ・ハイドン　1732～1809年

古典派音楽を完成させた「交響曲の父」

オーストリアの作曲家。

東部の村ローラウ生まれ。早くから音楽教育を受け、1740～1749年、ウィーンの聖シュテファン教会の聖歌隊で活動。その後、独学で作曲を学び、作曲家としてみとめられると、1761年から30年以上にわたり、ハンガリー貴族の楽団で、副楽長と楽長をつとめ、膨大な数の作品をのこす。また、2度のイギリス訪問で、『驚愕』『軍隊』『時計』など12の交響曲からなる『ザロモン交響曲集』を作曲、みずから指揮して成功をおさめる。晩年はウィーンで、オラトリオ（宗教的な楽曲）の傑作『天地創造』『四季』を作曲する。

健康的で親しみやすい『皇帝賛歌』（1797年）の旋律は、現在のドイツ国歌となる。交響曲を主題のはっきりした4つの楽章からなるソナタ形式で完成させ「交響曲の父」とよばれる。弦楽曲を弦楽四重奏曲に発展させたことも古典派音楽への貢献として評価される。

ハイネ，ハインリヒ

詩・歌・俳句

ハインリヒ・ハイネ　1797～1856年

ロマンチックな愛や自然を歌う物語詩人

ドイツの詩人、評論家。

デュッセルドルフの生まれ。本名はハリー。1816年、ハンブルクのおじのもとで銀行家としての修業をはじめる。1819年、ボン大学に入り、法律や哲学を学び、ゲッティンゲンやベルリンと大学を移って文学の勉強をつづけた。1827年、いとこへのむくわれない恋を歌った詩集『歌の本』を出版して詩人としての評価を得た。一方で、ドイツの古い政治体制を批判して、1831年に七月革命後のフランスに亡命する。パリに住み、さまざまな文学者と交流しながら、評論や長詩『アッタ・トロル　夏の夜の夢』『ドイツ　冬物語』などを発表した。1848年、脊椎の病気をわずらい、1856年にパリで一生を終えた。

ロマンチックな愛や美しい自然を歌った夢のような物語詩が多い。ロマン派の作曲家たちによって『ローレライ』（ジルヒャー作曲）や『歌の翼に』（メンデルスゾーン作曲）のような歌曲がつくられ、いまでも世界中で親しまれている。

バイバルス

王族・皇族

バイバルス　1228?～1277年

イスラム世界の英雄

エジプト、マムルーク朝の第5代スルタン（イスラム国家の政治的最高権力者）（在位1260～1277年）。

黒海北方の遊牧民族、キプチャクの出身。14歳ごろ、エジプトのアイユーブ朝でマムルーク（奴隷軍人）となる。1250年のマンスーラの戦いで、十字軍を撃退、フランスのルイ9世をとらえた。1260年のアイン・ジャールートの戦いでは、モンゴル軍のエジプト進出を阻止した。マムルーク朝のスルタン、クトゥズを殺害して、みずからスルタンとなったあとは、十字軍やモンゴル軍を何度もしりぞけてイスラムの危機を救い、勢力を拡大。外交に力を入れながら、内政整備も進め、王朝の基礎をかためた。叙事文学『バイバルス物語』の主人公としても広く親しまれている。シリアのダマスクスに、エジプト、アイユーブ朝の創始者サラディンとならび、墓がつくられた。

ハイレ・セラシエ

王族・皇族

ハイレ・セラシエ　1892～1975年

近代化につとめたエチオピア最後の皇帝

エチオピア皇帝（在位1930～1974年）。

皇帝メネリク2世のいとこの子としてハラル州に生まれる。ハラル州知事をへて、1916年に摂政となり、1930年、女王の死去を受け即位。憲法制定、教育の普及など近代化につとめた。1935年のイタリア軍の侵略によりイギリスへ亡命。1941年、イタリアが撤退すると帰国、復位した。第二次世界大戦後は、アフリカ諸国の独立・発展をめざすアフリカ統一機構の設立に尽力、初代議長となる。開明的君主ではあったが、経済政策は失敗、ききんをきっかけに国民の不満が高まり、1974年のクーデターにより廃位され、軟禁されたまま翌年、83歳で死去した。ジャマイカの宗教運動ラスタファリ運動（セラシエの即位前の名がラス・タファリ・マコンネンであることから、こうよばれる）は、セラシエを救世主として信仰している。

バイロン，ジョージ

詩・歌・俳句

ジョージ・バイロン　1788〜1824年

イギリス・ロマン派の代表的詩人

イギリスの詩人。

ロンドンの生まれ。名門貴族の家系で、幼いころに父を亡くし、10歳のときに男爵の称号を得る。ケンブリッジ大学に進み、スポーツや読書にふけった。1809〜1811年に友人とともに地中海の国々をおとずれる。翌年、その旅行の体験を貴公子の旅物語として長編詩『チャイルド・ハロルドの巡礼』に著し、大評判となった。その後、『海賊』『コリントの包囲』など次々と作品を発表した。1823年、トルコからの独立をめざすギリシャを支援するため、現地へおもむきミソロンギで病気のため、36歳で、富と恋愛、遊びと波乱に満ちた人生をとじた。

代表作に、風刺詩『ドン・ジュアン』、劇詩『マンフレッド』などがある。イギリス・ロマン派の代表的詩人であり、ゲーテから世紀最大の天才と賞賛された。18世紀末から19世紀前半に発展するロマン主義文学にあたえた影響は大きい。

ハインライン，ロバート・アンソン

文学

ロバート・アンソン・ハインライン　1907〜1988年

未来の世界を現実味豊かにえがく

アメリカ合衆国のSF（空想科学小説）作家。

ミズーリ州に生まれる。海軍兵学校を卒業後、カリフォルニア大学で物理学、数学を学んだ。1939年にはじめて作品を発表し、第二次世界大戦後、本格的に作家活動をはじめる。月や火星など太陽系の惑星を主な舞台に、現代社会の延長上に想像される未来の世界を現実味豊かにえがいたSFで人気を得た。太陽系帝国首相の代役をつとめるはめになった売れない俳優の活躍をえがいた『ダブル・スター』（『太陽系帝国の危機』）などで、世界的なSF・ファンタジー文学賞であるヒューゴー賞を受賞した。代表作に『宇宙の戦士』『月は無慈悲な夜の女王』『異星の客』などがある。日本ではタイム・トラベル小説『夏への扉』で知られている。

ハインリヒよんせい

王族・皇族

ハインリヒ4世　1050〜1106年

「カノッサの屈辱」を受けた、神聖ローマ皇帝

ドイツ王（在位1056〜1105年）、神聖ローマ皇帝（在位1084〜1105年）。

ザリエル朝ドイツ王、神聖ローマ皇帝ハインリヒ3世の子。父の死後、5歳でドイツ王になる。はじめは母や大司教らが、1065年からはみずから政治をおこなった。ザクセンに国王直轄領をつくろうとするも、貴族と農民がこれに反発、ザクセンの反乱がおこる。1074年に、反乱の鎮圧に成功した。当時のドイツは、神聖ローマ帝国としてローマ教皇の保護者という立場をとっていた。しかし、ローマ教皇グレゴリウス7世は、教皇権は皇帝権よりも優位だとして、俗人による司教などの叙任権の禁止を通告。ハインリヒ4世はこれに対抗して、教皇の廃位を決めるが、逆に破門をいいわたされる。ハインリヒ4世は立場が悪くなり、カノッサで教皇に謝罪した（カノッサの屈辱）。しかし1082年には教皇を追放。2年後、対立教皇クレメンス3世から皇帝の冠を受けた。その後、ウルバヌス2世が教皇となり、十字軍を提唱、政治の主導権をにぎると、しだいに孤立。失意のうちに亡くなった。

学 世界の主な王朝と王・皇帝

ハウ，エリアス

発明・発見

エリアス・ハウ　1819〜1867年

画期的だった二重ぬいミシンを考案した発明家

19世紀のアメリカ合衆国の発明家。

マサチューセッツ州生まれ。18歳のころ、深刻な不作がつづき、やむなく農場を出て機械工としてはたらきはじめた。1838年、ケンブリッジ（アメリカの都市）で精密機器をつくる工房に弟子入り。布をぬう機械を完成できれば大きなビジネスになる、という話を偶然耳にし、工房を休んで、従来のミシンの改良にとりくみはじめる。1846年、開発したミシンの特許をアメリカで取得。ぬった糸が途中で切れてもほどけにくい二重ぬい設計であること、布を自動的に送る機構があることの2点で、画期的であった。その後、同業のシンガー社を特許侵害でうったえ勝訴、特許料の収入などで富豪となる。48歳で死去した。

ハウフ，ウィルヘルム

文学 絵本・児童

ウィルヘルム・ハウフ 1802〜1827年

創作童話を書いたドイツの童話作家

ドイツの作家、童話作家。

シュツットガルト生まれ。7歳で父を亡くし、テュービンゲンの祖父の家で育つ。テュービンゲン大学を卒業し、家庭教師や新聞の編集者をつとめたのち、1826年、郷土を舞台にした歴史小説『リヒテンシュタイン』で人気作家となった。

創作童話にもすぐれた作品をのこしている。家庭教師先のこどもに聞かせた創作の昔話の『隊商』や『アレッサンドリア物語』などは、わかりやすい語り口で書かれ、いまも読みつがれている。ほかに『シュペッサルトの森の宿屋』『こうのとりになった王さま』が有名。1826年にいとこと結婚するが、その翌年25歳の若さで病死した。

ハウプトマン，ゲルハルト

映画・演劇

ゲルハルト・ハウプトマン 1862〜1946年

ドイツの近代劇を確立する

ドイツの劇作家、作家、詩人。

シュレージエン州（現在はポーランドのシロンスク）生まれ。兄は劇作家で生物学者のカール。農業をしたり、ローマに滞在して彫刻家をめざしたりしたが、のちにベルリン郊外に移り住んで、イプセンの影響を受け、文学や演劇に関心をもつ。1888年、短編小説『線路番ティール』を発表。1889年に書き上げた戯曲『日の出前』が大成功し、劇作家としての地位を確立する。その後も、『はたおりたち』『海狸の外套』『鼠』などヒット作を次々と発表。ありのままにえがく自然主義的な作品が多いが、『沈鐘』や『そしてピッパは踊る』など、詩情豊かな童話劇もある。1912年、ノーベル文学賞を受賞。

学 ノーベル賞受賞者一覧

パウロ

宗教

パウロ 紀元前後〜紀元後64年ごろ

キリスト教を広めるのにもっとも功績が大きかった

初期のキリスト教の伝道者、神学者。

古代ローマ帝国の属州キリキアの首都タルソス（現在のトルコ中南部のタルスス）で、ローマ市民権をもつユダヤ人の家に生まれる。もとの名はサウロ。ユダヤ教による厳格な教育を受け、はじめはキリスト教徒を弾圧していた。ある日「サウロ、サウロなぜわたしを迫害するのか」（『使徒行伝』）というキリストのよびかける声を聞くという体験をし、人が救われるのは、律法を守るという自分の功績によるのではなく、キリストを信じてゆだねることによるとさとり、洗礼を受けてキリスト教徒になった。

パウロはローマ帝国の地中海東部やエーゲ海沿岸の各地に伝道旅行を重ね、それらの地域の人々にキリスト教を説き、各地に教会を設立。半生をキリスト教の伝道にささげた。西暦60年代に敵対していたユダヤ人によりエルサレムでとらえられ、ローマ皇帝ネロにみずからの無実をうったえたが、ローマの獄で刑死したといわれる。

新約聖書にはパウロの行動や考えをしるした『使徒行伝』『ローマ人への手紙』などがおさめられている。パウロの考えは長いあいだ正当に理解されなかったが、その後、ルターなどの宗教改革者たちに大きな影響をあたえた。

学 日本と世界の名言

ばえいきゅう（マーインチウ）

政治

馬英九 1950年〜

中国と将来的な統一をめざした国民党政治家、台湾総統

台湾の政治家。総統（在任2008〜2016年）。

香港生まれ。生後すぐに台湾へ移住した。台湾大学法学部卒業後、中国国民党の奨学金でアメリカ合衆国に留学、ニューヨーク大学で修士号、ハーバード大学で博士号を取得した。1981年に帰国すると、蔣経国総統の通訳をつとめ、国民党、政府の役職を歴任、1993年には法務大臣に就任した。1998年に台北市長選挙に当選し、2002年に再選。市長時代は台北のインフラ整備や文化財保護に尽力した。2005年、国民党主席に就任したが、2年後、市長時代の金銭横領容疑で起訴され、党主席を辞任。その後、裁判で無罪となると、2008年、総統選挙に出馬、勝利して総統に就任、翌年には国民党主席に復帰、2012年の総統選挙でも再選された。

中華人民共和国（中国）との関係については、台湾は独立せず、将来的な統一をめざすという、親中国の方針を打ちだした。一方、日本の戦争責任については、批判的な発言も多かった。

学 主な国・地域の大統領・首相一覧

バオダイ

王族・皇族

バオダイ 1914〜1997年

ベトナム阮朝最後の皇帝

ベトナム、阮朝の第13代皇帝（在位1925〜1945年）。

第12代カイディン帝の長男として生まれ、宗主国のフランスに留学する。1926年、父の死により帰国、皇帝に即位するが、

フランスにもどり学業を継続、1932年、正式に帰国した。1945年3月、日本軍がインドシナのフランス勢力をたおし、バオダイを擁立してベトナムを独立させた。しかし、日本の敗戦により、ホー・チ・ミンを国家主席としてベトナム民主共和国が成立すると、権限をゆずって退位。1949年、ベトナム支配の回復をねらうフランスの支援を受け、ベトナム国元首となるが、1955年の大統領を決める国民投票でゴ・ディン・ジエムにやぶれ、その後、ベトナムは共和国となり、自身はふたたびフランスに亡命した。

パガニーニ，ニコロ

音楽

ニコロ・パガニーニ　1782〜1840年

バイオリンの超絶技巧を完成

イタリアのバイオリン奏者、作曲家。

ジェノバ生まれ。幼いころから弦楽器の手ほどきを受け、11歳でバイオリンの演奏会をおこなう。1828年からは、ヨーロッパ各地で演奏をつづけた。華麗で超絶技巧と称されるすぐれた演奏は悪魔的とさえいわれ、一般の聴衆だけでなくショパン、リスト、シューベルトなどの作曲家を魅了した。

作曲家としては、バイオリンの可能性を追求し、さまざまな演奏技術をつかう難曲を書いた。ギターなどの弦楽器にも精通していたため、それらの演奏技術を応用したといわれる。主な作品に、『無伴奏バイオリンのための24の奇想曲』、3つの『バイオリン協奏曲』（第2番の第3楽章はリストの『ラ・カンパネラ』で有名）などがある。

はぎおもと

漫画・アニメ

萩尾望都　1949年〜

少女漫画界のレジェンド

漫画家。

福岡県大牟田市に生まれる。幼いころから読書と絵をかくことが好きだった。漫画を読むことは禁じられていたが、中学生のころから漫画雑誌に投稿をはじめた。1967（昭和42）年から日本デザイナー学院で服飾を勉強する。1969年、雑誌『なかよし』夏休み増刊号でデビュー。同年、上京して竹宮惠子と同じアパートに住んだ。ここは山岸凉子や山田ミネコなど、「24年組」といわれる同世代の漫画家がおとずれ、切磋琢磨する場になった。1972年、永遠に生きるバンパネラ（吸血鬼）の少年を主人公にした異色作『ポーの一族』シリーズを発表し、幅広い読者層を魅了した。その後、『トーマの心臓』『11人いる!』『残酷な神が支配する』『バルバラ異界』など、SF（空想科学小説）やサスペンスなど多ジャンルの作品をてがける。絵は繊細で美しく、ストーリーや心理描写にすぐれた文学的な作品で、多くの文学批評の対象になった。第21回小学館漫画賞をはじめ多数の賞を受賞。2012（平成24）年、紫綬褒章に叙せられた。

はぎわらさくたろう

詩・歌・俳句

萩原朔太郎　1886〜1942年

口語自由詩を完成させる

（日本近代文学館）

大正時代〜昭和時代の詩人。

群馬県生まれ。父は開業医。中学生のころから創作をはじめ、主に短歌をつくって文芸雑誌へ投稿していた。高校時代はマンドリンに熱中し、一時音楽家をめざしたこともある。

1913（大正2）年、北原白秋が主宰する『朱欒』に詩を投稿してみとめられ、この雑誌を通して室生犀星と親しくなる。その後、犀星や山村暮鳥と雑誌『卓上噴水』『感情』を創刊した。1917年、はじめての詩集『月に吠える』を刊行。1923年には第2の詩集『青猫』をだし、この2作品により、それまでの文語体の定型詩をこえて、話しことばをつかった定型にとらわれない口語自由詩を完成させたといわれる。するどい感受性にささえられたみずみずしい詩風で、詩壇での地位を確立する。さらに1934（昭和9）年発表の詩集『氷島』では、漢語を多用した文語体の定型詩へと詩風を一変させてみせるなど、大きな影響をあたえた。評論も多く『詩の原理』『日本への回帰』などがある。

はぎわらタケ

医学

萩原タケ　1873〜1936年

日本人初のフローレンス・ナイチンゲール記章受章

明治時代の看護師。

東京生まれ。家が経済的に苦しく、小学校を退学して、通信教育で学ぶ。1893（明治26）年に日本赤十字社病院の看護婦養成所に入所して医学を学びながら、日清戦争の負傷者や三陸大津波の被災者の救護にあたる。卒業後も日本赤十字社の救護活動に数多く参加し、1910年には日本赤十字社病院看護婦監督に就任。皇族の海外渡航への随行、看護師の国際大会への参加、各国での救済活動など、国際的にも活躍し、1920（大正9）年には第1回フローレンス・ナイチンゲール記章を受けた。64歳で亡くなったときには、日本赤十字社は盛大な病院葬でタケの功績をたたえた。生まれ故郷のあきる野市役所五日市出張所玄関前には「人道のために国家のために」としるされた胸像が建つ。

バクーニン，ミハイル

政 治

ミハイル・バクーニン　1814〜1876年

無政府主義の理論を深め、多くの革命に参加した

ロシアの社会運動家、革命家。

トベリ県の裕福な地主貴族の家に生まれ、ペテルブルクの砲兵学校を卒業して軍人となる。退官後、モスクワでフィヒテ、ヘーゲルらのドイツ哲学に熱中し、ドレスデンで哲学の研究をつづけた。その後、パリでプルードンと知り合い、無神論的無政府主義思想を確立。1848年の革命に参加し、ドレスデンの反乱を指揮してとらえられ、ロシアで死刑判決を受けた。しかし獄中からニコライ1世あてに『告白』を書き、減刑されてシベリアへ流刑となる。1860年、脱出に成功し、日本、アメリカ合衆国をへてイギリスのロンドンにわたった。

その後、マルクスによってロンドンで結成された世界最初の労働者の国際組織、第一インターナショナルに参加するが、マルクスと対立して除名される。スイスにしりぞき、晩年は不遇のうちにベルンで亡くなった。

バクーニンは、『神と国家』『国家と無政府』などを出版し、イタリア、スイス、スペインで活動した社会運動家たちに大きな影響をあたえた。

はくきょい

詩・歌・俳句

白居易　772〜846年

人間の自然な感情を歌う詩人

（立命館大学 ARC 所蔵　Ebi1425-01-16）

中国、唐時代の詩人。鄭州（現在の河南省）に生まれる。字は楽天。5歳のころから詩を学び、16歳のとき先輩の詩人、顧況に絶賛される。800年に29歳の若さで難関の官僚の採用試験である科挙に合格して役人となる。

つとめのかたわら詩作にはげみ、806年、玄宗と楊貴妃の恋を歌った『長恨歌』で詩人として名声を得る。その後、出世を重ね、皇帝の秘書などをつとめたが、815年、皇帝への書類が不適切だとして地方に追いやられた。のちに都の長安にもどされ、皇太子の指導役や法務をつとめた。晩年は詩と酒と琴をたしなみ、俗世からはなれた生活を送った。

詩文を集めた全集『白氏文集』は全75巻あり、人間の自然な感情をわかりやすいことば（元和体）で表現した。

日本では、平安時代に多くの文人たちの教養書として知られ、現在でも親しまれている。また、政治や社会をそれとなくさとす「諷喩」の詩を得意とした。

パククネ

政 治

朴槿恵　1952年〜

朴正煕大統領の娘で、韓国史上初の女性大統領

大韓民国（韓国）の政治家。大統領（在任2013年〜）。

慶尚北道生まれ。朴正煕元大統領の長女。大学卒業後、フランスに留学したが、1974年、朴大統領暗殺未遂事件がおき、大統領夫人であった母親が死亡したため帰国、以後、母親にかわって大統領夫人の職務にあたった。1979年に、父親の朴大統領が暗殺されてからは、文化財団や学校の理事長をつとめた。

1997年、保守派のハンナラ党に入り、2004年、党代表に就任した。その後、党内の対立や混乱を処理し、党名をセヌリ党とあらためて、2012年の総選挙では、党を勝利にみちびいた。さらに、同年の大統領選挙に立候補して当選、2013年、韓国初の女性大統領となった。

経済政策としては、財閥の優遇政策をあらため、国民の経済格差の解消をかかげている。外交面では、朝鮮民主主義人民共和国（北朝鮮）の核放棄をめざすが、南北関係は緊張を高め、日本に対しては、竹島の領土問題や慰安婦問題で強硬な姿勢をしめしている。

学 主な国・地域の大統領・首相一覧

パクチョンヒ（ぼくせいき）

政 治

朴正煕　1917〜1979年

戦後の韓国を大きく成長させた

大韓民国（韓国）の軍人、第5〜9代大統領（在任1963〜1979年）。

慶尚北道生まれ。1937年に大邱師範学校卒業。小学校の教師をつとめたのち、満州国新京軍官学校、日本の陸軍士官学校で学び、満州国軍歩兵第8師団に配属された。第二次世界大戦後は、国防警備隊士官学校を卒業し、韓国軍の陸軍大尉に任官した。

1950年の朝鮮戦争を陸軍情報局作戦情報課長としてむかえ、

その後は陸軍本部作戦部次長、陸軍准将、陸軍少尉などを歴任。1961年の五·一六軍事クーデターで国家再建最高会議を成立させ、大統領権限代行に就任した。1963年、民主共和党総裁として第5代大統領に当選。以後4選17年にわたり軍事政権の大統領として在任。1965年には佐藤栄作内閣総理大臣とのあいだで日韓基本条約を締結、「漢江の奇跡」とよばれる高度経済成長を達成した。

初の南北対話を実現させ、大統領の絶対権限を確立したが、1974年の陸英修夫人暗殺事件（文世光事件）につづき、1979年10月26日、側近である金載圭中央情報部長によって暗殺された。

学 主な国・地域の大統領・首相一覧

パクヨル（ぼくれつ）

政治

朴烈　1902～1974年

朴烈事件で大逆罪に問われた

朝鮮の独立運動家、政治家。

1919（大正8）年、日本からの独立をめざした三・一運動後、日本にわたった。

日本の朝鮮植民地支配をうらみ、アナキズム（無政府主義）運動に参加、朝鮮人苦学生同友会や思想団体黒濤会をつくった。1922年、アナキスト（無政府主義者）の日本人、金子文子とともに不逞社を結成。1923年、関東大震災時の朝鮮人暴動の流言の中、金子とともに警察に連行される。1926年3月、大正天皇と皇太子裕仁親王（のちの昭和天皇）の暗殺を計画したとして死刑判決を受けるが、同年4月、無期懲役に減刑された。

金子は7月に獄中で死亡。その後、逮捕後の2人の写真が出まわり、監視体制のあまさなどが政治問題に発展。朴烈は、第二次世界大戦後釈放され、在日本朝鮮居留民団を結成し初代団長となるが、次の団長選挙で再任されず大韓民国（韓国）に帰国した。その後、朝鮮戦争中に北朝鮮に連行され、そこで亡くなった。

パクヨンヒョ

朴泳孝 → 朴泳孝

はくらくてん

白楽天 → 白居易

はしばひでよし

羽柴秀吉 → 豊臣秀吉

はしもとがほう

絵画

橋本雅邦　1835～1908年

近代日本画を育てた画家

▲『白雲紅樹図』

（東京藝術大学所蔵）

明治時代の日本画家。

江戸木挽町（現在の東京都中央区）生まれ。幼名は千太郎。父は川越藩の御用絵師で、江戸幕府の奥絵師をつとめる狩野晴川院養信の弟子だった。はじめ父から絵を学んだが、1847年、養信の子の雅信に入門した。同門には、生涯の友となる狩野芳崖がいた。1860年に独立をゆるされるが、明治維新前後の混乱で生活苦におちいり、海軍兵学校で製図の仕事につく。

1882（明治15）年、第1回内国絵画共進会で受賞し、注目される。1884年、美術研究家のフェノロサや岡倉天心が鑑画会を結成すると、狩野芳崖と参加して日本画の革新を進めた。東京美術学校（現在の東京藝術大学）の設立にかかわり、教授となり、横山大観、下村観山、菱田春草らを指導した。1898年には、岡倉とともに美術学校を去り、日本美術院の創立に参加した。代表作には、『白雲紅樹図』『龍虎図』などがある。

はしもときんごろう

政治

橋本欣五郎　1890～1957年

三月事件・十月事件をおこした右翼活動家

昭和時代の軍人、政治家。

岡山県生まれ。7歳のとき福岡県門司市に移る。陸軍士官学校、陸軍大学校を卒業ののち、1927（昭和2）年、トルコ公使館付き武官となり、トルコ共和国初代大統領であるケマル・アタチュルクの革命思想に影響を受けた。1930年、参謀本部ロシア班長。同年、軍部独裁政権樹立による国家改造を目的として参謀本部の将校らを中心に桜会を結成。1931年、クーデター未遂事件（三月事件、十月事件）をおこし、桜会は解散させられる。1936年の二・二六事件では責任を追及され予備役となるが、大日本青年党を組織してファシスト運動を推進。1937年、日中戦争に召集され、イギリス砲艦を砲撃（レディバード号事件）して退役。1940年、大日本赤誠会を結成する。1942年、衆議院議員に当選、翼賛政治会総務に就任。第二次世界大戦後、A級戦犯として終身刑となるが、1955年、仮釈放。1956年、参議院議員選挙全国区に無所属で立候補し落選し、1957年、肺がんで亡くなった。

はしもとさない

幕末

橋本左内　1834〜1859年

積極的開国と富国強兵策を説いた

（国立国会図書館）

幕末の志士。

名は綱紀、左内は通称。福井藩（現在の福井県東部）の藩医の家に生まれる。1849年、16歳のとき大坂（阪）に出て、緒方洪庵の適塾で約2年間、蘭学や西洋医術を学んだ。1854年、江戸（東京）に出て、蘭学のほか、英語やドイツ語などを学んだ。また、水戸藩（茨城県中部と北部）の学者藤田東湖らとまじわり、国内政治や世界情勢について関心を深めた。1857年、福井藩の藩校明道館の学監（校長の補佐）となり、洋書習学所をもうけるなど、藩政の刷新にあたった。同年、藩主松平慶永の側近となり、次の将軍に一橋家の徳川慶喜をおす運動を進めた。有能な大名や藩士、浪士、庶民を政治に参加させて、統一国家をつくり、積極的に開国し、富国強兵を実現することを説いた。1858年、紀伊藩（和歌山県・三重県南部）の藩主、徳川慶福（のちの徳川家茂）を将軍におした大老井伊直弼により、一橋派が処罰されると（安政の大獄）、左内はとらえられ、1859年に処刑された。

はしもとりゅうたろう

政治

橋本龍太郎　1937〜2006年

行政改革、財政構造改革を推進した

政治家。第82、83代内閣総理大臣（在任1996年、1996〜1998年）。

東京都生まれ。父は元衆議院議員の橋本龍伍、弟は元高知県知事の橋本大二郎。慶應義塾大学法学部卒業。父のあとをつぎ1963（昭和38）年、自由民主党から衆議院議員に初当選。以来14期つとめる。1978年、大平正芳内閣で厚生大臣として初入閣。1986年、第3次中曽根康弘内閣では運輸大臣に就任、旧国鉄分割民営化を担当した。以来、大蔵大臣、通商産業大臣を歴任。1995（平成7）年、自由民主党総裁に選出され、村山富市内閣で副総理、通商産業大臣を兼務。1996年、第82代内閣総理大臣に就任。同年10月、小選挙区比例代表並立制におけるはじめての衆議院議員総選挙での自民党の大勝で第2次橋本内閣が発足した。行政改革をはじめとする六大改革を提唱したが、1998年の参院選惨敗により辞任。2000年、橋本派会長となる。2001年、自民党総裁選に立候補したが小泉純一郎にやぶれる。2004年、日本歯科医師連盟から橋本派への不正献金問題が発覚し、派閥会長を辞任、2005年、政界を引退した。

学 歴代の内閣総理大臣一覧

パスカル，ブレーズ

思想・哲学

ブレーズ・パスカル　1623〜1662年

「人間は考えるアシである」のことばで知られる

17世紀のフランスの哲学者、数学者。

フランス中部のクレルモン＝フェランで、徴税役人の子として生まれる。幼いころから学才を発揮し、三角形の内角の和が2直角（180度）であることなどを自力で証明したといわれる。少年時代にパリに移り、16歳のときに幾何学の研究をおこなって『円錐曲線試論』を発表する。17歳のときには父の税計算の仕事を助けるために機械式計算機を考案し、2年後に完成させている。

後半生は宗教にめざめて宗教的な弁論がふえるが、自然科学や数学、幾何学などの研究もつづけた。その代表的なものには、幾何学における「パスカルの定理」や流体の平衡についての「パスカルの原理」、数学の「パスカルの三角形」などがある。また晩年には今日の乗合バスにあたる乗合馬車のシステムを考案して、1662年に創業している。早熟の天才とよばれ、多分野におよぶ膨大な業績をのこしたが、39歳の若さでこの世を去る。生前に書かれたメモはのちに『パンセ』としてまとめられ、現在も読みつがれている。人間は広大な宇宙に対しては無に等しいが、人間の尊さは考えることにあるとし、「人間は考えるアシ（葦）である」という名言をのこした。

学 日本と世界の名言

バスコ・ダ・ガマ

探検・開拓

バスコ・ダ・ガマ　1469?〜1524年

インド航路を開拓し、大航海時代を築いた

ポルトガルの軍人、航海者、インド総督。

港町シネスに生まれる。戦争で財政難だったポルトガルは、黄金や香料が豊富なインド周辺諸国との貿易を必要としていた。1488年にバルトロメウ・ディアスがアフリカ大陸南端の喜望峰に到達。これを受け、1497年7月、国王マヌエル1世の命令で、インドにむかう船団の司令官となり、船4隻と乗組員170人をひきいて、リスボンを出航した。喜望峰をへてアフリカ東岸を北上、マリンディについたあとは、アラブ人の水先案内人の協力を得て、インド洋を航海。1498年5月、インドのカリカットに到着した。ポルトガルとの友好を求めて交渉したが失敗。100人以上の乗組員を壊血病で失いながらも、香料などを買いつけて帰国し、一躍英雄となった。1502年の第2回航海からは、インドの市街地を攻撃するなど、軍事力で貿易を支配するようになる。その後、インド侵略に乗りだしたポルトガルのインド総督となったが、3度目の派遣のとき、病気のためインドで亡くなった。

パスツール，ルイ

学問　医学

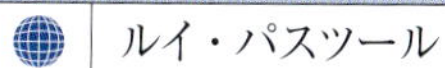

ルイ・パスツール　1822〜1895年

感染症の原因を究明し予防法を開発した

▲ルイ・パスツール

フランスの化学者、細菌学者。

東部のスイス国境に近い町ドールに生まれる。少年のころは美術が好きで、よく絵をかいた。1843年、パリの高等師範学校に入学、化学の結晶の研究に興味をもち、酒石酸（ブドウやワインにふくまれる有機化合物）とその異性体のラセミ酒石酸の結晶に光をあてて、ちがいを発見。1848年にその研究報告をパリの科学アカデミーに提出した。

1849年にストラスブール大学、1854年にリール大学の教授に就任した。リールでは、サトウダイコン（砂糖の原料、テンサイ、ビート）からアルコールをつくる業者より、アルコールがくさってすっぱくなる原因を調べてほしいと依頼された。研究の結果、すっぱくなるのは乳酸菌、発酵は酵母菌という微生物によるものであることを発見。

▲パスツールが研究に使用した道具

また、微生物は自然発生すると考えられていたが、微生物は自然発生せず、外界からの混入によるという説を打ちだした。さらに熱を加えて有害な微生物（細菌）を殺す低温殺菌法を考案した。

1860年代にカイコの微粒子病がはやり、フランスの絹産業が全滅に近い被害を受けると、1865年から数年間、その研究に打ちこんだ。その間に2人の娘を腸チフスで失い、みずからも脳出血でたおれ、左半身がまひして左手と左足の自由を失うなど不幸にみまわれた。それでも、カイコの病気の研究を進め、1870年にはその予防法を明らかにした。

その後、高等動物の病気にも研究対象を広げ、ニワトリがかかるコレラについて研究を開始。病原菌の毒性を弱めてつくったワクチンをニワトリに接種し、免疫ができることを発見。つづいてウシやヒツジがかかる感染症の炭疽にきくワクチンや、狂犬病のワクチンをつくることに成功した。

1885年、狂犬病のイヌにかまれた9歳の少年に狂犬病ワクチンを接種して、少年の命を救った。これがワクチン接種で人間の救われたはじめての成功例となった。

世界各国から集められた寄付金をもとに、1888年、パリにパスツール研究所が完成すると、所長に就任。感染症の予防や治療にあたり、1895年、72歳で亡くなった。コッホとともに、「近代細菌学の開祖」とよばれる。

パステルナーク，ボリス

文学

ボリス・パステルナーク　1890〜1960年

国家の圧力でノーベル賞受賞を辞退

ロシア帝国、ソビエト連邦（ソ連）の作家、詩人。

モスクワ生まれ。父は画家、母はピアニストという芸術一家に育つ。

13歳で音楽の勉強をはじめ作曲家を志すが、モスクワ大学では哲学を学んだ。1914年に、詩集『雲のなかの双生児』を発表し、その後も、詩集をだして詩人として名を上げる。

1956年、ロシア革命のために苦難の人生を送る医師ジバゴと、その恋人ララの生き方をえがいた小説『ドクトル・ジバゴ』を書く。当時のソ連では出版をゆるされずイタリアの出版社から刊行して世界的な反響をまきおこした。1958年、ノーベル文学賞にえらばれたが、ソ連政府によって、受賞を辞退させられた。

学 ノーベル賞受賞者一覧

パスパ

宗教

パスパ　1235～1280年

チベット仏教がモンゴルに庇護されるきっかけをつくった

元朝の初代国師。パスパ文字をつくったチベット人僧侶。

幼いころ、非常にかしこかったので、パスパ（聖者、パクパとも表記する）とよばれた。当時、チベットはモンゴルに攻撃されていたため、1244年、チベット仏教サキャ派（赤帽派の一つ）の第4代座主でおじのサキャ・パンディタとともにモンゴルにおもむき、モンゴルとチベットの和平に努力した。モンゴルにチベット仏教を広めたパスパはフビライの信任があつく、1260年、フビライが元朝（モンゴル帝国）の第5代ハン（皇帝）に即位すると、元朝の仏教界を統括する国師を命じられ、チベットの行政権を得た。1269年、フビライ・ハンの命によりチベット文字をもとに、元朝で使用されるパスパ文字をつくった。1274年、国師の地位を異母弟リンチェンにゆずってチベット南部にあるサキャ寺に帰還した。パスパの没後も、国師の地位は一門の者に継承され、サキャ派はモンゴル帝国の衰退までチベット全域に対して大きな権限をもった。

はせがわかずお

映画・演劇

長谷川一夫　1908～1984年

昭和時代を代表する二枚目時代劇スター

昭和時代の俳優。

京都府に生まれる。1913（大正2）年、6歳で歌舞伎の舞台をふむ。初代中村鴈治郎のもとで林長丸の芸名をもらい、役者の修業を積む。その美貌を買われて1927（昭和2）年、林長二郎の名で松竹映画に入り、『稚児の剣法』でデビュー。美男剣士として二枚目スターの座についた。松竹に在籍した11年間に約120本の映画に出演、とくに雪之丞と怪盗闇太郎一人二役の『雪之丞変化』は松竹創立以来の大ヒット作となった。1937年、契約期限切れを機に東宝に移り、本名の長谷川一夫を名のる。第二次世界大戦後は大映に移り、『地獄門』『近松物語』『銭形平次』シリーズなど数多くの作品に出演。『赤穂浪士』『半七捕物帳』などのテレビシリーズでも活躍するかたわら、1974年には宝塚歌劇『ベルサイユのばら』で演出を担当し話題をよんだ。1978年、文部大臣特別賞を受け、死後、国民栄誉賞が贈られた。日本一の美男スターとして長いあいだ人気を誇り、映画界でも舞台でも最後まで二枚目を演じた。

学 国民栄誉賞受賞者一覧

はせがわとうはく

絵画

長谷川等伯　1539～1610年

日本の水墨画を代表する作品をえがいた画家

▲『松林図屏風』

安土桃山時代～江戸時代前期の画家。

能登国（現在の石川県）生まれ。幼名は又四郎、のちに帯刀。染色業をいとなむ長谷川家の養子となり、養父に絵を習う。はじめは信春の名で、日蓮宗にかかわる仏画や肖像画などをえがいた。30歳をすぎたころ、妻と子の久蔵をつれて京都にのぼり、本格的な絵師として活動した。のちに、画名を等伯にあらためる。この間、狩野永徳らの表現法を積極的にとり入れるとともに、堺の茶人や大徳寺の禅僧との交友を深め、中国の宋や元の時代の水墨画を学んだ。

1589年、京都でも有数の禅寺である大徳寺の三玄院にふすま絵を、三門（山門）に天井画や柱絵をえがく。その翌年、後陽成天皇の御所の造営にあたり、寝殿の付属施設である対屋の障壁画（障子絵や屏風絵などの総称）制作を、狩野永徳らの圧力によって阻止される。これは、狩野派の大きな力をしめすとともに、等伯のひきいる長谷川派が急速に台頭してきたことがわかる事件でもあった。1592年ごろ、豊臣秀吉の命令により、子の久蔵らをひきいて祥雲禅寺（現在の智積院）の障壁画を制作した。なかでも、金地に巨大な樹木をえがいた豪華な『楓図』は、桃山時代を代表する絵となった。このころを境に、作品の中心は、水墨画に移っていく。その中の一つ『松林図屏風』は、等伯自身の代表作であるとともに、日本における水墨画の到達点をしめす傑作とされる。水墨画の主な作品には、妙心寺隣華院の『山水図襖』、相国寺の『竹林猿猴図屏風』、龍泉院の『枯木猿猴図』などがある。みずからを雪舟の継承者ととらえ、晩年の作品には「雪舟五代」という署名をのこしている。

72歳のとき、徳川家康のまねきで江戸にむかったが、途中で病気になり、江戸について、2日目に亡くなった。等伯の話を筆記した『等伯画説』は、日本最古の絵画論として知られている。

はせがわにょぜかん

思想・哲学

長谷川如是閑　1875～1969年

大正デモクラシーを代表する自由主義ジャーナリスト

明治時代～昭和時代のジャーナリスト、思想家、評論家。

東京深川木場の材木商の家に生まれる。本名は萬次郎。1898（明治31）年、東京法学院（現在の中央大学）を卒業。1902年、陸羯南が社長であった日本新聞社に入社するが、新社長と対立して退社。1908年に大阪朝日新聞社に入り、コラム「天声人語」、評論、小説などを通して、大正デモクラシー運動の中心的な存在となった。1918（大正7）年、「白虹日を貫けり」の記事が新聞紙法違反にあたるとして政府から弾圧を受け（白虹事件）、社長らとともに責任をとって退社。翌年、大山郁夫らと雑誌『我等』を創刊、国家主義やファシズムを批判した。

第二次世界大戦後も民主主義や国際平和をうったえつづけ、貴族院勅選議員として新憲法の制定に参加。1948（昭和23）年、文化勲章を受章した。イギリス流の自由主義者であり、明治、大正、昭和の3時代にわたる本格的なジャーナリストであった。代表作に『現代国家批判』『ある心の自叙伝』などがある。

学 文化勲章受章者一覧

はせがわまちこ

漫画・アニメ

● 長谷川町子 1920〜1992年

国民的漫画『サザエさん』の作者

▲長谷川町子

（©長谷川町子美術館）

昭和時代の漫画家。

佐賀県生まれ。幼いころは、授業中に先生の似顔絵をかいて廊下に立たされたり、男の子にまじってちゃんばらごっこをしたりと、おてんばな少女だった。13歳のときに父を亡くし、母と3人姉妹で上京した。

16歳のときに、漫画『のらくろ』の作者である田河水泡に弟子入り。1935（昭和10）年に雑誌『少女倶楽部』に『狸の面』という作品がのり、漫画家デビューをはたした。1940年からは3人の女学生を主人公にした『仲よし手帖』という連載がはじまり、人気となる。しかし、太平洋戦争がはじまったため、一家で福岡に疎開し、戦争中は西日本新聞社ではたらいていた。

漫画『サザエさん』は、戦後の1946年から『夕刊フクニチ』で連載がはじまった。その後『朝日新聞』に移り、1951年から1974年まで朝刊の紙面で連載され、新聞4コマ漫画を代表する作品となる。25年間で、6477回の連載であった。単行本は姉とともに設立した姉妹出版（のちの姉妹社）から68巻のシリーズで発行されて、ロングセラーとなる。そのほかの代表作に、人をこまらせることが生きがいのおばあさんを主人公にした『いじわるばあさん』などがある。

▲『サザエさん』第1巻の表紙

（©長谷川町子美術館）

一番の代表作『サザエさん』は、主婦のサザエさんを中心とした一家7人の、ありふれた家庭の日常を、女性ならではのこまやかな視点でとらえた作品。仲のよい家族のようすは、戦後の日本にあたたかな笑いを提供し、こどもからおとなまで幅広い読者に愛された。1969年からはアニメ化され、大ヒット。その後、映画化、テレビドラマ化などもされている、国民的な人気漫画作品の一つである。

それまでの功績をたたえられ、1982年に紫綬褒章を受章。1985年には東京都世田谷区に、漫画の原画や、みずからが収集した美術品などを展示する長谷川美術館（現在の長谷川町子美術館）をひらいた。最寄りの駅から美術館までの道は「サザエさん通り」とよばれている。1990（平成2）年に勲四等宝冠章、1991年に日本漫画家協会賞文部大臣賞を受賞。そして1992年、亡くなったのちには、家族漫画を通じて戦後日本に娯楽とやすらぎをあたえたとして、国民栄誉賞が贈られた。

学 国民栄誉賞受賞者一覧

はせくらつねなが

江戸時代

● 支倉常長 1571〜1621年

遣欧使節としてヨーロッパにわたった

▲スペインのコリア・デル・リオ市の銅像

江戸時代前期の仙台藩の家臣。

陸奥国仙台藩（現在の宮城県・岩手県南部）の藩士。1592（文禄元）年、豊臣秀吉がおこした文禄の役で藩主伊達政宗とともに朝鮮へわたり、戦功を立てた。

1613年9月、スペインとの貿易を望む政宗から遣欧使節に任命され、キリスト教の宣教師ソテロとともにヨーロッパ式の帆船に乗りこみ、月浦港（宮城県石巻市）を出航した。

太平洋を横断し、メキシコをへて、1614年11月、スペインのマドリードに到着した常長は、1615年、スペイン王フェリペ3世に謁見して政宗の書状をさしだした。その後マドリード市内の修道院で洗礼を受けてキリスト教徒になり、フェリペ・フランシスコと名のった。

さらに、ローマ教皇にうしろだてになってもらおうと、イタリアのローマに行き、同年、教皇パウロ5世に謁見して政宗の書状をわたし、ローマ市民権と貴族の称号をあたえられた。その後、ふたたびスペインにもどるが、幕府がキリスト教を禁止し、キリスト教信者を迫害していることが伝わっていたため、スペインとの貿易の許可を得ることはできず、1617年、ヨーロッパをはなれた。

▲ローマのイタリア大統領官邸にある支倉常長一行のフレスコ画　常長は左から2番目。

1620年、7年ぶりに帰国した。しかし、幕府によるキリスト教の取り締まりがきびしくなり、政宗もキリスト教徒への弾圧を強めていたため、晩年はめぐまれず、不遇のうちに亡くなった。

はたけやましげただ

貴族・武将

畠山重忠　1164〜1205年

剛勇、誠実な鎌倉武士の模範とされた

（国立国会図書館）

鎌倉時代前期の武将。

武蔵国畠山荘（現在の埼玉県深谷市畠山）を拠点とした平氏一族の畠山氏の出身。1180年、平氏を討つために挙兵した源頼朝に敵対したが、その後勢力を回復した頼朝にしたがった。1184年、源義経の下で源義仲を討ち、平氏追討で活躍した。一の谷の合戦で、義経は平氏を背後の鵯越（兵庫県神戸市）の断崖から騎馬でおそう「逆落とし」という奇襲作戦を立てたが、大力の重忠は、ウマをいたわり背にかついで崖をおりたという。

1189年、奥州藤原氏追討の合戦でも戦功をあげ所領を得た。秩父平氏の棟梁（頭）として武蔵国（埼玉県・東京都・神奈川県東部）の御家人（将軍につかえる武士）をまとめた。剛勇、誠実な鎌倉武士の模範とされたが、武蔵への進出をたくらむ幕府の実力者北条氏と対立した

1204年、子の重保が北条時政の後妻、牧の方の娘婿の平賀朝雅と酒宴の席であらそった。1205年、朝雅と牧の方は畠山親子に謀反の動きがあるとうったえたので時政は軍をだし、重保は由比ヶ浜（神奈川県鎌倉市）で討たれた。重忠は菅谷館（埼玉県嵐山町にあった重忠の館）から鎌倉にむかったが北条義時のひきいる大軍と武蔵二俣川（神奈川県横浜市）で戦って敗死した。

はたけやままさなが

貴族・武将

畠山政長　1442〜1493年

いとことの家督争いが、応仁の乱の一因となった

畠山持富の子。室町時代後期の武将。

室町幕府の管領（将軍を補佐する役職）で、河内国（現在の大阪府東部）、紀伊国（和歌山県・三重県南部）などの守護をつとめた。

政長のおじである管領、畠山持国にはもともと子がなく、政長の父の持富が後継者に内定していた。しかし持国に実子畠山義就が生まれると、持国は義就に家督をゆずろうとし、畠山家は分裂した。持富の死後、兄の弥三郎があとをつぎ、政長は弥三郎の死後、反義就派の代表となって義就とはげしく対立。義就をおさえて、1464年に室町幕府管領に就任した。しかし、山名持豊の支援を受けた義就が勢いをもりかえしたため、畠山氏の内紛は収束せず、これが応仁の乱の要因の一つとなった。

政長は応仁の乱では細川勝元の東軍に加わり、その後は第10代将軍足利義材（のちの足利義稙）の下で、ふたたび管領に就任して権勢を誇った。しかし、しだいに細川氏との対立が深まり、1493（明応2）年、幕府にクーデター（明応の政変）をおこした細川政元に追いつめられ、自害した。

学 室町幕府執事・管領一覧

はたけやまみついえ

貴族・武将

畠山満家　1372〜1433年

2度にわたって室町幕府の管領をつとめた

室町時代の武将。

守護大名である畠山基国の子として生まれる。畠山持国、畠山持富は息子。1399（応永6）年の応永の乱では大内義弘を討って功をあげるが、室町幕府第3代将軍足利義満にきらわれていたため、1406年の父の死後は、弟の畠山満慶が家督をついだ。1408年、義満が亡くなると、満慶から当主の座をゆずられ、河内国（現在の大阪府東部）、紀伊国（和歌山県・三重県南部）、越中国（富山県）の守護となる。その後2度にわたり、室町幕府の管領（将軍を補佐する役職）をつとめた。1428年、第4代将軍足利義持の死後、石清水八幡宮において、出家していた義持の弟4人のうちからくじ引きで後継者を決め、足利義教を第6代将軍に立てた。その後も宿老として義教の幕政を助けた。

学 室町幕府執事・管領一覧

はたけやまもちくに

貴族・武将

畠山持国　1398〜1455年

後継をめぐって畠山氏の分裂をひきおこした

室町時代の武将。

室町幕府の管領（将軍を補佐する役職）である畠山満家の長男として生まれる。

1433年、父の死後に家をつぎ、河内国（現在の大阪府東部）、紀伊国（和歌山県・三重県南部）、越中国（富山県）の守護となる。1441（嘉吉元）年、関東の結城攻めを拒否したため、第6代将軍足利義教によって引退させられるが、同年の嘉吉の乱で赤松満祐が義教を暗殺すると、満祐を播磨国（兵庫県南部）白旗城に攻め、幕府に復帰し、管領となる。

持国には子がなく、いったん弟の畠山持富を、あとをつがせるために養子にしたにもかかわらず、のちに生まれた実子の畠山義就につがせようとして内紛をひきおこし、1467（応仁元）年にはじまる応仁の乱の原因の一つとなった。

学 室町幕府執事・管領一覧

はたけやまもちとみ

貴族・武将

畠山持富　?〜1452年

みずからの兄と子のあいだで後継争いが勃発

室町時代の武将。

室町幕府の管領（将軍を補佐する役職）である畠山満家の3男として生まれる。長兄は畠山持国、次兄は畠山持永。1441（嘉吉元）年の嘉吉の乱で第6代将軍足利義教が暗殺されたのち、畠山氏の当主の座をめぐる争いがおこる。持国が持永を打ちやぶり、持永の屋敷にいた持富は脱出させられ、持国が当主となった。持国に子がいなかったため、持富はその後継者として養子になっていたが、その後、持国に実子の畠山義就が生まれると、後継者が義就に変更された。

その4年後に持富は亡くなるが、持富の2人の子である兄の弥三郎、弟の畠山政長と、義就が当主の座をあらそい、畠山氏は分裂。1467（応仁元）年にはじまる応仁の乱の原因の一つとなった。

はたけやまよしなり

貴族・武将

畠山義就　?〜1490年

家督をあらそい、応仁の乱の発端となった

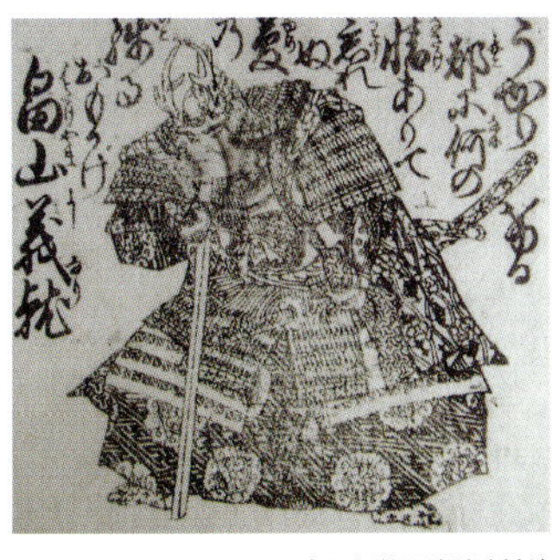

（国文学研究資料館）

室町時代後期の武将。

畠山持国の子で、名は「よしひろ」とも読む。河内国（現在の大阪府東部）、紀伊国（和歌山県・三重県南部）、山城国（京都府南部）などの守護をつとめた。

もともと父持国には子がなく、自分の弟である畠山持富を後継者としていたが、義就が誕生したため、畠山氏内部であとつぎをめぐる争いがおこった。義就は、持富の死後、その子である弥三郎や畠山政長とはげしく対立し、畠山氏は分裂した。これが、応仁の乱の要因の一つになる。義就は山名持豊の西軍の一員として戦い、応仁の乱が終息したあとも、山城南部を舞台にして政長と戦いをつづけていた。1485年、この畠山氏の紛争に不満をいだいた南山城地域の国人（土着の豪族）や農民は、一致団結して畠山氏の勢力を排除することを宣言し、両畠山氏を南山城からしりぞけた。このあと、南山城地域では1493年まで国人衆を中心とした自治支配が展開した（山城国一揆）。

はたさはちろう

医学

秦佐八郎　1873〜1938年

梅毒の特効薬サルバルサンを発見

▲エールリヒ博士（左）と

明治時代〜大正時代の細菌学者。

島根県に豪農の8男として生まれ、14歳のときに代々医師であった秦家の養子となる。入学した第三高等中学校医学部（現在の岡山大学医学部）でも成績優秀だった。

兵役を終えたあと、岡山県病院助手をへて、1898（明治31）年に東京の伝染病研究所に入所、北里柴三郎に学ぶ。8年間にわたりペスト研究をおこなったのち、ドイツに留学した。

ロベルト・コッホ細菌研究所などをへて、1909年、フランクフルト国立実験治療研究所に移る。のちにノーベル生理学・医学賞を受けたエールリヒのもとで研究を進め、梅毒治療薬として歴史的に有名なサルバルサンを発見・開発。ペニシリンなどができるまで、この薬は多くの命を救った。1910年の帰国後には、国産サルバルサン製造に協力してこれを成功させる。その後、慶應義塾大学医学部教授として後進の指導にあたり、1931（昭和6）年には北里研究所副所長に就任。65歳で亡くなった。

はたつとむ

政治

羽田孜　1935年〜

少数与党内閣となり、総理就任期間は短かった

（内閣広報室）

政治家。第80代内閣総理大臣（在任1994年）。

東京都生まれ。父は衆議院議員の羽田武嗣郎。1958（昭和33）年、成城大学卒業後、バス会社につとめる。急病でたおれた父の後継として、1969年、自由民主党公認で衆議院選に初当選。1985年、中曽根康弘内閣で農林水産大臣として初入閣。1988年、竹下登内閣でも農林水産大臣、その後1991（平成3）

年、宮沢喜一内閣で大蔵大臣をつとめた。

1993年、自民党を離党、新生党を結成し初代党首となる。同年、非自民・非共産連立政権である細川護熙内閣で副総理兼外務大臣として入閣した。

1994年、細川内閣退陣を受けて内閣総理大臣に就任したが、政権発足直後、連立与党内の統一会派結成への反発による日本社会党の連立政権離脱によって少数与党内閣となり、自民党から提出された内閣不信任案を否決できず、2か月で内閣総辞職となった。その後、新進党、太陽党、民政党をへて1998年、民主党結成、初代幹事長に就任。2000年、同党特別代表、2003年より最高顧問。2012年、政界を引退した。

学 歴代の内閣総理大臣一覧

はたなかごんない

郷土

● 畑中権内　生没年不詳

権内水路をひらいた庄屋

江戸時代中期の農民、治水家。

摂津国嶋下郡車作村（現在の大阪府茨木市）の庄屋（村の長）の家に生まれ、庄屋となった。村は安威川より高いところにあり、耕作地は水がとぼしく、安威川沿いのせまい土地で米をつくり、段々畑で作物をつくっていた。まともに米を食べたいという村人のうったえを聞き、安威川上流の下音羽川から村に水路をひく計画を立てた。村人たちは、夜、手に手に提灯をもって、土地の高低を測量した。下流の村から抗議を受けたが、ねばり強く説得して、工事の了解を得た。20数年をかけて、幅約1m、全長約2kmの権内水路（深山水路）が完成した。車作の集落に用水がひかれて、段々畑は水田にかわり、暮らしは豊かになった。

はたのかわかつ

貴族・武将

● 秦河勝　生没年不詳

聖徳太子につかえた渡来系豪族

飛鳥時代の豪族。

朝鮮半島からの渡来系豪族といわれ、山背国葛野郡（現在の京都府右京区太秦）を本拠地とし勢力を築いたという。587年、蘇我馬子が物部守屋を討つための軍をひきいて活躍した。その後、厩戸皇子（聖徳太子）の近臣としてつかえた。『日本書紀』によれば603年、聖徳太子がうやまっていた仏像をさずかり、葛野郡に蜂岡寺（現在の広隆寺）（京都市）を建立して安置し、仏教興隆につくした。ただし、『広隆寺縁起』によれば、広隆寺は622年に亡くなった聖徳太子の冥福を祈るために建立されたという。

広隆寺はその後、秦氏の氏寺として繁栄。644年、カイコに似た虫を常世神（富や幸福をもたらす神）として祭る信仰が流行したとき、人々をまどわせるとして、これを広めた教祖を討ったという。

はだのたかお

郷土

● 羽田野敬雄　1798～1882年

学問を志す人々にむけて羽田八幡宮文庫を設立

江戸時代後期～明治時代の国学者。

三河国宝飯郡西方村（現在の愛知県豊川市）の豪農の家に生まれた。幼いときから父に中国の『大学』『論語』『唐詩選』を学んだ。21歳のとき、渥美郡羽田村（豊橋市）の神主、羽田野敬道の養子となり敬道の娘と結婚して羽田野家をつぎ、羽田神明宮と羽田八幡宮の神主となった。1825年、国学者本居宣長の養子、本居大平の門人となった。1827年、江戸（東京）の国学者平田篤胤の門人となり、三河地方（愛知県中部・東部）で篤胤の思想の普及につとめ、各地の神社の神主など40人あまりが篤胤の門人となった。1848年、みずからの蔵書をもとに学問を志す人々にむけて羽田八幡宮文庫を設立し、図書館などを併設した。蔵書は1万巻をこえたという。

ハタミ，モハンマド

政治

モハンマド・ハタミ　1943年～

柔軟な外交をおこなった開明的なイランの大統領

イランの宗教学者、政治家。大統領（在任1997～2005年）。

イラン中部のアルダカンに生まれる。神学校をへて、大学で哲学、教育学の学位を取得し、さらに聖地コムで哲学を学んだ。イランのイスラム教回帰を主張したホメイニのイラン革命を支持し、革命後の1980年、国会議員となった。文化イスラム指導大臣、大統領顧問などの要職を歴任し、1997年、大統領選挙に勝利した。2001年にも再選。大統領就任中は、アメリカ合衆国やヨーロッパ諸国と柔軟な外交をおこない、キリスト教徒とも対話姿勢をみせ、国際的にも、また国内でも多くの支持を得た。しかし、イスラム保守勢力からは非難され、低迷する経済の回復も達成できず、2005年、退任した。

はちじょういんしょうし

貴族・武将

● 八条院暲子　1137～1211年

大きな所領と権力をもった

平安時代後期～鎌倉時代前期の皇族。

鳥羽天皇の娘。母は、鳥羽上皇（譲位した鳥羽天皇）の皇后で近衛天皇を生んだ美福門院得子。

1138年、内親王となり暲子と名づけられた。1146年、准三宮（皇后に準ずる地位）に任じられたが、1156（保元元）年の保元の乱の翌年、出家した。1161年、二条天皇の准母（生母ではないが母と同じ地位とされた女性）として女院号をあたえられ、八条院と称した。父と母に愛され、八条院領とよばれる、100か所におよぶばく大な所領をゆずられて、大きな勢力をもった。

死後、のこされた所領は後鳥羽天皇の娘の春華門院（昇子内親王）にゆずられ、順徳天皇をへて後鳥羽天皇に伝えられた。

八条院領はその後もふえつづけ、鎌倉時代には 220 か所を数え、亀山天皇にはじまる大覚寺統（持明院統と皇位をあらそった皇統）の経済をささえた。

はちすかまさかつ

戦国時代

蜂須賀正勝　1526〜1586年

秀吉を初期からささえた有能な家臣

戦国時代〜安土桃山時代の武将。

尾張国（現在の愛知県西部）の土豪、蜂須賀正利の子として生まれる。小六の通称で親しまれている。斎藤道三、織田信長らにつかえたのち、羽柴秀吉（のちの豊臣秀吉）にしたがう。1570 年の姉川の合戦や毛利征伐などで戦功をあげ、1573 年、近江国（滋賀県）の長浜に領地をあたえられる。1577 年からの播磨攻略で三木城の別所長治をほろぼし、1581 年、播磨国（兵庫県南部）の竜野城主となった。1582 年の備中高松城の戦いでは水攻めに参戦し、黒田孝高とともに開城の説得にあたる。1585 年、四国攻めの功により、阿波１国（徳島県）をあたえられたが、長男の家政にゆずり、最後まで秀吉の側近としてつかえた。

ハチャトゥリアン，アラム

音楽

アラム・ハチャトゥリアン　1903〜1978年

バレエ曲『剣の舞』で親しまれる

ソビエト連邦（ソ連）の作曲家、指揮者。

ジョージア（グルジア）のトビリシ生まれ。製本業をいとなむアルメニア人の家庭で、民族音楽に親しんで育つ。モスクワのグネーシン音楽アカデミー、およびモスクワ音楽院で作曲を学ぶ。1936 年に『ピアノ協奏曲』、1940 年に『バイオリン協奏曲』を発表し、名声を得た。

故郷カフカスの伝統音楽にもとづく、大胆なリズムと情感豊かな作品を多くのこす。世界中で大評判となったバレエ音楽『ガイーヌ』（1942 年）の中の１曲『剣の舞』は、音楽のジャンルをこえ、広く親しまれている。ほかに組曲『仮面舞踏会』が有名。1963（昭和 38）年に来日し、読売交響楽団と共演した。

バック，パール

文学

パール・バック　1892〜1973年

世界的ベストセラー『大地』の作者

アメリカ合衆国の作家。

ウェストバージニア州生まれ。旧姓はサイデンストリッカー。生後５か月で宣教師の両親とともに中国にわたり、少女時代を送る。大学で学ぶため、一時アメリカにもどったほかは中国でくらした。1921 年より南京大学で英文学教授をつとめながら、小説を書いた。1930 年にはじめての作品『東の風、西の風』を発表する。1931 年に、のちの代表作となる三部作『大地』の第１部を刊行する。農民から身を立てた男が地主となる物語で、20 数か国で翻訳されベストセラーとなり、ピュリッツァー賞を受賞した。

ほかにも『皇太后』、翻訳『水滸伝』など中国を舞台にした小説や、日本が舞台になった『隠れた花』などの小説がある。作品を通してヨーロッパやアメリカの人々に、東アジアの暮らしや文化を伝えた。

また作家活動以外に、平和運動にも力をつくした。1938 年、ノーベル文学賞受賞。

学 ノーベル賞受賞者一覧

はったよいち

産業

八田與一　1886〜1942年

台湾の治水事業をおこなった日本人技術者

（金沢ふるさと偉人館）

明治時代〜昭和時代の水利技術者。

石川県花園村（現在の金沢市）に生まれる。1910（明治 43）年、東京帝国大学（現在の東京大学）工学部土木科を卒業後、台湾総督府の内務局土木課に技手として就職した。はじめは衛生事業にしたがい、台南市、高雄市などの上下水道の整備を担当し、その後、発電やかんがい事業を担当した。当時着工中だった桃園大圳（台北盆地の西に広がる桃園台地につくられた水路）の水利工事をまかされて成功し、高い評価を得た。1918（大正 7）年、かんがい設備がほとんどなく、毎年田畑が干ばつにみまわれていた台湾南部の嘉南平野の調査をおこない、この地域を流れる官田渓の上流、烏山頭にダムを建設する計画を立てる。1920 年から工事を指揮し、1930（昭和 5）年に貯水量約１億 5000 万㎥の烏山頭ダムが完成。周辺一帯にも水路がはりめぐらされ、地元の農民を救った。

1942 年、太平洋戦争が進むなか、陸軍の命令でフィリピンのかんがい調査のため宇品港（広島県）から出航したが、五島列島（長崎県）付近でアメリカ海軍の潜水艦に撃沈され、亡くなった。

はっとりなんかく

学問　詩・歌・俳句　絵画

服部南郭　1683〜1759年

江戸を代表する漢詩人

江戸時代中期の儒学者、漢詩人、画家。

名は元喬。京都出身。幼いころから和歌を学び、絵画もたくみだった。1700 年ごろ、江戸（現在の東京）に出て、江戸幕府第5代将軍徳川綱吉の側用人柳沢吉保に歌人としてつかえた。1711年、29歳ごろ、儒学者の荻生徂徠に入門して漢詩を学び、漢詩に転向し、経世論の太宰春台と徂徠門下の双璧といわれた。吉保死後の1718年、柳沢家をしりぞくと、政治にかかわることなく、文学や芸術を追求し、不忍池のほとりに塾をひらいて教育と漢詩づくりにはげんだ。

1724年に著した『唐詩選国字解』は、中国の唐の時代の詩人の作品を集めた『唐詩選』の注釈書で、漢詩が流行するきっかけとなった。漢詩集に『南郭先生文集』などがある。

はっとりはんぞう

戦国時代

服部半蔵　1542〜1596年

家康につかえた伊賀忍者の頭領

戦国時代〜安土桃山時代の武将、忍者。

本名は正成。三河国（現在の愛知県東部）の大名徳川氏につかえる服部保長の子として生まれる。父のあとをついで徳川家康につかえ、伊賀者（三重県を本拠地として活躍した忍者）を支配した。16歳で伊賀者をひきいて初陣をかざって以来、1570年の姉川の戦い、1572年の三方ヶ原の戦いなどで戦功を立てた。1582年、本能寺の変では、大坂（阪）の堺で明智光秀に道をはばまれた家康を、伊賀の峠をこえて無事三河に帰国させた。これらの功績によって遠江国（静岡県西部）に8000石をあたえられ、1590年、家康が関東に移ると、配下の伊賀者200人と江戸城の門の外に屋敷をもった。半蔵門の名前はそのことに由来するといわれている。

はっとりらんせつ

詩・歌・俳句

服部嵐雪　1654〜1707年

やさしくおだやかな作風の俳諧

江戸時代前期の俳諧師。

江戸湯島（現在の東京都千代田区）に武士の子として生まれた。本名は服部治助。常陸国笠間藩（茨城県笠間市）の藩主、井上家など諸大名につかえたが、20代はじめに、俳人の松尾芭蕉に入門して俳諧（こっけいみをおびた和歌や連歌、のちには俳句などのこと）を学んだ。俳諧集『若水』や『其袋』を出版して、しだいに俳諧師としてみとめられ、33歳のとき武士をやめて俳諧に専念した。作風は「梅一輪　一輪ほどの　あたたかさ」にみられるように、やさしくおだやかである。芭蕉のとくにすぐれた弟子10人を集めた蕉門十哲の一人に数えられ、榎本其角と人気を分け合った。

はっとりりょういち

音楽

服部良一　1907〜1993年

ブルースとブギで、歌謡界に新風

昭和時代〜平成時代の作曲家、作詞家。

大阪生まれ。作詞家としての筆名は村雨まさを。大阪市立実践商業学校（現在の大阪市立中央高等学校）中退。在学中に少年音楽隊に所属し、音楽活動をはじめる。1926（大正15）年、大阪放送の管弦楽団に入り、ロシア人指揮者のメッテルから作曲理論と指揮法を学んだ。

1933（昭和8）年に上京し、レコード会社の専属作曲家となる。日本初のブルース、『別れのブルース』を作曲し、淡谷のり子が歌って大人気を得る。それ以後、『雨のブルース』『湖畔の宿』『蘇州夜曲』などのヒット曲を生みだした。

バンドでサックスを演奏し、ジャズの要素をとり入れた作品を書く。第二次世界大戦中は敵国の音楽として活動が制限されたが、戦後は、笠置シヅ子の『東京ブギウギ』でブギを広め、『銀座カンカン娘』『青い山脈』など映画の主題歌もてがけて、多くのヒット曲をのこす。1993（平成5）年、国民栄誉賞受賞。

学 国民栄誉賞受賞者一覧

バッハ，ヨハン・セバスチャン

音楽

ヨハン・セバスチャン・バッハ　1685〜1750年

近代音楽の父、バロック音楽の大成者

▲ヨハン・セバスチャン・バッハ

ドイツの作曲家、オルガン奏者。

チューリンゲン地方の町アイゼナハの生まれ。父は町の音楽師。バッハの一族は、以後200年にわたり、すぐれた音楽家を世にだしたが、その中でも最大の音楽家で、大バッハとよばれる。9歳のときに母が、10歳のときに父が亡くなり、オルガン奏者の兄のもとでオルガンなどの鍵盤楽器を学んだ。

1700年、15歳でリューネブルクの聖ミカエル教会付属学校に入り合唱隊に所属。オルガン音楽やオペラ、フランス音楽などに接した。1703年、ザクセンのワイマール公の宮廷楽師となる。つづいてアルンシュタット、さらにミュールハウゼンの教会オルガン奏者となり、教会カンタータ（器楽の伴奏をともなう声楽曲）を作曲した。

1708年、教会をはなれてワイマール公の宮廷オルガン奏者となり、本格的に創作を開始。『オルガン小曲集』など傑作を生み、名声が高まる。

その後、音楽に理解があるケーテンの領主レオポルト公にまね

かれ、宮廷楽団の楽長（1717 ～ 1723 年）となる。ここで『無伴奏バイオリンのためのソナタとパルティータ』『ブランデンブルク協奏曲』など名作の多くを作曲。すべての長調と短調のために書かれた 2 曲の『平均律クラビーア曲集』などを作曲した。

1723 年、ライプツィヒの聖トマス教会の音楽監督につくと、市内の教会で毎週の礼拝に演奏する教会音楽を作曲。約 180 曲の教会カンタータのほか、『ヨハネ受難曲』『マタイ受難曲』など大規模な教会音楽を書きつづけた。『コーヒー・カンタータ』など世俗カンタータを作曲。1747 年にはプロイセン王フリードリヒ 2 世の宮廷で『音楽の捧げ物』を演奏した。1749 年には、視力を失いながらも、大作『ミサ曲ロ短調』を完成し、翌年、65 歳で死去。

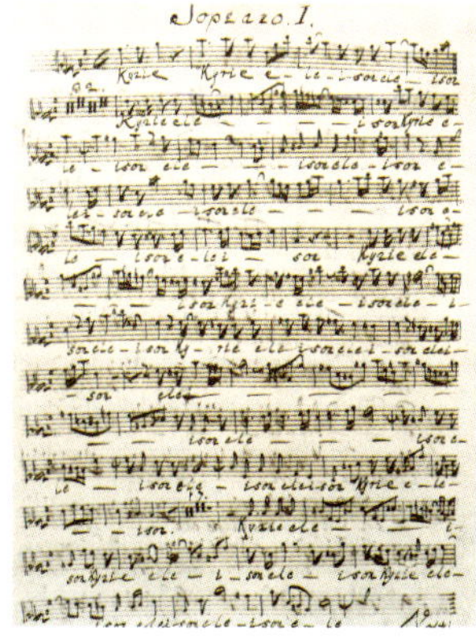
▲ミサ曲ロ短調のバッハ直筆のサインスコア

イタリアやフランスの音楽をとり入れ、バロック音楽を集大成し 1000 曲をこえる作品をのこす。対位法（一定の旋律にほかの複数の旋律を重ねていく手法）などを用いた緻密な構成や作曲技術、深い宗教性にもとづく音楽表現は、時代をこえて多くの音楽家に影響をあたえてきた。

モーツァルトやベートーベンもバッハを学び、研究したことが知られている。1829 年、メンデルスゾーンにより『マタイ受難曲』が再演され、バッハの音楽が再評価されることにつながった。

ハッブル，エドウィン

学 問　発明・発見

エドウィン・ハッブル　1889～1953年

銀河を観測し、「ハッブルの法則」を発見した天文学者

20 世紀のアメリカ合衆国の天文学者。

ミズーリ州生まれ。シカゴ大学を卒業後、イギリスのオックスフォード大学で法学を学ぶ。帰国後は弁護士としてはたらくかたわら、天文学に興味をもち、シカゴ大学のヤーキス天文台で研究をおこない、博士号を取得した。

第一次世界大戦従軍後の 1919 年、カリフォルニア州のウィルソン山天文台職員となり、当時世界最大級のフッカー望遠鏡による観測をおこなう。

1924 年には、アンドロメダ座にある星雲が銀河系の外にあることを発見し、宇宙に銀河系のような銀河があることをしめした。また、銀河の形態や光度などから銀河をグループ分けした「ハッブル分類」を考案した。

さらに 1929 年、多数の銀河のスペクトル観測から、遠い銀河ほど高速度で遠ざかっていることを発見。これは宇宙の膨張をしめすもので、のちに「ハッブルの法則」とよばれ、ビッグバン理論の基礎となった。1990 年に打ち上げられて、驚異的な宇宙の姿を観測したハッブル宇宙望遠鏡は彼の名にちなんでいる。

パッヘルベル，ヨハン

音 楽

ヨハン・パッヘルベル　1653～1706年

17世紀、ドイツ音楽の代表の一人

ドイツの作曲家、オルガン奏者。

ニュルンベルク生まれ。アルトドルフ、レーゲンスブルクなどで音楽を学ぶ。1673 年よりウィーンのシュテファン大聖堂、1677 年にアイゼナハの宮廷でオルガン演奏をおこない、作曲家としても活躍した。北ドイツの代表的オルガン奏者、ブクステフーデとともに、バッハ以前のドイツ音楽を代表する一人である。バッハ一族とも親交があり、バッハの長兄の家庭教師をつとめるなど、多くの弟子を育てた。

明快な作品は人気が高く、代表作に『3 つのバイオリンと通奏低音のためのカノンとジーグ』（通称『パッヘルベルのカノン』）がある。ほかにもカンタータや組曲を作曲している。

はつやましげる

絵本・児童　絵 画

初山滋　1897～1973年

繊細な描線と詩情あふれる画風で知られる童画家

大正時代～昭和時代の童画家、版画家、絵本作家。

東京生まれ。本名は繁蔵。私立田島小学校卒業。職人の家に生まれ、10 歳で狩野探令に大和絵を学ぶ。その後、金属商や模様画工房などに奉公に入り、青年になってから『大菩薩峠』などのさし絵をかいていた井川洗厓に風俗画（人々のふだんの生活をえがいた絵）を学ぶ。

1919（大正 8）年に『おとぎの世界』の表紙絵をかいて注目され、絵雑誌『コドモノクニ』や、児童文学書、教科書などのさし絵をえがく。版画による日本古来の風俗や遊びを表現した作品もある。1927（昭和 2）年、武井武雄らとともに日本童画家協会を結成する。繊細で流れるような描線と詩情あふれる幻想的な画風が特徴。創作絵本に『たべるトンちゃん』のほか、『おそばのくきはなぜあかい』（石井桃子作）などがある。

バトゥ

王族・皇族

バトゥ　1207～1255年

史上最強のモンゴル軍をひきいた名将

キプチャク・ハン国の初代君主（在位 1227 ～ 1255 年）。

モンゴル帝国の初代皇帝チンギス・ハンの孫。バトゥの父ジュチは、チンギスの実の子ではないといわれ、西に追いやられていた。1236 年、おじである第 2 代皇帝オゴタイ・ハンの命令で、

ヨーロッパ遠征総指揮官となる。ロシアを征服し、ポーランドやハンガリーに侵入。1241年のワールシュタットの戦いでは、ポーランド・ドイツ連合軍をやぶった。

バトゥが指揮するモンゴル軍は、歴史上最強といわれている。ヨーロッパの連合軍は歩兵が中心で、騎馬兵は鎧兜をまとった重騎兵であったのに対して、モンゴル軍は軽装の騎馬兵。この軽騎兵は戦場を縦横無尽にかけぬけ、投石機も用いながら、次々と城を落としていった。1242年にオゴタイの死が伝えられ、遠征は中止となる。遠征中険悪になったグユクが次の皇帝に名のりでると、モンケ・ハンを推薦して反対したが、失敗に終わる。バトゥは南ロシアにとどまり、ボルガ川下流にキプチャク・ハン国を建国した。軍人としてはもちろん、寛大な君主としても、高く評価されている。

はとやまいちろう

政治

鳩山一郎　1883〜1959年

自民党を結成、ソ連との国交正常化を実現させた

大正時代〜昭和時代の政治家。第52、53、54代内閣総理大臣（在任1954〜1955年、1955年、1955〜1956年）。

東京生まれ。父親は衆議院議長をつとめた鳩山和夫。第93代内閣総理大臣となる鳩山由紀夫は孫。教育熱心な家庭に育ち、こどものころは毎朝3時半に起床、英語、数学、漢文などを、学校の授業より1、2年ほど先取りして、母親から教わっていた。東京帝国大学（現在の東京大学）で法律を学び、卒業後は弁護士となる。

東京市議会議員をへて、1915（大正4）年、衆議院議員に初当選し、立憲政友会に入党した。1931（昭和6）年からは犬養毅内閣、斎藤実内閣で文部大臣をつとめる。在任中の1933年、京都大学の滝川幸辰教授の著書が危険思想であるとして、文部大臣の立場から休職を命じたところ、学生をまきこんだ大学紛争へと発展した（滝川事件）。第二次世界大戦中は、軍部に対立する立場で議員として活動した。

戦後は日本自由党を設立して総裁に就任、1946年の総選挙で勝利して総理大臣となることが確定していたが、滝川事件をふくめた、戦前、戦中の軍部への協力を理由に、連合国軍最高司令官総司令部（GHQ）から公職追放の命令を受け、吉田茂に総理大臣の座をゆずった。1951年に追放が解除され政界に復帰、吉田茂に退陣を要求したが拒否されたため、1954年、吉田の自由党に対抗する日本民主党を結成。吉田内閣がたおれると、民主党内閣を組閣し、総理大臣に就任した。

首相就任後は、憲法改正と再軍備、ソビエト連邦（ソ連）、中華人民共和国（中国）との国交正常化を目標とした。しかし、憲法改正は野党の反対によって実現せず、共産圏との国交回復は与党内にも反対があり、第1次、第2次内閣を通じて実現できなかった。1955年、自由党と民主党の保守合同をおこない、自由民主党を結成、翌年に初代総裁となって与党勢力を強化、第3次内閣を組織し、再度ソ連との国交正常化にとりくんだ。ソ連とは国際法上、戦争状態が継続していたが、みずからソ連におもむいて交渉にあたり、正式に戦争が終結したことを宣言する日ソ共同宣言を発表、国交正常化をはたした。その後、国連加盟も達成し、総理大臣を退任した。

戦後処理の大きな課題であった、ソ連との国交正常化を実現し、自由民主党の設立者、初代総裁として名をのこした。

学 歴代の内閣総理大臣一覧

はとやまゆきお

政治

鳩山由紀夫　1947年〜

3党連立内閣を発足させるが、支持を得られなかった

政治家。第93代内閣総理大臣（在任2009〜2010年）。

東京都に生まれる。政治家一族に生まれ、曽祖父は衆議院議長の鳩山和夫、祖父は内閣総理大臣の鳩山一郎、父は外務大臣をつとめた鳩山威一郎。衆議院議員だった鳩山邦夫は弟。

1969（昭和44）年、東京大学工学部卒業後、スタンフォード大学博士課程で博士号を取得。1986年、自由民主党公認で衆議院議員総選挙に出馬し当選。1993（平成5）年、自民党を離党し新党さきがけを結成、事務局長に就任。1996年、民主党を結党、菅直人とともに共同代表につき、翌1997年、幹事長に就任。1998年、民主党再編結成後には幹事長代理、党代表、幹事長などを歴任。2009年8月の衆議院議員総選挙で民主党が圧勝し、国民新党・社会民主党との連立与党として内閣総理大臣に就任した。脱官僚体質をかかげ、子ども手当・高速道路無料化は不完全だったが、事業仕分け・公立高校授業料無償化などを実施した。政治資金問題や沖縄普天間基地移設問題をめぐる混乱で支持率が低下、2010年に内閣総理大臣を辞任。2013年に民主党を離党した。

学 歴代の内閣総理大臣一覧

ハドリアヌスてい

王族・皇族　古代

ハドリアヌス帝　76〜138年

五賢帝の一人で、「ハドリアヌスの長城」を築いた

ローマ帝国の皇帝（在位117〜138年）。

スペインのイタリカ出身。85年に父を亡くし、親族だったトラヤヌス帝が後見人となる。軍事や政治の要職につき、トラヤヌスのパルティア遠征では、シリア総督となる。トラヤヌスの病死直前に養子となり、皇帝をつぐ。トラヤヌスとは反対に、帝国の拡大を

やめ、国境の安定につとめた。メソポタミアなど3つの属州を放棄し、ユーフラテス川を東の国境としてパルティアと講和。帝国全土を10年かけて2度巡察。途中、ブリタニア（現在のイギリス）に「ハドリアヌスの長城」を築く。属州の防衛や財政再建、都市の建設、文芸や美術の振興に力をつくした。ユダヤ人の反乱もあったが、平穏な安定した治世だった。ローマ帝国のすぐれた皇帝である五賢帝の3番目に数えられている。

はなおかせいしゅう

医学　郷土

華岡青洲　1760～1835年

麻酔薬を完成させ、手術をおこなった江戸時代の外科医

（国立国会図書館）

江戸時代後期の外科医。紀伊国那賀郡（現在の和歌山県紀の川市）に村医者の子として生まれる。京都で漢方と西洋の医学を学び、のちに故郷にもどり開業した。京都に遊学中、古代中国の医者、華佗が麻酔薬をつかって外科手術をおこなったという伝説を知り、診療のかたわら、麻酔薬の研究にとりくみ、20年後、麻酔薬「通仙散」を完成させた。通仙散はチョウセンアサガオなどの薬草を調合したもので、その効果をたしかめる実験には母や妻が協力したが、妻は副作用のために失明してしまった。

1804年、世界ではじめて、全身麻酔による乳がんの摘出手術を成功させた。手術の成功は全国に知れわたり、青洲のもとには手術を希望するたくさんの患者が集まった。その後も、数多くの外科手術をてがけて近代外科学の基礎を築く一方で、門人たちに麻酔薬をつかう華岡流外科を指導し、多くの名医を育てた。

はなおかだいがく

絵本・児童

花岡大学　1909～1988年

仏の教えから着想を得た「仏典童話」をのこす

昭和時代の児童文学作家。

奈良県生まれ。本名は如是、僧侶としての名は大岳。龍谷大学卒業。大学卒業後は父のあとをついで僧侶になるがなじめず、小学校の代用教員となり、童話を書きはじめる。第二次世界大戦後は大学で教えながら創作活動をおこない、『かたすみの満月』で小川未明文学賞奨励賞、『ゆうやけ学校』で小学館文学賞を受賞。1973（昭和48）年に個人雑誌『まゆーら』を創刊し、お経のたとえ話や物語などをもとに、仏の教えをこどもむけにわかりやすく書いた「仏典童話」を数多くのこす。主な作品に『百羽のツル』『かえってきたはくちょう』『赤いみずうみ』『世界一の石の塔』などがある。

はなぶさいっちょう

絵画

英一蝶　1652～1724年

江戸の生活を生き生きとえがいた画家

（国立国会図書館）

江戸時代中期の画家。山城国（現在の京都府南部）に医者の子として生まれる。1666年、江戸（東京）にくだり、狩野探幽の弟で幕府御用絵師の狩野安信に師事した。その後、多賀朝湖の名前で、江戸の庶民の生活を生き生きとえがいた風俗画を発表し、人気を集めた。一方で、俳諧（こっけいみをおびた連歌。のちに俳句のこと）にも才能を発揮し、松尾芭蕉門下の宝井其角（榎本其角）らと親しく交際した。

しかし、吉原（東京都台東区の北部にあった遊郭地）にさかんに出入りしてはでな遊びをしたため、幕府の怒りにふれ、1698年、三宅島へ流された。島では、周辺の島々の神社や有力者からの注文にこたえて、代表作となる『四季日待図巻』『吉原風俗図巻』などをえがいた。1709年、ゆるされて江戸にもどると、画号を英一蝶にあらため、風俗をえがく絵師として活躍した。江戸復帰後にえがいた作品に『雨宿り図屏風』などがある。

はなもりやすじ

産業

花森安治　1911～1978年

雑誌『暮しの手帖』の名編集長

（暮しの手帖社提供）

昭和時代のジャーナリスト。兵庫県神戸市に生まれる。東京帝国大学（現在の東京大学）で美学史を学んだあと、化粧品メーカーで広告デザインを担当する。太平洋戦争中、戦地で肺結核をわずらい病院船で帰国。陸軍病院で療養後、もとの職に復帰するが、化粧品を買えるような時代ではなく、1940（昭和15）年に結成された「大政翼賛会」で、戦意高揚の宣伝活動にとりくんだ。1945年、大政翼賛会が解散後、日本読書新聞社で大橋鎭子と出会い、雑誌をだすことを相談され協力した。二度と戦争がおこらないように、女性の幸せとあたたかい家庭をささえる雑誌をつくるのを目的として鎭子を社長にした衣裳研究所の創立メンバーとなる。

1946年の雑誌『スタイルブック』、1948年の雑誌『美しい暮しの手帖』（現在の『暮しの手帖』）に編集長としてたずさわり、生活者の立場に立った雑誌をつくった。また亡くなる直前まで、同誌の表紙絵を担当。トレードマークはおかっぱ頭とスカート姿だったともいわれた。大胆だが、ていねいな仕事で雑誌をささえた。

はなやぎしょうたろう

伝統芸能

花柳章太郎　1894～1965年

名女形として活躍した新派の俳優

大正時代～昭和時代の新派俳優。

東京生まれ。本名は青山章太郎。1908（明治41）年、15歳のときに喜多村緑郎に入門し、学校へかよいながら部屋子となって、同年初舞台をふむ。1915（大正4）年、本郷座で初演の『日本橋』で演じた雛妓のお千世が、出世役となった。

1939（昭和14）年、新生新派を組織し、意欲的に活動した。新派とは、1888年にはじまった日本の演劇の一派である。華麗な演技とたぐいまれな美しさで、代表的な存在となり、新派最後の名女形といわれた。女形としての芸を追求する一方で、男役や老け役もこなした。水谷八重子とともに数多くの名舞台をつとめ、新派の中心的存在として活躍した。

当たり役としては『滝の白糸』『遊女夕霧』『歌行灯』『鶴八鶴次郎』『佃の渡し』などがある。1960年に重要無形文化財保持者（人間国宝）に認定された。1961年に日本芸術院会員となり、1964年に文化功労者となった。

はなわほきいち

学問

塙保己一　1746～1821年

『群書類従』に貴重な古典書籍をまとめ上げた

▲塙保己一　（塙保己一史料館所蔵）

江戸時代後期の国学者。

武蔵国保木野村（現在の埼玉県本庄市）の農家に生まれた。病気のため7歳で失明した。1760年、15歳のとき、江戸（東京）に出て、検校（目がみえない人にあたえられた最高の位）の雨富須賀一に入門し、目のみえない人の生活術である琵琶や琴、三味線、はりなどを修業した。

その後、抜群の記憶力をみとめられ、一流の学者について和歌の作法や歴史などを研究する歌学や歴史、古典などを学び、さらに国学者の賀茂真淵に入門した。

▲全670冊に続き続編もある『群書類従』の蔵書　（塙保己一史料館所蔵）

1775年、勾当（検校、別当の次の位）になったのをきっかけに、名を塙保己一とあらためた。1779年、34歳のとき全国にちらばっている日本の古典書籍を収集して出版することを決意し、京都の北野天満宮で大願成就を祈った。

1783年、38歳で検校に昇進。10年後の1793年、48歳のときに、幕府の援助を得て江戸の麹町（東京都千代田区）に和学講談所を設立し、日本古来の文学や歴史、制度などを研究する和学を講義する一方で、古代から江戸時代初期の古典書籍を分類収録した『群書類従』の編さんにはげんだ。この間、常陸国水戸藩（茨城県中部と北部）の藩主の徳川氏にまねかれて、『大日本史』『参考源平盛衰記』の校正にたずさわった。

そうして、編さんをはじめてから41年目の1819年、74歳のとき、『群書類従』全670冊を完成したが、編さん事業は保己一の死後もつづけられ、1822年に続編が完成した。これにより多くの貴重な書籍が失われず、現在まで伝えられている。

学 切手の肖像になった人物一覧　学 日本と世界の名言

はにやゆたか

思想・哲学　文学

埴谷雄高　1910～1997年

戦後世代の思想に大きな影響をあたえる

昭和時代～平成時代の作家、評論家。

日本が植民地として支配していたころの台湾生まれ。本名は般若豊。13歳で東京へ移る。学生時代に左翼的な農民運動に加わり、逮捕されて刑務所で1年あまりをすごす。その後、文学の道に進んだ。

1946（昭和21）年に山室静らと雑誌『近代文学』を創刊し、代表作となった長編『死霊』の連載をはじめる。これは、ドストエフスキーの影響を受け、人間のありかたを探求した大作だが、途中、病気のため中断し、1975年に再開。第9章まで書き進めたところで、本人の死により未完に終わった。評論家としても活躍し、第二次世界大戦後の思想に少なからぬ影響をあたえた。短編集『虚空』『闇の中の黒い馬』（谷崎潤一郎賞受賞）、評論集『幻視のなかの政治』などがある。

ばばあきこ

文学　詩・歌・俳句

馬場あき子　1928年～

教師から歌人になって活躍する

歌人、評論家。

東京生まれ。本名は岩田暁子。日本女子専門学校（現在の昭和女子大学）卒業。中学・高校の教師をしながら、1955（昭和 30）年に歌集『早笛』を発表。1977 年には歌集『桜花伝承』で現代短歌女流賞を受賞。その後、教師をやめて歌人に専念。1978 年、歌誌『かりん』を創刊する。

1993（平成 5）年に『阿古父』で読売文学賞、2007 年には『歌説話の世界』で紫式部文学賞を受賞。

ほかに、『女歌の系譜』『短歌への招待』『馬場あき子歌集』などがある。

古典や能にくわしく、『鬼の研究』や『読んで愉しむ能の世界』『黒川能の里−庄内にいだかれて』などの著書がある。

ばばたつい

政治　思想・哲学

馬場辰猪　1850〜1888年

自由民権思想の普及に力をつくす

明治時代の自由民権運動家。

土佐藩（現在の高知県）の下級藩士の家に生まれる。慶應義塾で経済学を学び、1870（明治 3）年、藩命でイギリスに留学して歴史や法学などを学ぶ。

帰国後は小野梓らが結成した文化啓蒙団体、共存同衆の会員となり、国友会を立ち上げる。1881 年には自由党結成に参加。『自由新聞』の主筆となり、自由民権思想を広めることに力をつくすが、1883 年、板垣退助の外遊に反対し、自由党をはなれる。

同年『天賦人権論』を書き、加藤弘之の国権思想を批判。1885 年、爆発物取締罰則違反容疑で逮捕されたが、翌年無罪放免となった。その後アメリカ合衆国へわたり、明治政府の実態を紹介し、専制ぶりを批判するなど精力的な活動をつづけた。

ばばのぼる

絵本・児童

馬場のぼる　1927〜2001年

ユーモラスでほのぼのした漫画絵本作家

昭和時代〜平成時代の漫画家、絵本作家。

青森県生まれ。本名は登。1944（昭和 19）年、中学校を卒業後、海軍航空隊に入隊。第二次世界大戦後はリンゴの行商や代用教員などをへて、映画館のポスターや看板などをかく仕事につく。

1949 年、漫画家を志して上京し、1950 年、野球漫画『ポストくん』で漫画家デビュー。1955 年、『ブウタン』が小学館漫画賞を、1964 年、絵本の第 1 作『きつね森の山男』が産経児童出版文化賞を受賞した。絵本『11 ぴきのねこ』も 1968 年にサンケイ児童出版文化賞を受賞。ユーモラスなほのぼのとした作風が多くの人から愛され、代表作となる。

1970 年から『日本経済新聞』の夕刊に『バクさん』を連載。1985 年、『11 ぴきのねこマラソン大会』がボローニャ国際児童図書展エルバ賞を受賞し、海外でも高く評価された。1993（平成 5）年、日本漫画家協会賞文部大臣賞など、多くの賞を受賞した。1995 年、紫綬褒章を受章。

バブーフ，フランソワ・ノエル

思想・哲学

フランソワ・ノエル・バブーフ　1760〜1797年

徹底した平等な社会をめざした革命家

フランスの思想家、革命家。

北部のサン・カンタン生まれ。貧困から学校へかよえず、父から教育を受ける。15 歳ごろから領地管理人の見習いとしてはたらきはじめると、不平等な土地制度が農民を苦しめていることを知る。ルソーなど啓蒙思想家にも影響を受け、社会改革思想へと傾倒。1789 年、農地の再分配と税制度の改革をうったえた『永久土地台帳』を著す。フランス革命がはじまると、政治運動に参加。

故郷近くで『ピカルディー通信』を発行し、農民の反税闘争を指導した。パリでは『護民官』を発行、土地は万人のものであると主張し、民衆運動の再建につとめた。

1795 年に逮捕。出獄後、武装蜂起を計画した（バブーフの陰謀）が、実行前に発覚、処刑された。

徹底した平等主義、武装蜂起や革命的独裁による共産主義の実現という思想は、マルクス、レーニンらの先がけとなった。

はぶよしはる

伝統芸能

羽生善治　1970年〜

前人未到の七冠独占を達成した将棋棋士

将棋棋士。

埼玉県生まれ。小学 1 年で将棋をはじめ、小学 6 年のとき小学生名人戦に優勝し、1982（昭和 57）年に二上達也九段門下となり、奨励会に入会した。1985 年に四段となり、加藤一二三九段、谷川浩司九段に次ぐ、将棋界 3 人目の中学生プロ棋士となる。1989（平成元）年に初タイトルの竜王を獲得した。1994 年、A級初参加の名人挑戦者となり、第 52 期名人戦で米長邦雄名人をやぶって、初の名人となり、24 歳で史上初の六冠となった。1996 年には谷川浩司王将をやぶり、前人未到の七冠独占を達成した。2008 年に通算 5 期目の名人位を獲得して、19 世名人の資格を得た。2014 年には 4 人目となる公式戦通算1300勝を、史上最年少、最速、最高勝率で達成した。

これまでのタイトル獲得数は、歴代1位の計97期（名人9期、竜王6期、王位18期、王座24期、棋王13期、王将12期、棋聖15期）である（2016年12月現在）。終盤、予想外の一手で勝利をたぐり寄せる逆転劇は、「羽生マジック」とよばれる。

パフレビー

パフレビー → モハンマド・レザー・パフレビー

パブロフ，イワン・ペトロビッチ

学 問　医 学

イワン・ペトロビッチ・パブロフ　1849～1936年

「パブロフの犬」の条件反射の発見で知られる

ロシア、ソビエト連邦（ソ連）の生理学者。

ロシア東部のリャザンに牧師の子として生まれる。こどものころは牧師をめざし神学校にかようが、1870年にサンクトペテルブルク大学へ進学して医学を学ぶ。のちに軍医学校に進学、さらに医師の資格を取得して、生理学研究所に就職。3年間のドイツ留学をへて帰国後、消化生理学についての研究をはじめた。1902年に唾液腺を研究中、研究用のイヌが飼育係の足音で唾液をだすことを発見し、条件反射の実験を進める。これは、のちの心理学や行動療法などに大きな発展をもたらす研究となった。1904年には消化腺の研究で、ロシア人初のノーベル生理学・医学賞を受賞。軍医大学校や実験医学研究所で多くの科学者を育てた。その後も、神経活動や脳のはたらきなどの研究で大きな成果を上げ、1935年の第15回国際生理学会では「世界生理学会の王子」と賞賛された。

学 ノーベル賞受賞者一覧

パブロワ，アンナ

映画・演劇

アンナ・パブロワ　1881～1931年

バレエ史上もっとも偉大なダンサー

ロシアのバレリーナ。

サンクトペテルブルク生まれ。1899年、同地のロシア帝室バレエ学校を卒業し、マリインスキー劇場バレエ団に入団した。1903年、『ジゼル』の舞台でかっさいをあび、1906年、プリマ（首席）・バレリーナとなった。1907年、フォーキンが振り付けた『瀕死の白鳥』で観客を感嘆させ、この演目がのちにパブロワの代名詞となる。1908年、オーストリア、ドイツなどで海外公演をはじめ、1909年、ロシアバレエ団を旗揚げしたディアギレフのパリ公演に男性バレエダンサーのニジンスキーとともに共演し、ヨーロッパでも熱狂的な支持を得た。1911年、バレエ団パブロワカンパニーを結成し、ロンドンを拠点に世界各国をめぐり公演した。1922（大正11）年に日本の8都市で公演し、日本にバレエを広めるきっかけをつくった。1931年、巡業中にかぜをこじらせ、オランダのハーグで亡くなった。妖精のような軽やかで優美な踊りで観客を魅了し、バレエ史上もっとも偉大なダンサーといわれる。

バベッジ，チャールズ

学 問

チャールズ・バベッジ　1791～1871年

電子計算機の研究をはじめた人

イギリスの数学者、科学者。

ケンブリッジ大学に学び、母校で数学を教える。人間にたよらず、機械が計算をおこなう計算機を、はじめて発明したことから、「コンピューターの父」とよばれる

現在、コンピューターとよばれる情報の自動解読機械の開発を思いついたのは、まちがいだらけの対数表をみたことがきっかけだといわれる。当時、数表は計算手とよばれるおおぜいの人間が、流れ作業的に単純な計算をすることでつくられていた。この手法に誤りが多いことから、熟練していない計算手を機械におきかえれば、より早く、まちがわずに数表をつくることができるというアイディアが浮かび、数表作成の計算機の機械化を、生涯にわたり研究した。

ハベル，バーツラフ

政 治

バーツラフ・ハベル　1936～2011年

共産党支配に抵抗しつづけたチェコの初代大統領

チェコの政治家、劇作家。チェコスロバキア大統領（在任1989～1992年）、チェコ大統領（在任1993～2003年）。

プラハの裕福な家に生まれた。共産党政権に資産を没収され、苦学してプラハ経済工科大学を卒業。兵役後、劇場で演出などをてつだいながら、劇作をはじめた。『ガーデン・パーティ』など体制を風刺した作品を発表。1968 年、非共産党員作家組織の議長として、民主化運動「プラハの春」にかかわる。1977 年、人権擁護グループ「憲章 77」の結成に参加。共産党支配に抵抗し、何度か投獄され、国内での作品の発表と上演を禁止された。

1989 年、チェコスロバキアの民主化革命「ビロード革命」において、民主運動組織「市民フォーラム」の中心的存在として共産党独裁を打破し、チェコスロバキア大統領に就任。1992 年、チェコスロバキアの分離・独立に抗議して大統領を辞任。翌年、チェコとスロバキアが分離すると，チェコの初代大統領に就任した。2003 年、任期満了にともない引退。

ハマーショルド，ダグ

政治

ダグ・ハマーショルド　1905～1961年

国連事務総長として活躍し、ノーベル平和賞を受賞

スウェーデンの政治家。第 2 代国際連合（国連）事務総長（在任 1953 ～ 1961 年）。

第一次世界大戦期のスウェーデンの首相、ヤルマー・ハマーショルドの 4 男。ウプサラ大学を卒業後、ストックホルム大学で経済学の教授となり、大蔵次官、国立銀行総裁をつとめた。国際問題にくわしいことから外務省に入省、1951 年に外務大臣に就任。1952 年、スウェーデン国連代表部主席代表、翌年、第 2 代国連事務総長となった。1956 年、エジプトのスエズ運河国有化宣言に対して、イギリス、フランス、イスラエルが出兵したスエズ動乱では、和平のために力をつくし、国連緊急軍をつくるとともに、国連軍に大国を参加させないという原則を定めるなど手腕を発揮し、名総長といわれた。1958 年、レバノンに監視団を派遣したり、1960 年、独立後のコンゴの治安維持のために国連軍を派遣したりするなど、国連の威信と機能強化に力をつくした。コンゴ内乱の停戦調停の道中、ザンビア上空で搭乗機が撃墜され不慮の死をとげた。死後の 1961 年にノーベル平和賞が授与された。死後、ノーベル賞が贈られるのは特例である。

学 国連事務総長一覧　学 ノーベル賞受賞者一覧

ハマースタインにせい，オスカー

文学

オスカー・ハマースタイン 2 世　1895～1960年

ミュージカルを芸術に高める

アメリカ合衆国の作詞家、劇作家。

ニューヨーク生まれ。コロンビア大学卒業。幼いころから祖父が経営していたメトロポリタンのオペラ劇場にかよう。やがて、ブロードウェーで作詞をてがけるようになり、1943 年、作曲家のリチャード・ロジャースと組んで、ミュージカル『オクラホマ!』を発表。この作品は、現在のブロードウェー・ミュージカルの形をつくったといわれている。

その後もロジャースとともに、『回転木馬』『南太平洋』『王様と私』『サウンド・オブ・ミュージック』などの名作を生みだし、トニー賞、アカデミー賞、グラミー賞などアメリカの名だたる賞を受賞。なかでも『サウンド・オブ・ミュージック』は大きな反響をよび、現在も世界各国で上演されている。『ドレミの歌』『私のお気に入り』『エーデルワイス』などの劇中歌も人気で、いまも歌いつがれている。ミュージカルを娯楽から芸術に高めた功労者の一人。

はまぐちおさち

政治

浜口雄幸　1870～1931年

ライオン首相といわれた内閣総理大臣

（国立国会図書館）

大正時代～昭和時代の政治家。第 27 代内閣総理大臣（在任 1929 ～ 1931 年）。

高知県の水口家に生まれる。小学校からまじめな努力家で、中学では飛び級をするほどに成績がよかった。浜口家の養子となり、1890（明治 23）年に浜口夏子と結婚する。その後、大阪の学校に入り、東京帝国大学（現在の東京大学）に進んだ。卒業後は大蔵省に入り、地方の税務管理局長を 10 年近くつとめる。1904 年に本省にもどると、タバコ、塩、アルコールなどの製造販売を担当する専売局で、専売事業の確立につとめ、専売局長官となった。その能力が後藤新平にみとめられ、南満州鉄道の理事などに勧誘されたがことわっている。

1912（大正元）年、第 3 次桂太郎内閣のときに、逓信大臣となった後藤の下で逓信次官に就任するが、翌年、内閣は総辞職となる。後藤とともに立憲同志会の結成に参加するが、会の中心となっていた桂が病死したため、後藤は会からはなれた。それでも混乱の中で会の結成に貢献し、桂のあとをついで総裁となった加藤高明をささえた。第 2 次大隈重信内閣では大蔵次

官をつとめ、1915年に衆議院議員となる。

その後、加藤高明内閣、第1次若槻礼次郎内閣で大蔵大臣、内務大臣をつとめた。1927（昭和2）年にはほかの政党と合併して立憲民政党が組織されると、初代総裁となり、内閣総理大臣に就任した。

内閣総理大臣となってからは、大蔵大臣の井上準之助に命じて、財政緊縮と金解禁を中心に改革を進めた。また外交では軍部や右翼の反発を受けながらも、日中関係の改善や、イギリス、アメリカ合衆国と協調の方針をとった。

1930年のロンドン海軍軍縮会議では、海軍の強い反対をおしきって、軍縮条約を締結。その年の11月、東京駅で右翼の青年に狙撃されて重傷をおった。一命はとりとめたものの、外務大臣の幣原喜重郎を臨時代理にして治療に専念した。翌年になって少し回復したため、野党の強硬な要求によって職務に復帰し、議会に出席したが、病状が悪化。翌年の4月に内閣は総辞職し、8月に亡くなった。

浜口はその容貌からライオン首相とよばれ、反発を受けながらも断固として政策を進めていく実直な性格で国民からの人気が高かった。

学 歴代の内閣総理大臣一覧

はまぐちごりょう

郷土

濱口梧陵　1820〜1885年

津波から守る堤防をつくった実業家

（広川町教育委員会）

江戸時代後期〜明治時代の実業家。

紀伊国有田郡広村（現在の和歌山県広川町）に生まれた。濱口家は下総国銚子（千葉県銚子市）でしょうゆ醸造業をはじめて成功していたので、銚子で家業の見習いをしながら、武芸と学問にもはげんだ。31歳のとき、江戸（東京）で、佐久間象山に兵学や法学を学び、外国船が日本近海に来航している時代の動きを知った。

翌年、故郷に帰り、農民たちを組織して、外国との戦いにそなえ、けいこ場をつくりこどもたちに剣道ややりを教えた。1854年におきた大地震で村に津波がおそったとき、道の稲むらに火をつけて、安全な場所をしめし、多くの村人を助けた。

1855年から4年をかけて、私財を投じ、高さ約5m、長さ約600mの新しい堤防を完成させた。また、けいこ場を耐久社とあらためて、教育につくした。

1869（明治2）年、藩校の学習館知事（責任者）となり、士族（旧武士）の子弟以外にも教育ができるようにした。

はまだしょうじ

工芸

浜田庄司　1894〜1978年

日本を代表する陶芸家の一人

大正時代〜昭和時代の陶芸家。

神奈川県生まれ。本名は象二。陶芸家を志し、東京高等工業学校（現在の東京工業大学）の窯業科に入学した。板谷波山の指導を受け、生涯の友となる河井寛次郎と出会う。1916（大正5）年に卒業したのち、京都市立陶磁器試験場に入り、上薬の研究をする。このころバーナード・リーチを知り、1920年にはリーチとともにイギリスにわたって、陶芸をはじめる。4年後に帰国し、柳宗悦や河井寛次郎らと民芸運動をはじめる一方、栃木県益子に住み、益子の土や上薬を基本にした陶器づくりを開始する。沖縄をはじめ、中国や朝鮮にも旅行し、さまざまな様式を吸収していった。上薬を流しかけて、偶然の美をみちびくなど、伝統を生かしながら、力強い独自の作風を生みだした。

1955（昭和30）年、第1回重要無形文化財保持者（人間国宝）となり、1968年には、文化勲章を受章した。

学 文化勲章受章者一覧

はまだひこぞう

幕末

浜田彦蔵　1837〜1897年

日米交渉の通訳として活躍

（播磨町郷土資料館）

幕末の通訳。

播磨国（現在の兵庫県南部）の農家に生まれる。父の死後、船頭の家で育った。1850年、14歳のとき江戸（東京）から帰る途中、遠州灘（静岡県〜愛知県沖）で暴風にあい、50日あまり漂流し、アメリカ船に助けられてアメリカ合衆国にわたった。アメリカのミッションスクールで教育を受け、名をジョセフ・ヒコとあらため、1858年、アメリカに帰化した。

1859年、アメリカ領事館の通訳として来日。日米修好通商条約の実施やアメリカへの使節派遣など、幕末の日米間の外交交渉に活躍した。その後、領事館をやめて横浜で貿易商社をはじめるとともに、岸田吟香らと日本では民間初の新聞『海外新聞』

を発刊。1869（明治 2）年、明治新政府の下で、大阪造幣局の設立にかかわり、1872 年、大蔵省に入り、渋沢栄一の下で国立銀行条例の編さんにあたった。著書に『漂流記』『アメリカ彦蔵自伝』がある。

はまだひろすけ

絵本・児童

浜田広介　1893〜1973年

善意の童話『泣いた赤鬼』の作者

（日本近代文学館）

大正時代〜昭和時代の児童文学作家。

山形県生まれ。本名は広助。早稲田大学英文科卒業。少年雑誌に作文や詩を投稿し入選するなど、こどものころから文章を書くことが得意だった。中学時代に母親が家を出て、父親が破産し、学生時代は貧しい生活を送る。在学中に書いた『黄金の稲束』が、『大阪朝日新聞』の懸賞に入選し、童話作家をめざす。卒業後は児童雑誌の編集者をしながら、作品を発表、1923（大正 12）年からは作家活動に専念する。

代表作は、赤鬼と青鬼の友情をえがいた『泣いた赤鬼』（1935 年）、一人の少年の優しさにふれて竜が涙を流す『りゅうの目のなみだ』（1941 年）。ほかに、『むくどりのゆめ』『花びらの旅』『よぶこどり』など 1000 編におよぶ童話や童謡をのこし、日本のアンデルセンとよばれている。また、叙情あふれる説話は「ひろすけ童話」ともいわれ親しまれている。1953（昭和 28）年、芸術選奨文部大臣賞を受賞。

ハミド・カルザイ

政治

ハミド・カルザイ　1957年〜

イスラム穏健派としてアフガニスタン復興に尽力

アフガニスタンの政治家。大統領（在任 2001 〜 2014 年）。

南部のカンダハル州で、国内最大部族の名門の家に生まれる。インドの大学への留学中にソビエト連邦（ソ連）のアフガン侵攻がはじまったため、修士課程を修了すると、ソ連軍への抵抗戦に加わった。このときの功績が評価され、1992 年、当時のラバニ政権の外務次官に抜てきされたが、内戦により辞職した。1996 年に政権をとったタリバンとも当初は協力していたが、タリバンが過激化したために、反タリバン派となる。なお、父親はタリバンに殺害されている。2001 年のアメリカ同時多発テロ後、タリバン政権打倒をめざすアメリカ合衆国に協力、タリバン政権が崩壊すると、暫定行政機構の議長に就任した。

2004 年の選挙で大統領に当選、2009 年に再選された。親米派、イスラム穏健派の中心人物として知られ、アメリカを中心とした各国の支援を受け、アフガニスタンの復興と民主化をめざした。しかし、こころざしなかばで退任、最後の演説時にアメリカを批判したことが話題となった。

ハミルトン，アレグザンダー

政治

アレグザンダー・ハミルトン　1757?〜1804年

アメリカの独立をささえた

アメリカ合衆国の政治家。

イギリス領西インドのネイビス島に生まれる。1772 年、アメリカにわたり、翌年、キングス・カレッジ（現在のコロンビア大学）で学んだ。1775 年、アメリカ独立革命がはじまると、ワシントン総司令官の副官となって戦う。

戦後はニューヨークで弁護士を開業するとともに、強力な中央集権政府を打ち立てることを主張し、合衆国憲法の制定に力をつくした。1789 年、初代大統領となったワシントンの財務長官をつとめ、国立銀行の設立、輸入税・消費税の新設などをおこない、新国家の財政基盤を確立した。その後も政界に影響力をおよぼし、1804 年、政争がもとで決闘をおこし、重傷を負い亡くなった。

はやかわとくじ

産業

早川徳次　1893〜1980年

総合家電メーカーのシャープの創業者

大正時代〜昭和時代の技術者、実業家、発明家。

東京生まれ。8 歳のころ金属細工業の職人のもとに奉公にだされ、金属加工の技術を身につけた。1912（大正元）年、ベルトに穴をあけずにとめるバックルを考案して独立。1915 年、金属製の早川式繰出鉛筆（シャープペンシル）を開発し特許を取得した。事業が急成長していた最中の 1923 年、関東大震災にあい、工場や家族を失う。1924 年、再起をはかって大阪に早川金属工業研究所（現在のシャープ）を設立。国産初の鉱石ラジオ受信機の組み立てに成功し、1925 年にラジオ放送が開始されると、爆発的に売れた。

第二次世界大戦後は、1953（昭和 28）年のテレビ放送開始を前に国産初のテレビ受像機を製造、1962 年には国産初の電子レンジを、1964 年には電子式卓上計算機を開発するなど、さまざまな製品を開発し、「日本のエジソン」とよばれた。また、視覚障害者がはたらける工場の設立や、共働き夫婦や身体障害者のこどもをあずかる保育園を開設するなど、福祉活動も積極的に進めた。

はやかわのりつぐ

産業　郷土

早川徳次　1881～1942年

日本の地下鉄の父

明治時代～昭和時代の実業家。

山梨県御代咲村（現在の笛吹市）に生まれた。早稲田大学に入学し、後藤新平の書生となる。卒業後、後藤新平が総裁をつとめる南満州鉄道に入社し、後藤が鉄道院総裁に就任すると、鉄道局に入局した。1914（大正3）年、ヨーロッパに行き、各国の鉄道事情を調査研究した。イギリスのロンドンでは、地下鉄が市民の足となっているのをみた。さらにフランスのパリやアメリカ合衆国のニューヨークでも地下鉄の調査をした。

帰国後、東京の交通量や地盤の調査をする一方で、地下鉄開業の資金を得るため、実業界の実力者や関係省庁の役人に地下鉄の必要性を説いてまわった。はじめは、早川の考えを理解できなかった人々も熱心な説得で、しだいに賛同するようになり、1920年に東京地下鉄道株式会社が設立された。1927（昭和2）年、東京の上野～浅草間に日本最初の地下鉄が開業し、2万人の乗客がおしよせた。

（東京メトロ）

はやしがほう

学問

林鵞峰　1618～1680年

『本朝通鑑』を編さんした

江戸時代前期の儒学者。

本名は春勝。儒学者の林羅山の子として京都に生まれる。1634年、17歳のとき江戸（現在の東京）に出て、江戸幕府第3代将軍徳川家光に対面し、幕府につかえて父の下で大名・旗本の系図集『寛永諸家系図伝』の編さんにたずさわった。

その後、幕府の外交にかかわり、朝鮮通信使の応接などをつとめた。1657年、林家をついだ。1663年、第4代将軍徳川家綱に五経（儒教の基本となる教えが書かれた5つの経典）を講義した。

また、幕府の命令で日本史の編さんにあたり、1670年、歴史書『本朝通鑑』を完成させるなど、幕府の初期の歴史の整理に力をつくした。鵞峰が上野の忍岡につくった家塾は、のちに湯島に移されて幕府の学問所をかね、湯島聖堂（文京区）となった。

はやししへい

思想・哲学

林子平　1738～1793年

時代を先取りし、海防の必要性を説く

（林子平肖像／早稲田大学図書館）

江戸時代中期の思想家。

幕臣の子として江戸（現在の東京）に生まれる。のちに仙台藩（宮城県）に仕官した兄をたよって仙台に移った。江戸や長崎、松前を旅して見聞を広めるとともに、工藤平助や蘭学者の大槻玄沢らと親しく交際し、海外事情を学んだ。

1785年、工藤平助の『赤蝦夷風説考』に刺激されて『三国通覧図説』を書き、蝦夷地（北海道）開拓の重要性を主張した。翌年には、『海国兵談』を著して海防の必要性を説いた。しかし、幕府から人心をまどわす書物を書いたとみなされて、1792年、自宅の一室で謹慎することを命じられ、2冊の本も発禁、版木も没収された。翌年、仙台の兄の屋敷で不遇のうちに病死した。

子平の死の直後、ロシア使節ラクスマンが根室に来航し、それをきっかけに『海国兵談』は広く読まれた。蒲生君平、高山彦九郎とともに寛政の三奇人（奇妙な行動をするすぐれた人物）の一人といわれる。

はやしせんじゅうろう

政治

林銑十郎　1876～1943年

突然の衆議院解散で、内閣総辞職に

明治時代～昭和時代の軍人。第33代内閣総理大臣（在任1937年）。

石川県生まれ。陸軍大学校卒業後、日露戦争に従軍。以降、陸軍大学校長、近衛師団長、朝鮮軍司令官を歴任した。

1931（昭和6）年、朝鮮軍司令官在任中、満州事変が勃発した際、中央の指示なしに独断で関東軍に呼応して朝鮮派遣軍を満州に出兵し、「越境将軍」の異名をとった。1934年には斎藤実内閣、岡田啓介両内閣で陸軍大臣をつとめた。翌年、皇道派のしめだしをはかるため、その中心人物である真崎甚三郎教育総監を更迭。しかし、当時の軍務局長であった永田鉄山がその首謀者と目さ

れ、相沢三郎に殺される（相沢事件）と、林は陸軍大臣を辞任した。

1937年に内閣総理大臣となり組閣するが、予算成立の直後、突然、衆議院を解散。この理由なき「食い逃げ解散」がもとで選挙は惨敗、内閣は総辞職に追いこまれた。短命でこれといった実績ものこせなかったことから「何にもせんじゅうろう内閣」と揶揄された。

学 歴代の内閣総理大臣一覧

はやしたけし

絵画

林武　1896〜1975年

原色を用いた力強い画風で知られた洋画家

大正時代〜昭和時代の洋画家。

東京生まれ。本名は武臣。小学校時代の同級生に洋画家の東郷青児がいた。日本美術学校を中退。1921（大正10）年、二科美術展覧会（二科展）にだした『婦人像』が入選し、新人賞にあたる樗牛賞を受賞した。翌年には、妻をモデルにした『本を持てる婦人像』などで二科賞を受賞する。1930（昭和5）年、二科会をはなれて独立美術協会の創立に参加し、以後、同会を中心に活動する。1934年にヨーロッパにわたり、フランスを拠点に各地を旅行した。初期の写実的な作風は、マティスらのフォービスム（野獣派）、キュビスム（立体派）、セザンヌなどの影響を受けることで、独特の構成と色彩をもつ力強い具象画へと変化した。

第二次世界大戦後は、『星女嬢』などの人物像が注目され、『梳る女』で第1回毎日美術賞を受賞した。1952年から1963年まで、東京藝術大学教授をつとめた。晩年は、バラや富士山の絵をよくえがいた。1967年に文化勲章を受章した。

学 文化勲章受章者一覧

はやしただひこ

写真

林忠彦　1918〜1990年

人物写真などで力作を発表した写真家

昭和時代の写真家。

山口県生まれ。生家は祖父の代からの写真館だった。商業学校を卒業したのち、大阪の写真館で修業する。一時、病気療養のため帰省するが、1937（昭和12）年に上京し、オリエンタル写真学校で写真を学ぶ。写真家の加藤恭平がつくった東京工芸社に入社し、報道写真家として活動した。1942年に写真家の大竹省二らと華北広報写真協会を組織して、北京にわたり、戦時下の中国のようすを日本に伝えた。第二次世界大戦後の1946年、中国から引き揚げ、混乱期の街角に生きる人々の写真を雑誌に掲載し、評判となる。一連の写真は、のちに写真集『カストリ時代』にまとめられた。

坂口安吾や太宰治などの作家と交流し、写真を『小説新潮』に連載して、人気を集める。1953年、二科会に写真部を創設し、アマチュア写真家を指導した。1971年に出版した『日本の作家』は、日本写真協会年度賞を受賞した。

バヤジットいっせい

王族・皇族

バヤジット1世　1360?〜1403年

「雷帝」とよばれたスルタン

オスマン帝国の第4代スルタン（イスラム国家の政治的最高権力者）（在位1389〜1402年）。第3代スルタン、ムラト1世の子。行動の迅速さから「雷帝」の異名をもつ。コソボの戦いで父が殺され、即位すると、弟たちを次々処刑した。セルビアとワラキアをしたがわせ、ビザンツ帝国の首都コンスタンティノープル（現在のイスタンブール）を包囲した。

危機感をいだいた周辺諸国が、ハンガリー王ジギスムントを中心に十字軍を編成し、攻め入ってくるも、1396年、ニコポリスの戦いで打ちやぶる。そして、ドナウ川にいたる広大な帝国支配を確立し、再度コンスタンティノープル攻略に着手。その最中、中央アジアからティムールがアナトリアに侵入したため、1402年にアンカラの戦いでむかえ撃つも、大敗。捕虜となり、のちに亡くなった。

学 世界の主な王朝と王・皇帝

はやしふみこ

文学

林芙美子　1903〜1951年

『放浪記』の作者

昭和時代の作家。

山口県生まれ。本名はフミコ。行商人の子として貧しい家族とともに転々として育つ。1922（大正11）年、広島県尾道市立高等女学校を卒業後に上京し、さまざまな職につく。1924年に友谷静栄と詩誌『二人』を創刊し、詩や童話を書いた。

1929（昭和4）年、初の

詩集『蒼馬を見たり』を刊行。翌年には、自分の人生を日記風に書いた小説『放浪記』を出版。社会の底辺に生きる貧しい現実をえがきながら、夢や人間への信頼を感じさせる作風が人気をよび、ベストセラーとなる。『続放浪記』も出版され、作家としての地位を確立した。『放浪記』は、1961年に森光子主演で舞台化もされ、話題となった。

第二次世界大戦中は報道班員としてフランス領インドシナに滞在しながら短編小説を書く。はじめのころの自伝的な作風から、あらゆる美化をさけてありのままの真実をえがく自然主義的な小説にかわり、庶民のよろこびや悲しみを客観的にえがいた。ほかに『清貧の書』『晩菊』『浮雲』『めし』などの作品がある。

はやしほうこう

学問

林鳳岡　1644〜1732年

湯島聖堂の大学頭となった

江戸時代中期の儒学者。

儒学者の林鵞峰の子、林羅山の孫。本名は信篤。江戸(現在の東京)に生まれる。1664年、21歳で江戸幕府第4代将軍徳川家綱に対面し、以来、第8代将軍徳川吉宗まで5代の将軍につかえた。1680年、林羅山を初代とし、代々幕府につかえて儒学を講義する林家の当主をついだ。1691年、第5代将軍徳川綱吉の命令で上野の忍岡にあった林家の私塾を、湯島に移して幕府の学問所をかねると(現在の湯島聖堂)(文京区)、大学頭となった。以後、儒学をさかんにすることに力をそそいだ。第6代将軍徳川家宣につかえた儒学者の新井白石とは、意見が合わないことが多かったといわれる。

はやしまさもり

郷土

林正盛　1621〜1697年

球磨川に舟運をひらいた商人

▲球磨川下り　(熊本県人吉市)

江戸時代前期の商人。

肥後国人吉藩(現在の熊本県人吉市)の、幕府や藩の御用を請け負った御用商人だったといわれる。そのころ、人吉盆地を流れる球磨川は、流れが急なうえ、岩が多くて、舟を通すことができず、人吉から八代(熊本県八代市)に出るときは、人々は、球磨川沿いのけわしい道を通るしかなかった。

正盛は球磨川に舟運をひらく計画を立て、1662年に私財を投じて、工事に着手した。1664年、工事が終わり、翌年、人吉と八代のあいだに舟運がひらかれた。これにより、船による人や物資の輸送がさかんになり、参勤交代で、藩主が江戸(東京)に行くときにも、舟で八代に出ることができるようになった。その後、球磨川の舟運は、200年以上利用された。

はやしやしょうぞう

伝統芸能

林家正蔵　1895〜1982年

新作落語の発表にも意欲をみせた8代

大正時代〜昭和時代の落語家。

東京生まれ。本名は岡本義。18歳で2代三遊亭三福(3代円遊)に入門した。1919(大正8)年、3代三遊亭円楽となり、翌年真打となった。1950(昭和25)年8代林家正蔵を襲名した。晩年は名跡を7代の実子、林家三平の遺族に返上し、林家彦六を名のった。

怪談ばなしと芝居ばなしを得意とする一方、新作落語も次々と発表した。サクランボの種を食べた男の頭にサクラの木が生える『あたま山』のようなナンセンスなはなしも得意とし、落語の伝統を継承しながら、新しいジャンルも開拓した。得意演目は『火事息子』『怪談牡丹灯籠』などだった。1968年に紫綬褒章、人情ものの『淀五郎』で芸術祭賞、1980年には人形劇団プークとくんだ『怪談牡丹灯籠』で、芸術祭大賞を受賞した。没後1995(平成7)年に、ファンやゆかりの人々が、若手の落語家を対象に、林家彦六賞を制定した。

はやしらざん

学問

林羅山　1583〜1657年

徳川4代の将軍につかえた学者

(多摩川大学教育博物館所蔵)

江戸時代前期の儒学者。

京都に生まれる。禅宗の僧になるため、京都の建仁寺に入るが、のちに学問を志し、藤原惺窩に師事して朱子学を学んだ。その後、惺窩の推薦により23歳で徳川家康にめしかかえられ、1607年には出家して道春と名のり、以後、徳川秀忠、徳川家光、徳川家綱の4代の将軍に侍講としてつかえて儒学を講義した。一方で、朱子学者の立場から幕府政治に参加し、1635年の武家諸法度をはじめとする法令や外交文書の作成、朝鮮通信使への国書の起草などを担当した。1630年、上野忍岡(現在の東京都台東区)の地をあたえられて私塾をひらいた。これが、のちに幕府直轄の教育機関である昌平坂学問所になった。徳川4代の将軍につかえ、江戸幕府の土台づくりに大きくかかわった。

はやまよしき
文学

葉山嘉樹　1894〜1945年

みずからの労働体験をえがく

大正時代〜昭和時代の作家。

福岡県生まれ。本名は嘉重。早稲田大学高等予科中退。貨物船の水夫の見習い、学校の事務員などをしながら、文学に親しむ。1921（大正10）年、名古屋のセメント工場で労働組合をつくろうとして退職させられ、名古屋新聞社の記者となる。このころから、労働運動に深くかかわり、投獄されて獄中で自分の体験をもとに小説を書き上げる。出所後、『移動する村落』『セメント樽の中の手紙』『海に生くる人々』などを次々と発表した。1934（昭和9）年、長野県の山村に移り、工事現場などではたらきながら作品を書く。その後にわたった満州（現在の中国東北部）から引き揚げる途中で病死した。

はやみぎょしゅう
絵画

速水御舟　1894〜1935年

近代的な日本画にとりくんだ画家

▲速水御舟　（提供：速水夏彦）

大正時代〜昭和時代の日本画家。

東京生まれ。本名は栄一。旧姓は蒔田。小学校を卒業したのち、近所に住む日本画家、松本楓湖の安雅堂画塾に入門し、大和絵や中国絵画の古典を徹底的に学ぶ。師より禾湖の号をもらう。1911（明治44）年、巽画会に出品した作品が、宮内省の買い上げとなる。この年、画塾の先輩の今村紫紅にしたがって、安田靫彦らが結成した紅児会に入会し、新南画とよばれた紫紅の絵の影響を受ける。1914（大正3）年、姓を養子先の速水にかえ、雅号を御舟とする。日本美術院の再興に院友として参加し、さらに今村紫紅を中心とした日本画の研究発表会、赤曜会を結成する。1917年、院展に出品した『洛外六題』が横山大観らに絶賛され、日本美術院同人となる。翌年の院展に出品した『洛北修学院村』では、群青を基調とする色彩のつかい方をきわめながら、写実への傾向を強める 1919年、浅草で市電にひかれ、左足のくるぶしから先を切断する重傷を負うが、ものをみる目はいっそうするどさをました。

翌年の院展に出品した『京の舞妓』は、畳の目の一つひとつまでえがいた細密描写が問題となり、賛否両論をまきおこす。さらに、ものの質感をきわめた静物画など、これまでの日本画にはない迫真的な作品を次々に発表した。炎にむらがるガをえがいた1925年の『炎舞』や、木の幹の生命力をえがいた『樹木』では、幻想性や象徴性をあらわした。

その後、方向転換し、かつて学んだ俵屋宗達や尾形光琳の装飾的な画風をとり入れるようになる。1928（昭和3）年の『翠苔緑芝』や、1929年の『名樹散椿』は、近代における装飾画の頂点ともいわれた。1930年、ローマ日本美術展覧会の使節としてイタリアへわたり、ヨーロッパ各地を旅行した。帰国後、表現は単純化し、『女二題』など、それまでほとんどえがかなかった人物画にもとりくんだ。晩年には水墨画にとりくみ、『牡丹花（墨牡丹）』などの傑作をのこしている。画風をめまぐるしくかえ、破壊と建設をくりかえしながら、つねに高みをめざす生涯だった。

▲速水御舟作『名樹散椿』（重要文化財）
（山種美術館蔵）

学 切手の肖像になった人物一覧

バラキレフ，ミリ・アレクセイビチ
音楽

ミリ・アレクセイビチ・バラキレフ　1837〜1910年

ロシア国民音楽の発展につくす

ロシアの作曲家。

西部ニジニーノブゴロドに生まれる。幼いころからピアノを習い、15歳で曲を書いた。カザン大学で数学を学ぶ。1855年にペテルブルクで作曲家のグリンカに出会い、音楽家を志し、ピアニストとしてデビューした。グリンカが亡くなると、ボロディン、ムソルグスキー、リムスキー=コルサコフらのロシア国民楽派の五人組を指導した。1862年よりキュイらと無料音楽学校をつくり、国民楽派の新作やロマン派音楽を紹介し、ロシア国民音楽の発展につくした。主な作品に、ピアノのための東洋風幻想ピアノ曲『イスラメイ』や交響詩『タマーラ』などがある。

パラケルスス
学問　医学

パラケルスス　1493〜1541年

ルネサンスを代表する放浪の医師

スイスの医師、化学者、錬金術師。

山村に農家の子として生まれる。本名はテオフラスト・フォン・ホーエンハイム。母親の死後、貴族の血をひく医学者だった父とともにオーストリアのフィラッハに移住し、教育を受けた。イタリアのフェラーラ大学で医学を学び、1516年に卒業後、ヨーロッパ各地やロシアを8年間にわたって放浪。各地の大学や知識人サークルに参加するほか、民間の治療師や呪術師にまで学び、この時期に錬金術への関心も高めた。当時発見されはじめていたさまざまな化学薬品を用いるなど、医学に化学を導入する。1526年ごろにスイスのバーゼル大学医学部教授に就任、町医者としても開業し、多くの文人などの治療にあたる。一方、それまでの古典的医学に反旗をひるがえし、「医学のルター」とよばれた。その過激な行動から大学を追放され、また放浪の旅をつづけ、この間に膨大な書物を著した。48歳で、オーストリアのザルツブルクにて死去。「すべてのものは毒であり、服用量が毒か否かを決める」ということばをのこし、「毒性学の父」とよばれている。

はらこう

郷土

原耕　1876～1933年

枕崎のカツオ漁をさかんにした経営者

明治時代～昭和時代の漁業経営者。

鹿児島県西南方村（現在の南さつま市）のカツオ漁などをおこなう網元（漁船や網を所有する漁業経営者）の家に生まれた。大阪高等医学校（現在の大阪大学医学部）で学び、29歳のとき、枕崎（鹿児島県枕崎市）で医院を開業した。1905（明治38）年と翌年、父親の船が台風で沈没し、乗組員が亡くなった。遺族の苦しい生活をみかねた耕は、医者をやめて父のあとをつぎ、カツオ漁の経営に専念した。枕崎造船所を設立して、1925（大正14）年、遠洋航海ができる大型船「千代丸」を建造し、沖縄、台湾、フィリピン近海へ行き、新しい漁場を開拓した。枕崎は、日本有数の遠洋漁場の拠点になった。

はらせいべえ

郷土

原清兵衛　1795～1868年

清兵衛新田を開墾した豪農

江戸時代後期の農民、開拓者。

相模国高座郡小山村（現在の神奈川県相模原市）の名主（村の長）の家に生まれた。家は養蚕業、酒・しょうゆの醸造業をいとなんでいた。周辺は相模原とよばれた台地で、水利が悪く、耕地に利用できなかった。この地の開拓を考え、代官（地方の事務をおこなう役職）の江川太郎左衛門の許可を得て、1843年、私財を投じ、周辺地域や武蔵国多摩郡（東京都多摩地方）などの49戸の農家の次男や3男を移住させて、開墾をはじめた。村人は、ソバ、ヒエ、アワ、麦などをつくった。1856年、幕府の検地で開発面積205町（約2ha）、収穫は420石とされ、その後も生産力を高めるために努力した。

はらせつこ

映画・演劇

原節子　1920～2015年

昭和時代の映画界を代表する永遠のヒロイン

昭和時代の俳優。

神奈川県生まれ。本名、会田昌江。横浜高等女学校中退。姉の夫、熊谷久虎監督にすすめられて1935（昭和10）年、映画会社の日活に入社。『ためらふ勿れ若人よ』でデビュー。このとき演じた「節ちゃん」とよばれる女学生の役名から、当時の日活多摩撮影所長根岸寛一が原節子という芸名をつけた。1937年、日独合作映画『新しき土』でヒロインに抜てきされ、その美しい容姿が注目される。第二次世界大戦後、黒澤明監督『わが青春に悔なし』、吉村公三郎監督『安城家の舞踏会』、今井正監督『青い山脈』で知的なヒロインを好演、人気女優の地位を確立する。その後も小津安二郎監督『晩春』『麦秋』『東京物語』など日本の戦後映画を代表する作品に出演。小津映画に欠かせない女優といわれ、典型的な日本女性を演じて絶賛された。1962年、『忠臣蔵』を最後に神秘的なイメージをたもったまま突然引退。その理由は明かされなかった。

はらぜんざぶろう

原善三郎　1827～1899年

横浜の発展につくした商人

江戸時代後期～明治時代の商人。

武蔵国渡瀬村（現在の埼玉県神川町）の絹織物商人、原太兵衛の子として生まれた。1859年、開港後の横浜（神奈川県横浜市）に行って貿易のようすを知り、1860年から輸出生糸をあつかう荷主となり、その後生糸問屋の亀屋を開業した。1868（明治元）年には横浜でも最大手の問屋となり、1886年、横浜蚕糸売込業組合の初代頭取となった。一方で1869年、横浜為替会社の役員となり、1873年、同社が第二国立銀行になると初代頭取に就任した。1880年、横浜商法会議所の初代会頭、1889年、横浜市会の初代議長、1895年、横浜商業会議所の会頭に選出され、横浜発展につくした。1897年、貴族院の多額納税者議員となった。

はらたかし

政治

原敬　1856～1921年

はじめて政党内閣をつくった平民宰相

明治時代～大正時代の政治家。第19代内閣総理大臣（在任1918～1921年）。

盛岡藩（現在の岩手県中北部・青森県東部）の藩士の次男として生まれる。のちに分家し、士族をはなれ平民の身分をえらんだ。藩の学校などで学び、1871（明治4）年に上京して学校に入るが、学費がとだえたために、授業料のないフランス人

(国立国会図書館)

宣教師のひらいたカトリック神学校に移って、宣教師の家に住みこみではたらきながら勉強をつづけた。

1876年に司法省法学校に入学するが3年で退校。中江兆民の塾で学んだあと、『郵便報知新聞』『大東日報』の記者をへて1882年に外務省に入る。中国の天津領事や、パリの公使館書記官をつとめ、井上馨や陸奥宗光にみとめられて、農商務省参事官、外務省通商局長、外務省次官、朝鮮駐在公使となった。1897年に陸奥が亡くなると外務省をやめて大阪毎日新聞社に入り、翌年、社長となった。1900年に伊藤博文の立憲政友会結成に参加し、伊藤内閣で逓信大臣に就任する。1902年に盛岡市から衆議院議員に初当選し、その後、亡くなるまで連続で当選した。立憲政友会の総裁が西園寺公望になると、それを補佐して党の中で実力をあらわす。そのころは薩摩藩（鹿児島県西部）、長州藩（山口県）など特定の藩の出身者だけの藩閥政治がおこなわれていたが、藩閥政治の桂太郎と立憲政友会の西園寺が交互に政権をになう「桂園内閣」を実現させ、自身も内務大臣などをつとめた。またその間、北浜銀行の頭取、古河鉱業（現在の古河機械金属）副社長となり、財界でも地位を築いた。

1914（大正3）年に立憲政友会の第3代総裁となり、藩閥政治への反発から第3次桂内閣がたおれると、山本権兵衛内閣の内務大臣となる。1918年に内閣総理大臣となって、日本ではじめての本格的な政党内閣をつくった。国防、産業、交通、教育に積極的な政策をとるが、政府と政党内でおきた汚職や、普通選挙の見送り、社会運動への弾圧などから、強硬で独裁的とみられ、人々から反発を受けるようになる。1921年11月4日、東京駅の改札口で右翼の青年にさされて亡くなった。

はじめての衆議院出身の首相であり、爵位をもたない「平民宰相」とよばれた。平民であることを守り、授爵を数度辞退している。20歳のころから書きつづけた大量の日記は、第二次世界大戦後に『原敬日記』として公開され、日本の近代政治史を知るうえでの貴重な資料となっている。

学 歴代の内閣総理大臣一覧

はらだたいじ

絵画

● 原田泰治　1940年～

日本のふるさとをえがきつづける画家

グラフィックデザイナー、画家。

長野県生まれ。高校在学中に、全国ポスターコンクールで2度入賞し、デザイナーを志す。1960（昭和35）年、武蔵野美術大学に入学して油絵を学ぶが、翌年、武蔵野美術短期大学に移り、商業デザインを学ぶ。1963年に卒業したのち、郷里にデザイン事務所を設立し、グラフィックデザイナーとして活動する。

そのかたわら、少年時代をすごした村の思い出や風景をえがき、1980年、『わたしの信州』『草ぶえの詩』で小学館絵画賞を受賞した。1982年から1984年まで、『朝日新聞』日曜版に127週にわたって「原田泰治の世界」を連載した。このあいだに全国を取材し、農村や山間の昔なつかしい風景をていねいにえがいた。1989年から、アメリカ合衆国の主要都市で巡回展を開催した。アンリ・ルソーや旧ユーゴスラビアの農民芸術の影響を受けた素朴な絵画は、幅広い年齢層に人気がある。

はらたみき

文学

● 原民喜　1905～1951年

原爆をえがいた小説『夏の花』の作者

昭和時代の詩人、作家。

広島県生まれ。慶應義塾大学卒業。在学中に創作をはじめ、1936（昭和11）年ころから『三田文学』に詩や短編小説を発表する。また、山本健吉らと出会い、左翼運動に加わったりした。その後、結婚して本格的に創作活動に入るが、1944年に妻が亡くなり、広島に帰郷。その広島で原子爆弾の被害にあう。広島の悲惨な状態、おそろしい体験は1947年の作品『夏の花』にくわしく、冷静にえがかれた。やがて、平和への祈りをこめて『廃墟から』『壊滅の序曲』『鎮魂歌』などの作品を発表する。朝鮮戦争がおこると、時代の流れに衝撃を受け、1951年、鉄道自殺した。

はらとみたろう

産業　郷土

● 原富太郎　1868～1939年

関東大震災後の横浜復興につとめた実業家

明治時代～昭和時代の実業家。

号は三渓。美濃国佐波村（現在の岐阜市）の庄屋、青木久衛の子として生まれた。18歳のとき、東京に出て東京専門学校（現在の早稲田大学）に学び、その後、跡見女学校（跡見学園）の教師となった。1892（明治25）年、教え子で、横浜の豪商原善三郎の孫娘の屋寿と結婚し、養子となる。1899年、善三郎が亡くなるとあとをつぎ、善三郎のおこした生糸売込商「亀屋」を原合名会社に発展させ、絹の貿易により富を築いた。1902年には富岡製糸場（群馬県富岡市）をゆずりうけて製糸業にも進出。近代的経営をおこなった。関東大震災（1923年）で横浜が大被害を受けたとき、横浜市復興会長として復興につとめた。

一方で、日本美術の収集に力を入れ、小林古径、前田青邨、安田靫彦など将来性のある若い画家や彫刻家を援助した。また、横浜にいまにのこる三渓園をつくり、全国の古建造物を移転して保存した。

はらマルチノ

宗教

原マルチノ　1568?〜1629年

その高い教養に、西洋人もおどろいた

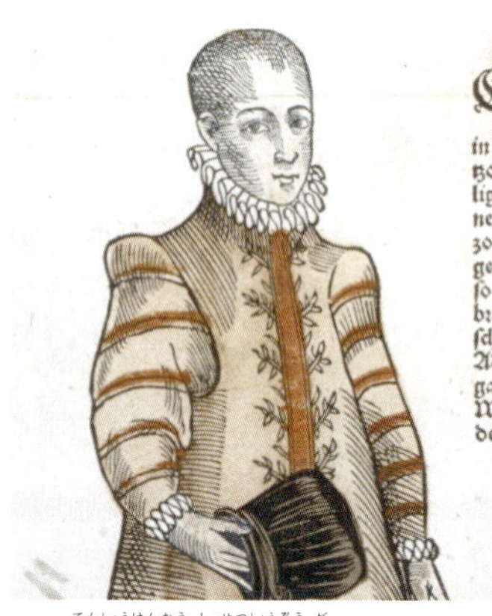
▲『天正遣欧使節肖像画』より
（京都大学附属図書館所蔵）

安土桃山時代の天正遣欧使節の一人。

マルチノは洗礼名で丸知野と書く。本名は不明。「肥前国ハサミの首長たるドン・ファラ・ナカズカラの子」という記録がローマにのこっているので、肥前国（現在の佐賀県・長崎県）の大村領波佐見の出身で、キリシタンの武士の子だと思われる。1580年に開設した有馬セミナリヨ（神学校）の第1期生だった。

1582年（天正10）年、九州のキリシタン大名大友宗麟、大友純忠、有馬晴信が派遣した天正遣欧使節の副使にえらばれ、長崎を出発した。宣教師バリニャーノにひきいられた使節は、正使の伊東マンショ、千々石ミゲル、副使の中浦ジュリアン、それにマルチノの4人で、みな10代前半の少年だった。2年半後に、ポルトガルのリスボンに到着した一行は、盛大な歓迎を受けながら、スペイン、イタリアを旅した。そして、強大な力をもつスペイン・ポルトガル両国王のフェリペ2世と謁見をはたし、ローマ教皇グレゴリウス13世にあたたかくむかえられた。グレゴリウス13世が死去すると、次の教皇シクストゥス5世の即位式では主賓としてあつかわれた。

1586年、一行はリスボンを出発。帰国の途中、ゴア（インド）の聖パウロ学院で、マルチノはラテン語で長い演説をした。その内容は高い教養にあふれていて、西洋人をおどろかせ、演説原稿はゴアで冊子として印刷された。

1590年、一行は8年ぶりに長崎に帰国したが、豊臣秀吉が1587年にバテレン追放令をだしており、表だった活動はできなくなっていた。それでも秀吉との謁見後の1592年に、天草（熊本県）でイエズス会に入会し、修道士の道をめざした。マカオにも留学し、1608年、マンショやジュリアンと同時に司祭としてみとめられた。しかし、帰国後は江戸幕府の禁教令により、キリシタンへの迫害が強くなり、1614年、マカオに追放された。そして再入国をはたせないまま、マカオで亡くなった。

▲原マルチノが葬られたマカオにある聖ポール天主堂

頭脳明せきなマルチノはすぐれた説教家であり、さまざまな政治交渉の場にもかかわった。また、その語学力を生かして、ラテン語・ポルトガル語・日本語の辞書を編さんし、さまざまな宗教書の翻訳をおこなった。天正遣欧使節の船ではこんできた印刷機で出版事業もおこない、西洋と日本の文化の橋わたしに、大きな役割をはたした。

はらゆたか

絵本・児童

原ゆたか　1953年〜

『かいけつゾロリ』シリーズの人気作家

児童文学作家、イラストレーター。

熊本県生まれ。兵庫県立鳴尾高等学校卒業。妻は児童文学作家の京子。20歳でイラストレーターとしてデビューし、1974（昭和49）年に、イラストレーターや絵本作家を育てるKFSコンテストで講談社児童図書部門賞を受賞する。

1987年、キツネのゾロリが活躍する『かいけつゾロリのドラゴンたいじ』を発表。失敗してもくじけずに、知恵と勇気で前むきに生きるゾロリの姿がこどもたちの共感を得て大ヒットとなり、シリーズ化されて60巻以上の作品がある。このシリーズでは、こどもに本の楽しさを伝えるために、物語のあいまに迷路やなぞなぞを入れるといったくふうも人気をよび、テレビアニメや映画にもなっている。

そのほかに、『プカプカチョコレー島』シリーズ、さし絵をてがける『よわむしおばけ』シリーズ（作・わたなべめぐみ）や『日本のおばけ話・わらい話』シリーズ（作・木暮正夫）など、多くの人気作品がある。

バリー，ジェームズ

文学　映画・演劇

ジェームズ・バリー　1860〜1937年

童話劇『ピーター・パン』の作者

イギリスの劇作家、作家。

スコットランドのアンガスに生まれ、エディンバラ大学に学ぶ。卒業後は新聞社でジャーナリストとしてはたらくかたわら、小説や戯曲を書きはじめる。はじめ、郷土の物語や小説をてがけていたが、途中から幻想的な作風にかわり、俳優の知人らのすすめで戯曲に転向した。

1902年に風刺的な喜劇『あっぱれクライトン』で、劇作家としての地位と人気を確立する。1904年には、「永遠のこども」をテーマに、空想にあふれた童話劇『ピーター・パン』を発表し、のちに小説版『ピーター・パンとウェンディ』も執筆した。ほかに、『シンデレラにキッス』などの作品がある。

ハリス，タウンゼント

幕末

タウンゼント・ハリス　1804〜1878年

日米修好通商条約をむすんだアメリカ総領事

▲タウンゼント・ハリス
（玉泉寺ハリス記念館所蔵）

アメリカ合衆国の外交官、初代駐日総領事。

ニューヨーク州に生まれる。13歳のときから、兄の陶磁器輸入業の手伝いをしてはたらきはじめ、独学でフランス語、イタリア語、スペイン語などを習得した。やがて教育事業に関心をもち、1846年、ニューヨーク市の教育委員会委員長となり、無料の高等教育機関フリーアカデミー（現在のニューヨーク市立大学）を設立した。

1849年、サンフランシスコで貨物船の船主となり、貿易業に乗りだし、インドやフィリピン、中国などをおとずれた。その知識と経験を買われて1854年、中国の寧波領事に就任、翌年には駐日総領事に任じられ、日本と通商条約をむすぶための全権を委任された。1856年、オランダ人のヒュースケンを秘書兼通訳としてやとい、下田（静岡県下田市）に着任し、玉泉寺を総領事館とした。1857年、江戸城にのぼり、江戸幕府第13代将軍徳川家定と面会し、通商をうながすアメリカ大統領の国書を読み上げた。1858年、アロー戦争でイギリスとフランス連合軍が中国の清をやぶったという知らせをつかむと、神奈川（現在の神奈川県横浜市）に急行し、「日本にもイギリスやフランスの大艦隊がやってくる。その前に友好的なアメリカと通商条約をむすぶべきだ」と危機感をあおり、少しでも早く通商条約をむすぶようせまった。この説得が功を奏して、幕府と日米修好通商条約をむすぶことに成功した。

▲ハリスが使用した部屋
（玉泉寺ハリス記念館）

1859年、初代駐日公使に任命され、江戸麻布（東京都港区）の善福寺に公使館を設置した。日本では外国人を追いはらおうという攘夷運動が高まっているときで、1861年、通訳としてハリスにつかえていたヒュースケンが暗殺された。各国の公使は横浜に避難したが、ハリスは江戸にとどまり、幕府の外交政策に助言をあたえた。1862年、持病が悪化したため帰国。敬虔なキリスト教徒として生涯独身を通し、1878年、74歳で亡くなった。滞日中に書いていた日記は、のちに『日本滞在記』として刊行された。そこには「日本人はアフリカの喜望峰以東のいかなる民族よりも優秀である」など、日本に対して好意的に書かれている。

来日中に看護師として数日つかえたお吉は、のちに「唐人お吉」とよばれ、小説や戯曲の題材となった。

はりつけもざえもん

江戸時代

磔茂左衛門　生没年不詳

藩主の横暴を将軍に直訴

江戸時代前期の農民指導者。

本名は杉木茂左衛門。上野国沼田藩領月夜野村（現在の群馬県みなかみ町）の農民。沼田藩では藩主の真田氏が重い年貢をとりたて、おさめられない者を拷問にかけたりしていた。人々の苦しみをみかねた茂左衛門は、江戸（東京）に出て将軍へ直訴することを決意した。その方法は、上野の寛永寺（東京都台東区）の貫主である輪王寺宮の菊桐の紋章の文箱を偽造してわざと茶店におきわすれるというもので、文箱の中の書状には、真田氏の悪政が書かれていた。書状は寛永寺から第5代将軍徳川綱吉のもとへ届けられ、1681年、真田氏は改易（領地を没収されること）になった。しかし、直訴は大罪だったので茂左衛門もとらえられて家族とともにはりつけの刑になったとされる。

▲千日堂内にある茂左衛門地蔵
（茂左衛門地蔵尊提供）

死後、茂左衛門は人々を救う地蔵の化身だと信じられるようになったといわれる。みなかみ町には、茂左衛門を祭る地蔵尊千日堂がある。

バリニャーノ，アレッサンドロ

宗教

アレッサンドロ・バリニャーノ　1539〜1606年

日本のキリスト教布教に指導的な役割をはたした

（上智大学キリシタン文庫所蔵）

安土桃山時代に来日した、イタリアの宣教師。

ナポリ王国（現在のイタリア）のキエティで、貴族として生まれる。パドバ大学で法学博士となり、1566年、イエズス会に入会。ローマ学院で神学を学び、司祭となる。

1573年から、東インド巡察使として、インドのゴアや中国のマカオに行き、布教につとめた。1579年に九州の島原半島に上陸し、オルガンチノらとともに織田信長に謁見して布教をゆるされ、大友宗麟、有馬義直らの九州諸大名を改宗させた。布教方針は日本の文化や習慣を尊重するものであり、日本人司祭の育成にも力を入れ、1580年、近江国（滋賀県）の安土、有馬（長崎県）にセミナリヨ（神学校）を設立。その後、各地にコレジヨ（大神学校）やノビシャド（修練院）を開設した。1582年には天正遣欧使節を計画し、インドのゴアまでつきそった。その後も2度来日し、日本でのキリスト教の布教に指導的な役割をはたす。また、日本にはじめて活字印刷機をもたらし、キリシタン本を出版したことでも知られている。

パル，ラダビノード

学問

ラダビノード・パル　1886〜1967年

東京裁判で被告の無罪を主張した法学者

インドの法学者、裁判官。

イギリス領インドのベンガル（現在のインドの西ベンガル州とバングラデシュにわたる地域）生まれ。コルカタのプレジデンシーカレッジで数学を、コルカタ大学で法学を学んだ。1921年、弁護士となり、以後、コルカタ大学法学部教授、コルカタ高等裁判所判事、コルカタ大学総長などを歴任。1946（昭和21）年、日本の戦争指導者を裁く極東国際軍事裁判（東京裁判）の判事に任命され、被告を有罪とする多数の意見に反対し、全被告の無罪を主張するとともに、アメリカ合衆国による原爆投下を批判する意見書を提出した。この意見書は1952年、『日本無罪論—真理の裁き』として出版された。ただし、パルは日本の行為を正当化するのが目的ではなく、東京裁判が「勝者の裁判」とならないように警告をしたのであった。

その後、国際連合国際法委員会の議長をつとめるなど、国際法にたずさわった。1966年、昭和天皇から勲一等瑞宝賞を授与された。

バルガス，ジェトゥリオ

政治

ジェトゥリオ・バルガス　1883〜1954年

現在のブラジルの基礎を築いた

ブラジルの政治家。大統領（在位1930〜1945年、1951〜1954年）。

リオグランデドスル州生まれ。州議会議員、連邦議会議員をへて、1926年に大蔵大臣、1928年に州知事となる。世界恐慌以降、社会不安の強まるなかで大統領選に立候補するが、落選した。しかし、不正があったとして選挙の無効をうったえるクーデターをおこし、軍の支持を得て臨時大統領となる。1934年には新憲法を定め、正式に大統領となった。その後、軍と多くの州知事の支持を得て、ふたたびクーデターを決行。議会と政党を解散し、新国家「エスタード・ノーボ」をつくり独裁体制をしいた。社会労働立法、民族主義立法に積極的にとりくみ、ブラジルの近代化につとめたが、陸軍将校の反乱で大統領を辞任する。

のちにふたたび大統領選に出馬し、1951年に再選した。民族産業の育成、国有石油会社の設立など、国のための政策にとりくんだが、アメリカ独占資本におされて経済危機におちいる。また、労働組合と軍の板ばさみにあうなど、数々の難題に直面。1954年に自殺した。

バルザック，オノレ・ド

文学

オノレ・ド・バルザック　1799〜1850年

フランス近代社会の歴史をえがく

フランスの作家。

中部フランスのロワール川沿いの町トゥールに生まれる。こどものころは、両親の愛に飢えていた。1814年に一家でパリに移り、1816年、パリ大学法学部に進む。卒業後は法律事務所ではたらきながら、哲学書や科学書を読みふけった。1825年、小説を書くかたわら生活のために印刷業などの事業をはじめるが、いずれも失敗する。

1829年、革命時代の農民たちの反乱をえがいた歴史小説『ふくろう党』を出版する。つづいて発表した『結婚の生理学』により、作家としてみとめられた。その後、『ゴリオ爺さん』『谷間のゆり』『従妹ベット』などの作品を次々と発表する。そして、フランス革命から19世紀前半のフランス社会の歴史を、長編・短編あわせて91編の小説であらわし『人間喜劇』としてまとめた。写実的な表現で、世界の近代小説に大きな影響をあたえた。

ハルシャ・バルダナ

王族･皇族

ハルシャ・バルダナ　590?〜647年

混乱していた北インドを統一した王

古代インド、バルダナ朝の王（在位606〜647年）。

西北インドのスターナビーシュバラ（現在のターネーサル）生まれ。父が王のとき、バルダナ朝はガンジス川流域まで勢力を拡大した。あとをついだ兄はさらに東方へ進出するが、ベンガル王との戦いで亡くなり、ハルシャは16歳で王位につく。都をカナウジに定め、アッサム王と同盟を組み、兄がかなえられなかったベンガル平定をはたした。その後も領土を広げ、グプタ朝が衰退したあと、乱れていた北インドをふたたび統一した。南インドへの進出も試みたが、戦いに勝つことができず、かなわなかった。

ハルシャは、ヒンドゥー教だけでなく、仏教も保護した。中国の唐の僧、玄奘がおとずれたときも、手厚くもてなしたという。また、学芸の保護にも力を入れ、宮廷には多くの詩人や学者が集まった。ハルシャ自身も有名な詩人であり、戯曲『龍王の喜び』などをのこしている。ハルシャの死後、王国は崩壊し、北インドは諸民族の分立状態となった。

ハルス，フランス

絵画

フランス・ハルス　1585?～1666年

オランダ絵画の黄金時代の画家

オランダの画家。

アントウェルペン生まれといわれる。こどものころ家族でハールレムに移り、ドイツ人美術家のマンデルから絵画の指導を受ける。1611年、ハールレムのギルド、聖ルカ組合に登録され、職業画家としてみとめられる。

画風は、大胆な筆づかいで、勢いのある作品をのこした。当時、絵画の出資者を平等にえがくため、同じ表情になりがちだった集団肖像画を、一人ひとりの一瞬の表情やポーズをとらえて、生き生きとえがき分け、名手とたたえられた。1616年にかいた『聖ゲオルク射手組合幹部の饗宴』は、人物表現と画面構成のたくみさで代表作といわれる。また、風俗的な人物画では、『陽気な酒飲み』のような庶民の生き生きとした姿を、明るい色彩で親しみをこめてやさしく表現した。ほかの作品に『つばの広い帽子をかぶった男』『養老院の女性理事たち』『笑う少年』などがある。

バルダマーナ

宗教

バルダマーナ　紀元前549ごろ～紀元前477年ごろ

殺生をきびしく禁じるジャイナ教の開祖

古代インドの宗教家、ジャイナ教の創始者。

インド北部のマガダ（現在のビハール州）生まれ。生没年は紀元前5世紀～紀元前4世紀という説もあり、確定していない。仏典ではシャカと同時代の人とされる。武士階級の家に生まれたが、30歳で出家。インドに古くからある宗教の一派ニガンタ（束縛をはなれた者の意味）派の修行者となり、12年の苦行ののちさとりをひらいて、ジナ（勝利者）となった。さとりをひらいたのちはマハービーラ（偉大な英雄）とよばれた。ジャイナ教とは「ジナの教え」を意味する。その後、広く国内を歩きめぐりながら教えを説き広め、72歳で生涯をとじたとされる。

▲ジャイメルサール城にある大理石の像

ジャイナ教は動物、植物はもちろん、地、水、火、風、大気にまで霊魂の存在をみとめ、アヒンサー（不殺生、生き物を傷つけないこと）を柱とする、厳格な禁欲主義の宗教である。仏教とことなりインド以外の地にはほとんど伝わらなかったが、インドでは約2500年にわたってインド文化に影響をあたえつづけ、現在でもインドにおいて300万～1200万人の信徒がいる。

ハルデンベルク，カール・アウグスト

政治

カール・アウグスト・ハルデンベルク　1750～1822年

前首相の方針をひきつぎ、プロイセン改革を進めた

プロイセンの政治家。首相（在任1810～1822年）。

ハノーファーの名門貴族の出身。大学卒業後、ハノーファーの役人になる。1791年からプロイセン政府につかえ、1804年、外務大臣となった。1810年、前首相のシュタインがナポレオン1世によって辞職させられると次の首相となり、経済や商業、税と財政の改革を彼からひきついだ。また、官僚制の整備やユダヤ人解放につとめ、いわゆる「シュタイン・ハルデンベルクの改革」を次々と実現した。しかし、それは、封建的な農民支配をくりかえしてきた地方貴族などの富裕層を、結果的に助けることになった。1814年にはウィーン会議に出席。1819年、カールスバートの決議以降は反勢力におされ、しだいに政治的影響力をなくしていった。

バルト，カール

宗教

カール・バルト　1886～1968年

20世紀のキリスト教神学に大きな影響をあたえた

スイスのプロテスタントの神学者。

バーゼルで牧師の子として生まれる。父親が教鞭をとっていたベルン大学神学部に入学し、基礎学科をおさめた。さらにベルリン大学、テュービンゲン大学、マールブルク大学で学んだ。1909年、ジュネーブのドイツ語教会副牧師、さらに1911年、アールガウ州ザーフェンビルで改革派教会の牧師をつとめ、宗教社会主義運動にふれた。1920年代には、神の啓示の絶対性を説く「危機神学」を主張した。

1933年、ナチスがドイツの政権をとると、プロテスタントの宗派をこえて抵抗することをうったえた。1935年、講義のとき、右手を上げるナチス式敬礼をしなかったことなどで大学を追われた。彼の思想は「弁証法神学」とよばれ、スイスやドイツなどの若

い牧師・神学者に大きな影響をあたえた。著書に『教会教養学』などがある。

バルトーク・ベラ

音楽

バルトーク・ベラ 1881～1945年

民俗音楽を独創的な現代音楽に発展させる

ハンガリーの作曲家、ピアニスト。

オーストリア帝国支配下のハンガリーの生まれ。音楽好きの両親のもと、5歳で母からピアノの手ほどきを受けて育つ。1903年にブダペスト王立音楽院を卒業し、作曲とピアノ演奏でヨーロッパ各地をまわる。その後、母校でピアノの指導にあたった。1940年、ナチスからのがれてアメリカ合衆国に亡命し、ニューヨークで生涯を終える。

1905年から、作曲家で民謡研究者のコダーイとともに、ハンガリー（マジャール）民謡や中東一帯のアジア系民族の音楽の収集や研究をおこなう。これにより、代表作『管弦楽のための協奏曲』など、ハンガリーの民俗音楽を生かした、リズムと躍動感あふれる独創的な楽曲が生まれた。

ほかにオペラ『青ひげ公の城』、弦楽四重奏曲（6曲）、ピアノ協奏曲（3曲）、『2台のピアノと打楽器のためのソナタ』、ピアノ曲集『ミクロコスモス』、パントマイム『中国の不思議な役人』などがある。

バルビュス，アンリ

文学

アンリ・バルビュス 1873～1935年

小説で戦争の悲惨さをうったえる

フランスの作家、詩人。

パリに近いアニエール・ド・セーヌ（現在のオー・ド・セーヌ県）の生まれ。16歳でパリに出て、新聞記者をしながら、執筆活動をおこなう。第一次世界大戦では、41歳で志願してドイツ軍と戦った。

その体験をもとに兵士の戦場での苦闘をつづった『砲火』で、フランスの文学賞であるゴンクール賞を受賞する。ほかに、となりの部屋を壁の穴からのぞきみする『地獄』、戦争の悲惨さやおろかさをうったえた『クラルテ』などがある。

「光は万人のもの」という思想のもと、クラルテ（光明）運動と名づけた国際平和運動を展開し、日本のプロレタリア文学にも影響をあたえた。

バルフォア，アーサー・ジェームズ

政治

アーサー・ジェームズ・バルフォア 1848～1930年

パレスチナ問題の一因となるバルフォア宣言を発表

イギリスの政治家。首相（在任1902～1905年）。

1874年、保守党から下院に入る。おじのソールズベリ首相の下、内閣でスコットランド担当大臣、アイルランド担当大臣などをつとめ、ソールズベリの引退後、首相をつとめた。この間、ブーア戦争の終結、教育法の制定、アイルランド土地購入法の制定、帝国防衛委員会の設置など数々の業績をあげる。しかし、ジョセフ・チェンバレンと関税問題で対立し、首相を辞任。

第一次世界大戦期のロイド・ジョージ内閣で外務大臣となり、1917年、パレスチナにおけるユダヤ人の居住地建設を支持するバルフォア宣言を発表。これは、ユダヤ人を味方につけ、パレスチナでのオスマン帝国との戦いを有利に進めたいという思惑と、ユダヤ系資本家の支援をねらったものだった。しかしイギリスは、1915年にパレスチナ近接地でのアラブ人国家樹立を支持しており（フセイン・マクマホン協定）、同地をめぐって、アラブ人とユダヤ人が対立することになり、これが現在までつづくパレスチナ問題の発端となっている。

1921年、ワシントン軍縮会議代表団団長となり渡米。帰国後、伯爵となった。

バルボア，バスコ・デ

探検・開拓

バスコ・デ・バルボア 1475?～1519年

太平洋を発見した探検家

スペインの探検家、新大陸征服者。

スペイン南部出身。1500年、コロンブスが発見したばかりの新大陸（アメリカ大陸のこと。スペインではインディアスとよばれた）や、カリブ海のイスパニョーラ島へわたり、1510年、パナマの大西洋岸をめぐる遠征隊に加わる。安全な土地に、新しい居留地ダリエンを築こうと提案、南アメリカで初のヨーロッパ人植民地を建設した。完成後、ダリエン総督に任命される。先住民から山をこえると海があり、黄金の地（ペルーのこと）に達すると聞き、パナマ地峡を横断。1513年9月、太平洋を発見した。このとき、のちにインカ帝国を征服したピサロも参加していた。

その後、南方にばく大な黄金を保有する王国（インカ帝国のこと）があるという情報を得て、ふたたび探検の準備を進める。しかしスペイン政府は、パナマ支配を強化するという目的から、多くの略奪や虐殺をおこなったことを理由に、バルボアのダリエン総督の任をといた。最後は、スペインから派遣された新しい総督と対立し、反逆罪で処刑された。

ハレー，エドマンド

学 問

エドマンド・ハレー 1656～1742年

ハレーすい星が周期すい星であり回帰すると予言

17～18世紀のイギリスの天文学者。

ロンドンの裕福な商人の子として生まれる。16歳でオックスフォード大学入学。その後、南半球のセントヘレナ島で恒星の観測・研究をおこない、その成果として1679年に発表した『南天星表』が高い評価を得て、王立協会会員に推薦された。1682年、出現した大すい星を観測し、さらに過去のすい星の記録から、これが同期的に太陽をまわる周期すい星であると考え、後年の1705年に、すい星は1758年にもどってくると論理的に予言した。

多才な人物で、さまざまな分野の研究をおこない、貿易風とモンスーンに関する論文では、大気運動の原因が太陽熱であることを指摘。現代の生命保険制度の理論につながった、終身年金に関する論文も発表。地磁気観測にもたずさわり、初の地磁気図（地磁気の等高線の図）をつくるなどの功績をのこした。親交があったニュートンの『プリンキピア』の経費を負担して、出版したこともある。

ハレーの死後の1758年、予言どおりにすい星は大接近し、ハレーすい星と名づけられた。

パレストリーナ，ジョバンニ・ピエルルイジ・ダ

音 楽

ジョバンニ・ピエルルイジ・ダ・パレストリーナ 1525？～1594年

教会音楽の父

イタリアの作曲家。

ローマ近郊パレストリーナ生まれ。出身地パレストリーナの名でよばれる。1537年にローマで大聖堂の少年聖歌隊員として活躍した。1551年に教皇ユリウス3世にまねかれ、ローマのサンピエトロ大聖堂のジュリア礼拝堂楽長に就任し、その後いくつかの教会楽長をつとめた。

作品は『教皇マルチェルスのミサ曲』や宗教曲『谷川慕いて』など主に教会で用いられる合唱曲が多く、教会音楽の父とよばれる。ルネサンス音楽のポリフォニー（多声音楽）を基本にして、シンプルな主題と透明感のある和声で、歌詞が聞きとりやすいのが特徴。マドリガーレなどの世俗曲ものこした。

バレリー，ポール

詩・歌・俳句

ポール・バレリー 1871～1945年

20世紀フランスを代表する詩人

フランスの詩人、評論家、思想家。

南部の港町セートの生まれ。海が好きで海軍士官にあこがれ、文学や絵画にも興味をもつ。13歳ごろから詩を書きはじめた。1894年からパリに住み、このころから心に浮かぶ悲しみ、苦しみの正体をとき明かすための覚書をつけはじめる。この覚書は『カイエ』と題されて、生涯つづけられた。

1895年に評論『レオナルド・ダ・ビンチの方法への序説』、翌年、小説『テスト氏との一夜』を発表した。やがて友人で作家のジッドのすすめでふたたび詩を書くようになる。1922年に詩集『魅惑』を発表し、詩人としての地位を確立した。

深い思索から「フランスの知性」とよばれ、国際連盟などで活躍する。20世紀フランスを代表する大詩人と評価されている。

パンギムン

政 治

潘基文 1944年～

アジア出身としては2人目の韓国人の国連事務総長

大韓民国（韓国）の外交官、政治家。第8代国際連合（国連）事務総長（在任2007～2016年）。

忠清北道生まれ。ソウル大学で国際関係学を学び、卒業後、外務省に入り、アメリカ合衆国のハーバード大学ケネディ行政大学院で修士号を取得した。外務省では、駐米公使、外交通商次官などをつとめ、盧武鉉大統領政権時は外交通商部長官（外務大臣）に就任した。国連との関係も深く、外務省の国連課長、駐国連代表部大使をつとめ、2001年に国連総会が韓国で開催された際には、議長を補佐して総責任者をつとめた。2007年、国連のトップである事務総長に就任、5年の任期を満了し、2012年から2期目をつとめた。

アジア出身の国連事務総長は、ビルマ（現在のミャンマー）のウ・タントに次いで2人目。就任後は、環境問題に配慮した持続可能な開発の促進、安全な世界のためのしくみづくり、発展途上国への支援、女性の地位向上などの課題にとりくんだ。

学 国連事務総長一覧

はんこ

学 問

班固 32～92年

歴史家一族に生まれ、『漢書』を編さん

中国、後漢の歴史家。

歴史家だった父、班彪は、司馬遷による前漢の歴史書『史

記』が武帝の代で終わっていたことから、その『後伝』の編さんにとりくんでいた。しかし65巻をまとめて亡くなり、その遺志を班固がひきつぐ。ところが何者かが明帝に、班固が国史を改変していると密告したことで投獄され、ことごとく書物をとり上げられた。しかし弟の班超の弁明により無実がみとめられると、かえって明帝からはあつい信頼を受け、編さん事業をつづけることとなった。班固は『後伝』をふくめ、これを『漢書』として20年あまりの年月をかけ、ほぼまとめ上げる。しかし晩年、あらぬ罪で投獄され獄死し、妹の班昭があとをついで完成させた。全100巻にものぼった。

はんぜいてんのう

王族・皇族

反正天皇　生没年不詳

『宋書』に倭の王として記録された

▲反正天皇のものだとされている田出井山古墳（百舌鳥耳原北陵）（堺市）

古墳時代の第18代天皇（在位5世紀ころ）。

『古事記』や『日本書紀』によれば、仁徳天皇の子、履中天皇の弟、允恭天皇の兄。生まれながらにしてきれいな歯並びで容姿が美しかったので、瑞歯別命の名がつけられたという。仁徳天皇の死後、兄の去来穂別（のちの履中天皇）の命令で、皇位をねらう次兄の住吉仲皇子を討った。その後、履中天皇の皇太子となり、天皇の死後即位したが、わずか5年ほどで亡くなった。

中国の歴史書『宋書』倭国伝に出てくる倭の五王のうち、珍にあたるという説がある。墓は、大阪府堺市にある田出井山古墳（百舌鳥耳原北陵）とされる。

学 天皇系図

バンゼッティ，バルトロメオ

政治

バルトロメオ・バンゼッティ　1888～1927年

サッコ・バンゼッティ事件の当事者

アメリカ合衆国のイタリア系移民、冤罪事件の当事者。

北イタリアの農家に生まれる。1908年、アメリカに移住。魚の行商人などさまざまな職業につくあいだにアナキスト（無政府主義者）となり、第一次世界大戦がおこると、徴兵をのがれてメキシコに逃亡した。戦後、マサチューセッツ州にもどり、ふたたび魚の行商をいとなんだが、1920年に強盗殺人事件の犯人として友人の靴職人サッコとともに逮捕される。そして、証言のみで明確な証拠もないなか、死刑判決がくだされた。

移民のアナキストという理由で罪に問われる、思想と人権に偏見をもった裁判だと世界中から批判され、釈放運動がおこった。しかし、裁判に誤りはないという判断により、1927年に死刑が執行された。

もっとも有名な冤罪事件といわれ、処刑から50年後、マサチューセッツ州知事は2人の無実と名誉回復を表明した。

バンダービルト，コーネリアス

産業

コーネリアス・バンダービルト　1794～1877年

アメリカの「鉄道王」とよばれた

アメリカ合衆国の海運業者、鉄道業者。

ニューヨーク湾の入口にあるスタテン島に生まれる。16歳のとき、スタテン島とニューヨークのマンハッタンをむすぶ船の輸送業にたずさわり、1818年、蒸気船輸送を開始した。その後、他地域へと路線を広げ、1850年、中央アメリカのニカラグアを横断してカリフォルニアにむかう船の路線を開拓。当時ゴールドラッシュにわくカルフォルニアへむかう人を大量に輸送し、巨万の富を得た。さらにアメリカ～フランス間などをむすぶ大西洋を横断する航路に進出した。1861年、南北戦争がはじまると、鉄道業に関心をしめし、ニューヨーク・ハーレム鉄道に出資。1867年、ニューヨーク・セントラル鉄道の社長に就任し、さらにシカゴへの幹線鉄道網をめぐらせ、アメリカを代表する鉄道王となった。晩年には慈善活動にも目をむけ、大学設立のために寄付。彼の名を冠したバンダービルト大学がテネシー州に開校した。

はんちょう

政治

班超　32～102年

西域をおさめ甘英をローマに派遣

▲新疆ウイグル自治区喀什市の班超記念公園にある班超像

中国、後漢の西域支配に貢献した武将。

洛陽で学問を学んでいたが、73年、武人として名をあげようと北匈奴の遠征に参加。その戦いで軍功をみとめられ、西域諸国への使者に任命される。鄯善（中央アジアにあった国、楼蘭）遠征の際には、北匈奴の使者らも多く滞在しているなか、わずかな部下を「虎穴に入らずんば虎子を得ず」と勇気づけて奇襲をかけ、北匈奴の使者らを屈服させた。これにより、鄯善も後漢に降伏した。以降も西域で活躍し、于闐や亀茲など50あまりの国を服属させ、西域都護に任命された。班超の活躍により、西域の南半分が後漢に服属することとなった。また、部下の甘英をさらに西の大秦（ローマ帝国）につかわして国交を求めたが、たどりつけず失敗に終わった。

31年間、西域で活躍したのち、故郷へ帰る嘆願書を国へ送り、みとめられて帰国。しかし帰国後わずか1か月で病死した。後漢の西域経営は、班超の子、班勇にひきつがれたが、その後は人材にめぐまれず、西域諸国ははなれていった。

ハント，ウィリアム・ホルマン

絵画

ウィリアム・ホルマン・ハント　1827～1910年

自然に忠実な描写を重んじた画家

イギリスの画家。

ロンドン生まれ。1844年よりロイヤル・アカデミー（王立美術学院）で学び、在学中に知り合ったミレイ、ロセッティらとともに、1848年にラファエル前派を結成する。美術評論家ラスキンの影響を受け、自然に忠実な描写をすることで、神への信仰心があらわせると信じた。熱心なキリスト教信者で、宗教画をえがくための正確な知識を得るために、1854年から3回にわたり、聖地エルサレムをおとずれた。代表作は、キリストが人間の魂のとびらをたたくようすをえがいた『世の光』、登場人物の心理を細かく表現した『良心の目覚め』、神話を題材にした『雇われ羊飼い』などがある。

ハンニバル

政治

ハンニバル　紀元前247?～紀元前183年

ローマ軍を追いつめた世界屈指の戦術家

カルタゴの将軍。

幼少のころ、父とともにイスパニア（現在のスペイン）にわたり、父の死後、25歳でカルタゴの将軍となる。ローマの同盟市サグントゥムを攻撃し、紀元前218年からは、第2次ポエニ戦争（ハンニバル戦争）をおこした。10万人以上の大軍と37頭のゾウをひきいて、イスパニアからガリア（フランス）を通り、雪のアルプスをこえて、北イタリアへ侵入。イタリア各地で連戦連勝し、紀元前216年のカンネーの戦いでは、たくみな戦術で大勝、勢いは首都ローマにまでせまった。しかし、長期の遠征と持久戦によりカルタゴ軍は疲弊し、紀元前204年には、カルタゴ本土をローマ軍に攻撃される。ハンニバルは本国へよびもどされたが、紀元前202年、ザマの戦いで将軍スキピオのひきいるローマ軍にやぶれ、第2次ポエニ戦争は敗北に終わった。その後もハンニバルは将軍職にとどまり、国の行政にもかかわった。しかし、親ローマ派が台頭したため、国を脱走し、亡命先で自殺した。

ばんのぶとも

学問

伴信友　1773～1846年

歴史や古典を精密に研究した

（国立国会図書館）

江戸時代後期の国学者。若狭国小浜藩（現在の福井県小浜市）の藩士の子として生まれる。1786年、14歳で江戸詰の小浜藩士伴信当の養子になって、江戸（東京）へ移った。

1801年、国学者本居宣長の『古事記伝』を読んで影響を受け入門を申し入れたが、まもなく宣長が亡くなったため、宣長の養子本居大平に師事して国学を学んだ。1821年、49歳で隠居して、学問に専念した。精密な考証によって、古典と歴史の研究に業績をあげ、国学者の平田篤胤らとともに天保の四大家の一人といわれた。著書に672年の壬申の乱を考証した『長等の山風』や、『日本書紀』改削説をはじめとした、国史や言語・故事などの考証を集めた全20巻からなる『比古婆衣』などがある。

ハンムラビおう

王族・皇族

ハンムラビ王　生没年不詳

『ハンムラビ法典』を制定したバビロニアの王

▲ハンムラビ法典のきざまれた石柱

古代メソポタミア、バビロン第1王朝の第6代王（在位紀元前1792?～紀元前1750?年）

ハムラビともいう。即位したときのバビロンは、大国にはさまれた弱小国で、北のアッシリアに支配されていた。やがて、国力を充実させると、アッシリアなどの周辺諸国を次々にやぶり、メソポタミア全土を統一した。以降、これらの地域は、バビロニアとよばれるようになる。

ハンムラビ王は、運河を整備し、かんがい工事をおこなって、農業をさかんにした。また、納税制度や軍事制度をととのえ、交易や商業を保護し、バビロン第1王朝の全盛期を築いた。晩年、全282条からなる。世界で2番目に古い法典のハンムラビ法典を制定。身分によってことなる刑罰がもうけられていたが、人種や宗教による差別はなかった。また、「目には目を、歯には歯を」という同害復讐の原則をつくり、被害を受けた以上の復讐を禁じた。後書きには、「強者が弱者を虐げないように」ということばものこされている。

ばんりゅうしょうにん

郷土

播隆上人　1782～1840年

槍ヶ岳の登山道を整備した僧

江戸時代後期の山岳修行僧。

越中国新川郡河内村（現在の富山県富山市）で一向宗（浄土真宗）の門徒の家に生まれた。1804年、19歳で出家して、僧になった。1823年、飛騨山脈の笠ヶ岳（岐阜県、標高2897m）に登頂した。1826年、笠ヶ岳の東方にある槍ヶ岳（長野県・岐阜県）への登山を志し、上高地（長野県松本市）から梓川をさかのぼって、槍ヶ岳の肩まで登った。2年後の1828年、槍ヶ岳に初登頂し、仏像を安置する厨子を設置して、阿弥陀如来像などをおさめた。その後、播隆は人々が槍ヶ岳に登れるように何度も槍ヶ岳に登って、難所に綱や鉄の鎖をかけるなど、登山道を整備した。

ばんれきてい

王族・皇族

万暦帝　1563～1620年

明滅亡のきっかけをつくった皇帝

中国、明の第14代皇帝（在位1572～1620年）。

神宗ともいう。隆慶帝の第3子、姓名は朱翊鈞。1568年に皇太子となり、父が急死したため、10歳で即位。張居正が首輔（首相、首席大学士）となって、政務全般をおこなった。幼少のころはかしこく、政務もこなしながら張居正に勉学を教わる。張居正は、国家の規律をととのえ、財政の再建に成功。しかし、張居正が亡くなるとまもなく、政務をほうりだすようになる。重税によって内乱があいつぎ、豊臣秀吉と戦うための朝鮮、寧夏、貴州への出兵、清の台頭、国内の党の派閥争いの激化など、国の政治は混乱した。それでも、政治に関心をもたず、国費を浪費しつづけ、明は一気に衰退。『明史』では、「明朝は実に神宗によって滅亡した」と評されている。

学 世界の主な王朝と王・皇帝

ひ

Biographical Dictionary 3

ピアス，フィリパ

絵本・児童

フィリパ・ピアス　1920～2006年

『トムは真夜中の庭で』の作者

イギリスの児童文学作家。

イングランド中東部ケンブリッジシャー生まれ。実家は製粉業をいとなむ。ケンブリッジ大学と大学院を卒業する。放送局の台本作家や大学出版局の編集者をへて、1955年にはじめての物語『ハヤ号セイ川をいく』を書き、児童文学作家としてデビューする。少年が時代をこえて少女時代のおばあさんと真夜中に会いに行く『トムは真夜中の庭で』は、テンポのよい場面展開が評価され、時間ファンタジーの傑作とよばれ、映画やテレビドラマになっている。1958年にはカーネギー賞を受賞。

ほかの作品に、ペットのイヌがほしくてたまらない少年とその家族をえがいた『まぼろしの小さい犬』や、家族の秘密をテーマにした『サティン入江のなぞ』などがある。

ピアリー，ロバート

探検・開拓

ロバート・ピアリー　1856～1920年

人類ではじめて北極点に到達

アメリカ合衆国の北極探検家、海軍軍人。

ペンシルベニア州に生まれる。ボードイン大学卒業後、海軍測量技師となり、ニカラグア運河の調査をまかされる。1886年からグリーンランドを探検し、島であることを確認。1891～1895年のあいだにも2回グリーンランドを横断し、氷河が北緯82度の地点まであることを発見した。この探検で、氷河の形成や、イヌイットの民俗研究に貢献した。

その後、北極点をめざして探検を開始。1900年に、両足の指7本を失いながらも、グリーンランドの最北端沖北緯83.50度に到達。翌年には海氷上の北緯84.17度、1906年には北緯87.07度に進む。そして1909年4月6日、6回目の挑戦で、ついに北緯90度、北極点に立ったとされる。

探検から帰ると、アメリカの探検隊のフレデリック・クックが、5日前に北極点に到達したと報じられており、論争になる。アメリカ地理学会による調査の結果、ピアリーが人類ではじめて北極点に到達した人物とみとめられたが、どちらが先に到達したかについては議論がある。

ビアンキ，ビタリイ

絵本・児童

ビタリイ・ビアンキ　1894～1959年

自然のすばらしさを伝えつづけた

ソビエト連邦（ソ連）の児童文学作家。

サンクトペテルブルク生まれ。自然科学者だった父の影響で、幼いときから自然や動物に親しんだ。ペテルブルク大学に入学して生物学を専攻し、学術調査で各地へおもむき、自然観察をおこなった。1923年からこどもむけの雑誌に『森のおうち』『初めての狩』『みなし子のムルズク』などの作品を発表しはじめる。1928年には、動植物を12か月に分けて記録した『森の新聞』を刊行した。読み物やクイズなどをもりこんだ新聞や雑誌のような形態の記録物語で代表作とされる。自然を心から愛し、学者としての知識のほかに、こどもたちに自然のすばらしさや自然を守ることのたいせつさを伝えつづけた。

ヒース，エドワード

政治

エドワード・ヒース　1916～2005年

ECへの加入を実現した労働者階級出身のイギリス首相

イギリスの政治家。首相（在任1970～1974年）。

大工の子として生まれ、奨学金でオックスフォード大学を卒業。1950年、保守党から下院議員となった。保守党院内総務をつとめたのち、マクミラン内閣で労働大臣などを歴任、1961年には、ヨーロッパ経済共同体（EEC）の加盟交渉にあたった。加盟は失敗したが、すぐれた交渉力が評価される。1965年、保守党党首となり、1970年の総選挙で首相に就任。1973年、イギリスのヨーロッパ共同体（EC）加入を実現。一方、労働問題や北アイルランド紛争には強硬な姿勢をとった。1974年の総選挙でやぶれて首相を退任、翌年には党首選挙でサッチャーにやぶれた。2001年、政界を引退した。

学 主な国・地域の大統領・首相一覧

ピウスツキ，ユゼフ

政治

ユゼフ・ピウスツキ　1867～1935年

ポーランド共和国の初代大統領

ポーランドの政治家。大統領（在任1918～1922年）、首相（在任1926～1928年、1930年）。

貴族の家に生まれる。ハリコフ大学に在学中、ロシアからの独立運動に参加。1887年にロシア皇帝暗殺計画に加わったとして逮捕され、シベリアに流刑となる。1892年にポーランドに帰国し、翌年、ポーランド社会党に入った。1894年から新聞『労働者』を発行して、ふたたび逮捕されるが脱走。日露戦争中の日本に来日し、ポーランド独立の支援をよびかけるが失敗した。第一次世界大戦ではポーランド軍を組織し、ドイツ、オーストリアに協力してロシアに対抗したが、ドイツ占領政府によって投獄された。

帰国後、独立したポーランド共和国の初代大統領となると、領土の回復をめざしてソビエト連邦（ソ連）と戦い勝利。新しい憲法への不満から引退するが、1926年にクーデターをおこし、陸軍大臣、首相として独裁政治をおこなった。

ひえだのあれ

貴族・武将

稗田阿礼　生没年不詳

『古事記』の編さんに協力した

（舎人親王画像　附収：稗田阿礼・太安万呂／東大史料編纂所所蔵模写）

飛鳥時代～奈良時代の役人。舎人といわれる下級役人として、天武天皇につかえた。きわめて聡明で、生まれつき記憶力にすぐれ、一度聞いたことは二度とわすれなかったという。684年ころ、28歳のとき、正しい記録を伝えようと考えた天武天皇にその能力を評価されて、天皇家の系譜を記録した『帝紀』、神話や伝説を記録した『旧辞』の誦習（くりかえし読み暗記すること）を命じられた。686年、天武天皇が亡くなったので作業は一時とだえたが、711年、天皇の歴史書編さんの遺志を受けつぐいだ元明天皇が、役人の太安万侶に命じて、稗田阿礼の暗記していた事がらを記録させ、712年、『古事記』として完成させた。

稗田阿礼は女官をだす一族の出身だったので、女性ではないかという説もあるが、『古事記』に舎人としるされているので、男性だとされる。

ピカール，オーギュスト

学問

オーギュスト・ピカール　1884～1962年

気球で成層圏を、潜水調査船で深海を探検した物理学者

20世紀のスイスの物理学者、気象学者、探検家。

北西部のバーゼル生まれ。チューリヒ工科大学を卒業後、ブ

リュッセル大学の物理学教授に就任。1931年、みずから設計した密閉キャビンつきの水素気球に乗り、高度1万6940mの成層圏まで、世界ではじめて上昇。オゾンや宇宙線、空中電気などを観測した。

この功績で、最優秀飛行家に贈られるハーモン・トロフィーを受賞した。その後、合計27回おこなった浮上実験で、最高2万3000mに到達している。

1930年代には深海探検を開始、気球から発想を得て、バチスカーフとよばれる浮力材にガソリンをつかった深海潜水艇を1948年に開発。

1954年、深度4000mに到達する。1960年には、アメリカ軍所有の2代目バチスカーフ「トリエステ号」に息子のジャック・ピカールらが搭乗して、地球表面の最深部であるマリアナ海溝チャレンジャー海淵への水深1万mをこえる潜水を成功させた。

ひがしくにのみやなるひこおう

王族・皇族

東久邇宮稔彦王　1887〜1990年

皇族出身の唯一の内閣総理大臣

（国立国会図書館）

明治時代〜昭和時代の皇族、軍人、政治家、第43代内閣総理大臣（在任1945年）。

久邇宮朝彦親王の第9王子として、京都に生まれる。1906（明治39）年に東久邇宮の宮号をあたえられ、宮家を創設。陸軍士官学校、陸軍大学校を卒業し、1920年、フランスへ留学する。

帰国後は、陸軍師団長、陸軍航空本部長などを歴任した。第二次世界大戦後、敗戦処理のために皇室の権威が必要という理由で、内閣総理大臣に任命され、最初で最後の皇族内閣を組織した。連合国に対する降伏文書に調印し、軍を解体し、連合国軍最高司令官総司令部（GHQ）の受け入れを実施するなど、戦後の処理を進めた。国民に対して「一億総ざんげ」を説いて、国内の混乱をおさめようとするが、民主化政策をめぐりGHQと対立し、歴代内閣の中でも最短の54日で総辞職した。1947（昭和22）年、皇籍をはなれる。

その後は、食料品店や喫茶店の開業、宗教団体の設立など、さまざまな事業をおこすが、いずれも長つづきせず、102歳で亡くなった。

学 歴代の内閣総理大臣一覧

ひがしやまかいい

絵画

東山魁夷　1908〜1999年

風景画をえがきつづけた日本画家

昭和時代の日本画家。

神奈川県生まれ。本名は新吉。東京美術学校（現在の東京藝術大学）日本画科に入学し、結城素明らの教えを受ける。在学中の1929（昭和4）年に帝国美術院展覧会（帝展）で初入選した。1933年から2年間、ドイツに留学した。1947年、日本美術展覧会（日展）にだした『残照』が特選となり、風景画に専念する。1950年の『道』で、風景画家としての地位を確立し、1956年、『光昏』で日本芸術院賞を受賞した。

日本各地の風景だけでなく、北欧、ドイツ、オーストリア、中国にも取材してえがいた風景画は、簡潔な構成の中に深い精神性をたたえ、人気を集めた。1960年に東宮御所の壁画『日月四季図』をえがき、1968年には皇居新宮殿の壁画『朝明けの潮』を制作し、翌年の毎日芸術大賞を受賞した。1969年に、文化勲章を受章した。1973年からは、代表作となる大作、唐招提寺御影堂障壁画をえがいた。

学 文化勲章受章者一覧

ひがしやまてんのう

王族・皇族

東山天皇　1675〜1709年

幕府と安定した関係を築いた

江戸時代中期の第113代天皇（在位1687〜1709年）。霊元天皇の子。即位する前は朝仁親王とよばれた。1687年、13歳で即位した。はじめ霊元上皇（譲位した霊元天皇）による院政がおこなわれたが、1693年、実権をにぎると江戸幕府との関係の安定につとめた。第5代将軍徳川綱吉の支援により、300年あまりとだえていた立太子の儀や、天皇が即位後はじめておこなう儀式の大嘗祭をはじめ、新嘗祭、賀茂祭などの朝廷の儀式を復興させた。

1701年、東山天皇の勅使の接待をめぐり、播磨国赤穂藩（現在の兵庫県赤穂市）の藩主、浅野長矩が吉良義央（上野介）と対立し、江戸城内で切りつけるという元禄赤穂事件がおきた。

1709年、子の中御門天皇に譲位して上皇になったが、まもなく天然痘にかかり亡くなった。

学 天皇系図

ピカソ, パブロ

→ 200ページ

ひきよしかず

貴族・武将

比企能員　？～1203年

鎌倉幕府第2代将軍頼家の外戚として権勢をふるった

▲比企能員木像　（妙本寺）

鎌倉時代前期の武将。

武蔵国比企郡（現在の埼玉県比企郡）の豪族。源頼朝の乳母比企尼の養子。妻は源頼家の乳母、娘の若狭局は頼家の妻となった。1184年、源範頼にしたがい、平氏追討の軍をひきいた。1189年、奥州藤原氏追討の合戦では北陸道大将軍に任命された。頼朝の側近として活躍し、1190年、右衛門尉（宮中の警備などをおこなう右衛門府の督、佐に次ぐ官職）となった。そのころ上野国（群馬県）の守護、のちに信濃国（長野県）の守護をつとめた。

1199年、頼朝の死後、鎌倉幕府第2代将軍頼家の外戚として権勢をふるって北条氏をしのぐようになり、幕府の合議衆13人の一人となった。1203年、頼家が重病になったとき、北条時政は関東と関西の地頭職と守護職を、若狭局の子の一幡と頼家の弟の千幡（源実朝）に相続させることをかってに決めた。

この決定に不満をいだいた能員は頼家に時政の専横をうったえ、頼家は時政追討を命じた。しかしこのくわだては北条政子を通じて時政に伝えられた。能員は仏事の相談があるというさそいに乗って時政の屋敷に出むいて殺され、一族も一幡とともにほろびた（比企の乱）。

ひぐちいちよう

文学

樋口一葉　1872～1896年

人々の悲しさ、くやしさをえがいた

（台東区立一葉記念館）

明治時代の作家、歌人。

東京内幸町（現在の千代田区）の長屋で生まれる。本名は奈津（夏子、なつとも称した）。父は明治政府で警視庁に勤務していた。幼いころから向学心に燃え、小学校の転入学をつづけ、1883（明治16）年に12歳で青海学校小学高等科を首席で卒業する。1886年、15歳で小石川安藤坂（現在の文京区春日）にあった歌人、中島歌子の歌塾、萩の舎に入る。当時の萩の舎は、皇室や上流階級からも生徒が集まり、1000人以上をかかえていた。そこで和歌や書道、古典を学び教養を身につけた。

1889年、18歳のとき父親が亡くなり、一家の生活をになう。やがて、萩の舎の先輩が小説を発表したことに刺激され、東京朝日新聞記者の半井桃水に近代小説の手法を学びはじめる。このころより小説家を志し、「樋口一葉」のペンネームをつかった。

1892年、桃水の主宰する雑誌『武蔵野』に、はじめて書いた小説『闇桜』を発表する。さらに雑誌『都の花』で『うもれ木』の連載がはじまり、これが出世作となった。

1895年、『ゆく雲』を雑誌『太陽』に発表し、一躍有名になる。このころ、『大つごもり』『たけくらべ』『にごりえ』『十三夜』と立てつづけに作品を発表した。

貧しい生活、下町の風物を背景にゆれ動く思春期の少女の心、恋に傷ついた男女の悲劇などを小説にする。社会でめぐまれず、思いどおりに生きられない人々の悲しさやくやしさを情緒豊かにえがいた。

将来を期待されたが、肺結核で25年の短い生涯を終えた。ほかに4000首に近い和歌や、晩年までの日記をのこしている。

学 お札の肖像になった人物一覧　学 切手の肖像になった人物一覧

ひぐちきいちろう

政治

樋口季一郎　1888～1970年

ユダヤ人難民を助けた軍人

明治時代～昭和時代の軍人。

兵庫県本庄村（現在の南あわじ市）の地主の子として生まれた。1902（明治35）年、大阪陸軍幼年学校に入り、18歳のとき、岐阜県大垣市の樋口家の養子となった。

1909年、陸軍士官学校に入りロシア語を学び、卒業後陸軍大学校をへて、第一次世界大戦後の1919（大正8）年、革命後のソビエト連邦（ソ連）のウラジオストクへおもむいた。1925年、ポーランドの駐在武官としてワルシャワに行き、ソ連の情報を得ようとした。

1937（昭和12）年、日中戦争がおこったのち、中国東北部に日本が建国した満州国の都市ハルビンの特務機関長（特殊任務をおこなう機関の長官）となった。樋口はナチスドイツに迫害されているユダヤ人難民に同情する態度をしめしたが、関東軍はドイツと日本の関係を悪くするというのではげしく批判した。1938年3月、ソ連と満州の国境沿いにあるオトポール駅に18名のユダヤ人が避難してきた。ユダヤ人たちは満州国への入国を求めたが関東軍の支配する満州国は拒否した。これに対し樋口は人道的立場からユダヤ人たちへ食料や衣類などを配給し、入国をみとめ、その後200名以上のユダヤ人を救った。

日本の敗戦後、ソ連は樋口を戦犯と指名したが、世界中のユダヤ人有力者が樋口救済運動をおこなった結果、樋口は保護された。ユダヤ人の難民を救った樋口はイスラエルで杉原千畝とともにその功績をたたえられている。

パブロ・ピカソ

20世紀美術の先頭に立って活躍した最大の芸術家

▲パブロ・ピカソ　65歳ごろ。
(Michel Shima『アンティーブにて腕を組むパブロ・ピカソ』(1946年) より)

■幼少のころから絵の才能を発揮

スペインの画家。

南部の港町マラガに生まれる。父は美術工芸学校の教師。幼少のころから絵をかくのが好きで、8歳のころには油絵をかきはじめた。1891年、父の転勤のため、スペイン北西部のアコルーニャ(ラ・コルーニャ)に引越し、翌年、美術学校に入学。デッサンや水彩画、油絵など美術の基礎を身につけた。

1895年、スペイン南東の都市バルセロナに移住し、ラ・ロンハ美術学校で学んだ。1897年、マドリードの官展に『科学と慈愛』を出品し佳作を受賞した。1898年、マドリードの王立美術学校(サンフェルナンド美術アカデミー)に入学したが、アカデミーのかた苦しい雰囲気になじめず、翌年にはバルセロナにもどり、若い芸術家が集まる居酒屋「四匹の猫」を拠点に詩人や作家、画家たちと交流を深めた。

■「青の時代」から「バラ色の時代」へ

1900年、19歳のとき、はじめてパリをおとずれ、ロートレックやゴッホ、ゴーガンの作品に感銘を受け、翌年、2回目にパリをおとずれたころから、青を基調として、社会の底辺で孤独や絶望、悲しみなどをかかえて生きる人々の姿を、自分の貧しさと重ねあわせて、えがくようになった。その色調から、このころの作風は「青の時代」とよばれた。その後も、ピカソは次々に主題や画風、画法をかえて、さまざまな表現に挑戦していった。またこの2回目の滞在のとき、パリのボラール画廊で個展をひらき、パリでも名が知られるようになった。

▲『人生』「青の時代」の代表的な作品(1903年)。

1904年、4回目のパリ訪問のとき、前衛的な画家や詩人たちが住んでいたモンマルトルの集合アトリエ「洗濯船」に移り、サーカスの曲芸師や旅芸人の絵をえがきつづけた。このころから、青一色だった画面は自然のやわらかな色にかわり、人物の表情もおだやかになった。赤みがかったあざやかな色が加わったこのころの作風は、「バラ色の時代」とよばれた。また、作品が少しずつ売れるようになった。

▲『曲芸師の一家』サーカスの曲芸をする人たちをえがいた「バラ色の時代」の作品。このころから明るい色をとりもどした(1905年)。

■キュビスムと新古典主義

1906年ごろ、アフリカの彫刻や古代イベリア(スペインやポルトガルがある地域)の彫刻にふれて、形を単純化させた生命力あふれる原始美術に関心をもつようになった。また、フランスの画家セザンヌの「自然を円すい、円筒、球体によって処理する」という考えをおし進め、実際に目にみえるとおりにえがくのではなく、単純な形に分解して、画面に新しい世界を創造しようとした。フランスの画家ブラックとともに新たに切りひらいたこの考えと表現は、「キュビスム(立体主義)」とよばれた。そのはじまりとされるのが、『アビニョンの娘たち』(1907年)だった。

1917年、フランスの詩人で作家のコクトーとローマに行き、ロシアバレエ団が上演する『パラード』の舞台装置や衣装をデザインした。この旅行により、イタリア絵画の写実的で古典的な形式にふれた。また、ロシアバレエ団のバレリーナ、オルガと出会い、翌年、結婚した。南フランスでの生活や、長男ポールの誕生など、

▶『アビニョンの娘たち』キュビスムの最初の作品とされている。左端や右の2人の娘はアフリカやオセアニアの彫刻のような顔をしている(1907年)。

シュールレアリスム

フランスの詩人アンドレ・ブルトンを中心に、1920年代に生まれた前衛芸術運動。超現実主義ともいう。心の奥底にひそむ無意識の世界や、非現実的な夢の世界などを浮かび上がらせて、理性や道徳の束縛からのがれた自由な精神を表現しようとした。詩人ではエリュアール、画家ではエルンスト、ダリ、ミロらがいた。彼らとの交流を通して、ピカソは心の内面に渦巻く現実への恐怖、苦悩や悲しみなどを強調してえがくようになった。『泣く女』は『ゲルニカ』の習作の1点としてえがかれた。

▲『泣く女』 1937年の作品。

まわりの環境がかわるにともない、画風も人間性の回復を求めるような、どうどうとした肉体や躍動感あふれる女性像をえがくようになった。この時代の作風は、「新古典主義の時代」とよばれた。1925年ごろから、前衛芸術運動のシュールレアリスムを主導するフランスの詩人ブルトンやエリュアールとの交流が深まり、人間の内面にかくされた複雑な感情や欲望などの表現が、さらに強調されてゆがみをもつようになった。

■パリ万博に『ゲルニカ』を展示

1936年7月、スペインでは民主勢力を結集した左派の人民戦線政府と、右派のフランコ将軍を中心とする反乱軍とのあいだで内戦が勃発した。ピカソは人民戦線政府からマドリードのプラド美術館の館長に任命され、また、翌年のパリ万国博覧会のスペイン館に展示するための壁画を依頼された。1937年4月26日、バスク地方のゲルニカの町がフランコ将軍を支援するナチスドイツの空軍により無差別爆撃を受け、多くの市民が虐殺されると、ピカソは壁画制作にとりかかり、1か月あまりで『ゲルニカ』を完成した。黒と白、灰色だけの絵の具をつかって、悲しみや怒りをはげしく表現した巨大な作品は、パリ万博で展示され大きな反響をよんだ。

第二次世界大戦中は、ドイツ軍に占領され物資や食料が不足するパリで、ドイツ軍に抵抗しながら静物画などを中心にえがきつづけた。1944年にパリが解放されると、共産党に入党し、戦争と平和への関心を高めた。1950年に朝鮮戦争がはじまると、『戦争と平和』『朝鮮の虐殺』などの大作をえがいた。

■版画や陶器を大量に制作

1950年代以降、自由な明るさや、遊び心、並はずれた生命力をもった版画や陶器などを大量に制作した。また、ベラスケスの『ラス・メニーナス』や、マネの『草上の昼食』などの名作を題材として、奔放な想像力をめぐらした連作を生みだした。最後まで旺盛に作品をつくりつづけ、1973年4月8日、南フランスの小さな村ムージャンで、91歳で亡くなった。

ピカソは、油絵のほかにも水彩、素描、版画、壁画、彫刻、陶芸、舞台装置など、あらゆる造形の分野で多面的な活動をおこない、約8万点といわれる作品をのこした。様式は写実主義からシュールレアリスムにいたるまで幅広く、技法も主題もさまざまで、20世紀美術をリードした最大の画家とよばれている。

学 日本と世界の名言

ピカソの一生

年	年齢	主なできごと
1881	0	10月25日、スペインのマラガで生まれる。
1897	16	マドリードの官展で『科学と慈愛』が佳作に。
1900	19	パリへ旅行。ゴッホやロートレックの作品にふれる。
1901	20	このころから「青の時代」に入る。
1904	23	パリのモンマルトルのアトリエに住む。「バラ色の時代」へ。
1907	26	『アビニョンの娘たち』をえがく。「キュビスムの時代」へ。
1919	38	「新古典主義の時代」に入る。
1925	44	シュールレアリスムのグループとの交流深まる。
1937	56	『ゲルニカ』をえがく。
1952	71	『戦争と平和』をえがく。
1973	91	4月8日、南フランスのムージャンで亡くなる。

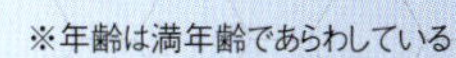

※年齢は満年齢であらわしている

▼『ゲルニカ』 縦349.3cm、横776.6cm。この巨大な壁画を1か月あまりで完成させた（1937年）。

ビクトリアじょおう

王族・皇族

ビクトリア女王　1819〜1901年

イギリス帝国の栄光のシンボル

イギリス、ハノーバー朝の第6代女王（在位1837〜1901年）、インド女帝（1877〜1901年）。

ロンドンのケンジントン宮殿に生まれる。父は国王ジョージ3世の4男のケント公で、生まれて8か月のときに亡くなった。母はドイツ東部のザクセンのコーブルク・ゴータ公国の王女で、ビクトリアをドイツ人の養育係に育てさせた。1837年、おじの国王ウィリアム4世が亡くなると、ビクトリアは18歳でイギリスの王位についた。

1840年、21歳のときに、母方のいとこにあたるアルバートと結婚した。アルバートは王室の使用人らのむだづかいをおさえ、王室の評判を回復。また出産などでいそがしかったビクトリアを政治の面で助けて、広く国民の信頼を得ることに貢献した。1851年にロンドンでおこなわれた万国博覧会では、中心となってはたらき大成功をもたらしたほか、工業技術や芸術の発展に力をつくした。

1861年にアルバートが亡くなると、その後はいつも喪服を着て、公の場に出ることをさけるようになったが、政治には強い関心をもって、首相の人事や外交にまで意見をのべた。1870年代に保守党のディズレーリが首相につくと、信頼を寄せた彼の助言を入れて国民の前に姿をみせるようになり、帝国主義政策を進めるディズレーリをあとおししてインド皇帝の座についた。世界中に広大な植民地をもったイギリス帝国の象徴として、女王の存在はますます大きくなり、1887年の即位50周年、1897年の60周年の記念祝典は、世界各地のイギリス植民地から代表が集まり、盛大におこなわれた。

1901年、64年におよぶ長い治世を終え、81歳で亡くなった。夫とのあいだに王子4人、王女5人をもうけ、長男エドワードがエドワード7世としてあとをついだ。また、長女のビクトリアはプロイセンのフリードリヒ（のちのフリードリヒ3世）にとつがせるなど、こどもたちはいずれもヨーロッパの諸王家と姻戚関係をむすび、外交でも重要な役割をはたした。

この時代のイギリスは、産業革命による経済発展が最盛期に達し、中産階級が成長をとげ、労働者にも選挙権があたえられるなど議会制民主主義が発達したときで、女王は夫アルバートをはじめ歴代の首相に助けられ、「君臨すれども統治せず」という現代の君主制の模範をつくったといわれている。

学 世界の主な王朝と王・皇帝

ビゴー，ジョルジュ

絵画

ジョルジュ・ビゴー　1860〜1927年

日本を風刺画で紹介したフランス人画家

▲ジョルジュ・ビゴー　（美術同人社）

明治時代に日本で活躍したフランス人画家、漫画家。

フランスのパリ生まれ。1872年、高等美術学校のエコール・デ・ボザールに入学するが、1876年に退学し、新聞や雑誌のさし絵の仕事をはじめる。作家のエミール・ゾラや版画家のフェリックス・ビュオらと交際するなか、フランスの文化人のあいだで広まっていたジャポニスム（日本趣味）を知る。ゾラの小説『ナナ』のさし絵などをえがいたが、日本への関心は強く、1882（明治15）年に来日する。同年10月から2年間、陸軍士官学校で、絵画の講師をつとめる。1883年には日本を題材にした銅版画集『あさ』『おはよ』を刊行した。

士官学校をやめたあとは、『郵便報知新聞』や『改進新聞』などにさし絵、『団団珍聞』に漫画を発表するかたわら、中江兆民の仏学塾でフランス語を教える。1886年、銅版画集『クロッキ・ジャポネ』を刊行した。1887年には、在日フランス人むけの風刺漫画雑誌『トバエ』を創刊し、当時の条約改正問題、内外の政治や日本人の生活などについて、するどくえがいた風刺画をのせたため、警察の監視下におかれた。また、日本各地の風習や災害などを取材し、なまなましいスケッチをのこしている。以後も、雑誌や画集をさかんに出版した。

1894年、日本人女性と結婚した。同年に日清戦争がはじまると、イギリスの新聞『ザ・グラフィック』の特派員として、中国東北部や朝鮮半島におもむき、日本人が目をむけなかった戦地の人々や戦争の悲惨さをえがいた。しかし、日清戦争が終わると、条約改正によって外国人居留地が撤廃され、軍国化によって言論が弾圧されることなどをおそれ、1899年に妻と別れ、息子をともなって、帰国した。この年には、代表作となる全6作のシリーズ『日本人生活のユーモア』を出版している。帰国後、雑誌や新聞のさし絵画家として活動した。とくに日露戦争の時期には、日本にくわしい画家として、さまざまな日本のスケッチを発表した。晩年は、エピナール版画とよばれる大衆むけ版画の下絵をえがいた。

▲ビゴーのえがいたさし絵

ピサロ，カミーユ

絵画

カミーユ・ピサロ　1830〜1903年

印象派を代表する風景画家

フランスの画家。

カリブ海のセントトマス島で、貿易商の家に生まれる。家業をてつだっていたが、画家を志して1852年にベネズエラのカラカスへ出た。1855年にはフランスのパリ国立美術学校に入学する。同年のパリ万国博覧会で、コローやクールベの作品をみて、心を打たれる。

写実的で戸外でのスケッチを重視する印象派の手法で、田園や都会の町並みなど数々の風景画をえがいた。1874年、最年長の44歳で第1回印象派展に出品する。印象派展には、第8回の最終回までただ一人毎回出品しつづけた。

誠実な性格で人望も厚く、モネやルノアール、ゴッホらと親交があり、セザンヌ、ゴーガン、カサットなどに影響をあたえた。代表作に『赤い屋根』『りんご採り』『テアトル・フランセ広場』などがある。こどもが8人いたが、そのうち息子5人全員が画家となった。

ピサロ，フランシスコ

探検・開拓

フランシスコ・ピサロ　1475?〜1541年

インカ帝国を滅亡させた征服者

スペインの探検家、新大陸征服者。

スペインの下級貴族に生まれる。1513年、バルボアのパナマ植民に参加し、太平洋到達の遠征にも同行した。黄金の地（ペルーのこと）のうわさを聞き、探検家ディエゴ・デ・アルマグロとともに、南アメリカ西海岸を航海して探検し、インカ帝国の存在を知った。1528年に帰国して、スペイン王カール1世からペルー支配の許可や征服の権利、搾取の特権、貴族の位を得る。1531年、180人あまりの遠征隊を組織してパナマを出航し、翌年、インカ帝国の都クスコに入る。インカ帝国の皇帝アタワルパを不意打ちしてとらえると、約1万人の住民を虐殺して、ばく大な財宝をうばった。さらに1533年には、アタワルパを殺し、クスコを占領。インカ帝国を滅亡させた。その後、海岸地方に「諸王の都」（現在のペルー、リマ市）を建設して、植民地支配に乗りだしたが、アルマグロとクスコの支配権をめぐって対立。内戦状態となり、アルマグロ派によって、暗殺された。

ひじかたとしぞう

幕末

土方歳三　1835〜1869年

新選組副長として京都の警備にあたった

（国立国会図書館）

幕末の新選組副長。

武蔵国多摩郡石田村（現在の東京都日野市石田）に生まれる。近藤勇とともに天然理心流の道場で剣術を学んだ。1863年、江戸幕府第14代将軍徳川家茂の上洛にともない、幕府が剣術の心得があるものを募集したとき、近藤とともに応募して京都にのぼった。京都守護職松平容保の下で新選組を結成し、初代組長の芹沢鴨が暗殺されると、近藤が2代目組長となり、土方は副長になった。池田屋事件や禁門の変など、尊王攘夷派（天皇をうやまい外国勢力を追いはらおうという考えの人々）の取り締まりに活躍した。1868年、京都郊外の鳥羽伏見の戦いでは、近藤にかわって指揮をとり、薩摩藩（鹿児島県）や長州藩（山口県）を主力とする新政府軍と戦ったが、やぶれて江戸（東京）にのがれた。その後、旧幕府の主戦派とともに各地を転戦し、箱館（函館）にのがれて榎本武揚の下で戦った。1869（明治2）年、五稜郭の戦いで戦死した。34歳だった。

ひじかたよし

映画・演劇

土方与志　1898〜1959年

築地小劇場を拠点に新劇運動をおこした

大正時代〜昭和時代の演出家。

東京生まれ。本名、久敬。伯爵土方久元の孫。中学時代から芝居に熱中、自邸に模型舞台研究所をつくる。幼いころ父を亡くしており，1918（大正7）年、祖父の死により爵位をつぐ。1922年、東京帝国大学（現在の東京大学）国文科卒業後、パリ、ベルリンで演出を学ぶが、関東大震災の知らせを聞き、帰国。1924年、小山内薫とともに、私財を投じて日本初の常設劇場をもつ新劇団、築地小劇場を設立。プロレタリア文学の代表作である小林多喜二の『蟹工船』など、社会主義リアリズム演劇を推進し、初期の新劇の基礎を築いた。軍の弾圧がはげしくなるとモスクワで活動。華族としてはじめての爵位剥奪処分を受け、帰国後、治安維持法で検挙され入獄。第二次世界大戦後、出獄し、日本共産党に入党。その後はフリーで新協劇団や東京芸術劇場の演出で活躍し、舞台芸術学院を創設するなど後進の指導にあたった。土方のリアリズムに満ちた国際性豊かな舞台創造は、教え子により劇団「青年劇場」に受けつがれている。

ひしかわもろのぶ

絵画

菱川師宣　?～1694年

浮世絵発展の基礎を築いた祖

▲菱川師宣　（菱川師宣記念館）

江戸時代前期の浮世絵師。

安房国本郷村（現在の千葉県鋸南町）に縫箔師（刺しゅうによって着物に模様をつける職人）の子として生まれる。こどものころから家業だった刺しゅうの下絵などをえがいていた。若いころに江戸（東京）に出て、土佐派（平安時代以来の大和絵の様式を受けつぐ絵画の流派）や狩野派（狩野正信・狩野元信父子にはじまる絵画の流派）などを学んだ。

寛文年間（1661～1673年）、さし絵画家として活躍し、井原西鶴の『好色一代男』のさし絵などをてがけた。当時はさし絵をえがく絵師の名前が本にしるされることはなかったが、1672年、絵本『武家百人一首』に絵師としてはじめて自分の名前をしるした。

その後、さし絵を観賞用の1枚の絵として独立させ、墨1色の木版画として売りだした。

庶民の風俗を題材にした師宣の絵は「浮世絵」とよばれた。絵師が武士や商人から注文を受け、直接筆をとってえがく肉筆画にくらべ、浮世絵版画は大量に生産することができ、安価だったので、たちまち庶民のあいだに広まった。

師宣は浮世絵が発展する基礎を築き、浮世絵の祖とされている。代表作に肉筆画の『見返り美人図』『歌舞伎図屛風』、版画『吉原の躰』などがある。

▲『見返り美人図』

（東京国立博物館 Image:TNM Image Archives）

ひしだしゅんそう

絵画

菱田春草　1874～1911年

色彩に重きをおいた作風の日本画家

▲菱田春草　（国立国会図書館）

明治時代の日本画家。

長野県生まれ。本名は三男治。1889（明治22）年に上京し、狩野派の結城正明の画塾で学ぶ。翌年、東京美術学校（現在の東京藝術大学）に入学し、岡倉天心、橋本雅邦らの指導を受ける。1年先輩には、横山大観や下村観山がいた。卒業制作の『寡婦と孤児』は、教授によって評価が分かれ、岡倉天心の裁定で最優秀となる。1895年に卒業し、翌年から同校の講師となる。1897年には『水鏡』を制作。1898年に岡倉天心が校長をやめると、横山大観らとともに辞職し、日本美術院の創立に加わった。

やがて、岡倉天心の指導のもと、横山大観とともに新しい日本画の表現方法に挑戦した。それは、日本画の生命ともいうべき輪郭線をとりはらい、色彩の濃淡で光や空気を表現しようとするものだったが、一般には受け入れられず、「もうろう体」とよばれて、非難された。1900年の『菊慈童』、1901年の『蘇李訣別』、1902年の『王昭君』は、この時期の代表作である。「もうろう体」という世間の批判によって、絵がまったく売れず、日本美術院の経営も悪化するなか、1903年には横山大観とインドへわたり、1904年から翌年にかけて、岡村天心、横山大観とアメリカ合衆国からヨーロッパをまわった。

1906年、日本美術院が経営難により、茨城県五浦に移転すると、大観や観山らとともに、この地に移り住み、色彩の研究にはげんだ。1907年の第1回文部省美術展覧会（文展）に出品した『賢首菩薩』は、もうろう体にみられた色のにごりを解決するため、小さな色の点をつらねる、点描という表現方法でえがかれた。この革新的な表現は審査員に理解されず、あやうく落選になりかかったところを、岡倉天心らのはたらきかけで2等賞を獲得した。1908年、眼病をわずらい、治療のため東京の代々木に移る。長い療養生活ののち、1909年の第3回文展に代表作となる『落葉』、翌年の第4回文展には『黒き猫』を出品する。それらの作品は、近代日本画を代表する作品となった。しかし、1911年についに失明し、亡くなった。

▲『水鏡』

（東京藝術大学所蔵）

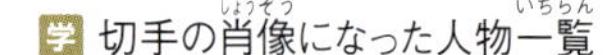

学 切手の肖像になった人物一覧

ビショップ，ヘンリー・ローリー

音楽

ヘンリー・ローリー・ビショップ　1786～1855年

『埴生の宿』を作曲する

イギリスの作曲家、指揮者。

ロンドン生まれ。1810年からコベントガーデンの王立歌劇場で音楽監督となり、その後、オーケストラの指揮者やエディンバラ大学、オックスフォード大学などで教授をつとめる。作曲家としては、世俗的な内容のオペラやバレエ、シェークスピアの劇などの舞台音楽を多数作曲し、編曲もおこなった。1842年、ナイトの称号をあたえられる。代表作『ホーム・スイート・ホーム』（日本では唱歌『埴生の宿』）は、1823年に初演されたオペラ『ミラノの乙女、クラリ』の中で、主人公クラリが故郷を思って歌うアリアで、世界中で親しまれている。

ビスマルク，オットー・フォン

政治

オットー・フォン・ビスマルク　1815～1898年

鉄血政策といわれる軍備拡張政策を進めた

プロイセン、ドイツ帝国の政治家。プロセイン王国首相（在任1862～1890年）、ドイツ帝国首相（在任1871～1890年）。

ブランデンブルク州でユンカー（地主貴族）の家に生まれた。大学で法律を学び、1936年に役人となるが、まもなく辞任して故郷で農場を経営。1847年、連合州議会議員になり、翌年の三月革命に反対して、国王派議員として活動した。その後は外交官として経験を積み、1862年、ウィルヘルム1世によってプロイセンの首相に任命された。軍の拡張にとりくみ、議会の反対を、鉄と血（武器と兵力）で問題を解決すべきという演説でおしきった。以後、その政策は「鉄血政策」とよばれた。たくみな外交と武力によって、デンマーク、オーストリア、フランスとの戦いに勝ち、1871年にドイツを統一してドイツ帝国を築いた。

国内では社会主義者鎮圧法を定めて社会主義を弾圧する一方、労働者のための保険制度をととのえ、国外では同盟国をふやしてフランスを孤立させ、ドイツの地位を安定させた。ウィルヘルム2世が皇帝となると対立し、1890年に辞任した。

学 主な国・地域の大統領・首相一覧　学 日本と世界の名言

ビゼー，ジョルジュ

音楽

ジョルジュ・ビゼー　1838～1875年

オペラ『カルメン』を作曲する

フランスの作曲家。

パリのモンマルトル生まれ。音楽を愛する両親のもとで早くから才能をあらわし、9歳からパリ音楽院でピアノと作曲を学ぶ。19歳のときローマに留学し、1860年に、パリにもどって作曲に専念。1863年、はじめてのオペラ『真珠採り』を発表するが、当時はあまり話題にならなかった。

1872年に戯曲の付随音楽『アルルの女』で成功をおさめると、1875年には、メリメの小説をもとにしたオペラ『カルメン』をパリで初演する。現在では各国の劇場で上演される人気作品だが、当時は理解を得られず、公演は失敗に終わった。その3か月後、ビゼーは失意のうちに病死する。

オペラ作品は、ストーリーがわかりやすく、人物や背景のえがき方がたくみで、有名なアリア（独唱曲）も多い。日本ではオペラ『美しきパースの娘』のセレナードに歌詞をつけた『小さな木の実』がよく知られている。

ピタゴラス

古代　学問

ピタゴラス　紀元前582年ごろ～紀元前510年ごろ

ピタゴラスの定理で知られる数学者

古代ギリシャの数学者、哲学者。

地中海のエーゲ海のサモス島に生まれる。当時のギリシャの思想を広く学び、60歳ごろにギリシャの植民都市であった南イタリアのクロトンにピタゴラス学派を組織する。

図形では、ピタゴラスの定理（直角三角形の直角をはさむ2つの辺のそれぞれを平方した和は斜辺の平方に等しい）、数では、無理数（整数と整数の比であらわせない数）の発見が有名である。「無理数を知らずして数学を語る資格なし」といわれるほど、数学の歴史に大きな影響をあたえた。

もっともシンプルな$\sqrt{2}$（平方すると2になる数）を例に、無理数について説明する。

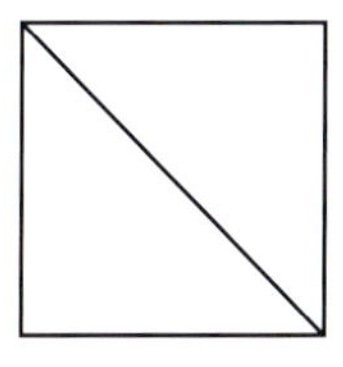

▲正方形と対角線

図のように、正方形は対角線によって2つの合同な二等辺三角形に分けられる。また、合同な二等辺三角形4つを組み合わせると、対角線を辺にした正方形ができる。元の正方形の辺の長さを1（面積は1^2）、対角線の長さをaとすれば、対角線を辺にした正方形の面積はa^2、またもとの正方形の面積の2倍なので、$a^2=2\times1^2$がみちびかれる。ここで平方すると2になる数$\sqrt{2}$を用いて、$a^2=(\sqrt{2})\ 2\times1^2$であらわせば、$a=\sqrt{2}$がみちびかれる。直線はすきまなく連続した量なので、$\sqrt{2}$の値は存在する。整数であらわせない値は、分数か小数（整数、分数、小数をふくめた数を有理数とよぶ）であらわす。$\sqrt{2}$はけっして小数であらわせないことを論理的に証明していくと、2＝平方数1^2＋あまり1となり、平方数ではない数（3、5、6、1.22、$\frac{9}{11}$など）の平方根は、有理数から排除されて、無理数とされる。

無理数の発見は、線や面のような連続する大きさの量を有理数（整数、分数、小数）であらわせると考えてきた人間の無意識の信仰を、打ちやぶったのである。

びだつてんのう

王族・皇族

敏達天皇　?～585年

仏教を受け入れるか否かで臣下が対立

古墳時代の第30代天皇（在位6世紀ごろ）。

『古事記』『日本書紀』によれば、欽明天皇の子。572年に即位し、最初の皇后の死後、異母妹の豊御食炊屋姫（のちの推古天皇）を皇后とし、物部守屋と蘇我馬子をそれぞれ朝廷の最高職の大連、大臣として政治をみさせた。敏達天皇の時代には朝鮮半島の高句麗との国交がはじまった。また、大和政権と親交があり、新羅にほろぼされた任那（朝鮮半島南部にあった伽耶などの国々）の復興をめざした。

584年、朝鮮半島の百済より仏像がもたらされ、敏達天皇は、仏教を信仰する蘇我馬子が寺を創建して仏像を祭ることをゆるしたが、その後、国内に疫病がはやって多くの人々が死んだ。仏教をみとめない物部守屋は、父の物部尾輿のときと同じようにこれを仏教のせいだとうったえたので、敏達天皇は「仏法をやめよ」と命じた。守屋は馬子の寺の塔をたおして火をつけ仏殿と仏像を焼きはらった。585年、敏達天皇は疫病の天然痘にかかって亡くなった。墓は、大阪府太子町にある太子西山古墳（河内磯長中尾陵）とされる。

学 天皇系図

ひだやすべえ

郷土

飛田安兵衛　1728～1816年

播州織を創始した職人

江戸時代中期～後期の大工、機業家。

摂津国比延荘村（現在の兵庫県西脇市）で、寺社の建築にたずさわる宮大工をしていた。1788年、京都市外が大火事で焼けたあと、菅大臣神社（京都市下京区）復旧のため京都へ行った。京都で仕事をするあいだ、織物が織られているのをみて、織物が綿花栽培のさかんな郷里の農家の副業になると考え、織り方や織機のしくみを研究した。1792年、故郷にもどり、くふうを重ねて、いろどりあざやかな織物（播州織）を完成した。

その特徴は、先に糸を染め、染めた糸でしま模様のがらを織ることであった。周辺の村々にすすめたので、さかんに織られるようになった。はじめ播州縞とよばれたが、明治時代後半に工場で生産されるようになると、播州織とよばれて全国に普及した。現在は、西脇市を中心とした北播磨地方で、洋服やシャツ、ハンカチなどが生産されている。

ひだりじんごろう

彫刻

左甚五郎　生没年不詳

「眠り猫」をつくった彫刻の名人

（国立国会図書館）

江戸時代前期の彫刻師。

播磨国明石（現在の兵庫県明石市）出身といわれる。京都の朝廷の建物をつくる禁裏大工の棟梁に入門し、御所や方広寺の鐘楼の建築などにたずさわった。のちに江戸（東京）に出て徳川幕府につかえ、栃木の日光東照宮の『眠り猫』や上野東照宮の唐門の『昇り龍』などをてがけて、神社や寺などの彫刻の名人として名をあげたといわれる。

甚五郎がてがけた作品はあまりにみごとで、龍の彫り物が毎夜池におりて水を飲んだなどの伝説が生まれ、講談（巧妙な話術で軍記物やあだ討ちなどを語る演芸）や落語、歌舞伎などでとり上げられた。甚五郎がてがけたと伝えられる作品は日本各地にあるが、実在したかどうかなどはっきりしたことはわからず、伝説上の人物ともいわれている。

ヒッチコック，アルフレッド

映画・演劇

アルフレッド・ヒッチコック　1899～1980年

スリラー映画のジャンルを確立した監督

イギリス出身の映画監督。

ロンドン郊外に生まれる。ロンドン大学で美術を学んだ。卒業後、広告デザイナーとなり、1920年にサイレント映画の字幕のデザイナーとして、イギリス映画界に入る。助監督や脚本の仕事をつとめたのち、1925年に『快楽の園』で監督としてデビューした。『下宿人』『ゆすり』『三十九夜』など、イギリスで23本の作品をつくり、国際的にみとめられる。

1939年、活動の拠点をアメリカ合衆国に移し、1940年に初のアメリカ映画『レベッカ』でアカデミー賞を受賞する。以後、

『裏窓』『サイコ』『鳥』など、独特の撮影技術をつかった心理サスペンス映画で、スリラー映画のジャンルを確立した。

観客をだますトリックやヒントとなる小道具を用いる演出を好み、作品にはみずからが通行人や野次馬の役で一瞬登場した。テレビ映画『ヒッチコック劇場』や『ヒッチコック・サスペンス』シリーズでは、ユーモラスな解説で人気を得た。

ピット，ウィリアム

政治

ウィリアム・ピット（父） 1708〜1778

海外のフランス勢力を打ちやぶった

イギリスの政治家。

通称大ピット。インドで財をなしたトマス・ピットの孫として、ロンドンで生まれる。イギリス一の名門、イートン校からオックスフォード大学に進み、卒業後の1735年、下院議員にえらばれた。政府の対外政策を批判し、その雄弁さで有名になった。1756年、海外植民地をめぐるフランスとの七年戦争がおこると、彼を政権に入れよという世論が高まり、ピットは戦争を指導する地位の国防大臣になった。世界貿易と植民地支配をめぐる戦いに勝ちぬくには、フランスをやぶるしかないという信念のもと、北アメリカ大陸やインドにおける対フランス戦争を勝利にみちびいた。1761年に辞職するが、その後も政府の植民地政策を批判し、1778年、上院で演説中にたおれ、1か月後に亡くなった。

ピット，ウィリアム

政治

ウィリアム・ピット（子） 1759〜1806年

対仏大同盟を結成しフランスを包囲

イギリスの政治家、首相（在任1783〜1801年、1804〜1806年）。

ケント州で、ピット（大ピット）の次男として生まれる。父と区別して小ピットともよばれる。ケンブリッジ大学で学んだのち、21歳のとき下院議員にえらばれた。1783年、24歳で首相に任じられ、その後、のべ約20年間、首相をつとめた。アメリカ独立革命で受けた経済的打撃を立て直し、フランスと通商条約をむすび、輸入関税の引き下げをおこない、自由貿易を進めた。

1790年代に入ってフランス革命がおこり、国王ルイ16世が処刑されると、オーストリアやプロイセン、スペイン、オランダなどとむすんで、1793年、第1次対仏大同盟を結成。フランスを包囲し、海上権の確保につとめた。国内では団結禁止法などを制定し、政治的自由を制限した。1805年、トラファルガーの海戦で、ナポレオン1世ひきいるフランス・スペイン連合艦隊に大勝したが、同年、ロシア・オーストリア連合軍がオーストリア領アウステルリッツ（現在のチェコのスラフコフ・ウ・ブルナ）の戦いでフランス軍にやぶれ、対仏大同盟は解体した。その翌年、失意の中で亡くなった。

ビットーリオエマヌエーレにせい

王族・皇族

ビットーリオ・エマヌエーレ2世 1820〜1878年

イタリアの統一をはたした国王

▲ビットーリオ・エマヌエーレ2世

サルデーニャ王（在位1849〜1861年）、イタリア王（在位1861〜1878年）。

イタリアのトリノに生まれる。父はイタリア北西部のサルデーニャ王カルロ・アルベルト。1848年、イタリア北部のロンバルド・ベネト王国を支配していたオーストリアとの戦争（第1次イタリア独立戦争）がはじまり、ビットーリオはサルデーニャ軍の先頭に立って戦ったが、1849年、ミラノの西方にあるノバラの戦いでやぶれた。その責任をとって父が退位すると、ビットーリオは王位につき、立憲君主体制を維持して王国を復興することを国民にうったえて支持された。

1850年、自由主義者のカブールを農商務大臣（のちに首相）に任命し、内政改革にあたらせた。聖職者の特権を制限し教会の影響力を弱め、イギリスをはじめとするヨーロッパ諸国と自由貿易を進め、鉄道建設などインフラの整備をおこなった。自由主義改革が進む国とされ、サルデーニャ王国の下でイタリアの統一を進めようという気運が高まっていった。

1859年、フランスのナポレオン3世と同盟をむすび、オーストリアと戦い（第2次イタリア独立戦争）、オーストリア軍をやぶってロンバルディアを併合した。これに応じて、中部イタリアの諸公国は住民投票をおこない、サルデーニャ王国に併合されることになった。

スペインのブルボン朝が支配するイタリア南部の両シチリア王国（シチリアとナポリ）は、義勇軍の赤シャツ隊（千人隊）をひきいるガリバルディが征服、1860年、征服地をビットーリオに献上した。こうして、ベネトとローマをのぞくイタリアの大部分がサルデーニャ王国に併合された。1861年、統一イタリアの総選挙がおこなわれ、議会はビットーリオをイタリア王とし、イタリア王国が成立した。

▲ローマ・ベネツィア広場にある記念堂

1866年、オーストリアとプロイセンのあいだで普墺戦争がおこると、ビットーリオはプロイセンとむすび、ベネツィアを併合。また1870年、プロイセンとフランスとのあいだで普仏戦争がおこり、フランス軍がローマからひきあげると、ローマを占領して、イタリアの統一を完成。ローマを首都に定めた。

イタリア国民からは「建国の父」「尊貴王」とよばれて尊ばれ、死後、ローマに白い巨大な記念堂が建てられた。

ヒッポクラテス

ヒッポクラテス → ヒポクラテス

ひとみきぬえ

スポーツ

人見絹枝　1907～1931年

日本人女性初のメダリスト

大正時代～昭和時代の陸上競技選手。

岡山県生まれ。1923（大正12）年、岡山県の中等学校（現在の高等学校）陸上競技大会の走り幅とびで当時の日本記録をやぶり、優勝した。それをきっかけに、翌年、二階堂体操塾（現在の日本女子体育大学）に入学し、陸上競技の本格的な指導を受ける。

1926年、スウェーデンでおこなわれた第2回国際女子陸上競技大会に日本人でただ一人出場して、世界記録で走り幅とびに優勝、立ち幅とびでも優勝し、個人総合優勝をとげた。

1928（昭和3）年のアムステルダムオリンピックでは得意の100m走は準決勝で敗退した。このままでは日本に帰れないと競技経験のない800mへの出場を決意し、決勝ではドイツのラートケとはげしくせり合い、おしくも2位だったが、日本人女性初のメダリストとなった。その後も走り幅とび、三種競技などで世界記録を樹立したが、病のため24歳の若さで死去した。

学 オリンピック日本代表選手 メダル受章者一覧

ヒトラー，アドルフ

政治

アドルフ・ヒトラー　1889～1945年

第二次世界大戦をおこした独裁者

ナチスドイツの指導者。

オーストリア・ハンガリー帝国（現在のオーストリア北部）のブラウナウに生まれる。役人だった父が1903年、13歳のときに亡くなり、その3年後に母が亡くなった。

ウィーンに出て画家になろうと、ウィーン美術アカデミーを受験するが2度とも失敗。

その後、ドイツのミュンヘンに移住し、1914年に第一次世界大戦がはじまるとドイツ軍に志願、伝令兵となり1級鉄十字勲章を受けた。

1919年、国家主義と社会改良主義をとなえるドイツ労働者党（のちの国民社会主義ドイツ労働者党、ナチス）に入党。雄弁な演説で聴衆を熱狂させ、1921年、党首になった。1923年、ミュンヘン一揆をおこしたが、失敗してとらえられ、獄中で『我が闘争』を執筆。翌年、釈放されると党を再建し、第一次世界大戦後のベルサイユ体制反対、ドイツ至上主義、ユダヤ人排斥、中産階級の保護、社会政策の充実などをうったえ、国民の支持を得て党の勢力を拡大した。

1930年の総選挙では、世界恐慌の下で不安におちいった国民の心をとらえ第2党に、1932年の総選挙では第1党に躍進。首相に指名されると、議会や政党、労働組合などを解散し反対勢力を弾圧した。さらに1934年、大統領のヒンデンブルクが亡くなると、総統の地位につき、大統領、首相、党首の権限をあわせもつ、独裁体制を確立した。

国内では大規模な建設・土木工事の推進、軍備の拡張などにより景気を回復させ、ヨーロッパ第一の強国にした。1936年にはベルリンでオリンピックをひらき、ヒトラーの権威を世界中に広めた。1938年、オーストリアとチェコのズデーテン地方を併合し、1939年にはチェコスロバキアを占領。同年9月にはポーランドに侵入し、第二次世界大戦をひきおこした。1940年にはオランダ、ベルギーに侵攻し、フランスのパリを占領。

しかし、1943年のスターリングラード（現在のボルゴグラード）の攻防戦でソビエト連邦（ソ連）軍にやぶれてからは劣勢に転じた。この間に各地に強制収容所をもうけて、ユダヤ人の大量虐殺を実行。ほかにも人種主義的な考えから多くの人々を殺害した。1945年、ソ連軍がベルリンを包囲すると、4月30日に自殺した。

学 主な国・地域の大統領・首相一覧

ピニョー・ド・ベーヌ

宗教

ピニョー・ド・ベーヌ　1741～1799年

ベトナムで布教をしたカトリックのフランス人宣教師

キリスト教カトリックのパリ外国宣教会宣教師。

フランス北部に生まれる。1765年、キリスト教カトリックのパリ外国宣教会から派遣されてベトナム南部で伝道をはじめる。1783年、ベトナム南部を支配していたグエン・フック・アインは内乱で苦境におちいっており、援助を要請されたピニョーはフランスに帰国。1787年、ルイ16世にはたらきかけ、仏越攻守同盟を締結させた。

しかし、フランス軍の派兵は実現しなかったため、フランス領インドで義勇軍をつのってベトナムにもどって戦うが、病死する。1802 年にベトナムを統一したグエン・フック・アインは、ピニョーに感謝してフランス人を優遇したが、これがのちにベトナムがフランスの植民地となる足がかりとなった。ピニョーの墓はホーチミン市にあったが、1983 年にベトナム政府によりとりこわされ、遺体は焼かれて遺灰はフランスへ送られ、パリ外国宣教会に安置されている。

ひのあしへい

文学

火野葦平　1907～1960年

『麦と兵隊』でベストセラー作家に

昭和時代の作家。

福岡県生まれ。本名は玉井勝則。父は若松港で沖仲士（石炭を積み降ろす労働者）の元締めをしていた。早稲田大学中退。在学中、同人誌『街』を創刊し、小説を書く。退学後、実家の沖仲士をつぐと、労働組合をつくりストライキを指導して検挙される。第二次世界大戦に召集される前に書いた『糞尿譚』で芥川賞を受賞。その後は従軍作家として、兵馬一体で必死に行軍する姿をえがいた『麦と兵隊』『土と兵隊』『花と兵隊』の三部作が大ベストセラーになる。戦後、戦争協力者として一時追放される。解除後は港の暴力と戦う自伝的作品『花と龍』などを発表。死後、日本芸術院賞を受賞。

学 芥川賞・直木賞受賞者一覧

ひのすけとも

貴族・武将

日野資朝　1290～1332年

後醍醐天皇の討幕計画の中心人物

（国立国会図書館）

鎌倉時代後期の公家の高官。

1318 年、蔵人頭、左衛門督（宮中の警備などをおこなう左衛門府の長官）を歴任し、1321 年、後醍醐天皇に登用され参議（大納言、中納言につぐ要職）となった。その後、日野俊基とともに天皇の討幕計画の中心人物となった。1324（正中元）年、計画が六波羅探題（京都におかれた鎌倉幕府の機関）にもれてとらえられ、鎌倉（現在の神奈川県鎌倉市）に送られたのち佐渡（新潟県佐渡島）に流された（正中の変）。1331（元弘元）年、ふたたび後醍醐天皇の討幕計画が知られ、翌年、後醍醐天皇が隠岐（島根県隠岐諸島）に流されると佐渡で殺された（元弘の変）。

ピノチェト，アウグスト

政治

アウグスト・ピノチェト　1915～2006年

軍事独裁体制をおし進めたチリの軍人、政治家

チリの軍人、政治家。大統領（在任 1974 ～ 1990 年）。

バルパライソ生まれ。士官学校を卒業、陸軍参謀総長などをへて、1973 年、陸軍司令官に就任。同年、アジェンデ大統領の社会主義政権をクーデターによりたおし、軍事評議会議長に就任、実権をにぎる。翌年、大統領に就任すると、大統領権限を強化、軍事独裁体制をかためた。企業の民営化などアメリカ式の新自由主義的政策により、短期的には経済成長を実現した。一方、反対派を弾圧、基本的人権を制限し、国際的に非難を受けた。また、アジェンデがおし進めた土地改革を否定した。

長期的には経済政策は成功せず、失業率は上昇、貧富の差は拡大、民衆の不満は高まり、1988 年の国民投票にやぶれ、1990 年、大統領を退任。1998 年には陸軍司令官も退任した。

その後、軍政時代の虐殺、拷問などの罪で告訴されたが、病気を理由に罪は不問となり、91 歳で死去。ピノチェト政権下での処刑による死者・行方不明者は 3000 人以上、拷問などを受けた被害者は約 3 万人といわれる。

ひのとしもと

貴族・武将

日野俊基　？～1332年

後醍醐天皇の討幕計画に参加

▲鎌倉市の神社にある終焉の地の碑

（葛原岡神社）

鎌倉時代後期の公家の高官。後醍醐天皇の近臣で、1323 年、蔵人頭（天皇の機密文書などを管理する役所の長官）となり、翌年、日野資朝とともに後醍醐天皇の討幕計画に参加したが、計画が幕府にもれて資朝とともにとらえられ、鎌倉（現在の神奈川県鎌倉市）に送られたがその後ゆるされた（正中の変）。

1331（元弘元）年、ふたたび後醍醐天皇の討幕計画に参加したが、密告により幕府にとらえられて鎌倉に送られ、翌年殺された（元弘の変）。

ひのとみこ

貴族・武将

日野富子　1440〜1496年

財産をふやし権力をにぎって、政治を混乱させた

（宝鏡寺）

室町幕府の第8代将軍足利義政の妻。

1440年、足利将軍家と親戚関係にある貴族の、日野家に生まれる。1455年16歳で義政と結婚した。

結婚してすぐに生まれた子は、その日に亡くなってしまう。その後2人の娘を産んだが、男子にはめぐまれなかった。そのため1464年、義政は出家していた弟の足利義視を僧侶からもどして後継者とした。ところが翌年、義政とのあいだに足利義尚が生まれ、富子は息子である義尚を将軍にするために兄の日野勝光や伊勢貞親とむすんで、義視を支持する細川勝元とはげしく対立した。1466年、貞親が義視をしりぞけるのに失敗して近江国（現在の滋賀県）に去ったため、山名持豊に義尚の後見をたのんだ。持豊と勝元はそれ以前にも畠山氏や斯波氏の後継者争いなどをめぐって敵対しており、これをきっかけとして、1467（応仁元）年にその後11年つづく応仁の乱が京都ではじまった。1473年に義尚が9歳で元服して将軍の位をゆずられると、その後見人として政治に深くかかわるようになる。数年後に兄の勝光が亡くなると、米の相場や高利貸しなどで財産をふやし、その財産をもとにさらに権力を強めた。富子のもとには天下の貨幣がすべて集まるとさえいわれ、富子への贈り物をもった人々が長い列をつくったという。1478年には内裏の修理料にするためとして、京都七口（京都に入る7つの口）に関所をおき、関銭を徴収した。しかし実際にはすべて富子のものとなっていたため、1480年の土一揆によってすべてこわされた。

応仁の乱後、義政との仲は悪くなり、義政は政治に興味を失ったこともあって東山山荘でかくれ住むようになる。1483年には子の義尚とも険悪になり、それ以降急速に権勢を失った。1489年、近江国の守護六角氏を討つために出兵した陣中で義尚が、翌年には義政が亡くなり、富子は尼となる。義視の子の足利義材（のちの足利義稙）が第10代将軍となるが、実権は管領の細川政元がにぎることとなった。富子は政元の支持によってその後、勢力をたもってはいたが、室町幕府が衰退していく中でさびしい晩年をすごし、57歳で亡くなった。

戦乱で人々が苦しんでいるのに財産をふやすことに力をそそいだ悪女といわれることもあるが、将軍の妻として政治や外交をおこない、経済を動かした。

ひのはらしげあき

医学

日野原重明　1911年〜

日本の医療改革に尽力し、100歳をこえても現役で活躍

医学者。

山口県生まれ。両親がキリスト教徒であったことから、7歳で洗礼を受けた。京都帝国大学医学部（現在の京都大学医学部）に入学し、1937（昭和12）年に卒業後、京都帝国大学医学部第三内科副手に就任。病院勤務などをへて、同大学医学部大学院に進学、1941年には聖路加国際病院の内科医、第二次世界大戦後の1951年には同病院内科医長になる。1年間のアメリカ合衆国留学から帰国したあとに、同病院院長補佐や国際基督教大学教授に就任し、1973年に財団法人ライフ・プランニング・センターを設立して理事長となった。その後も多数の大学や医療機関で要職をつとめ、100歳をこえてなお精力的に活動をつづける。日本初の人間ドックを開設して予防医学の重要性を説く一方で、終末期医療の普及にもつくす。従来の「成人病」を「生活習慣病」にあらためるなど、日本の医学の改革に貢献し、2005（平成17）年には文化勲章を受章。文筆活動もおこない、『生きかた上手』をはじめ、ベストセラーとなった書物も多い。

学 文化勲章受章者一覧

ビバルディ，アントーニオ

音楽

アントーニオ・ビバルディ　1678〜1741年

独奏楽器が主役となる協奏曲を確立

イタリアの作曲家、バイオリン奏者。

ベネツィア生まれ。バイオリン奏者の父のもと、幼いころからキリスト教会の聖職者になる修行を積みながら、バイオリンの指導を受ける。1703年、25歳で司祭とピエタ養育院付属女子音楽学校のバイオリン教師に就任。1705年に『トリオ・ソナタ』、1713年にはオペラを発表し、その後の生涯でオペラ、ソナタなどのほかに約500曲の協奏曲を作曲した。ヨーロッパ各地で演奏旅行をつづけ、ウィーンで病死する。

バロック音楽を代表する作曲家として知られ、作風は、明るく軽快な弦楽器の楽曲が多い。最大の功績は、オーケストラを伴

奏にして、独奏楽器が主役となるスタイルの協奏曲を確立したことで、バッハなどのちの音楽家にも影響をあたえた。実際の演奏ではバイオリン独奏を担当していた。代表作に、協奏曲集『和声と創意の試み』(『四季』をふくむ)や、『調和の霊感』、ミサ曲『グローリア』などがある。

ピピン

王族・皇族

ピピン　714〜768年

教皇領の起源となる寄進をした

フランク王国、カロリング朝の初代国王(在位751〜768年)。

カロリング家の祖であるピピン1世(大ピピン)と対比して、小ピピンとよばれる。フランク王国、メロビング朝の宮宰(最高官職)だったカール・マルテルの次男。父の死後、権力はピピンと兄の2人に継承されたが、兄が修道士になったため、フランク王国の事実上の単独統治者となった。もはや名目のみとなっていたメロビング朝のキルデリク3世をしりぞけ、ローマ教皇ステファヌス3世の承認を得て王位につき、カロリング朝をひらいた。王位承認の見返りとして、754年から755年にかけて北イタリアに遠征し、ローマ教会を圧迫していた北イタリアのランゴバルド王国からラベンナ地方をうばい、ローマ教皇に寄進した(ピピンの寄進)。これが教皇領の起源となる。ローマ教皇庁との関係を強め、ローマ教皇を守るキリスト教国家として出発した。768年に亡くなると、パリ北部郊外のサンドニ大聖堂にほうむられた。子はカール大帝。

学 世界の主な王朝と王・皇帝

ヒポクラテス

古代　医学

ヒポクラテス　紀元前460?〜紀元前375?年

自然治癒力に注目した「医学の父」

古代ギリシャの医学者。

エーゲ海南東部にあるギリシャのコス島に生まれる。医者として有名で、医学教育にも大きな足跡をのこし、ギリシャ各地を遍歴したことが伝わるが、その生涯についてはなぞが多い。それまでは超自然的な神々の力によって発生すると考えられていた病気を、環境、食事、生活習慣によって発生すると、科学的にとらえた最初の人物とされる。人間にそなわる自然治癒力に注目し、休息、安静、清潔、適切な食事を重視した。医学的には体内の四体液(血液、粘液、黄胆汁、黒胆汁)の調和が健康を維持すると考える「四体液説」を信じていたが、これはのちの解剖学や生理学により、誤りであることが判明している。しかし、紀元前3世紀ごろに編さんされた『ヒポクラテス全集』は古典として受けつがれる。また、彼の精神は医療モラルや医師の規律についての『ヒポクラテスの誓い』などを通じて、医師の理想をしめすものとして現代においても生きつづけ、ヒポクラテスは「医学の父」と称されている。

ひみこ

王族・皇族

卑弥呼　?〜247?年

まじないや占いにすぐれた邪馬台国の女王

▲鏡をかかげる卑弥呼の復元模形
(大阪府立弥生文化博物館)

弥生時代の邪馬台国の女王。

3世紀に書かれた中国の歴史書『魏志』倭人伝に、「倭(日本)は、男子が王だったが、70〜80年前に国内が乱れ、長年にわたり国々の戦いがつづいた。そこで諸国の王たちが相談し、卑弥呼という女子を共同で王に立てると、30あまりの国がしたがった」と書かれている。卑弥呼の一族は、神とつながってまじないや占いをおこない、未来を予知する「鬼道」という能力にすぐれた巫女をだしていた。卑弥呼も予知能力にすぐれ、自然災害や戦いの勝敗、米づくりの豊作や不作を予測、病気治療法なども身につけていたため、女王におされたと考えられている。

『魏志』倭人伝によれば、「卑弥呼は歳をとっており、夫はいなかった。姿をみたものはほとんどいない。武装した兵が守る宮殿に住み、1000人の婢(召し使いの女性)をしたがえていた」という。卑弥呼には弟がいて、弟が神のお告げを聞いた卑弥呼のことばを人々に伝え、実際の政治をおこなっていたと考えられる。

239年、卑弥呼は中国の魏に使者をつかわし、生口(奴隷)や布などの貢ぎ物を贈った。これに対し、魏の皇帝は卑弥呼を倭王とみとめ、「親魏倭王」の称号と金印をあたえ、銅鏡100面や、豪華な絹織物

▲卑弥呼の鏡といわれる「三角縁神獣鏡」
(奈良県橿原考古学研究所)

などをさずけた。このように、卑弥呼は、魏の下につくことで、倭国内の強敵、狗奴国に対して優位な地位に立とうとした。

卑弥呼は、247年ごろ狗奴国との戦いの最中に亡くなった。その墓は直径100歩（約150m）で、奴婢100人以上がともに死んだといわれている。

その後、男の王が立てられるが、国中がしたがわずに乱れた。そこで、卑弥呼の一族の壱与という13歳の女子を立てると、卑弥呼のときと同じようにしずまったという。壱与は、魏に生口や真珠5000個を献上し、さらに265年に魏をほろぼした中国の西晋に使者をつかわしたと推定されている。

卑弥呼がおさめた邪馬台国の場所については、江戸時代から現代までさまざまな説があるが、九州説と畿内説が有力である。中国の歴史書にはその後、4世紀の倭に関する記述は出てこないが、奈良盆地に全長200mをこす前方後円墳がつくられたことがわかっているので、このころ、日本列島を統一するような大きな勢力があらわれたと考えられる。

ヒムラー，ハインリヒ

政治

ハインリヒ・ヒムラー　1900～1945年

ユダヤ人の大量虐殺をおこなった、ヒトラーの側近

ナチスドイツの政治家。

ミュンヘン出身。第一次世界大戦に参加後、ミュンヘン工科大学で農学を学ぶ。1923年、ヒトラーらのミュンヘン一揆に参加し、のちにナチスに入党。1929年、ナチス親衛隊の隊長となり、その後、国家秘密警察（ゲシュタポ）長官、全ドイツ警察長官となって党を支配し、反対勢力の活動をおさえた。1939年、ドイツ民族性強化国家委員となって、ユダヤ人への過酷な弾圧、大量虐殺（ホロコースト）をおこなった。第二次世界大戦がおこると防空警察長官や内務大臣などを歴任するが、大戦末期にはヒトラーとも対立。イギリス、アメリカ合衆国との和平をひそかに計画したことがヒトラーの怒りを買い、党を除名された。敗戦でイギリス軍の捕虜となり、自殺した。

ヒューズ，ハワード

産業

ハワード・ヒューズ　1905～1976年

飛行機と映画製作で知られた富豪

20世紀のアメリカ合衆国の実業家、映画プロデューサー、飛行家。

テキサス州生まれ。こどものころから、勉強よりも飛行機やレーシングカーなどに熱中していた。父は油田採掘ドリルの発明で資産を築いたが、ヒューズが18歳のとき死去。会社を受けついだヒューズは、1925年、経営を部下にまかせ、遺産を元手にハリウッドへ進出、映画プロデューサーをめざした。1930年、映画史上初の制作費が100万ドルをこえる航空スペクタクル映画『地獄の天使』を製作。この撮影でパイロットが3人死亡し、ヒューズ自身もスタント飛行中に脳損傷の大けがを負った。ほかにも多数のヒット作をてがけ、女優との恋愛も多かった。飛行機への情熱も絶えることなく、1935年に航空機製造会社ヒューズ・エアクラフト社を設立。みずから設計したレーサー機で、スピードの世界記録を何度も更新。1939年、大手航空会社を買収、第二次世界大戦後には、トランス・ワールド航空としてアメリカ合衆国有数の航空会社となった。さらに不動産事業や政府関係の事業にも進出し、巨大組織を築いた。しかし、晩年はホテルの部屋にこもり、外部と連絡を絶ち、なぞに満ちた生活を送った。

ヒュースケン，ヘンリー

政治

ヘンリー・ヒュースケン　1832～1861年

ハリスの日米修好通商条約交渉に貢献

（高麗環日記（巻32ヒュースケン乗馬図）/東大史料編纂所所蔵模写）

幕末に来日した、オランダの通訳官。

アムステルダムに生まれる。1853年、21歳のときに両親とともにアメリカ合衆国に移住し帰化した。このころ母国のオランダ語のほか、英語やドイツ語、フランス語に通じていた。1855年、駐日アメリカ総領事ハリスの秘書兼通訳官に任命され、1856年、日本の下田（現在の静岡県下田市）に到着。日本語も習得し、ハリスの日米修好通商条約の交渉にあたり、通訳としてその締結に力をつくした。つづいて、イギリスの日英修好通商条約の締結に協力した。また、ドイツ（プロイセン）の修好通商条約の締結交渉も援助したが、1861年1月、江戸の芝新河岸（東京都港区）付近で、外国人を追いはらおうという攘夷派の薩摩藩（鹿児島県）の藩士らにおそわれて死亡した。日本に着くまでの航海のようすや日本滞在中のできごとをつづった日記は、のちに『ヒュースケン日本日記』として刊行された。

ヒューム

ヒューム → ダグラス=ヒューム，アレック

ヒューム，デビッド

思想・哲学

デビッド・ヒューム　1711～1776年

懐疑論の立場をとり、伝統的な哲学を批判した哲学者

イギリスの哲学者。

スコットランドのエディンバラ生まれ。エディンバラ大学で哲学

に熱中。卒業せずフランスへわたり、『人性論』の執筆に専念したが、まったく売れなかった。1752 年、エディンバラの図書館館長に就任、『英国史』の執筆をはじめる。同書の売れ行きに乗じて『哲学著作集』を出版。人間本性論が広く知られるようになる。

フランス大使代理になり、ルソーと親交するが、その後、絶縁。故郷にもどり、彼をしたうアダム・スミス、ベンジャミン・フランクリンらと交流した。ロックの経験論を徹底させた懐疑論の立場で、2 つの物事の因果関係は必然的ではないとし、また、人間の本性は感情にあると主張した。カントの批判哲学の成立に影響をあたえた。

ビュッフェ，ベルナール

絵画

ベルナール・ビュッフェ　1928〜1999年

冷たい色調とするどい線描でえがいた画家

フランスの画家、版画家。

パリ生まれ。こどものころから絵をえがいていた。15 歳から夜間講座でデッサンを学び、1944 年に国立美術学校に入学して、本格的に絵の勉強をはじめる。1946 年から翌年にかけて、30 歳未満の画家展、アンデパンダン展、サロン・ドートンヌに次々と出品し、はじめての個展をひらく。1948 年、第 1 回批評家大賞を受賞し、注目される。前衛的絵画が流行するなかで、独自の具象画をえがき、「新具象派」や「オムテモアン(目撃者)」とよばれた。

白、黒、灰色の冷たい色調とするどい線描で、現代の不安や孤独感などを絵にえがきだした。代表作に『アナベル夫人像』『闘牛士』『戦争の恐怖』『サーカス』などがある。版画では、ドライポイントとリトグラフの技法を生かした挿画本の傑作がある。日本とのかかわりが深く、1956(昭和 31)年以降、たびたび展覧会が開催され、静岡県に美術館がある。

ビュフォン，ジョルジュ=ルイ

学問

ジョルジュ=ルイ・ビュフォン　1707〜1788年

自然科学の知識を『博物誌』にまとめた

フランスの博物学者、思想家。

ブルゴーニュ地方のモンバール生まれ。法律家の家庭に育ち、イギリスに留学して、数学、物理学、植物学などを学ぶ。帰国後、ニュートンの著作を翻訳した。1739 年、ヨーロッパ屈指の科学研究機関、フランスの王立科学アカデミーの会員にえらばれ、王立植物園の園長となる。園長をつとめながら、多くの共同執筆者とともに、1749 年から自然科学に関する知識をまとめた『博物誌』の刊行を開始した。『博物誌』では、地球や人間、動植物について詳細に記述することで、自然界の法則を明らかにしようと試みた。その幅広い内容と表現力豊かな文章で、ヨーロッパ中で愛読される。

ピュリッツァー，ジョゼフ

産業

ジョゼフ・ピュリッツァー　1847〜1911年

ピュリッツァー賞を創設した

アメリカ合衆国のジャーナリスト、新聞記者、新聞経営者。

ハンガリーに生まれる。1864 年、南北戦争の北軍義勇兵としてアメリカにわたり、リンカーン騎兵隊に参加して、1867 年にアメリカに帰化する。翌年、ミズーリ州セントルイスでドイツ語新聞『ウェストリッへ・ポスト』の記者となり、市政の腐敗をあばくなど、報道で活躍した。その後『ニューヨーク・サン』紙の通信員となり、1878 年には夕刊『セントルイス・ディスパッチ』紙を買収して『セントルイス・ポスト』紙と合併させ、『セントルイス・ポストディスパッチ』紙を創刊した。民衆の味方という立場で、汚職や大企業の不正をあばいた報道をして支持された。

ピュリッツァーの『イブニング・ワールド』紙と、ライバル『モーニング・ジャーナル』紙との過熱した競争は、イエロー・ジャーナリズムといわれ悪名をのこしたが、新しいジャーナリズムを探求し、指導的新聞に成長させた。また、寄付によってコロンビア大学に新聞学科がつくられ、1917 年には遺言により、ジャーナリストのノーベル賞といわれるピュリッツァー賞が創設された。

ピョートルいっせい

王族・皇族

ピョートル 1 世　1672〜1725年

ロシアの近代化を進めた大帝

▲ピョートル 1 世

ロシア、ロマノフ朝の第 4 代ツァーリ(皇帝)(在位 1682 〜 1725)。

大帝ともいう。首都モスクワで皇帝アレクセイの子として生まれる。1682 年、10 歳のときに異母兄弟の皇帝フョードル 3 世が亡くなると、その姉ソフィアが摂政となって実権をにぎり、弟のイワンを第 1 皇帝に、ピョートルを第 2 皇帝にした。

ピョートルはモスクワ郊外の村でくらし、近くの外国人居留地をおとずれ、数学や砲術、造船術、航海術などを学んだ。

1695年にイワンが亡くなると、単独で政治をおこなうことになった。ヨーロッパのすぐれた技術や文化をとり入れようと、1697年、約250人の大使節団をオランダやイギリスに派遣。みずからも名をかえて参加し、造船所ではいっしょにはたらいて技術を習得した。翌年に帰国後、ロシアの近代化を進め、貴族の長いひげを切らせ、ヨーロッパ風の服装にかえるよう命じた。また、留学生の派遣、ユリウス暦の採用、新聞の発行、貴族のこどもの学校の創設、工場や造船所の建設など、次々に改革を実行した。

内政面では、アストラハンの乱やドン・コサックの乱を鎮圧し、全国を8つの県に分け、県知事に大きな権力をあたえ、地方の治安を強化した。貴族に対しては武官と文官などに14の等級を定めた官等表を制定し、年功と功労で出世できるようにした。ロシア正教会に対しては皇帝が任命する宗務院の監督下におくことにした。また、国の財源を確保するため、人頭税の制度をもうけた。

対外的にはバルト海に進出しようと、1700年、スウェーデンとのあいだに北方戦争を開始。20年にわたる戦いで、バルト海の制海権を獲得した。この間にフィンランド湾のネワ川河口に新しい首都サンクトペテルブルクを建設し、ヨーロッパへの窓口とした。南方へはペルシアに遠征しカスピ海沿岸に領土を獲得、北太平洋岸へはベーリングを派遣して海岸線を調査させた。

1721年、元老院はピョートルにインペラートル（皇帝）の称号を贈り、正式にロシア帝国が成立した。1725年、52歳で亡くなると、皇后のエカチェリーナがあとをついだ。ピョートルがロシア人にあたえた影響は大きく、プーシキンら多くの作家たちが彼の魅力について書いている。

▲ポルタバの戦い　北方戦争中、ロシア軍とスウェーデン軍でおこなわれた戦い。

学 世界の主な王朝と王・皇帝

ひらいわこうきち

郷土

● 平岩幸吉　1856〜1910年

老人ホームを設立した社会事業家

幕末〜明治時代の社会事業家。

江戸日本橋（現在の東京都中央区）の裕福な米問屋に生まれた。しかし幕末の混乱した時代で、家業がつぶれてしまい、学校にも行かずぶらぶらしていた。23歳のとき、知り合いをたより、栃木町（栃木市）に行き、心を入れかえてはたらき、料亭をひらいた。栃木町は舟運でにぎわっていたが、両毛鉄道（JR両毛線）が開通すると、船の利用がへり、町がさびれてきた。病気になっても医者にみてもらえない人やひとり暮らしの老人をみて、安心してくらせる施設の設立を思いたち、町の有力者から寄付を集めた。1901（明治34）年、小さな家を借りて、栃木養老院（老人ホーム）をはじめた。資金不足になると、不要品を回収して金にかえるために、毎日荷車をひいて町中を歩いていると、しだいに協力者がふえた。死後は、子孫が施設の運営をつづけ、現在は「栃木老人ホームあずさの里」となっている。

（社会福祉法人栃木老人ホームあずさの里）

ひらがげんない

平賀源内 → 218ページ

ひらがともまさ

貴族・武将

● 平賀朝雅　？〜1205年

北条氏の陰謀にまきこまれた

鎌倉時代前期の武将。

母は源頼朝の乳母、比企尼の娘。源頼朝の養子。12世紀の終わりころ武蔵守（現在の埼玉県・東京都・神奈川県東部の長官）、右衛門権佐（宮中の警備などをおこなう右衛門府の督に次ぐ定員外の官職）を歴任した。1203年の比企能員の乱を追討するのに活躍し、同年、京都守護（京都の警備や朝廷との連絡にあたる役職）となる。1204年、伊勢平氏の反乱を鎮圧し、伊勢（三重県東部）、伊賀（三重県西部）の守護となる。1205年、畠山重忠の子重保と対立し、それが原因で畠山親子は討たれた。同年、妻の母の牧の方（北条時政の後妻）と執権北条時政が鎌倉幕府第3代将軍源実朝を暗殺し、源頼朝の養子だった朝雅を将軍につけようと計画したが失敗し、北条義時のさしむけた軍に京都で討たれた。

ひらくしでんちゅう

彫刻

● 平櫛田中　1872〜1979年

写実的な作風が特徴の彫刻家

明治時代〜昭和時代の彫刻家。

岡山県生まれ。本名は倬太郎、旧姓は田中。奉公に出ていた大阪で、人形師の中谷省古から木彫を学び、1897（明治30）年に上京して、高村光雲の門に入る。1901年、日本美術協会展で銀牌を受賞し、以後、受賞を重ねる。1907年の第1回文部省美術展覧会（文展）では、石こうの『姉ごころ』

で入選した。この年、高村光雲門下の山崎朝雲らとともに木彫の研究団体である日本彫刻会を結成した。翌年の第1回展に『活人箭』を出品し、岡倉天心にみとめられた。

1914(大正3)年に日本美術院の再興に参加し、『転生』(1920年)、『五浦釣人』(1930年)などを発表する。1944(昭和19)年には皇室に制作を奨励される帝室技芸員となる。また1944年から1952年まで東京美術学校(現在の東京藝術大学)の教授をつとめた。1958年には、制作に20年かけた代表作『鏡獅子』を完成させた。1962年、文化勲章を受章した。

学 文化勲章受章者一覧

ひらたあつたね

思想・哲学

● 平田篤胤　1776〜1843年

尊皇思想で幕府に警戒される

(早稲田大学図書館蔵)

江戸時代後期の国学者、思想家。

出羽国秋田藩(現在の秋田県)の藩士の子として生まれ、25歳のとき、備中国松山藩(岡山県高梁市)の藩士平田藤兵衛の養子になった。その後、江戸(東京)に出て独学で国学を学んだ。国学者の本居宣長の影響を受けて、儒教や仏教に影響されない古代日本の精神へもどろうという復古神道をとなえ、江戸に塾をひらいた。門人は500人をこえたが、はげしい儒教批判と尊王思想(天皇をうやまう考え)のために幕府から警戒され、1841年、幕府の暦制を批判すると久保田(秋田市)への帰国を命じられ、以後著述を禁止された。篤胤の教えは、幕末におこった天皇をうやまう尊王論と、外国勢力を追いはらおうとする攘夷論がむすびついておこった政治運動、尊王攘夷運動に大きな影響をあたえた。また、霊の存在を信じて研究をおこない、16歳の少年稲生平太郎が体験したという怪異現象の記録『稲生物怪録』を世間に紹介したりもした。国学四大人の一人。

ひらたゆきえ

郷土

● 平田靱負　1704〜1755年

木曽三川工事を指揮した薩摩藩の武士

江戸時代中期の武士。

薩摩藩(現在の鹿児島県と宮崎県の一部)の家老(藩主を補佐して政治をおこなう役職)の子として生まれた。1748年、45歳で家老になった。1753年、薩摩藩は幕府から洪水をくりかえしていた木曽三川(愛知県、岐阜県、三重県を流れる木曽川、長良川、揖斐川の3つの川)の治水工事を命じられ、その責任者に任命された。1754年、約950人の藩士とともに、美濃国(岐阜県南部)に行き、藩士たちを指揮して工事に着手した。しかし洪水によってたびたび工事が中断し、資材の調達も思うようにいかず、工事は困難をきわめた。1755年、ようやく完成したが、この間に80数名の藩士が犠牲になった。工事費用も予定よりもはるかに多い40万両かかり、薩摩藩は多額の借金をかかえることになった。靱負は、藩主に工事の完成を報告したあとすべての責任をとって、切腹した。この工事は宝暦の治水とよばれ、洪水の被害は少なくなった。

▲平田靱負の銅像　(鹿児島市)

ひらつかたけじ

絵本・児童

● 平塚武二　1904〜1971年

歴史上のできごとを題材にした児童文学作品

昭和時代の児童文学作家。

神奈川県生まれ。青山学院高等部卒業。鈴木三重吉の紹介で雑誌『赤い鳥』の編集者などをつとめ、1942(昭和17)年に童話集『風と花びら』、翌年『海のふるさと』を出版。第二次世界大戦後の1947年には、疎開中にも書いていた小説『太陽よりも月よりも』を発表。その後も歴史上のできごとを題材にして『馬ぬすびと』や『ものがたり日本れきし』など児童むけのすぐれた歴史小説を発表している。

作品にはほかに『パパはのっぽでボクはチビ』、自由な空想にあふれた『ウイザード博士』、法隆寺の玉虫厨子をめぐる仏像の作者と乙女の物語『たまむしのずしの物語』などがある。

ひらつからいちょう

政治　思想・哲学

● 平塚らいてう　1886〜1971年

「新しい女」として女性の地位向上につとめた

▲平塚らいてう　(日本近代文学館)

大正時代〜昭和時代の社会運動家。

東京府麹町区(現在の東京都千代田区)生まれ。本名は明。「らいてう」は筆名で、漢字の「雷鳥」をつかうこともある。

父は高級官僚で、裕福で知的な家庭に育った。1903(明治36)年、日本女子大学校(現在の日本女子大学)家政学部に入学。当時の女性としては高い教育にめぐまれた。在学中に人生について深く考え、哲学、文学、宗教の本を読み、また、座禅の修行にかよった。1908年、文学の会で知り合った作家の森田草平と心中未遂事件をおこして、世間をおどろかせた。

1911年、らいてうを中心に5人の女性が発起人になり、文芸団体の青踏社を設立し、女性雑誌『青踏』を創刊した。費用は母が援助したものだった。創刊号に掲載したらいてうの論説は、「元始、女性は実に太陽であった。」という一文ではじまっていた。その女性の個性解放をうったえる強いメッセージは、社会で大きな反響をよんだ。青踏社の主な会員には、与謝野晶子、長谷川時雨、神近市子、伊藤野枝などがいた。

市川房枝、奥むめおによびかけて、1920（大正9）年、市民団体である新婦人協会をつくる。そして女性の政治活動を禁止していた法律（治安警察法第5条）の撤廃や、女性の参政権獲得をめざして活動した。1922年、新婦人協会が解散すると、文筆生活を送るようになる。婦人参政権が実現した太平洋戦争終結後は平和運動に力をそそいだ。

らいてうの言動は、からかわれたり中傷をあびたりすることも多く、「新しい女」という自分たちへの評価が「ふしだらな女」の意味をこめてつかわれると、「私は新しい女である」という文を『婦人公論』に発表して反論している。画家の奥村博史とは、法律上の結婚手続きをせずに共同生活を送り、「事実婚」をつらぬいた。家長だけが強い権利をもつ、当時の家族制度や結婚制度に反対だったからである。そして自分が戸籍上の戸主となり、病弱な博史と2人のこどもをやしなった。「元始、女性は実に太陽であった」ということばは、「いま、女性は月である。ほかによって生き、ほかの光によって輝く、病人のような蒼白い顔の月である」とつづいている。らいてうは月ではなく、太陽として生きる姿を社会にみせたといえる。

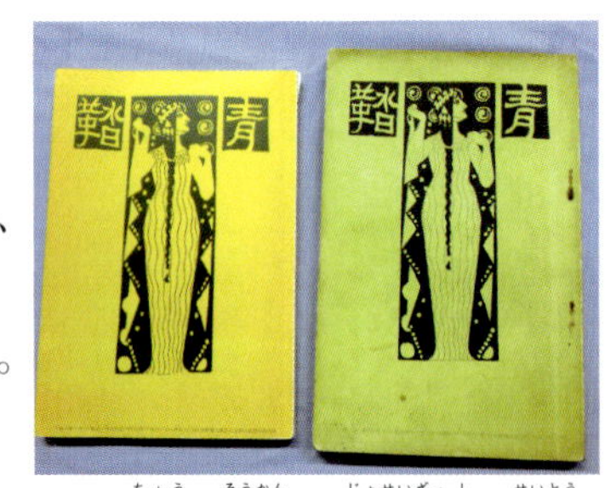

▲らいてうが創刊した女性雑誌『青踏』

学 日本と世界の名言

ピラト

古代 政治

ピラト　生没年不詳

イエス・キリストの処刑を決めた

ローマ帝国の属州ユダヤの総督。

ラテン名はピラトゥス。ローマの騎士階級の出身で、26年、属州ユダヤの総督に任命される。総督に着任する際、民衆のユダヤ教信仰に配慮することなく、ローマ皇帝像をえがいた軍旗をかかげてエルサレムに入場したため、反発をまねいた。ピラトは最初からユダヤ人を見下して、高圧的な態度をとった。抗議するユダヤ人は軍事力で制圧し、虐殺した。しかし、イエス・キリストの裁判では、イエスの無罪を知りながら、みずからの政治生命を守るために、ユダヤ教徒の圧力に屈して、十字架刑を宣告する。36年、サマリア人虐殺を理由に総督を罷免された。その後、流罪になったとも自殺したとも伝えられるが、キリスト教徒になって罪を悔いあらためたという伝承もある。

ひらぬまきいちろう

政治

平沼騏一郎　1867〜1952年

復古的日本主義をとなえた内閣総理大臣

（国立国会図書館）

明治時代〜昭和時代の政治家。第35代内閣総理大臣（在任1939年）。

美作国（現在の岡山県北東部）津山藩士の家に生まれる。帝国大学法科（現在の東京大学法学部）卒業。東京控訴院部長、大審院検事、司法省民刑局長などをへて、1911（明治44）年、西園寺公望内閣の司法次官となる。1923（大正12）年、第2次山本権兵衛内閣で司法大臣に就任。同年のアナキスト（無政府主義者）の難波大助による裕仁親王（昭和天皇）暗殺未遂（虎の門事件）に衝撃を受け、復古的日本主義をとなえる政治結社の国本社を結成した。

その後、枢密院副議長、議長などをへて、1939（昭和14）年に内閣総理大臣となり、国民総動員体制を進める。ソビエト連邦（ソ連）に対するドイツとの日独軍事同盟の交渉中に、独ソ不可侵条約を締結され、ドイツにうらぎられたかたちで「欧州情勢は複雑怪奇」と声明をだして総辞職した。1940年、第2次近衛文麿内閣で国務大臣、内務大臣となる。

第二次世界大戦後は極東国際軍事裁判（東京裁判）でA級戦犯として終身刑をいいわたされ、1952年、病気のため仮釈放直後に亡くなった。

学 歴代の内閣総理大臣一覧

ひらのくにおみ

幕末

平野国臣　1828〜1864年

尊王攘夷運動の急進派

（京都大学附属図書館所蔵）

幕末の志士。

通称は次郎。福岡藩（現在の福岡県北西部）の下級武士の家に生まれる。1858年、脱藩して、京都にのぼり、尊王攘夷運動（天皇をうやまい外国人を追いはらおうという運動）に参加。薩摩藩（鹿児島県）の藩士、西郷隆盛や、真木和泉ら浪士たちとまじわった。1862年、薩摩藩の島津久光の上洛にあわせて、攘夷決行をくわだてたが失敗し、福岡藩に投獄された。1863年、尊王攘夷派の公家三条実美らとはかり、孝明天皇が攘夷祈願をおこなう大和（奈良県）行幸を計画したが、公武合体派（朝廷と徳川将軍家がむすぶことをのぞむ人々）による八月十八日の政変で、7人の公家とともに長州藩（山口県）に落ちのびた。その後、平野は公家の一人沢宣嘉を立てて、但馬（兵庫県）の生野で兵をあげた。但馬の農民も加わり代官所を占拠したが、内部分裂をおこし、平野はとらえられた。1864年、禁門の変の騒動のなか、処刑された。

ひらのちょうせい

郷土

平野長靖　1935～1971年

尾瀬の自然を守った運動家

昭和時代の自然保護運動家。

群馬県片品村に生まれた。京都大学を卒業し、北海道新聞社に入社したが、故郷にもどり、尾瀬の環境保護を目的として、祖父の長蔵がはじめた尾瀬の長蔵小屋の経営をひきついだ。1963（昭和38）年、尾瀬の西側の鳩待峠まで、1970年、尾瀬沼の沼山峠までのバス道が開通した。国は、さらに尾瀬沼南の三平峠（尾瀬峠）まで道路を建設しようとした。これに対し、1971年に発足した環境庁（現在の環境省）の長官に尾瀬の自然が破壊されるとして建設中止を強く申し入れ、尾瀬の自然を守る会を発足させて運動を進めた結果、工事は中止となった。これをきっかけに、尾瀬は国によって保護されている。

ひらばやしたいこ

文学

平林たい子　1905～1972年

権威や秩序に反発する道をつらぬく

大正時代～昭和時代の作家。

長野県生まれ。本名はタイ。貧しい家庭に育ち、小学6年のときに読んだロシア文学をきっかけに作家をめざす。諏訪高等女学校（現在の長野県諏訪二葉高等学校）卒業後、上京。1926（昭和元）年、林芙美子らと女性作家グループをつくり、翌年、生活を女性に依存する男性をえがいた『嘲る』が『大阪朝日新聞』の懸賞小説に入選する。

第二次世界大戦中は苦闘の連続だったが、1946年、留置場の暮らしをつづった『かういふ女』で女流文学者賞を受賞する。著書に、『一人行く』『私は生きる』『施療室にて』『秘密』『林芙美子』『宮本百合子』など。1971年、日本芸術院より恩賜賞を受賞する。

ひらふくひゃくすい

絵画

平福百穂　1877～1933年

写実的な日本画をめざした画家

大正時代～昭和時代の日本画家。

秋田県生まれ。四条派の日本画家、平福穂庵の4男。本名は貞蔵。父に絵を学ぶが、まもなく死別。1894（明治27）年に上京し、川端玉章に入門し、1897年に東京美術学校（現在の東京藝術大学）に編入学した。卒業後、川端塾の先輩である結城素明らと无声会を結成し、自然主義をとなえ、写実的な日本画をめざした。一方、新聞や雑誌に時事的なスケッチや風刺漫画を発表し、1907年に国民新聞社に入社した。

（角館町平福記念美術館）

1909年の第3回文部省美術展覧会（文展）に『アイヌ』、1914（大正3）年の第8回展に『七面鳥』を出品して高い評価を得る。1916年、結城素明や鏑木清方らと金鈴社を結成した。このころ日本や中国の古典を見直し、琳派の装飾性をとり入れる。その成果となる『予譲』は、第11回文展で特選を受賞した。代表作はほかに『荒磯』『堅田の一休』がある。伊藤左千夫らと交友し、アララギ派の歌人としても活躍した。

ひらやまいくお

絵画

平山郁夫　1930～2009年

文化財保護運動にも力をそそいだ日本画家

昭和時代～平成時代の日本画家。

広島県生まれ。旧制中学3年生のとき、勤労動員中に被爆した。

1952（昭和27）年に東京美術学校（現在の東京藝術大学）卒業後、前田青邨の指導を受ける。日本美術院展覧会（院展）に出品した『家路』が初入選した。被爆の後遺症に苦しみながら、1959年の院展に出品した『仏教伝来』が、高い評価を受ける。以後、仏教に題材を求め、1961年の『入涅槃幻想』、1962年の『受胎霊夢』が、連続で大観賞を受賞した。1962年から翌年にかけては、ヨーロッパに留学した。

1960年代後半からは、シルクロードを中心に、世界各地をたずね、その歴史や風物、文化遺産を主題に多くの作品を制作した。また、法隆寺金堂壁画や高松塚古墳壁画の模写にも従事した。世界の文化財保護運動に力をそそぎ、文化財赤十字構想を提唱した。

1973年に東京藝術大学教授となり、のちに学長をつとめた。1998（平成10）年、文化勲章を受章した。

学 文化勲章受章者一覧

平賀源内

多方面で才能を発揮した万能の人

■武士の子として生まれる

江戸時代中期の本草学者、戯作者。讃岐国高松藩（現在の香川県東部）の下級武士の子として生まれた。幼いころから好奇心が強く発明好きで、からくりじかけの掛け軸などをつくって人々をおどろかせたという。1749年、22歳のとき父のあとをついで高松藩につかえて藩主松平頼恭に才能をみとめられ、1752年、長崎に留学した。

▲平賀源内　（慶應義塾図書館）

■物産会をひらいて名声を高める

1756年、江戸（東京）に出た源内は田村藍水に入門し、当時さかんになっていた本草学（動植物、鉱物などを研究する学問）を学んだ。1757年、本草学を産業にも役だてようと考え、藍水とともに江戸の湯島（東京都文京区）で物産会をひらいた。全国のめずらしい動植物や昆虫、魚介類、鉱物などを集めて分類整理して展示した会で、以後、会を重ねるたびに出品数がふえて評判をよんだ。1763年には、物産会の展示品から注目すべきものをえらんで解説した『物類品隲』を出版し本草学者として名前を知られるようになった。

自由に活動したかった源内は1761年、藩に辞職願いをだしたところ、ほかの藩へ仕官しないという条件でゆるされた。

■戯作（小説）や絵で才能を発揮

源内はさまざまな分野で才能を発揮した。風来山人や福内鬼外などの名前で戯作（小説）や人形浄瑠璃（三味線の伴奏で物語を語る浄瑠璃と、あやつり人形による芝居がむすびついたもの）の脚本をてがけた。1763年、『根南志具佐』や『風流志道軒伝』がベストセラーになった。

一方で西洋画を学び、日本最初の油絵『西洋婦人図』をえがき、源内焼とよばれる陶器も焼いた。1773年、鉱山開発を指導するためにおとずれた出羽国秋田藩（秋田県秋田市）で藩士の小田野直武に西洋画の技法を教えた。

▲『西洋婦人図』　（神戸市立博物館 Photo:Kobe City Museum/DNPartcom）

■エレキテルの復元に成功する

源内は、当時の人が思いつかないようなものを次々と発明した。量程器（歩いた距離をはかる万歩計のような道具）や磁針器（方角をはかる道具）、火浣布（石綿でつくった燃えにくい布）、タルモメイトル（寒暖計）などである。1776年、以前に長崎で手に入れたエレキテル（摩擦によって静電気をおこす装置）の復元に成功し、静電気をおこす実験をおこなって見物人をおどろかせた。

▲エレキテル　（郵政博物館）

▲世界地図がえがかれた源内焼の皿『三彩アメリカ大陸図大皿』　（神戸市立博物館 Photo:Kobe City Museum/DNPartcom）

■失意のうちに亡くなる

世間の注目を集めた源内だったが、その才能をじゅうぶんに生かすことはできなかった。晩年は鉱山の経営に失敗するなど経済的に困窮し、しだいに生活が荒れていった。1779年、52歳のときあやまって人を殺してとらえられ1か月半後、牢内で病死した。友人の蘭学者杉田玄白は浅草（東京都台東区）の総泉寺に墓碑を建て「ああ非常の人、非常のことを好み、おこなうもこれ非常、何ぞ非常の死なる」と才能ある人の死を嘆くことばをきざんだ。

平賀源内の一生

年	年齢	主なできごと
1728	1	高松藩の藩士の子として生まれる。
1749	22	高松藩につかえる。
1752	25	長崎に留学する。
1756	27	江戸に出て本草学を学ぶ。
1757	30	江戸湯島で物産会をひらき有名になる。
1761	34	藩に辞職願いをだしみとめられる。
1773	46	秋田藩の小田野直武に西洋画を教える。
1776	49	エレキテルの復元に成功する。
1779	52	江戸の牢屋で亡くなる。

※年齢は数え年であらわしている

ヒラリー，エドモンド

探検・開拓

エドモンド・ヒラリー　1919〜2008年

人類ではじめてエベレスト登頂に成功

ニュージーランドの登山家。

ニュージーランド最大の都市オークランドに生まれる。高校の旅行の登山で、山の魅力にめざめた。オークランド大学を中退後、実家の養蜂業をつぐ。1948年にニュージーランド最高峰クック山の登頂に成功したことで、3年後、ニュージーランド・ガルワル・ヒマラヤ探検隊のメンバーにえらばれた。

エベレスト山（チベット名チョモランマ）は、年1組の入山規制がおこなわれており、スイスやフランスなどの国々が初登頂の名誉をきそっていた。そんななか、イギリスの威信をかけた第7次エベレスト探検隊にヒラリーはえらばれる。1953年、ヒラリーはシェルパのテンジンとともに、世界最高峰8848mのエベレスト初登頂に成功。イギリスよりサーの称号を受けた。

その後、南極大陸横断のニュージーランド隊の隊長や、ヒマラヤの科学調査隊の隊長をまかされる。1963年からはネパールの道路や学校建設に力をつくし、ニュージーランドの駐インド高等弁務官もつとめた。著書に『わがエベレスト』がある。

ビリャ，パンチョ

政治

パンチョ・ビリャ　1877〜1923年

メキシコ革命で活躍したメキシコの英雄

メキシコの政治家、革命指導者。

本名はドルテオ・アランゴ。ドゥランゴ州の貧しい農家に生まれる。地主と対立して逃亡し、パンチョ・ビリャと名のるようになった。1910年、メキシコ革命で指導者のマデロに賛同、武装集団をひきいてディアス政権の打倒に活躍した。その後、マデロ政権への反乱討伐のため、1912年に義勇軍をつのって政権にかかわるが、政府軍司令官ウエルタと対立して逮捕され、一時アメリカ合衆国へ逃亡。翌年、ウエルタがマデロを暗殺して政権をうばうと、これに反発するコアウィラ州知事カランサ（のちの大統領）を中心とする護憲運動に参加し、北部軍司令長官として、もう一人の農民指導者サパタとともにウエルタを追放した。しかしその後、官僚派のカランサとも対立を深め、孤立した。カランサの死後、1920年に中央政府と和解、引退を表明して故郷に帰るが、1923年に暗殺された。メキシコ革命の功労者であり、貧農出身のすぐれた軍人として親しまれ、メキシコの民族的英雄とたたえられている。

ヒルティ，カール

思想・哲学

カール・ヒルティ　1833〜1909年

キリスト教にもとづく深い人生哲学を語った思想家

スイスの法学者、宗教思想家。

ベルデンベルクの代々医師の家に生まれる。ゲッティンゲン大学やハイデルベルク大学で法律を学び、弁護士となる。1873年、ベルン大学教授となり国際法を担当、リベラル派の代議士としても活躍し、1909年以降はハーグ国際仲裁裁判所のスイス代表委員もつとめた。ギリシャやローマの古典に親しみ、敬虔なキリスト教徒の立場から『幸福論』などの宗教的、倫理的著作を多くのこした。『眠られぬ夜のために』では、自身の思索と人生経験から、不眠の夜こそ内的生活をふりかえる神様からあたえられた貴重な機会で、その思考こそが不眠治療になると説いた。女性解放運動にも積極的にとりくんだ。

ヒルトン，ジェームズ

文学

ジェームズ・ヒルトン　1900〜1954年

『チップス先生さようなら』で人気を得る

イギリスの作家、脚本家。

ランカシャー州生まれ。ケンブリッジ大学卒業。在学中から小説を書きはじめる。1933年に発表した不老不死の理想郷「シャングリラ」が舞台の小説『失われた地平線』で、イギリスの文学賞であるホーソンデン賞を受賞。1934年、年とった教師の思い出をつづる『チップス先生、さようなら』が、大ベストセラーとなる。ほかに『鎧なき騎士』『私たちは孤独ではない』『心の旅路』などがあり、映画化された作品も多い。ミステリー『学校の殺人』（1932年）は、こどもむけ作品として日本でも翻訳されている。のちに作品の映画化のためにおとずれたアメリカ合衆国へ移住し、ハリウッドで脚本家としても活躍する。

ビレラ，ガスパル

宗教

ガスパル・ビレラ　?〜1572年

室町幕府の許可の下、キリスト教を布教

戦国時代に来日した、ポルトガル人宣教師。

ポルトガルで生まれ、インドのゴアでキリスト教イエズス会の司教となる。1556年に来日し、豊後国（現在の大分県）府内、肥前国（佐賀県・長崎県）平戸で布教活動をはじめる。しかし、仏教徒と対立し、平戸から追放される。1559年、日本布教長のトルレスの指示を受け、日本人修道士のロレンソらと京都へ行き、翌年、室町幕府の第13代将軍足利義輝から布教の許可

を得る。近畿方面の布教の基礎をつくり、結城忠正、高山友照・高山右近父子らに洗礼をさずけた。その間の1565年に義輝が殺されると京都を追放され、堺にのがれた。その後は畿内を中心に、極貧の中で布教活動をつづけた。1570年に日本をはなれ、マラッカで亡くなった。

ひろおかあさこ

産業

広岡浅子　1849～1919年

数々の事業をおこし、女性の教育をささえた実業家

（大同生命保険）

明治時代の実業家。

山城国（現在の京都府南部）生まれ。豪商、出水三井家（のちの小石川三井家）の4女。琴や習字、裁縫などを習うが、相撲や木登りを好むおてんばな少女で、家では学問を禁じられた。17歳で、大坂（阪）の豪商、加島屋当主の次男広岡信五郎と結婚。簿記や算術を独学し、明治維新後、業績がかたむいた加島屋の立て直しに力をつくした。1884（明治17）年に炭鉱事業に進出。1895年から、休鉱となっていた潤野炭鉱の再開発を開始し、みずから炭鉱へおもむき、現場を指揮。石炭産出量を増加させた。このころ女子高等教育の必要性をうったえて、浅子のもとをおとずれた成瀬仁蔵を支援することを決め、1901年、日本女子大学校が開校する。1902年には大同生命を創業し、加島屋は大阪有数の近代的な企業グループとなった。1904年の夫の死後は経営をしりぞき、婦人運動をささえ、静岡県御殿場の別荘で、市川房枝など、未来をになう女性たちと勉強会をひらいていた。

ひろさわさねおみ

幕末

広沢真臣　1833～1871年

長州藩の尊王攘夷派を牽引

（国立国会図書館）

幕末の志士、明治時代前期の政治家。

長州藩（現在の山口県）の藩士、柏村家に生まれる。通称は季之進、金吾、藤右衛門、兵助など。1844年、波多野家の養子となり、のちに広沢と改姓した。1859年、家督を相続し、以後、藩の要職を歴任し、尊王攘夷派（天皇をうやまい外国勢力を追いはらおうという考えの人々）として活躍。1864年、四国連合艦隊による下関砲撃事件の和平交渉にあたった。一時、藩内の保守派により投獄されたが、釈放後、ふたたび藩政の中心的役割をにない、1866年、幕府による第二次長州出兵では、幕府側の勝海舟と交渉し、休戦協定をむすんだ。その後、積極的に倒幕活動を進めた。

明治新政府では、参与（総裁・議定に次ぐ重職）、民部大輔（租税や民政をつかさどる民部省の次官）、参議（左大臣、右大臣に次ぐ官職）などを歴任し、木戸孝允とともに版籍奉還（領地と人民を藩から天皇に返すこと）を進めた。1871（明治4）年、東京麹町の自宅で暗殺された。

ひろせたんそう

教育

広瀬淡窓　1782～1856年

咸宜園で教育をおこなった

（廣瀬資料館）

江戸時代後期の儒学者。

豊後国日田（現在の大分県日田市）の商人の子として生まれる。古文辞学派（荻生徂徠がおこした儒学の一派）の亀井南冥に師事して儒学を学んだ。1805年、24歳のとき儒学者として身を立てることを決意し、家業を弟にゆずって、日田に漢学の塾、成章舎をひらいた。そののち、塾名を桂林荘、1817年には咸宜園とかえた。

「咸宜」は皆よろしいという意味で、その塾名のとおり、身分や年齢、学歴に関係なくだれでも受け入れ、それぞれの個性を尊重する教育方針をとった。そのため、全国から武士、町人、農民、女性など3000人をこえる塾生が集まったという。19の級に分かれ、学習活動や試験で昇級する実力主義の制度だった。高野長英や大村益次郎など幕末から明治維新にかけて活躍する人材を育て、咸宜園は淡窓の亡くなったあとも弟子によって明治までつづけられた。淡窓は漢詩にもすぐれ、詩集『遠思楼詩鈔』を著した。

ひろたかめじ

郷土

広田亀治　1839～1896年

イネの品種「亀治」を開発した農民

江戸時代後期～明治時代の農民、農業指導者。

出雲国能義郡荒島村（現在の島根県安来市）の農家に生まれた。松江藩（島根県東部）の米蔵の番をしていたので、役人をてつだいながら、米の品質を見分ける目をやしなった。1865年、年貢をへらすように願いでた一揆の指導者とまちがえられ、村から追放された。

追放された土地で、イネの品種を調べ、ゆるされて村にもどるとき、めずらしいイネの品種を持ちかえったという。品質のよいイ

ネを植えることをくりかえし、1875（明治8）年、いもち病などに強く、たおれにくい品種を開発し、「亀治」と名づけた。「亀治」は、全国で栽培され、ほかの品種と交配されて多くの優秀な品種が生まれた。

ひろたこうき

政治

広田弘毅　1878～1948年

日独防共協定をむすんだ

（国立国会図書館）

明治時代～昭和時代の外交官、政治家。第32代内閣総理大臣（在任1936～1937年）。

福岡県の石屋の子に生まれる。東京帝国大学法科（現在の東京大学法学部）卒業後、外務省に入る。各国に赴任し、1923（大正12）年、第2次山本権兵衛内閣のときに欧米局長となった。次の加藤高明内閣でも欧米局長をつとめ、その後はオランダ公使、ソビエト連邦大使を歴任した。

1933（昭和8）年の斎藤実内閣とつづく岡田啓介内閣で外務大臣となり、戦争を回避する「協和外交」をめざす。1936年、二・二六事件で岡田内閣が総辞職すると、内閣総理大臣に就任。陸軍の整理や、国民生活を安定させるためにさまざまな政策をおこなったが、結果として軍国主義国家体制への足がかりをつくることとなった。

また同年、日独防共協定をむすんだ。翌年、政党と軍の対立から内閣は総辞職し、その後貴族院議員となる。第1次近衛文麿内閣ではふたたび外務大臣に就任したが、消極的な態度で日中戦争の泥沼化をまねいた。戦後はA級戦犯となり、極東国際軍事裁判（東京裁判）で文官としてはただ一人、死刑となった。

学 歴代の内閣総理大臣一覧

ひろつかずお

文学

広津和郎　1891～1968年

松川裁判への批判で社会に影響をあたえる

大正時代～昭和時代の作家、評論家。

東京生まれ。父は作家の広津柳浪。早稲田大学英文科卒業。正宗白鳥やチェーホフなどの影響を受け、在学中に、葛西善蔵らと雑誌『奇蹟』を創刊する。1917（大正6）年、理想がありながら現実は障害だらけの人間をえがく『神経病時代』でみとめられる。ほかに、第二次世界大戦前の暗い時代をえがく『風雨強かるべし』などがある。

評論「怒れるトルストイ」や「志賀直哉論」などをまとめた『作者の感想』や芥川龍之介、菊池寛、志賀直哉ら同じ時代に活躍した作家を論じた『同時代の作家たち』などを発表。

（日本近代文学館）

翻訳にはモーパッサン『女の一生』、ドストエフスキー『カラマゾフ家の兄弟』ほかがある。

戦後、福島市松川町でおこった列車の転覆事件（松川事件）の被告の無罪をうったえて、裁判に対する批判を展開、『中央公論』に4年半にわたって連載した（のちに『松川裁判』としてまとめられる）。これにより国民の注目を集め、その後、被告は全員無罪となる。

ひろつりゅうろう

文学

広津柳浪　1861～1928年

深刻小説で、社会の暗部をえがく

明治時代～大正時代の作家。

長崎県生まれ。本名は直人。作家の広津和郎は次男。医師の家に育ち、医師をめざし東京大学医学部予備門に入るが中退。農商務省に入るものの、文学の道をめざして退職。親の死により、放浪生活を送る。

1887（明治20）年、『女子参政蜃中楼』を発表して注目される。尾崎紅葉の硯友社に参加し、1895年に『変目伝』『黒蜥蜴』、翌年『今戸心中』などを発表する。

社会や人生の暗部を写実的にえがいて、深刻小説、悲惨小説とよばれる分野をひらき、樋口一葉とならぶ評価を得る。しゅうとにいじめられる悲惨な嫁をえがいた『黒蜥蜴』や、歓楽街で愛し合う男女の悲劇をえがいた『今戸心中』は傑作とされる。

ひろなかへいすけ

学問

広中平祐　1931年～

フィールズ賞を受賞した日本人数学者

数学者。

山口県に生まれる。中学1年のときに、2歳上の姉がとけなかった因数分解の問題を、教科書の公式をみて、すらりといたことから、数学に興味を感じたという。京都大学理学部卒業後、同大大学院で代数幾何学の勉強をはじめる。

1957（昭和32）年からアメリカ合衆国のハーバード大学大学院数学科に留学した。のちにコロンビア大学やハーバード大学で教鞭をとり、1976年からは母校の京都大学教授となる。代数多様体と、解析多様体の特異点の解消問題を解決した業績によって、1970年に数学のノーベル賞といわれるフィールズ賞を受賞した。1975年には、文化勲章を受章した。

学 文化勲章受章者一覧

ピンダロス

古代　詩・歌・俳句

ピンダロス　紀元前522?～紀元前442?年

古代ギリシャ最大の叙情詩人

古代ギリシャの叙情詩人。

テーベ近郊の名門貴族の出身。くわしいことはわかっていないが、若いころから詩をつくりはじめて名声を得ると、ギリシャ各地の貴族にまねかれ、多くの詩をつくったといわれている。なかでもオリンピア祭（オリンピック）などの競技会で、勝利者をたたえる歌が有名である。これらの祝勝歌は、現在も完全な形でのこされている。大胆な比喩と壮大なことばをつかって、想像のおもむくままに詩を書いた。なかには解釈がむずかしいものもある。また、ギリシャとペルシアのあいだでペルシア戦争がおこった際には、ほかの詩人のように愛国歌をつくることなく、中立を守ったといわれる。

ヒンデンブルク，パウル・フォン

政治

パウル・フォン・ヒンデンブルク　1847～1934年

ヒトラーを首相にしたワイマール共和国大統領

ドイツの軍人。ワイマール共和国の第2代大統領（在任1925～1934年）。

プロイセンで生まれる。1866年の普墺戦争、1870年の普仏戦争に従軍。1911年に退役するが、第一次世界大戦勃発とともに復帰。タンネンブルクの戦いでロシア軍をやぶり、ロシア国内にも進撃して、国民的英雄となった。1916年に元帥に昇進し、その後は主に西部戦線の指揮にあたる。強力な影響力を発揮したため、軍部独裁といわれた。1918年、ドイツ革命に際して、皇帝ウィルヘルム2世に退位を要求。翌年、ベルサイユ条約調印後に引退した。

しかし1925年、ワイマール共和国の初代大統領エーベルトの死後、保守派におされて大統領に当選。当初はワイマール憲法に忠実であったが、しだいに権威主義的統治へとかたむいていった。ブリューニングを首相に任命すると、議会の承認なしに緊急命令を発する権限を首相にあたえ、議会の制約をなくしてしまった。1932年に大統領に再選すると、翌年、ヒトラーを首相にしてナチス政権が成立した。

びんひ（ミンピ）

王族・皇族

閔妃　1851～1895年

朝鮮の実権をにぎったきさき

朝鮮王朝の第26代国王高宗のきさき。

驪州出身。大院君の夫人の推薦で、大院君の第2子の高宗が国王になると、15歳でそのきさきとなった。1874年、息子の純宗が世つぎに決まると、摂政の大院君をしりぞけた。高宗は政治に関心がなく、閔妃一族が実権をにぎった。当初は鎖国政策をとっていたが、江華島事件後は日本の圧力に折れ、1876年、日朝修好条規をむすぶ。しかし、政治の腐敗が民衆の反発をまねき、1882年、大院君派が首都漢城（現在のソウル）で、閔氏政権に対する反乱（壬午事変）をおこした。閔氏は中国の清の支援でこれをしずめる。

1884年の甲申政変で、急進開化派に政権を追われると、ふたたび清とむすんで、政権をとりもどした。その後、1894年の甲午農民戦争をきっかけにはじまった甲午改革で失脚。日本の侵略を阻止しようと、ロシアに近づいたことで、翌年、日本公使三浦梧楼の指示で王宮に乱入した日本軍人により暗殺された（閔妃殺害事件）。この事件により、朝鮮でははげしい反日運動がおこった。

学 世界の主な王朝と王・皇帝

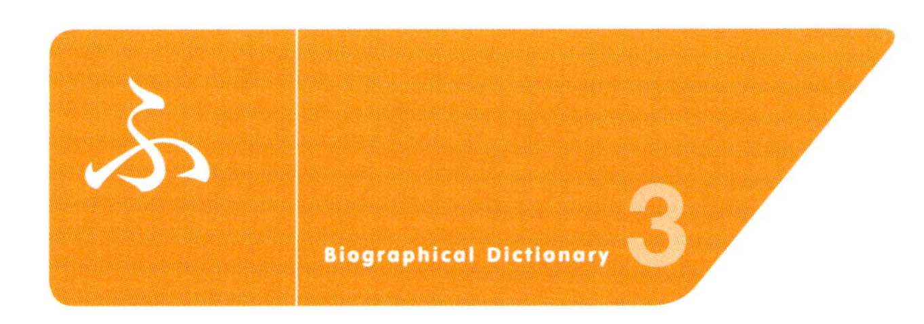

ぶ

武 → 雄略天皇

ファージョン，エリナー

絵本・児童

エリナー・ファージョン　1881～1965年

初の国際アンデルセン賞に輝く

イギリスの児童文学作家、詩人。

ロンドン生まれ。作家の父をもちながら、両親の方針で学校には行かず、家庭教師から読み書きを習った。こどものころから本を読んだり物語や詩を書いたりしてすごした。なかでも、きょうだいと物語を劇にして遊ぶのが好きだった。

詩集『ロンドンの町のわらべうた』を出版後、1921年に発表した物語『リンゴ畑のマーティン・ピピン』で、作家としてみとめられる。その後『イタリアののぞきめがね』『年とったばあやのお話かご』など民話風のファンタジー作品を次々と発表した。晩年にそれまでの短編を集めた『ムギと王さま』を出版する。

1955年には、この作品でカーネギー賞、翌年に第1回国際アンデルセン賞を受賞した。

ファーブル，ジャン・アンリ

→ 228ページ

ファーレンハイト，ガブリエル

学問　発明・発見

ガブリエル・ファーレンハイト　1686～1736年

水銀温度計を開発し、「華氏温度」に名をのこす物理学者

18世紀、主にオランダで活動したドイツの物理学者。

ダンツィヒ（現在のポーランドのグダンスク）生まれ。

少年時代に両親を失い、オランダのアムステルダムに移る。ガラス加工技術を身につけ、各国をまわって科学装置の製造をおこなうなか、科学者との交流により標準温度計の必要性に気づく。1714年ごろ、水銀温度計を発明し、1721年には過冷却になった水が振動によって凝固する現象を発見した。

1724年に論文を発表し、王立協会の会員となった。その後も、熱や温度変化に関する研究をつづけたが、オランダのハーグにて、49歳で亡くなった。

現在もアメリカ合衆国などで用いられている華氏温度（カ氏温度、ファーレンハイト度。°Fであらわす）は、ファーレンハイトの考案による温度目盛り（水の融点を32度、体温を96度とする）である。

ファインマン，リチャード

学問

リチャード・ファインマン　1918～1988年

量子電磁力学へ貢献した物理学者

20世紀のアメリカ合衆国の物理学者。

ニューヨーク市生まれ。マサチューセッツ工科大学で物理学を学び、プリンストン大学大学院に進む。第二次世界大戦中は、ロスアラモス国立研究所で原爆開発にかかわった。

1946年、コーネル大学の教授、のちにカリフォルニア工科大学教授をつとめる。量子電磁力学への多大な貢献が評価されて、1965年のノーベル物理学賞を朝永振一郎らとともに受賞。素粒子の運動のようすを求める径路積分という方法や、素粒子の反応を図式化したファインマン・ダイアグラムの考案など、現代の理論物理学をひらいた。その後、物理学教育貢献者に贈られるエルステッド・メダルやアメリカ国家科学賞も受賞、型破りな人がらで知られる。69歳でがんにより亡くなった。

学 ノーベル賞受賞者一覧

ファラデー，マイケル

学問　発明・発見

マイケル・ファラデー　1791～1867年

電磁誘導をはじめ、科学の発展に大きく貢献

19世紀のイギリスの物理学者、化学者。

ロンドンに近いニューイントン・バッツで、鍛冶屋の子として生まれる。学校教育はほとんど受けられず、奉公していた製本屋で読書により、科学を学ぶ。熱意を目にとめた高名な化学者ハンフリー・デービーの推薦により、1813年、王立研究所の化学助手となり、デービーを助けていくつかの発見をおこなった。1821年には、モーターの原型となる装置を開発し、デービー没後の1831年に、磁界が変化すると電流が発生するという電磁誘導を発見した。

その後も、電気分解の法則、磁場に反発する反磁性、光に対する磁界の効果（ファラデー効果）の発見や電気力線の考案など、のちの科学の発展に不可欠となる偉大な業績を多数あげ、英国王立研究所長、各国の科学アカデミー会員などもつとめた。市民への科学普及にも熱心で、彼がはじめた一般むけ講座は現在でも受けつがれている。19世紀を代表する偉大な科学者である。

フアレス，ベニト

政治

ベニト・フアレス　1806～1872年

ナポレオン3世軍と戦った、先住民の血をひく大統領

メキシコの政治家。大統領（在任1861～1872年）。

メキシコ先住民（サポテカ人）の血をひく。貧しいが勉強熱心で、神学校で学び、弁護士をへて政治家となる。1847年、オアハカ州知事となったが、サンタ・アナ大統領と対立して逮捕され、釈放後の1853年、アメリカ合衆国に亡命。アルバレスが

サンタ・アナをたおすために革命をおこすと、帰国して参加した。アルバレス政権では法務大臣をつとめ、聖職者と軍人の法律的な特権をなくす「フアレス法」をつくった。その後、1857年に新しい憲法を制定すると、保守派との戦いがおこるが、それに勝利して1861年に大統領となった。

しかし翌年、フランスのナポレオン3世が保守派とむすんで挙兵し、首都を占領してハプスブルク家のマクシミリアンをメキシコ皇帝とした。フアレスはメキシコ軍をひきいて抵抗し、首都をうばい返すと、治安を回復させて近代化を進めた。

その後も大統領にえらばれ、民主主義の確立に貢献したが、部下のディアスの反乱にあい、それをしずめたあと、病気で亡くなった。

ファンアイクきょうだい

絵画

ファン・アイク兄弟　兄フーベルト 1370?～1426年　弟ヤン 1390?～1441年

油彩画法を開発した画家の兄弟

▲兄フーベルト（右）と弟ヤン（左）

ヨーロッパのゴシック後期の画家兄弟。

ベルギーのリエージュ北方マーサイクに生まれる。フランドル地方（フランス北部からベルギー西部にわたる）の文化と商工業の中心地、ブリュージュで活躍した。

兄フーベルトについては確実な資料がほとんどのこっていない。弟ヤンはフーベルトの弟子だったが、1425年以後ブルゴーニュ公フィリップ善良公の宮廷画家となり、ブリュージュで活躍した。代表作に『ニコラ・ロランの聖母』『聖バルバラ』がある。

教会の祭壇画や宗教画を、それまでつかわれていたテンペラにかわり、油絵の具をつかった新しい画法を開発して、筆でていねいにえがいた。

現存する作品は、ベルギーのヘント市にある聖バーフ大聖堂『ヘントの祭壇画』が、1432年にフーベルトとヤンによってつくられたという記録があり、代表作とされる。

のちのイタリア・ルネサンスに影響をあたえ、近代肖像画の一つの典型をつくり上げた。

フアン・カルロス

王族・皇族

フアン・カルロス　1938年～

民主化をおし進めたスペイン国王

スペイン国王（在位1975～2014年）。

ブルボン王家の直系。1931年の革命で王位を追われ、ローマに亡命したアルフォンソ13世の孫。スペイン内戦中、亡命先のローマで生まれる。第二次世界大戦後に帰国し、フランコ将軍の下で皇太子教育を受け、士官学校、マドリード大学で学ぶ。1962年、ギリシャ王女ソフィアと結婚。フランコ総統から王位継承者に指名され、1975年、フランコの死にともない、王政復古がなされ、スペイン国王に即位した。即位後は選挙による新憲法の承認など民主化を進め、立憲君主制を導入。1981年、民主化をおびやかす軍人のクーデターを阻止、国民からの信頼を集めた。スペイン民主化の象徴的存在であったが、王族の公金横領疑惑などが発覚すると、支持率が低下した。2014年に退位する。新しい国王には長男のフェリペ皇太子が即位。1980（昭和55）年と2008（平成20）年に来日している。

ファン・ダイク, アントーン

絵画

アントーン・ファン・ダイク　1599～1641年

フランドル派を代表する画家の一人

ベルギーの画家。

アントウェルペンの裕福な織物商の家に生まれる。1609年、10歳のとき聖ルカ画家組合（ギルド）で職業画家としての修業に入る。14歳で自画像をえがき、19歳で組合の親方画家となった。このころからルーベンスの助手をつとめ、制作に協力した。

その後、イタリアをおとずれ、ベネツィア派のティツィアーノらから大きな影響を受ける。帰国後、数多くの祭壇画や宗教画の注文を受け、制作にはげんだ。1632年にイギリスからまねかれ、国王チャールズ1世の宮廷画家となり、貴族たちの肖像画を数多く制作した。繊細で優美な画風が特徴で、代表作に『自画像』『福者ヘルマン・ヨーゼフにあらわれた聖母』『狩場のチャールズ1世』などがある。イギリスで肖像画制作の模範とされ、騎士の称号も受けるほど賞賛された。ルーベンスとともにフランドル派の代表である。

ファン・チュー・チン

政治

ファン・チュー・チン　1872?～1926年

東京義塾を設立し、民族独立をめざした

ベトナムの民族運動指導者、学者。

1901年、フランス支配下にあったベトナム阮朝の役人となるが、数年でやめて反仏抵抗運動に参加した。ルソーやモンテスキューらの思想を学ぶ。反仏運動の人材を育てるためにベトナム人青年を留学させる東遊運動で来日し、日本の近代化をみて、武力ではなく近代化と人材の育成によって独立をめざすようになる。帰国後、ファン・ボイ・チャウらと東京義塾を設立。これは、ベトナム民族の伝統とヨーロッパの新しい学問をむすびつけて人を育てる、新しい教育機関だった。

しかし、フランス植民地政府によって閉鎖させられる。その後、税制に反対したとして逮捕され、流刑ののちに、フランスに追放された。1925年に帰国後、サイゴン（現在のホーチミン）で亡くなった。

ファン・デン・ボス，ヨハネス

政治

ヨハネス・ファン・デン・ボス　1780～1844年

植民地から収奪する制度をつくった

オランダの軍人、オランダ領東インド総督。

ヘルウェイネンに生まれる。1797年、軍人として、オランダ植民地のジャワ島にわたり、総督の副官をつとめる。1810年に帰国後も、植民地の政治経済の研究を進めた。軍の要職をつとめ、1830年、オランダ領東インド（現在のインドネシア）総督として、再度ジャワ島にわたる。農民に強制的に、商品として輸出するための農産物の栽培をさせて安く売らせる強制栽培制度を導入し、コーヒーなどで大きな利益をあげた。悪化していたオランダ本国と植民地政庁の財政を立て直したが、農民たちの苦しみは大きく、人口も激減した。1833年、本国の人々や現地の農民の反発を受けて帰国する。その後は、植民大臣をつとめ、伯爵となった。

ファン・ドールン，コルネリス

郷土

コルネリス・ファン・ドールン　1837～1906年

安積疏水を設計したオランダ人土木技師

明治時代に来日したオランダの技術者。

オランダの牧師の家に生まれた。土木技師の資格を得て、1872（明治5）年、明治政府にまねかれて来日した。内務省土木局の技師長となり、各地の河川や港湾の建設にかかわった。

当時、安積郡（福島県郡山市西部）は不毛の原野で、1873年、県の役人中條政恒が士族（旧武士）を集めて開墾にあたった。中條の進言もあり、明治政府は、広大な安積原野に約20kmはなれた猪苗代湖から水をひく計画を立てた。1878年、ドールンが現地調査をした結果、猪苗代湖から水をひくと、西方の会津地方に水が流れなくなるので、水門をつくって水量を調節し、猪苗代湖の水位がかわらないようにくふうした。1879年、みずからが設計した十六橋水門と沼上隧道（トンネル）、用水路の工事がはじまり、3年かけ、のべ85万人をついやして、約130kmの安積疏水（人工の水路）が完成し、安積原野に約3000haの水田がひらかれた。

（安積疏水土地改良区）

ファン・ボイ・チャウ

政治

ファン・ボイ・チャウ　1867～1940年

東遊運動、ベトナム光復会を組織した

ベトナムの民族運動指導者。

北部のゲアン省出身。当時フランスの支配下にあったベトナムを独立させようと、10代のころから活動し、1904年に阮朝の皇族のクオンデを盟主として維新会をつくった。1905年、最初は武力の援助を求めて日本にわたる。亡命中の中国の革命家梁啓超や、大隈重信らと出会い、反仏運動の人材を育てるためにベトナム人青年を日本に留学させる東遊運動をはじめた。ファン・チュー・チンをはじめ100人以上のベトナム人を日本で学ばせたが、フランスからの要請を受けた日本政府がこの運動を弾圧、日本を追放された。その後、シャム（現在のタイ）、中国を中心に活動をつづけ、1912年には広東にベトナム光復会をつくり、いちじ逮捕されながらも、武力によるベトナムの解放をめざした。

1925年にフランスの役人にとらえられ、死刑判決を受けてベトナムに送られるが、民衆の反発が強かったために死刑をまぬかれる。フエに軟禁され、自伝の執筆などをつづけたが、解放されることのないまま亡くなった。

ファン・ロンパイ，ヘルマン

政治

ヘルマン・ファン・ロンパイ　1947年～

ヨーロッパ連合（EU）初代大統領

ベルギーの政治家。首相（在任2008～2009年）。初代ヨーロッパ理事会常任議長（EU大統領、在任2009～2014年）。

ブリュッセル生まれ。ルーバン大学で哲学と経済学を学んだのち、1973年に政界入りした。1988年、上院議員となり、その後、

副首相兼予算大臣、下院議長などをへて、2008年に首相に就任。長らくつづく国内の地域間対立（北部のゲルマン系住民と南部のラテン系住民の対立）の調整につとめた。ヨーロッパ連合（EU）の合理化をめざす新しい基本条約であるリスボン条約の発効にともない、ベルギー首相を辞任し、2009年、新設されたEU大統領に就任。国際会議などの対外的な場において、EUを代表する立場となった。2014年、2期目の任期満了にともない退任した。日本の俳句の愛好者として知られ、みずからも俳句をつくり、句集も出版している。

フィッツジェラルド，スコット

文学

スコット・フィッツジェラルド　1896〜1940年

ロスト・ジェネレーションの旗手

アメリカ合衆国の作家。

ミネソタ州生まれ。本名はフランシス・スコット・キー。プリンストン大学を中退し、陸軍へ入隊して第一次世界大戦に従軍する。軍の任務を終えて書いた小説『楽園のこちら側』（1920年）がベストセラーを記録する。戦地におもむき、戦争の恐怖、絶望を知った作家として、ロスト・ジェネレーション（失われた世代）といわれる。

1920年代、好景気にわく時代を、美しい妻とぜいたくにくらし、『美しく呪われし者』『グレート・ギャツビー』『夜はやさし』などを発表する。『グレート・ギャツビー』は、豪華な邸宅をもち、はでなパーティーをくり広げる主人公の破滅をえがく傑作。いまも、レオナルド・ディカプリオ主演による映画化や、村上春樹の新訳で話題を集める。その後、世界恐慌（1929〜1933年）で本が売れなくなると、生活は苦しくなる。脚本家として活動するが、アルコールにおぼれ、病死する。

フィヒテ，ヨハン・ゴットリープ

思想・哲学

ヨハン・ゴットリープ・フィヒテ　1762〜1814年

主観的観念論を打ち立てた哲学者

ドイツの哲学者。

ザクセン地方の生まれ。イエナ大学、ライプツィヒ大学に学ぶ。カント哲学に感銘を受け、1791年、ケーニヒスベルクへカントをたずねた。

翌年、カントの協力で『あらゆる啓示批判の試み』を出版。1794年、イエナ大学教授となり、『全知識学の基礎』などを著した。無神論者として非難され、1799年に同大学を去る。1807年、ナポレオン1世に占領されたベルリンで『ドイツ国民に告ぐ』を講演。ドイツの民族独立と文化の再建を説いた。1810年、ベルリン大学教授に就任、翌年、初代総長となった。理想の自己である「絶対我」の実現のため、非道徳的な「非我」を克服するべきであると説いた主観的観念論は、ヘーゲルらに影響をあたえた。

フィリップにせい

王族・皇族

フィリップ2世　1165〜1223年

フランスを統一した「尊厳王」

フランス、カペー朝の第7代王（在位1180〜1223年）。

第6代王ルイ7世の子に生まれる。父の死により15歳で即位した。カロリング家の血筋をひくイザベルと結婚し、即位直後は妻の父が摂政となっていた。

まもなく親政をはじめ、北部の強力な諸侯をおさえた。1190年、イングランド王リチャード1世とともに第3回十字軍に参加したが、リチャード1世と不和になり帰国。フランス国内のイングランド領をうばおうと、ノルマンディーに侵入して、イングランド軍と戦った。

リチャード1世の死後に、その弟ジョン王が立つと、封建義務の不履行を口実にノルマンディー、アンジュー伯領などの領地をうばい、フランス国内のイングランド領はギエンヌ地方のみとなった。ジョン王が神聖ローマ皇帝オットー4世とともに攻めてくると、1214年、ブービーヌの戦いでこれをやぶった。この勝利によってフランスは国家統一を勝ちとり、ヨーロッパ一の強国となった。内政においても商工業を奨励して、財政を立て直し、「尊厳王」とよばれる。

学 世界の主な王朝と王・皇帝

フィリップよんせい

王族・皇族

フィリップ4世　1268〜1314年

教皇のアビニョン捕囚をおこなった

フランス、カペー朝の第11代王（在位1285〜1314年）。

第10代王フィリップ3世の子。強力な中央集権政治と財政増収につとめた。即位後にまず、婚姻や封建法などにより、シャンパーニュなどの地方を王の領土に加えて、領土を拡大した。しかし、イングランド王エドワード1世との領土争いはうまくいかなかった。戦争による財政難を立て直すため、教会の領地に課税しようとして、ローマ教皇ボニファティウス8世と対立した。

1302年、フランス身分制議会のはじまりとされる三部会を召集して、国の利益を宣伝し、国民の支持を得ると、アナーニの別荘をおそって教皇をとらえた（アナーニ事件）。

教皇が亡くなると、新ローマ教皇クレメンス5世はフィリップ4世に屈して、1309年、教皇庁をローマからアビニョンに移した（教皇のアビニョン捕囚）。

また、教皇より特権をあたえられていたテンプル騎士団は中央集権政治の障害であり、十字軍時代の寄進で富裕だったこともあり、異端として解散させて所領や財産を没収。教会よりも強大なものとして、フランス王権の存在を誇示した。

学 世界の主な王朝と王・皇帝

フィリッポスにせい

王族・皇族

フィリッポス2世　紀元前382〜紀元前336年

マケドニアを強国にした

マケドニア王国の王（在位紀元前359〜紀元前336年）。

父王の死後、王位継承の争いがおこったため、幼少期はテーベで人質となり、このあいだに戦法を学んだ。祖国に帰ったのち、紀元前359年に即位すると、騎兵を強化するなど、軍制改革をおこなった。マケドニアを強国にすると、ギリシャに介入をはじめる。

紀元前338年、カイロネイアの戦いで、アテネ・テーベ連合軍をやぶり、全ギリシャを制圧した。翌年には、スパルタをのぞくギリシャの全ポリス（都市国家）を集めて、コリントス同盟を結成し、その盟主となって、ギリシャを支配下においた。

その後、ペルシア遠征の計画を進めるが、部下に暗殺される。ペルシア遠征の遺志は、息子のアレクサンドロス大王にひきつがれた。

フィルドゥーシー

詩・歌・俳句

フィルドゥーシー　934？〜1025？年

イラン最大の民族詩人

ペルシア（現在のイラン）の詩人。

ホラサーン州の地主の子として生まれる。本名はアブール・カースィム。

幼少から神話、伝説に興味をもつ。詩人のアブー・マンスールが編集した王書（王の伝記）をもとに、30年以上かけてイラン建国からササン朝ペルシアの滅亡までの神話、伝説、歴史の物語を作詩し、約6万句からなる『シャー・ナーメ』（王書）を完成した。

『シャー・ナーメ』は、当時アフガニスタン地方に栄えていたガズナ朝の王マフムードにささげられたが、何の報酬もあたえられなかった。失意のままガズナの都（現在のカズニの近く）を去り故郷に帰った。王は、のちに後悔して多額な報酬を贈ったが、フィルドゥーシーはまもなく亡くなった。

『シャー・ナーメ』は、イランの民族詩としてばかりでなく、世界的な叙事文学（事実をしるした文学）として評価され、世界各国で翻訳されている。

プーイー

溥儀 → 溥儀

フーコー，ジャン・ベルナール

学問

ジャン・ベルナール・フーコー　1819〜1868年

「フーコーの振り子」で地球の自転を証明した物理学者

19世紀のフランスの実験物理学者。

パリ生まれ。病弱で学校にかようことができず、家庭教師について学んだ。

同い年の物理学者フィゾーと親しくなってからは、共同で実験にとりくむ。1845年、ダゲレオタイプという当時の写真撮影法を用いて、太陽表面の撮影に世界ではじめて成功。このとき、カメラにとりつけられた振り子じかけの装置をみて、カメラの動きにかかわらず、振り子の振動面が一定であることに気づく。

この振り子の性質からヒントを得て、1851年、パリのパンテオン（18世紀に建てられた神殿）に高さ67mの振り子をとりつけて公開実験をおこない、地球の自転を証明した（上から観察すると、振り子は少しずつ時計まわりに回転しているようにみえるが、これは地球が反時計まわりに自転しているという証拠）。

光の速度をはかる実験にもくりかえしとりくみ、1862年に秒速29.8万kmという精度の高い値をだした。1864年には、反射望遠鏡主鏡用に口径80cmの鏡を製作し、この鏡はのちにマルセイユ天文台の望遠鏡で使用された。

フーシー

胡適 → 胡適

ジャン・アンリ・ファーブル

生命の不思議と魅力を伝えた「虫の詩人」

■独学で数学、物理学、博物学を学ぶ

▲ジャン・アンリ・ファーブル

フランスの昆虫学者、博物学者。

南フランスの内陸の村サン・レオンで生まれる。父は定職がなく、3歳から6歳まで、マラバル村の祖父母の家にあずけられ、豊かな自然の中で成長した。1839年、アビニョン師範学校の給費生の試験に合格。在学中、スカラベ（甲虫の1種）がふんの玉をころがしているのをみつけ感動し、のちに『昆虫記』第1巻で紹介した。3年で師範学校を卒業し、小学校の教師になった。そこで生徒からヌリハナバチについて教えてもらい、昆虫学にめざめた。そのかたわら、数学や物理学、化学などを独学。モンペリエ大学で数学の学士号を、つづいて物理学の学士号をとった。1849年、コルシカ島の中学校の物理学教師となり、そこで植物学者のルキアンと知り合い植物採集をしてまわった。また博物学者のタンドンから博物学をすすめられ、解剖のしかたなどを教えてもらった。

■コブツチスガリの行動を観察

1853年、アビニョンの高校の物理学の教師となったファーブルは、翌年、レオン・デュフールのタマムシツチスガリというハチに関する論文に影響を受けて、ゾウムシを狩るコブツチスガリの行動を観察した。そして、コブツチスガリはゾウムシを針でさすことで神経をまひさせ、幼虫のえさにするために生きたまま保存することを発見した。この研究がフランス学士院の実験生理学賞を受け、イギリスの博物学者ダーウィンは、ファーブルを「たぐいまれな観察者」と称賛した。

▲スカラベの仲間　ふんの玉をころがして巣にはこぶスカラベの生態のおもしろさについて、ファーブルは『昆虫記』第1巻第1章でとり上げた。

■『昆虫記』の執筆に専念

▲娘たちとアルマスの庭で

1868年に高校を辞任したあと、アビニョンの北にあるオランジュに移り、数学や生物、化学、天文学など科学の啓蒙本を書いて生計を立てた。こうしたなか、昆虫の生態について発見したよろこびをまとめ、1879年に『昆虫記』（『昆虫学的回想録』）第1巻を出版した。実際に観察した記録を詩的な文章でわかりやすくまとめ、昆虫のもつ生命の不思議と魅力にあふれる本だったが、一般の人には「昆虫学」というなじみのないテーマは受け入れられず、専門家からは「科学の世界に文学をもちこんでいる」と批判された。

その後、オランジュから7kmはなれたセリニャンの村はずれに移転。アザミが咲き乱れ、たくさんのハチの仲間が飛ぶこの土地を「アルマス（荒地）」と名づけ、昆虫の観察と執筆に没頭した。以後、ほぼ3年に1巻ずつ『昆虫記』を出版し、1907年に最終巻となる第10巻を刊行。1910年4月3日、彼を尊敬する人たちのよびかけで、「ファーブルの日」の祝宴がひらかれ、これをきっかけに、『昆虫記』は世界的に知られ、広く読まれることになった。世間の評価とじゅうぶんな研究資金を手に入れたとき、目はかすみ、足は弱まり、思うように研究ができなくなっていたが、最後まで昆虫の観察に思いをはせ、1915年、91歳で亡くなった。

ファーブルの一生

年	年齢	主なできごと
1823	0	12月21日、フランスのサン・レオンで生まれる。
1839	16	アビニョン師範学校に入学。
1842	19	カルパントラ小学校の教師になる。
1849	26	コルシカ島の中学校の教師になる。
1851	28	タンドンに博物学の研究をすすめられる。
1853	30	アビニョンの高等学校の教師になる。
1855	32	コブツチスガリの研究を発表。
1879	56	『昆虫記』第1巻を出版し、アルマスに移転する。
1907	84	『昆虫記』第10巻を出版。
1915	91	10月11日、セリニャンで亡くなる。

※年齢は満年齢であらわしている

ブーシェ，フランソワ

絵画

フランソワ・ブーシェ　1703〜1770年

ルイ15世の宮廷画家として活躍した画家

フランスの画家。

パリ生まれ。版画商をいとなむ装飾職人の父から絵の手ほどきを受け、画家ルモアーヌの弟子となる。ロココ画家のワトーに大きな影響を受け、その油彩画を版画で複製する複製画家として、生計を立てていた。1723年にローマ賞を受賞して、1727年から4年間イタリアで学んだ。帰国後、1734年に『ルノーとアルミード』を発表し、アカデミー会員となる。1737年に教授となり、のちに会長をつとめた。その後、ルイ15世の時代に宮廷画家として活躍した。宮廷生活を神話風にえがいたほか、壁面装飾やタペストリーの下絵などもてがけた。

作風は、軽快で華麗な装飾を得意とし、ロココ美術を代表する画家といわれる。主な作品に『ポンパドゥール夫人』『ビーナスの凱旋』『オダリスク』がある。寓意画、肖像画、田園風景画、風俗画など、さまざまな作品をのこしている。

プーシキン，アレクサンドル

文学　詩・歌・俳句

アレクサンドル・プーシキン　1799〜1837年

ロシア文学に新時代をもたらす

ロシアの詩人、小説家。

モスクワの名門貴族に生まれる。文学を好む父と詩人のおじの影響で、文人が集まる家庭に育った。10代なかばで詩を書き、すぐれた才能で教師たちをおどろかせた。

卒業後は外務省につとめたが、政府を批判する詩『自由』などを発表して、南ロシアに追放された。そのあいだ各地を転々としながら、個人と社会、自由と運命などをテーマに詩や小説を書きつづけた。37歳のとき、妻にかかわる問題でフランス人将校と決闘し、その傷がもとで2日後に亡くなった。

それまで教会でつかわれていた言語や民衆のことばなどを統合して、近代的な標準ロシア語の文章ことばをつくり、ロシア文学に新時代をもたらした。ロシア近代文学の父、ロシアの国民詩人とよばれる。代表作に詩小説『エフゲニー・オネーギン』、小説『スペードの女王』、『大尉の娘』などがある。作品の多くはオペラとして、いまも世界中で上演されている。

プーチン，ウラジミール

政治

ウラジミール・プーチン　1952年〜

「強い国家」と「秩序の回復」をうったえるロシアの大統領

ロシアの政治家。大統領（在任2000〜2008年、2012年〜）。

レニングラード（現在のサンクトペテルブルク）生まれ。1975年、レニングラード国立大学法学部を卒業、ソビエト連邦（ソ連）の諜報機関である国家保安委員会（KGB）に入り、冷戦時代の旧東ドイツで諜報活動に従事。レニングラード国立大学学長補佐官をへて、ソ連崩壊後、連邦保安局（FSB）長官などを歴任。1999年にエリツィン大統領のもと、首相に就任、チェチェン紛争に武力介入し、制圧した。エリツィンが大統領を辞任すると大統領代行となり、2000年、大統領に当選。就任後は「強い国家」と「秩序の回復」をうったえ、経済の立て直しに成功、国民の圧倒的支持を得た。2004年、大統領に再選。2008年からはメドベージェフを大統領におき、みずからは首相に就任。2012年、大統領に復帰した。強いリーダーシップをもち、国内で人気が高く、活発な外交を展開するが、独裁的と非難されることもある。少年時代から柔道をはじめ、2000（平成12）年の来日時に講道館から6段の段位を受けた。

学 主な国・地域の大統領・首相一覧

フーチンタオ

胡錦濤 → 胡錦濤

フーバー，ハーバート

政治

ハーバート・フーバー　1874〜1964年

世界恐慌の対策に失敗

アメリカ合衆国の政治家。第31代大統領（在任1929〜1933年）。

アイオワ州に生まれる。スタンフォード大学に進学し、地質学を学ぶ。卒業後は鉱山技師として海外でその開発にあたり、経営にも成功して、世界屈指の鉱山事業家となった。第一次世界大戦がおこると、ヨーロッパにいるアメリカ人の帰国を援助。また、私財を投じてベルギー救済委員会をつくり、戦争被害者を助けた。1917年には第28代大統領ウィルソンにその手腕を買われ、食糧庁長官として戦時中の国家の食物管理にあたった。その後、ハーディング、クーリッジの両政権で商務長官に就任し、繁栄をつづける国内で経済政策にあたった。

1928年の大統領選挙に、共和党から出馬し大勝。就任後まもなく世界恐慌がおこるが、すぐに回復するものとしばらく対策を立てなかった。しかし不況は長びき、連邦農業委員会の強化や復興金融公社の設立、フーバー・モラトリアムの宣言などの対策をおこなったが、経済回復にはいたらなかった。1932年の大統領選挙で、民主党のフランクリン・ローズベルトに大敗した。

学 アメリカ合衆国大統領一覧

ブーベ，ジョアシャン

宗教

ジョアシャン・ブーベ　1656〜1730年

実測による最初の中国地図を作成したイエズス会宣教師

中国の清朝へ派遣されたフランスのイエズス会士。

フランスのル・マン生まれ。中国名は白進または白晋。

フランス国王ルイ14世により組織された中国への宣教団の一員となり、1685年、フランスを出発し、1688年に北京に到着。清の第4代皇帝の康熙帝はヨーロッパの科学文明に深い関心をもっていたため、ユークリッド幾何学、解剖学の講義をおこなった。康熙帝はさらに多くの宣教師の渡来を望んだため、1694年いったん帰国し、10人の宣教師をつれて北京にもどった。伝道のかたわら、宮廷で奉仕し、清朝に数学、天文学などの学術を伝えた。康熙帝に命じられて実測による最初の中国地図『皇輿全覧図』（中国語版）を作成。

また著書の『康熙帝伝』は中国の事情をヨーロッパへ伝え、清朝史研究に欠かせない資料となっている。1730年、北京で没した。

フーヤオバン

胡耀邦 → 胡耀邦

ブーランジェ，ジョルジュ

政治

ジョルジュ・ブーランジェ　1837〜1891年

軍国主義者の英雄となり、クーデター未遂事件に発展

フランスの軍人、政治家。

陸軍士官学校を卒業。1870年のプロイセンとの普仏戦争で活躍し、1886年に陸軍大臣となる。軍から王族を排除するなど、軍の改革を進めて民衆から人気を集めた。当時関係が悪化していたドイツに対し、強い姿勢をとったため、敗戦後、ドイツに敵対心をもつ民衆から復讐将軍とよばれてさらに人気となる。その人気に危険を感じた政府によって1887年に左遷されると、「議会解散、立憲議会、憲法改正」をかかげるブーランジェ派をつくり、共和制に不満をもつ人々に広く支持されて、フランス第三共和政の政府を動揺させた。

各地の選挙に勝利して、1889年にはクーデターのうわさも広まったが、政府が先手を打って反逆罪の容疑で逮捕状をだし、クーデターを実行することなく、ベルギーに亡命。1891年に自殺した。

フーリエ，シャルル

思想・哲学

シャルル・フーリエ　1772〜1837年

協同組合的理想社会を構想した社会主義者

フランスの哲学者、倫理学者、社会主義思想家。

東部のブザンソンで、裕福な商家に生まれる。少年時代に商業への憎悪をいだいた。1793年に破産し、その後、仲買人などをしながら、新聞や雑誌などで独学をおこなう。この経験がのちの思想に大きな影響をあたえた。フランス革命の自由・平等・友愛の原理の社会的実現を望み、農業を主とする協同組合社会の建設を説いた。

1808年に代表作である『四運動の理論』を著して理想の社会をえがき、また、ニュートンの万有引力から着想を得て、情念（人間の感情の諸要素）はたがいにひき合うものだというみずからの哲学を展開した。当時は嘲笑もされたが、あきらめずに労働者が自由に結合する協同社会建設を構想、その主張は弟子のコンシデランらによって、フーリエ主義として受けつがれていった。1822年には『家庭・農業組合概論』、1829年には『産業・組合新世界』を発表し、プルードンなどに影響をあたえた。

フーリエ，ジャン・バプティスト

学問

ジャン・バプティスト・フーリエ　1768〜1830年

熱伝導を研究し、フーリエ解析理論を創設した数学者

19世紀のフランスの数学者、物理学者。

中部のオセール生まれ。8歳で孤児となり、地元の司教にあずけられ陸軍幼年学校へ入学。この時期、数学に興味をもち、その後、進んだ修道院でも、修業のかたわら数学に没頭。フランス革命後の1794年、新政府によって設立されたパリの高等師範学校へ入学。学校は翌年に閉鎖されるが、エコール・ポリテクニーク（理工科学校）の助手、のちに教授となり、講義が評判となった。

1798年、ナポレオン1世のエジプト遠征に文化使節団の一員として随行。行政手腕がみとめられ、1802年、イゼール県知事に任命された。公務のかたわら、熱伝導の研究をつづけ、熱

伝導方程式をみちびきだす。この解法として、フーリエ解析とよばれる理論を展開。またフーリエの理論から、ゲオルグ・オームによりオームの法則がみちびかれた。フーリエ解析は波動の研究に広く応用され、解析学の新分野を開拓した。政治的には、時の政権にすぐに忠誠を誓う無節操ぶりが、ルイ18世などに批判された。

ブールデル，エミール=アントワーヌ

彫刻

エミール=アントワーヌ・ブールデル　1861〜1929年

躍動感のある作品が特徴の彫刻家

フランスの彫刻家。

南西部の町モントーバンで、家具職人の家に生まれる。少年時代から父に学び、家具の彫刻をてつだっていたが、才能を見いだされ、トゥールーズとパリの美術学校で学ぶ。1893年から15年間、ロダンの助手となり、彫刻の修業にはげんだ。

作風は、建築物の柱のように力強くがっしりとした骨組みとバランスのよい全体像、記念碑のような存在感が特徴である。ギリシャ神話からの題材を得意とし、堅固でシンプルな外観にあふれんばかりの情熱と躍動感が満ちている。

師匠ロダンを感動させた『アポロンの首』、『アルベアル将軍の記念像』、東京国立西洋美術館にある名作『弓をひくヘラクレス』など、すぐれた作品を制作した。1888年から亡くなるまでとりくんだ、ベートーベンの連作肖像も有名である。ロダンとともに、近代彫刻の第一人者として評価されている。

フェイディアス

古代　彫刻

フェイディアス　生没年不詳

ギリシャ古典期彫刻の第一人者

ギリシャの彫刻家。

紀元前500年ごろ、アテネの生まれで、父親は画家だったといわれる。

友人で政治家のペリクレスに、ペルシア戦争でこわれたパルテノン神殿の再建をたのまれる。総監督と女神アテネ像の制作を担当した。大きな仕事だったため、ねたむ者が多かった。紀元前438年にパルテノン神殿は完成したが、資金をぬすんだなどの罪をかぶせられ、投獄された。

神々を、バランスのとれた完璧な肉体と崇高な精神をもつ、人間の理想の姿にかたちづくった。「神をつくって右に出る者なし」といわれ、ギリシャ古典期彫刻の第一人者とされる。代表作に『ゼウス座像』などいくつかあるが、本人によるオリジナル作品は失われ、ローマ時代に模造されたものが伝わっている。1950年には、オリンピアで工房跡が発見され、名前をきざんだ陶器のカップなどがみつかった。

フェノロサ，アーネスト

思想・哲学

アーネスト・フェノロサ　1853〜1908年

日本画の価値を広めた東洋美術研究家

アメリカ合衆国の東洋美術研究家。

マサチューセッツ州生まれ。1874年、ハーバード大学哲学科を卒業した。先に来日した生物学者エドワード・モースのあっせんで、1878（明治11）年に来日し、東京帝国大学（現在の東京大学）で哲学、政治学、経済学を教える。そのかたわら、日本美術への関心を深め、古い寺などをめぐり、古美術の調査をした。1882年、龍池会（現在の日本美術協会）で講演した『美術真説』で、油絵と日本画を比較して日本画がすぐれていると主張し、大きな反響をよんだ。

1884年には、岡倉天心と日本画復興のための鑑画会を創立し、うもれかかっていた狩野芳崖や橋本雅邦の才能を見いだし、新しい日本画の創造に力をつくした。岡倉天心が進めた東京美術学校（現在の東京藝術大学）の設立にも協力し、開校時には美術史を教えた。1890年に帰国して、ボストン美術館東洋部長として活躍したが、その後も数度、来日した。

フェラガモ，サルバトーレ

デザイン

サルバトーレ・フェラガモ　1898〜1960年

世界に知られる靴のデザイナー

イタリアの靴デザイナー。

南部のボニート生まれ。家は貧しい農家で兄弟も多く、9歳のときに靴職人になると決心し、靴屋ではたらきはじめた。

16歳でアメリカ合衆国にわたる。靴メーカーにしばらくつとめたのち、1923年にハリウッドに店をもつ。女優イングリッド・バーグマンなど当時の映画スターたちに絶大な人気を得て、大成功した。1927年、イタリアにもどり、フィレンツェで店を開業する。透明なナイロンをつかった「みえないサンダル」など独自のデザインを発表し、世界で指折りの靴ブランドとなった。

長く歩いても疲れず、靴をはいていることさえわすれてしまうといわれるほどの、はき心地のよさでも人気が高い。

フェリーニ，フェデリコ

映画・演劇

フェデリコ・フェリーニ　1920〜1993年

イタリア映画界の巨匠

イタリアの映画監督。

リミニの町に生まれる。漫画や風刺画が得意で、20代前半までは似顔絵や映画のポスターをかいたり、ラジオの台本、新聞などの記事を書いたりするなど、いろいろな仕事を経験した。

1945年にネオレアリズモの映画監督、ロッセリーニに声をかけられ『無防備都市』という作品の脚本づくりに参加したのをきっかけに、映画監督になろうと決意する。1954年に監督第5作となる『道』が大ヒットして、世界的に有名になった。その後も発表する映画はつねに話題をよび、1960年には『甘い生活』がカンヌ国際映画祭でグランプリを受賞する。アカデミー賞外国語映画賞も『道』、『カリビアの夜』、『フェリーニの8 $\frac{1}{2}$』、『フェリーニのアマルコルド』と4回受賞した。

こども時代の思い出などをモチーフに、現実と夢の世界が入りまじる独特の映像で、熱狂的なファンをもつ。故郷のリミニでは敬意を表して、国際空港にその名をつけている。

フェリペにせい

王族・皇族

フェリペ2世　1527〜1598年

スペイン絶対王政の最盛期をつくった

スペイン王（在位1556〜1598年）。

北西部のバリャドリードに生まれる。父はスペイン王カルロス1世（神聖ローマ皇帝カール5世）、母はポルトガル王女イサベル。幼少のころから古典とカトリック（旧教）の教育を受けて育った。

1554年にイギリス女王メアリ1世（1558年に死去）と結婚。

1556年に父が退位し、スペインの王位のほか、ネーデルラント（オランダとベルギー）、フランス東部のフランシュ・コンテ、イタリアのミラノ、ナポリ、シチリア、新大陸の中南アメリカ、東南アジアのフィリピンなどを継承した。

1580年、ポルトガルの王位が絶えると、母がその王家出身だったことから、ポルトガルとその海外の領土も併合。「太陽がしずむことがない」といわれる大帝国の支配者となった。

1559年、フランスとカトー・カンブレジ条約をむすび、長くつづいたイタリア戦争を終わらせ、フランスの王女エリザベートと結婚。1571年、地中海の支配をめぐってオスマン帝国の海軍と戦い（レパントの海戦）、大勝利をおさめ、キリスト教世界の救世主とされ、国際的地位は絶頂に達した。

1568年、プロテスタント（新教）のカルバン派が広まっていたネーデルラントで独立運動がはじまり、1581年に北部7州（オランダ）が独立。これを助けたイギリスに対し、1588年、最強といわれたスペイン海軍の無敵艦隊（アルマダ）を派遣したが、イギリス海軍にやぶれ、外交や軍事面で後退していった。軍事支出が多く、新大陸から大量の銀がもたらされたにもかかわらず、多くの借金をかかえこんだ。

国内では異端審問をきびしくおこない、カトリック以外はすべて禁止し、プロテスタントがスペインに侵入しないよう取り締まりを強化した。

1561年、首都をマドリードに移し、その北西に壮大なエルエスコリアル修道院（1984年、世界遺産に登録）を建設した。また科学アカデミーを創立するなど文化面につくした。1584年、日本からきた伊東マンショら天正遣欧使節と面会した。

スペインの黄金期の頂点にありながら、没落の道を歩みはじめた1598年、エルエスコリアル修道院で亡くなった。

フェリペごせい

王族・皇族

フェリペ5世　1683〜1746年

スペイン、ブルボン朝の創始者

スペイン、ブルボン朝の初代国王（在位1700〜1724年、1724〜1746年）。

ブルボン朝のフランス王ルイ14世の孫としてフランスに生まれる。あとつぎがいなかったスペイン王カルロス2世の遺言により、スペイン王に即位したが、オーストリア、オランダ、イギリスがこれに反対。フランスをまきこんで、1701年、スペイン継承戦争がおこった。1713年、ユトレヒト条約でフェリペ5世の王位はみとめられたが、ヨーロッパにあった多くの領土を失った。内政では軍事や財政など各方面で改革に着手、商工業を振興し経済の発展につくした。スペイン王立アカデミーや王立図書館を創設した。1724年、子のルイスに王位をゆずったが、彼の急死でふたたび王位についた。

フェルナンド

王族・皇族

フェルナンド　1452〜1516年

イサベル女王とスペインを共同統治した

スペイン、カスティリャ王国の国王、フェルナンド5世（在位1474〜1504年）、アラゴン王国の国王、フェルナンド2世（在位1479〜1516年）。

イベリア半島東部のアラゴン王フアン2世の子。1469年、イ

ベリア半島中央部のカスティリャ王の妹イサベルと結婚した。1474年、兄の死によりイサベルがカスティリャ女王イサベル1世となると、共同統治をはじめる。1479年には父の死によりアラゴン王となり、カスティリャ=アラゴン連合王国（スペイン王国）が成立した。カスティリャの内政はイサベルにまかせ、外交とアラゴンの内政を主に担当する。

アラゴンの農奴と領主との農民戦争を終わらせるなど、平和をとりもどし、経済力も回復させた。政治面では、議会を尊重する立憲君主的政治体制をとった。

1492年には、イサベルとともに、イスラム勢力が支配していたグラナダを征服し、約800年にわたったレコンキスタ（キリスト教国によるイベリア半島の国土回復運動）を達成。ローマカトリックの保護につとめたので、ローマ教皇より「カトリック王」の称号を受ける。また、イングランド、ドイツ、ポルトガルなどの王家と婚姻関係をむすんでフランスを外交的に孤立させ、打ちやぶった。その後、ナポリ王国もとりもどすなど、ヨーロッパでのスペインの地位を高めた。

フェルビースト，フェルディナント

宗教

フェルディナント・フェルビースト　1623〜1688年

中国にヨーロッパの科学を紹介した宣教師

南ネーデルラント（現在のベルギー）のイエズス会士、天文学者、地理学者。

南ネーデルラント生まれ。中国名は南懐仁。大学で哲学、数学、天文学を学ぶ。

1641年、カトリックの修道会イエズス会に入会、1658年に中国での布教を命じられて中国にわたる。そのころヨーロッパではプロテスタントが急増したため、カトリック教会は布教を広げるためにアジアやアメリカなど世界各地に宣教師を積極的に派遣していた。中国の陝西で布教をはじめるが、清の皇帝順治帝に命じられて、北京にてアダム・シャール（中国名は湯若望）を助けて欽天監（天文台）ではたらき、1673年、欽天監監正（天文台長）となる。

次に皇帝となった康熙帝の信任も受け、天文学、数学、地理学などの講義もおこない、すぐれたヨーロッパの科学技術とともに、キリスト教を広めようとした。

宣教では中国教区長をつとめ、布教をつづけながら、三藩の乱鎮圧のために大砲・小砲の鋳造を指導し、西洋式の天文観測器械の製作をおこない、中国語で書物を著し、世界地図『坤輿全図』をつくるなど幅広く活躍。

日本をふくめ、周辺諸国の科学技術に大きな影響をあたえた。

フェルマー，ピエール・ド

学問

ピエール・ド・フェルマー　1601〜1665年

確率論や解析幾何学で功績を上げた数学者

フランスの数学者。

富裕な商家に生まれる。弁護士、地方議会の議員をつとめながら、数学を研究し、研究結果は、数学者への手紙や手記にのこした。「サイコロゲーム」についてパスカルとかわした手紙は、確率論の基礎となった。

「フェルマーの最終定理」として17世紀以後の数学に大きな衝撃をあたえたのが、古代ギリシャのディオファントス著『算術』の注釈本に、フェルマーが書きこんだなぞの注釈である。

「累乗が3以上のとき、累乗数を2つの累乗数の和に分けることはできない。この定理に関して、真におどろくべき証明をみつけたが、この余白はそれを書くにはせますぎる」というものである。

平方数では $3^2+4^2=5^2$、$5^2+12^2=13^2$ がなりたつ。しかし、立方数はそうかんたんではないが、存在しないと断言できるのか。

存在する、存在しないを分けるものは何か。なぞのことばをのこしたフェルマーは、「存在しないことの証明」に立ちすくんだのか、なぞをのこした。

フェルミ，エンリコ

学問

エンリコ・フェルミ　1901〜1954年

核物理学の理論と実験の両面で成果を上げた物理学者

20世紀のイタリア出身の理論物理学者、実験物理学者。

ローマ生まれ。少年期から並はずれた学力を発揮。ピサ大学で学位取得後、フィレンツェで講師の職を得る。1926年、パウリの排他原理をとり入れた統計力学「フェルミ統計」の理論を発表、名を知られるようになった。ローマ大学の教授に就任し、1934年、素粒子物理学の端緒となった「ベータ崩壊の理論」を完成させたほか、遅い中性子が高速の中性子より原子核に吸収されやすいことを発見。さらに、中性子をウラン原子核にあてる衝撃実験により、原子番号がウランをこえる元素を発見した。

これらの成果により、1938年、ノーベル物理学賞が授与された。受賞のためストックホルムを訪問するが、この機にアメリカ合衆国へ亡命。その後、シカゴ大学でウランの核分裂を研究、世界初の原子炉によって制御された核分裂連鎖反応を成功させた。原爆開発のマンハッタン計画では中心的な存在であった。がんにより53歳で死去。原子番号100の元素は、彼にちなんでフェルミウムと名づけられている。

学 ノーベル賞受賞者一覧

フェルメール，ヤン

絵画

ヤン・フェルメール　1632〜1675年

光と色の調和で日常をえがいた画家

▲「取りもち女」 円内の人物がフェルメールとされる。（アルテマイスター絵画館蔵）

オランダの画家。

デルフトで画商の子として生まれる。1653年、地元の画家組合（ギルド）に登録され、職業画家としてみとめられる。1655年、23歳で父のあとをつぎ、画商もいとなんだ。

庶民の生活を題材にした風俗画を、精密な描写、大胆な構図、独特の色彩を用いてえがいた。のこっている作品が約35点と少なく、しかもサイズが小さいため、死後わすれられていた。しかし、19世紀中ごろにフランスの批評家によって再評価された。現在、人気のある画家の一人である。

室内の人物を題材にした作品が多い。いずれも赤、青、黄の色の対比を利用して、やわらかな外光がもたらす静かな空間を表現している。あざやかな青を効果的につかって、市民の日常を上品にえがいた。代表作として『牛乳を注ぐ女』『手紙を読む女』『青いターバンの少女』、風景画では『デルフトの眺望』などがある。

フェンディ，アデーレ

デザイン

アデーレ・フェンディ　1897〜1978年

革と毛皮中心のデザイナー

イタリアの皮革職人、毛皮デザイナー。

ローマに生まれる。早いうちから革の加工技術を身につけ、1918年、21歳の若さで自分の工房をかねた店をもつ。腕がよく、すぐに人気が出た。

1925年、エドアルド・フェンディと結婚して、工房の名前をフェンディにかえた。そのころハリウッドで毛皮のショールが流行していたのに注目し、毛皮のコートやマフラーをつくった。これが評判をよび、高級毛皮製品の第一人者として有名になる。1938年にはローマに2軒目の店をだした。「フェンディ」は毛皮をパッチワークのようにぬいあわせるなど、独創的なデザインで知られ、現在はファッション全般をてがけるブランド。

フォイエルバッハ，ルートウィヒ

思想・哲学

ルートウィヒ・フォイエルバッハ　1804〜1872年

ヘーゲル左派を代表し、マルクスにも影響をあたえた

ドイツの哲学者、ヘーゲル左派の唯物論者。

現在のバイエルン州生まれ。父は刑法学者のアンゼルム・フォイエルバッハ。知的な環境に育ち、宗教に関心をもつ。ハイデルベルク大学、ベルリン大学にて神学を学ぶ。哲学はヘーゲルから出発したが、のちに批判的となり決別し、ヘーゲル左派とよばれた。キリスト教を利己的で非人道的な宗教であるときびしい批判をおこない、大学講師の職を失う。その後、自然科学の研究に打ちこみ、唯物論の立場に立って、人間を個別的な自然物として、みずからの哲学を人間学とよんだ。1841年には神の幻想からの解放を説いた宗教批判の書『キリスト教の本質』を刊行、青年期のマルクスやエンゲルスらに大きな影響をあたえた。

ぶおう

王族・皇族

武王　生没年不詳

周王朝の創始者

中国、周の初代王（在位紀元前1023?〜紀元前1021?年）。名は発。紀元前11世紀ごろ殷の支配下で地方をおさめていた昌（のちの周の文王）の子。殷の紂王が悪政をおこなったため、昌は殷をほろぼそうとしたが、こころざしなかばで亡くなった。武王は父の遺志をつぎ、紀元前1027年ごろ、牧野の戦いで殷をたおす。都を鎬京（現在の陝西省西安付近）に定め、周王朝をひらいた。兄弟や重臣を諸侯として各地をおさめさせる封建制度をしいた。在位3年ほどで武王が亡くなると反乱がおきたが、殷王朝の打倒から武王を助けてきた弟の周公旦や、重臣の呂尚（太公望）が幼い武王の子、成王をささえて、周王朝の基礎を築いた。武王は父の文王とともに、暴悪な王をたおし、正しい政治をおこなった聖王とされている。

学 世界の主な王朝と王・皇帝

フォークナー，ウィリアム

文学

ウィリアム・フォークナー　1897〜1962年

20世紀のアメリカを代表する作家

アメリカ合衆国の作家。

ミシシッピ州の旧家に生まれる。曽祖父は南北戦争の英雄で小説も書いた地元の名士。野球も読書も好きな少年だった。高校を中退し、第一次世界大戦中はカナダのイギリス軍に入る。除隊後はミシシッピ大学で学びながら、大学新聞などに詩や評論を書いた。1925年に作家シャーウッド・アンダーソンと出会ったのをきっかけに小説を書きはじめた。

その後、ほとんどの時期をミシシッピ州オクスフォードに住み、架空の町「ヨクナパトーファ郡ジェファーソン」を舞台にした小説を書いた。『響きと怒り』『サートリス』『八月の光』などが有名である。長編は内容がむずかしく最初は売れなかった。生活のためハリウッド映画『三つ数えろ』などの脚本を書いたこともある。

1946年に、批評家のM·カウリーが編集した『ポータブル·フォークナー』により再評価された。現在は20世紀のアメリカを代表する作家として、高く評価される。1949年、ノーベル文学賞を受賞した。1955年、『寓話』でピュリッツァー賞を受賞。

学 ノーベル賞受賞者一覧

フォード，ジェラルド・ルドルフ

政治

ジェラルド・ルドルフ・フォード　1913〜2006年

ウォーターゲート事件の混乱を収拾した

アメリカ合衆国の政治家。第38代大統領（在任1974〜1977年）。

ネブラスカ州に生まれ、ミシガン州で育つ。ミシガン州立大学、エール大学大学院で学び、第二次世界大戦では海軍に従軍。のちに故郷で弁護士となった。1948年、共和党から下院議員に立候補し、当選した。1965年には、党の指導者の一人となっていた。1973年、副大統領アグニューが汚職問題で辞職すると、その後任となる。さらに翌年、ニクソンがウォーターゲート事件で大統領を辞任したため、昇格。ウォーターゲート事件による混乱から、政府への信頼を回復させようとしたが、就任後約1か月でニクソンに恩赦をあたえ、国民の不信をまねいた。国政ではニクソン路線を受けつぎ、国防の強化をめざしたが、インフレーションと失業が進み、ベトナム戦争の敗北もあって、支持率が低下。1976年の大統領選挙で、再任をめざして立候補したが、民主党のカーターにやぶれた。アメリカ史上、国民の選挙でえらばれていない、唯一の大統領である。

学 アメリカ合衆国大統領一覧

フォード，ジョン

映画・演劇

ジョン・フォード　1894〜1973年

西部劇の傑作を生みだした映画監督

アメリカ合衆国の映画監督。

メーン州ケープエリザベスにアイルランド移民の子として生まれる。本名は、ショーン・アロイシャス・オフィーニー。1914年、ハリウッドのユニバーサル・ピクチャーズに小道具係として入り、スタントマンや助監督をしたのち、1917年に『台風』で、はじめて監督をつとめた。1924年に『アイアン・ホース』で有名になり、1935年の『男の敵』でアカデミー監督賞を受賞する。

アメリカ西部開拓時代の荒野のきびしい自然を舞台に、開拓者たちの冒険や暮らしをえがいた、西部劇の監督として知られる。1939年の『駅馬車』は、西部劇の最高傑作と評価される。また、名優ジョン・ウェインと組んで、騎兵隊をえがいた『黄色いリボン』など多くの作品を制作した。生涯でアカデミー監督賞を4回受賞している。代表作に『怒りの葡萄』『わが谷は緑なりき』『荒野の決闘』などがある。

フォード，ヘンリー

産業

ヘンリー・フォード　1863〜1947年

自動車の大量生産に成功

▲ヘンリー・フォード

アメリカ合衆国の技術者、実業家。自動車王とよばれた。

北部のミシガン州生まれ。父はアイルランドから移住してきた農民。幼少のころから機械をいじることが好きだった。16歳でデトロイトに出て、機械工となり、時計修理の仕事もしていた。

1891年、トーマス・エジソンが設立したエジソン電気照明会社に入り、そのかたわら自動車の製作にはげみ、33歳のとき、自動車の組みたてと試運転に成功。1903年、ミシガン州ランシングにフォード・モーター社を設立した。A型車やS型車などを生産し、売上げをのばし、1908年に大衆車「フォードT型」を開発。当時、高価だった自動車を低価格で販売し、大評判となった。

つづいてミシガン州ハイランドパークに工場を建て、部品の標準化や、ベルトコンベアをつかった組みたてラインをつくり、流れ作業による大量生産方式で製造、低価格を実現した。1914年には年間30万台を生産、5年後には自動車市場の半分以上のシェアを占めた。売りだしたときは850ドルだった価格も、1925年には260ドルにまで下がり、金持ちの遊び道具だった自動車を大衆の足にかえ、人々の暮らしに大きな変革をもたらした。

労働者に対しては、賃金を平均の2倍以上も支払う破格の待遇とし、当時としては短い1日8時間労働とした。みずから「企業の成功は同時に労働者の繁栄である」と説き、よりよい物をより安く、より多く売ることで、会社も繁栄し、従業員の給料も上がるという経営理念を打ち立てた。

しかし、流れ作業の大量生産方式は、人間性を無視した機械的なもので、労働者のストレスは大きかった。さらに、市場の変化をかえりみず、「1車種、低価格」の生産にこだわったため、1930年代にトップの座をゼネラルモーターズ社にうばわれた。また、労働組合を組織することに反対したため、大争議に発展し、非難されたこともあった。

一方で、教育や研究などを支援するフォード財団や、フォード病院などをつくり、慈善事業にも貢献した。さらに、ディアボーンにフォード博物館を建て、一角にエジソンの実験室などを再現したエジソン博物館をもうけた。1945年に引退、2年後、83歳で死去した。

▲1908年のフォードT型

フォーレ，ガブリエル

音楽

ガブリエル・フォーレ　1845〜1924年

近代フランス音楽を代表する一人

フランスの作曲家、教育者、オルガン奏者。

南フランスのパミエ生まれ。1853年、パリの音楽学校に入学し、サン=サーンスにピアノと作曲を学ぶ。卒業後、パリで教会のオルガン奏者をつとめ、1896年からはパリ音楽院の教授、のちに院長となる。晩年は聴力を失いながらも、教育と作曲活動をつづけ、ラベルらを育てた。

芸術的な方向がはげしく変化する時代に、先鋭的ではなく、しかも叙情豊かで繊細な独自の様式を守り、声楽、ピアノ曲、室内楽曲などにすぐれた作品を多くのこした。代表作は『レクイエム』『月の光』『夢のあとに』『シシリエンヌ』などがある。近代フランス音楽の代表の一人。

フォスター，スティーブン

音楽

スティーブン・フォスター　1826〜1864年

アメリカの生活をうたった歌をつくる

アメリカ合衆国の作曲家。

ペンシルベニア州生まれ。実業家の家庭で、幼いころから音楽を学び、10代で作曲をはじめる。20歳のときに『おおスザンナ』がヒットして作曲家の道を歩きだす。当時流行していた音楽喜劇ミンストレルショーのためにつくった曲が多かったが、1855年以降は人気を失い、家族とはなれ、ニューヨークでの貧しい暮らしのなか、38歳で亡くなった。

西部の開拓や、南部の黒人の生活や音楽を題材にした作品が多く、素朴で親しみやすいメロディーに特徴がある。『草競馬』『故郷の人々』『夢見る人』『オールド・ブラック・ジョー』など約200曲をのこす。多くの曲が世界中で親しまれている。

フォンタネージ，アントニオ

絵画

アントニオ・フォンタネージ　1818〜1882年

日本政府にまねかれたイタリア人画家

イタリアの画家。

北イタリア生まれ。美術学校を卒業し、イタリアの統一運動に参加した。その後、スイスなどのヨーロッパ各地をめぐり、フランスでバルビゾン派の風景画の影響を受ける。1869年、王立トリノ美術学校の教授に就任した。

1876（明治9）年、日本初の官立美術学校である工部美術学校が開設されると、明治政府にまねかれ、画学科の教授となる。来日に際し、古今の名画の写真や複製、石こう像などのほか、日本では手に入れにくい多くの画材を持ちこんだ。そして、デッサンから油絵の制作まで段階的に学ぶ、西洋の本格的な絵画教育を導入した。その教室からは、浅井忠、小山正太郎、松岡寿、山本芳翠、五姓田義松など、初期の日本洋画壇をになう人々が育っていった。病気により1878年に帰国し、トリノで亡くなった。日本にのこる作品には、『風景（不忍池）』『牧牛』などがある。

フォン・ブラウン，ウェルナー

学問

ウェルナー・フォン・ブラウン　1912〜1977年

アメリカ宇宙開発の父

▲ウェルナー・フォン・ブラウン

ドイツ生まれのアメリカ合衆国のロケット工学者。

プロイセン王国東部のウィルジッツ（現在のポーランド）に生まれる。父は貴族で政府の食糧農業大臣をつとめたこともある。13歳のころ、ロケットの先駆者オーベルトが書いた『惑星空間へのロケット』という本を読み、宇宙飛行の理論を学ぼうと、数学と天文学の勉強に打ちこんだ。

1930年、ベルリンにあるシャルロッテンブルク工科大学に入学。ドイツ宇宙旅行協会に属し、オーベルトの液体燃料ロケットエンジンの実験をてつだうなどした。その後、ベルリン工科大学に進み、在学中からドイツ陸軍兵器局の技師となり、軍事用ロケットの開発にたずさわる。

第二次世界大戦がはじまると、ロケット開発は最優先課題とされ、フォン・ブラウンは1942年、軍事用のA4型ロケット（V2号）の試射に成功した。2年後、V2号はロンドンなどにむけて発射され、町を破壊した。この間、ナチスの国家秘密警察（ゲシュタポ）から「宇宙旅行の開発を優先して、兵器の開発をおくらせている」として逮捕されたこともあった。

第二次世界大戦が終わると、アメリカ軍に投降。ロケット技術者たちとともにアメリカへ送られ、V2号ロケットの修理、打ち上げの任務についた。1950年からアメリカ陸軍のロケット開発チームに所属し、V2号を発展させたレッドストーンロケットの開発に成功した。一方で、ディズニーの宇宙探検に関するテレビ映画の制作に協力し、国民のあいだに宇宙への夢を広めた。

1957年、ソビエト連邦が世界初の人工衛星スプートニク1号の打ち上げに成功すると、翌年、フォン・ブラウンのチームはアメリカ国防省の命令により、ジュピターCロケットで人工衛星エクスプローラー1号を打ち上げた。この年に設立されたアメリカ航空宇宙局（NASA）が、マーシャル宇宙飛行センターを新設すると、所長に任命され、宇宙探検用のロケット開発に専念した。宇宙飛行士を月に送るサターンロケットの開発にとりくみ、1969年、サターン5型ロケットがアポロ11号を月に送り、人類初の月面着陸の実現に貢献、アメリカ宇宙開発の先導役をつとめた。65歳で死去した。

▲サターン5型ロケットの第一段部分「S-IC」

ふかざわぎだゆう　郷土

深沢儀太夫　1583〜1663年

野岳湖をつくり新田開発をした漁師

▲『深沢儀太夫橘勝清肖像画』
（個人所蔵 / 大村市立史料館寄託）

安土桃山時代〜江戸時代前期の漁師。

名は勝清。肥前国波佐見村（現在の長崎県波佐見町）出身といわれる。30歳のころ、クジラ漁がさかんだった紀伊国太地（和歌山県太地町）に出かけて、捕鯨の技術を学んだ。その後、故郷にもどり、大村藩（長崎県大村市）の許可を得て、九州ではじめて捕鯨をおこなう組織、鯨組をつくった。西彼杵半島や五島列島、壱岐周辺でクジラ漁をおこない、年間100頭のクジラをとって、ばく大な富を築いた。その利益は、藩に献金したり、寺を建立したりした。

一方、私財を投じて、領内の各地に四ツ池（長崎県東彼杵町）や、野岳堤（長崎県大村市野岳湖）などのため池をつくり、新田開発を積極的におこなった。野岳堤は1661年から工事をはじめて、1663年に完成したため池で、周辺の約100haの田畑をうるおした。野岳湖は、現在も下流の田畑をうるおしている。

ふかざわしちろう　文学

深沢七郎　1914〜1987年

『楢山節考』の作者

昭和時代の作家。

山梨県生まれ。旧制日川中学校卒業。卒業後は、ギター奏者として各地のステージに立つ。1956（昭和31）年、うば捨て伝説をもとにえがいた『楢山節考』で中央公論新人賞を受賞。以後『笛吹川』、作家仲間とのユーモラスな交流をつづる『言わなければよかったのに日記』を書く。

1961年、『風流夢譚』が皇室批判だとして出版元の社長宅が右翼により襲撃される事件（嶋中事件）がおこり、一時作家活動を休止。放浪生活をし、埼玉県にひらいた「ラブミー牧場」で農業をしたり、今川焼屋をひらいたりして話題になる。1964年『甲州子守唄』を発表。1981年には『みちのくの人形たち』で谷崎潤一郎賞を受賞する。

ふかだきゅうや　文学

深田久弥　1903〜1971年

百名山ブームをおこす

（日本近代文学館）

昭和時代の作家、山岳紀行家、登山家。

石川県生まれ。東京帝国大学（現在の東京大学）哲学科中退。雑誌『新思潮』を復刊し、川端康成、小林秀雄らと『文学界』を創刊する。1930（昭和5）年『オロッコの娘』、1932年『あすならう』で作家としてみとめられる。以後、短編集『津軽の野づら』、新聞連載小説『鎌倉夫人』を発表する。

一方、国内の山岳を踏破し、中央アジアにヒマラヤのジュガール・ヒマール探査やシルクロード学術踏査をおこない、多数の山岳紀行、随筆を執筆。なかでも1964年、山々の特色と美しさをつづった『日本百名山』により「百名山ブーム」がおこり、読売文学賞を受賞する。『ヒマラヤの高峰』はヒマラヤ登山の必読書とされる。1971年、山梨県の茅ヶ岳で病死する。

ほかに『山頂の憩い』、死後にまとめられた『世界百名山―絶筆41座』や『深田久弥の山がたり』『山の文学全集』12巻などがある。

プガチョフ，エメリヤン・イワノビッチ

政治

エメリヤン・イワノビッチ・プガチョフ　1740?〜1775年

皇帝を自称して反乱を指導

ロシアの農民反乱指導者。

ドン川流域のコサック（ドン・コサック）の貧しい家に生まれる。コサックは、圧制からのがれて南ロシアに住みついた農民や兵士で、辺境の警備などにあたっていた。プガチョフは政府軍について従軍し、将校になるが逃亡。

1773年、ヤイク川（現在のウラル川）のコサックにむけて、みずからロシア皇帝エカチェリーナ2世の夫、ピョートル3世であると称して、ツァーリ（皇帝）を奪回する正義のための戦いであるとうったえ、農奴の解放を宣言し、反乱をおこした。ロシア農民のほか都市民、タタール人なども加わり、途中の町では反乱軍をパンと塩で歓迎するほどだった。

年末には3万人の大部隊にふくらんだ反乱軍は、地主や貴族の館をおそい、ボルガ川中流の都市カザン（カザニ）を攻撃し、勢力はボルガ川流域からウラル、シベリアの一部、モスクワの周辺にまでおよんだ。1774年、ボルゴグラードの戦いで政府の大軍にやぶれ、逃走中にとらえられて、1775年1月、モスクワで処刑された。

ふぎ（プーイー）

王族・皇族

溥儀　1906〜1967年

中国最後の皇帝

中国、清の第12代皇帝（在位1908〜1912年）、満州国の初代皇帝（在位1934〜1945年）。

姓は愛新覚羅。光緒帝の弟の子として北京に生まれる。2歳で即位して（宣統帝）、父が摂政となる。1911年に辛亥革命がおこり、袁世凱は武力によって皇帝の退位をせまった。

皇帝側は皇室の優遇、満州人の平等な待遇などを条件とし、翌年に退位。これにより、276年つづいた清朝は滅亡した。その後は、中華民国臨時政府にしたがい、北京の紫禁城にとどまる。張勲、康有為らによって清朝復活の動きがあったものの、失敗に終わった。さらにクーデターで北京を追われ、天津の日本租界へ移った。1932年、日本軍が満州（中国東北部）を占領して、傀儡国家である満州国をつくると執政となり、1934年には皇帝（康徳帝）となった。1945年、日本が第二次世界大戦でやぶれたことにより退位、ソビエト連邦（ソ連）軍の侵攻により、日本への亡命を試みるが失敗し、拘束された。

1946年の極東国際軍事裁判には、証人として出廷。その後は中国政府にひきわたされ、戦犯収容所に入る。1959年、特赦により釈放されて北京にもどり、一般市民として晩年をすごした。

学 世界の主な王朝と王・皇帝

ふくいけんいち

学問

福井謙一　1918〜1998年

「フロンティア軌道理論」でノーベル化学賞を受賞

昭和時代の化学者。

奈良県生まれ。高校時代は数学や物理に情熱をそそいだが、親戚の化学者からのすすめで京都大学工学部へ入学し、応用化学を専攻した。1941（昭和16）年より、陸軍の燃料研究所に勤務。航空燃料の開発をおこなううち、炭化水素の化学反応は当時の定説「有機電子説」では説明できないことに気づく。1964年に、得意の量子力学の知識を生かして、原子内のもっとも外側の軌道（フロンティア軌道）にある電子しか化学反応に関与しないことを発見。そして、すべての化学反応を説明できる「フロンティア軌道理論」を発表した。

1981年、定説をくつがしたこの画期的な理論に、日本人初のノーベル化学賞があたえられた。その後、京都工芸繊維大学学長や学術審議会会長などを歴任して、79歳で亡くなった。

学 ノーベル賞受賞者一覧　学 文化勲章受章者一覧

ふくおかたかちか

幕末

福岡孝弟　1835〜1919年

将軍に大政奉還をすすめた

幕末〜明治時代の官僚。

土佐藩（現在の高知県）の藩士の子として生まれる。通称は藤次。吉田東洋の門下に入り、藩政改革をになった。

1863年、藩主山内豊信の側近となり、山内の公武合体による雄藩連合の実現をめざした。1867年、後藤象二郎とともに将軍徳川慶喜に大政奉還（幕府が朝廷に政権を返すこと）をすすめた。

明治新政府では、参与（総裁・議定に次ぐ重職）に任じられ、五箇条の御誓文や政体書の起草にあたった。その後、文部大輔（教育をつかさどる文部省の次官）、司法大輔（法務をつかさどる司法省の次官）、元老院議官（立法機関の議員）、枢密顧問官（重要な国事を審議する機関を構成する人）などを歴任した。

ふくざわゆきち

福沢諭吉 → 239ページ

福沢諭吉

西洋文明を広めた明治時代の思想家

▲福沢諭吉　（慶應義塾図書館）

■緒方洪庵の適塾で学ぶ

明治時代の思想家。

豊前国中津藩（現在の大分県中津市）の下級武士福沢百助の子として大坂（阪）に生まれた。3歳のとき父が亡くなったため一家で中津に帰ったが、生活は苦しかった。諭吉は儒学を学ぶかたわら、障子はりやげたづくりなどをして家計を助けた。

1854年、21歳のとき兄の三之助のすすめで長崎に留学し、蘭学（西洋の知識や技術、文化を研究する学問）を学んだ。翌年、大坂に出た諭吉は、天下第一の蘭学塾といわれていた緒方洪庵の適塾に入門した。そこで本格的にオランダ語の勉強をはじめ、やがて塾長になり世間に名前を知られるようになった。1858年、中津藩の命令により江戸（東京）に出て、築地（東京都中央区）の藩邸内に塾をひらき、藩士に蘭学を教えた。

1859年、日米修好通商条約にもとづき、神奈川（神奈川県横浜市）が開港した。自分のオランダ語の実力をためそうと横浜に出かけた諭吉は、いままで学んできたオランダ語がまったく通じず、店の看板に書いてある文字（英語）も読めないことにショックを受けた。これからは英語が必要になるにちがいないと考えた諭吉は、独学で英語の勉強をはじめた。

■咸臨丸でアメリカにわたる

1860年、27歳のとき幕府の使節の従者として咸臨丸でアメリカ合衆国にわたり、さらに1861年、幕府の遣欧使節の通訳としてヨーロッパにわたり、西洋の文化を見聞した。この体験から、日本に西洋文明をとり入れなければならないと感じた諭吉は帰国後『西洋事情』を著して各国の政治、経済、産業、教育などを紹介した。1867年には幕府の使節の一員としてふたたびアメリカにわたり見聞を広めた。

▲サンフランシスコで撮影した諭吉とアメリカの少女の写真（慶應義塾福澤研究センター）

■慶應義塾をつくる

1868（慶応4）年、塾を芝（東京都港区）に移し、塾名を慶應義塾（現在の慶應義塾大学）とした。そのころは新政府が近代化を進めていたときで、西洋の学問を学ぶ若者が多くなり慶應義塾への入学者がふえた。1871年、塾を三田（東京都港区）に移転した。

■『学問のすゝめ』を著す

教育に力をそそぐなかで1872年『学問のすゝめ』を出版した。この本の中で諭吉は「人間はみな生まれながらに平等であり身分の上下などない」といい、実際の生活に役だつ学問を学んで身を立てることがたいせつだと説いた。この考えは身分制度にとらわれた当時の人々にショックをあたえた。1876年までに17編が出版され合計340万部が売れた。

1875年、『文明論之概略』を出版して欧米の近代文明を紹介し日本を近代化する必要を説いた。また、慶應義塾内に三田演説館を建設して演説の習慣を広めたりした。1898年、みずから創刊した新聞『時事新報』に少年時代から晩年までの生涯をまとめた『福翁自伝』を連載すると、評判をよんで単行本化された。

▲『学問のすゝめ』の冒頭部分　1872年から1876年まで17編が出版され大ベストセラーになった。（慶應義塾図書館）

学 お札の肖像になった人物一覧
学 切手の肖像になった人物一覧
学 日本と世界の名言

福沢諭吉の一生

年	年齢	主なできごと
1834	1	中津藩の藩士の子として生まれる。
1854	21	蘭学を学ぶため長崎に留学する。
1855	22	大坂の緒方洪庵の適塾に入門する。
1858	25	江戸で蘭学塾をひらく。
1860	27	咸臨丸でアメリカにわたる。
1861	28	幕府遣欧使節の通訳としてヨーロッパにわたる。
1866	33	『西洋事情』を出版する。
1867	34	幕府の使節としてアメリカにわたる。
1868	35	塾を移転し慶應義塾と命名する。
1872	39	『学問のすゝめ』を出版する。
1882	49	新聞『時事新報』を創刊する。
1901	68	慶應義塾内の自宅で亡くなる。

※年齢は数え年であらわしている

ふくしまくになり

郷土

福島邦成　1819〜1898年

大淀川に橘橋をかけた医者

江戸時代後期〜明治時代の医者。

日向国大田村（現在の宮崎市）に生まれた。延岡藩（宮崎県延岡市）に命じられ、江戸（東京）や京都で、蘭学（西洋の知識や技術、文化を研究する学問）や西洋医学を学んで帰郷した。1850年、日向国ではじめて種痘（ウシからとれるワクチンをつかった予防接種）をおこなった。

1873（明治6）年、大淀川に橋をかける計画がもち上がったが、洪水をくりかえす川に橋をかけることは不可能という理由で中止された。宮崎県の発展のためには橋が必要だと考えた邦成は、私財をなげうって橋をかけたいと県にうったえ、1880年に許可がおりた。その年、木の橋をかけて、橘橋と命名した。

ふくしままさのり

戦国時代

福島正則　1561〜1624年

豊臣秀吉の重臣で、石田三成と対立

（福島正則画像／東大史料編纂所所蔵模写）

戦国時代〜江戸時代前期の武将。

尾張国（現在の愛知県西部）にて、福島正信の長男として生まれる。母は豊臣秀吉のおばにあたる。幼名は市松。通称は左衛門大夫。幼少のころから秀吉につかえ、1578年の播磨三木城攻略や、1582年の山崎の戦いに参戦。翌年の賤ヶ岳の戦いでは、武功をあげた7人の武将「七本槍」の筆頭として活躍した。

1587年、伊予国（愛媛県）において11万石をあたえられる。その後も、小田原征伐、朝鮮出兵（文禄の役）など、各地で歴戦して軍功をあげる。1595年には、尾張国の清洲城主となり、24万石があたえられた。やがて石田三成と対立するようになり、1600年の関ヶ原の戦いでは徳川家康方の東軍につき勝利。安芸国と備後国（広島県）をあたえられ、広島城主となった。しかし1619年、広島城を無断で修築したことで、武家諸法度違反としてとがめられ、領地を没収される。

信濃国（長野県）高井野に移され、出家して高斎と称し、その地で亡くなった。

ふくだたけお

政治

福田赳夫　1905〜1995年

ダッカ日航機ハイジャック事件の解決にあたった

昭和時代の政治家。第67代内閣総理大臣（在任1976〜1978年）。

群馬県生まれ。東京帝国大学（現在の東京大学）法学部卒業後、大蔵省に入る。1948（昭和23）年、昭和電工の贈収賄事件（昭電疑獄・昭和電工事件）で逮捕。無罪となるが大蔵省を退官した。1952年に衆議院議員に当選し、以後連続14回当選。

1959年に自民党幹事長、農林大臣となり、大蔵大臣、外務大臣、副総理などの要職を歴任。田中角栄とはライバル関係にあった。

1976年に内閣総理大臣に就任し実務型の内閣を実行、その翌年におきた日本赤軍によるダッカ日航機ハイジャック事件では、「人命は地球より重い」とのべ、身代金の支払いと、超法規的措置としての服役・拘留中の赤軍メンバーの引き渡しを決断、人質の命を救ったが、テロリストに屈したと批判もあびた。全方位平和外交を提唱、東南アジア外交では「福田ドクトリン」をかかげる。1978年、日中平和友好条約を締結。同年の自民党総裁予備選で大平正芳に敗北し本選出馬を断念、内閣総理大臣を辞任した。1990（平成2）年に政界を引退。第91代内閣総理大臣の福田康夫は長男。

学 歴代の内閣総理大臣一覧

ふくだつねあり

文学

福田恆存　1912〜1994年

シェークスピアの現代語訳を発表する

昭和時代の評論家、劇作家、演出家、英文学者。

東京生まれ。東京帝国大学（現在の東京大学）英文科卒業。中学教師、編集者をへて、第二次世界大戦後は評論家、劇作家として活躍する。1930（昭和5）年、劇団、築地座の脚本募集に応募し入選。台風上陸の晩におこった家族の事件をえがく戯曲『キティ颱風』でみとめられ、その後『解ってたまるか!』『総統いまだ死せず』などを発表する。

評論家としては、平和論や国語国字改革を批判した保守派の論客として活躍する。『人間・この劇的なるもの』『私の國語教室』『言論の自由といふ事』ほかがあり、芸術、民主主義、国語問題などを論じた。翻訳家として、シェークスピアの作品を現代語に訳す偉業を達成し、岸田演劇賞を受賞した。

ふくだとくぞう

学問

福田徳三　1874〜1930年

日本の経済学の開拓者

明治時代〜昭和時代の経済学者。

東京生まれ。東京高等商業学校（現在の一橋大学）を卒業後、ドイツに留学して、経済学を学んだ。帰国後、1919（大正8）年からは母校の教授となり、経済学、社会政策学などを担当した。自由経済によって適切な利益分配がおこなわれると主張する新古典派経済学の立場から、統制された経済を主張する社会主義経済学を批判した。

（慶應義塾三田メディアセンター）

1923年には、関東大震災後の失業調査をおこない、被災者の支援をうったえた。代表的な著書に『生存権の社会政策』がある。学外では、吉野作造らとともに黎明会を設立し、主権者（君主）が民衆のために政治をおこなうという民本主義思想の普及につとめた。マルクス経済学についての河上肇との論争も知られる。日本の経済学の初期に、欧米の経済理論や経済史などを紹介した功績は大きく、また、活動範囲は広く社会学全般におよび、大正デモクラシーの指導的役割をはたした。

ふくだひでこ

政治

福田英子　1865〜1927年

女性解放運動の先駆者

（国立国会図書館）

明治時代〜大正時代の婦人運動家。

備前国岡山藩（現在の岡山県）の下級武士の子として生まれる。旧姓は景山。教師であり、教育熱心だった母に強く影響を受け、小学校を卒業すると同時に、15歳で母校の教師となる。1882（明治15）年18歳のときに、岸田俊子の岡山での演説をきっかけに女性解放にめざめ、自由民権運動に参加する。1885年、大井憲太郎らとともに、朝鮮改革運動に紅一点で参加するが、計画が発覚して逮捕、投獄される（大阪事件）。出獄後、大井と内縁関係になり子を産むが、別れる。

その後、社会運動家の福田友作と結婚し、3人の子を産むが、貧困の中死別する。女性の経済的自立をめざして女子実業学校、角筈女子工芸学校を設立。社会主義結社である平民社の活動に参加するようになる。

1907年、日本ではじめての社会主義女性雑誌『世界婦人』を創刊し、女性解放を主張した。「東洋のジャンヌ・ダルク」といわれ、婦人社会運動に一生をささげた。著書に、自叙伝『妾の半生涯』などがある。

ふくだへいはちろう

絵画

福田平八郎　1892〜1974年

日本画に新しい道をひらいた画家

昭和時代の日本画家。

大分県生まれ。中学校に在学中、画家を志し、京都へ出て、1918（大正7）年、京都市立絵画専門学校（現在の京都市立芸術大学）を卒業した。第1回帝国美術院展覧会（帝展）で『雪』が入選し、第3回帝展で、写実をきわめた『鯉』が特選にえらばれ、宮内省に買い上げられた。

1930（昭和5）年、日本画家の山口蓬春や洋画家の木村荘八らと六潮会に参加する。1932年の『漣』では、波の模様を群青の濃淡だけで表現する装飾的な手法で、日本画に新しい道をひらく。1924年から母校で後進を指導した。代表作にはほかに『雨』がある。1961年、文化功労者となり、文化勲章を受章した。

学 文化勲章受章者一覧

ふくだやすお

政治

福田康夫　1936年〜

親子2代の内閣総理大臣就任は日本史上初

政治家。第91代内閣総理大臣（在任2007〜2008年）。

東京生まれ。父は第67代内閣総理大臣の福田赳夫。早稲田大学政治経済学部卒業後、丸善石油（のちのコスモ石油）につとめたのち、1976（昭和51）年に退社。父の議員秘書を14年間つとめ、1990（平成2）年、衆議院議員に初当選した。以降、連続6回当選。外務政務次官などをへて2000年10月から2004年5月まで森喜朗内閣、小泉純一郎内閣で内閣官房長官をつとめた。長官としての在任期間は1289日で歴代最長。

2007年、自由民主党総裁選挙で麻生太郎をやぶり、内閣総理大臣に就任すると、前任の安倍晋三をひきつぎ、公明党との連立政権を維持した。親子2代の内閣総理大臣就任は日本史上初となる。2008年、内閣総辞職で退任。2012年に政界から引退した。

学 歴代の内閣総理大臣一覧

ふくちげんいちろう

幕末

福地源一郎　1841〜1906年

明治時代を代表するジャーナリスト

幕末の通訳、明治時代のジャーナリスト。

長崎の医者の子として生まれる。号は桜痴。1856年、16歳のとき長崎で蘭学を学び、1858年、江戸（現在の東京）に出て英語を修得し、翌年から江戸幕府の通詞（通訳）としてつかえた。1861年と1865年の2度、幕府の使節団に加わり、ヨーロッパにわたった。

1868（明治元）年、『江湖新聞』を発刊したが、明治政府を批判したため、発行禁止となった。1870年、大蔵省に出仕。同年、伊藤博文に同行してアメリカ合衆国にわたり、1871年、岩倉使節団の一等書記官としてアメリカやヨーロッパ各地をめぐった。1874年、東京日日新聞社に入社。主権在君論をとなえて自由民権論に対抗したため、御用記者として非難されたが、啓蒙的な記事を発表して世論に反響をまきおこした。1882年、立憲帝政党をつくり、伊藤博文と連携した。1888年、東京日日新聞社を退社後、政治小説や歌舞伎の台本の執筆にあたった。

（国立国会図書館）

ふくながたけひこ　文学

● 福永武彦　1918～1979年

人間の心理をたくみな構成でえがく

昭和時代の作家。

福岡県生まれ。息子は作家の池澤夏樹。東京帝国大学（現在の東京大学）仏文科卒業。加田伶太郎の筆名で推理小説や、船田学の筆名でSF（空想科学小説）も書いている。

1942（昭和17）年に中村真一郎、加藤周一らと文学研究グループ「マチネ・ポエティク」を結成する。1952年の長編小説『風土』、1954年の『草の花』で評価を得て、文壇での地位をかためる。人の心や意識にひそむ暗い部分を追究し、人間の心理をたくみな構成力でえがきだした。主な作品に、『忘却の河』『海市』『死の島』『夢見る少年の昼と夜』、評伝『ゴーギャンの世界』などがある。

ふじいのうぞう　郷土

● 藤井能三　1846～1913年

伏木港の近代化につくした商人

江戸時代後期～明治時代の商人。

越中国伏木（現在の富山県高岡市）に生まれ、20歳のとき家業の廻船問屋（船による物資の輸送をおこなった海運業者）をついだ。1869（明治2）年、加賀藩（石川県）の命令で、神戸（兵庫県）に行き、そこで近代的な蒸気船でにぎわう神戸港をみた。帰郷すると、和船しか入港しない伏木港（高岡市）の整備を地元の人々にうったえた。1875年、日本最大の汽船会社三菱汽船と交渉して、定期的に三菱汽船を伏木港に立ち寄らせることに成功した。

1877年、私財を投じて、日本海側で最初の西洋式灯台「伏木灯明台」と測候所を建設し、港の近代化につとめた。さらに、大型船が寄港できるような改修工事を政府にうったえ、その結果1899年、築港工事がはじまった。伏木港は現在、富山港と統合した伏木富山港の一地区として中華人民共和国、大韓民国、ロシアなどとの貿易の拠点になっている。

（高岡市立博物館）

ふじえけんもつ　郷土

● 藤江監物　1687～1731年

延岡に岩熊井堰の工事をたくした武士

江戸時代中期の武士。

日向国延岡藩（現在の宮崎県宮崎市）の家老（藩主を補佐して政治をおこなう役職）をつとめた。当時、城下に近い出北村（延岡市）は、土地が川よりも高いため、水をひくことができず、荒れ地になっていた。農民たちの貧しい暮らしをみかねて、出北村に用水をひく計画を立てた。工事にはばく大な費用がかかることが予想されたが、反対する人々を説きふせ、郡奉行（地方の行政を担当した役職）の江尻喜多右衛門を責任者に任命し、1724年、工事に着手した。しかし、予想以上の難工事で費用がかさんだ。7年目の1731年、反対派の家臣から藩の金を不正に流用して、ぜいたくをしているとうたがいをかけられてとらえられ、数か月後、牢内で亡くなった。その後、遺志を受けついだ喜多右衛門によって工事がつづけられ、1734年岩熊井堰と出北用水が完成した。荒れ地は水田にかわり、延岡藩の石高は300石以上増加した。

▲岩熊井堰　（延岡市）

ふじおたろう　郷土

● 藤尾太郎　1897～1963年

山王海に土のダムを建設した村長

明治時代～昭和時代の村長、ダム建設者。

岩手県志和村（現在の紫波町）に生まれた。村長だった父は、付近を流れる滝名川の上流にダムをつくって水をため、下流の村々に水をひくことで、毎年のようにおこる日照りの害をふせぎたいと考えていた。しかし、ダムの候補地山王海（紫波町）に住む人々の反対や、国から予算が出ないなどの理由で、ダム建設は実行に移されなかった。父の意思を受けついだ太郎は、山王海の人々に対し、ダム完成後のさまざまな恩恵を説き、移住を納得してもらった。

（山王海土地改良区）

1945（昭和20）年、ダム建設が決定した。1947年に太郎は志和村長になった。当時はコンクリートの材料がないため、ダムは土をかためてつくる。7年後、高さ37m、長さ140m、底の部分の幅196mの巨大な土のダムが完成した。翌年には、3本の用水路が完成して村々に水がひかれ、親子2代、40数年におよんだ悲願が実現した。2001（平成13）年に建設された新山王海ダムは、紫波町や周辺の田畑をうるおしている。

ふじこエフふじお

漫画・アニメ

藤子・F・不二雄　1933〜1996年

『ドラえもん』『パーマン』の生みの親

▲藤子・F・不二雄　（© 藤子プロ）

昭和時代〜平成時代の漫画家。

富山県生まれ。本名、藤本弘。手塚治虫の『新宝島』に大きな影響を受け、手塚の漫画が発売されるたび初版本を買うような少年だった。

小学5年生のときに、安孫子素雄（のちの藤子不二雄Ⓐ）と出会い、その後、いっしょに漫画をかきはじめる。1951（昭和26）年に『天使の玉ちゃん』でデビューし、以後安孫子との共同ペンネームである「藤子不二雄」として作品を発表。

高校卒業時に就職したが、すぐに退職。漫画家への夢をあきらめきれず、手塚に会いにいった。そこで、手塚からはげましのことばをもらい、本格的に漫画家の道を進むことを決意。その後、安孫子とともに上京し、かつて手塚が住んでいた東京都豊島区のトキワ荘に引っ越す。手塚が住んでいた部屋、手塚がのこしてくれた机で漫画をかいた。同じくトキワ荘に住むことになる石森章太郎（のちの石ノ森章太郎）、赤塚不二夫らと新漫画党というグループを結成した。

▲ドラえもん

（© 藤子プロ）

1964年から『オバケのQ太郎』の連載を開始。ゆかいなおばけが主人公のギャグ漫画はアニメ化もされ、大ヒット。2年後には『パーマン』の連載を開始した。普通の少年が超人的な力を手に入れてヒーローとなる物語で、少年の葛藤や、正義とは何かをギャグ漫画を通してえがいた。

その後も『21エモン』『ウメ星デンカ』『キテレツ大百科』などのヒット作を次々と発表する。1970年からは『ドラえもん』の連載を開始。さえない小学生の野比のび太と、未来からきたネコ型ロボットのドラえもんを主人公にした漫画は、単なるギャグ漫画におさまらず、友情や努力を問いかけてくれる児童漫画の傑作となる。

単行本は国内で1億3000万冊以上を売り上げ、アニメ化、映画化もされ、日本を代表する漫画の一つとなった。

1987年には安孫子とのコンビを解消。「藤子・F・不二雄」として執筆活動をつづける。作品は、ありふれたこどもたちの日常を基本にしながら、ソフトな絵がらで、SF（「すこしふしぎ」）の要素をとり入れた児童漫画をえがきつづけた。1963年、1982年に小学館漫画賞、1994年（平成6）に日本漫画家協会文部大臣賞、1995年に藤本賞・奨励賞、1997年に手塚治虫文化賞マンガ大賞を受賞。代表作『ドラえもん』は、日本をはじめとする多くの国と地域の人々に愛されつづけている。

ふじこふじおエイ

漫画・アニメ

藤子不二雄Ⓐ　1934年〜

『ドラえもん』『忍者ハットリくん』などの生みの親

漫画家。

富山県生まれ。本名、安孫子素雄。小学5年生のときに、藤本弘（のちの藤子・F・不二雄）と出会い、合作で漫画をかきはじめる。

藤本との共同ペンネームである「藤子不二雄」として漫画を投稿。1951（昭和26）年に『天使の玉ちゃん』でデビューした。

高校卒業後に新聞社に入るが、藤本にさそわれて漫画家になるため上京。あこがれの手塚治虫が住んでいた東京都豊島区のトキワ荘に2人で住み、漫画をかいた。1964年から、ゆかいなおばけが主人公のギャグ漫画『オバケのQ太郎』の連載を開始。児童漫画の代名詞となり、アニメ化もされた。

同年、『忍者ハットリくん』の連載も担当。こちらもアニメ化、映画化されて大ヒット。ほかにも代表作は『怪物くん』『プロゴルファー猿』『笑ゥせぇるすまん』など多数。

1987年には共同ペンネームをやめ、翌年から藤子不二雄Ⓐとして活動。漫画以外にも才能を発揮し、1990（平成2）年には映画『少年時代』を制作した。

2005年には、全作品に対し、日本漫画家協会賞文部科学大臣賞が贈られた。

ふじさわしゅうへい

文学

藤沢周平　1927〜1997年

下級武士や庶民を時代小説にえがく

昭和時代〜平成時代の作家。

山形県生まれ。本名は小菅留治。はたらきながら夜間高校を出て、山形師範学校（現在の山形大学）を卒業。教師や業界紙の編集者などをしながら創作にはげむ。1971（昭和46）年に『溟い海』でオール讀物新人賞を、1973年に『暗殺の年輪』で直木賞を受賞して執筆に専念する。

時代小説や、歴史上の人物やできごとをテーマにした歴史伝記小説で人気を博す。不遇な剣豪や貧しさにあえぐ下級武士、江戸（東京）の町の片すみに生きる庶民などを主人公に、生きるよろこびや悲しみをていねいな文体でえがく。作家としての日々の暮らしぶりや、故郷についてのエッセーなどもある。江戸時代屈指の名君として知られる出羽国米沢藩の藩主上杉治憲をえがいた長編小説『漆の実のみのる国』が絶筆となった。ほかに『用心棒日月抄』『海鳴り』『蝉しぐれ』『本所しぐれ町物語』などがある。1995（平成7）年紫綬褒章を受章。

学 芥川賞・直木賞受賞者一覧

ふじさわひでゆき

伝統芸能

藤沢秀行　1925〜2009年

豪快、華麗な打ち方で知られた囲碁棋士

昭和時代〜平成時代の囲碁棋士。

横浜市生まれ。本名は保だが、秀行に改名した。1934（昭和9）年に日本棋院に入り、福田正義に入門した。1959年に日本棋院第一位決定戦優勝となり、1962年に第1期旧名人戦リーグで優勝し、初代実力名人位につく。1963年に九段。1977年からは棋聖戦で6連覇し、名誉棋聖の資格を得る。豪快、華麗な棋風と自由奔放な人がらで知られた。門下生以外にも多くの若手棋士を集めて合宿する秀行塾を主宰し、日中囲碁交流にもつくした。1991（平成3）年、66歳で王座を獲得した。852勝649敗8持碁の成績で、1998年に引退した。1987年に紫綬褒章、1997年に勲三等旭日中綬章を受章した。囲碁棋士の藤沢里菜は孫にあたる。

ふじしまたけじ

絵画

藤島武二　1867〜1943年

近代日本の洋画界の巨匠の一人

▲藤島武二

明治時代〜昭和時代の洋画家。

鹿児島生まれ。薩摩藩士の3男で、幼いころから絵の才能をみとめられた。中学時代に四条派の画家から日本画を習い、上京して川端玉章の画塾に入門した。展覧会に日本画を出品し、受賞もしたが、1890（明治23）年に突然、洋画に転向した。洋画家の曽山幸彦に入門し、次いで松岡寿、山本芳翠らの指導を受ける。

1896年、東京美術学校（現在の東京藝術大学）に西洋画科がもうけられると、黒田清輝の推薦で助教授となる。以来、没するまで、同校で後進を指導した。

また、この年、黒田らが結成した白馬会に参加した。はじめは、黒田がフランスで学んだ外光表現の影響を受けたが、しだいにロマン主義的な傾向を強め、独自の装飾的な画風をつくりだした。

白馬会に出品した1902年の『天平の面影』、1904年の『蝶』は、その代表的な作品として知られている。一方1901年には、与謝野晶子の歌集『みだれ髪』の表紙に、フランスの世紀末芸術であるアールヌーボー調の絵をえがき、雑誌『明星』にも同様の表紙絵やさし絵を寄せている。

1905年からおよそ4年間、文部省の留学生として、ヨーロッパにわたり、パリでは国立美術学校のフェルナン・コルモン、ローマではカロリュス・デュランの指導を受ける。

ヨーロッパ滞在中の作品には、代表作として有名な『黒扇』などがある。

1910年に帰国し、白馬会展にヨーロッパでえがいた作品を発表した。帰国後しばらくしてからは、15世紀イタリア・ルネサンスの横むきの肖像画を思わせる『東洋振り』（1924年）や『芳蕙』（1926年）などを発表した。文部省美術展覧会（文展）や帝国美術院展覧会（帝展）の審査員をつとめた。

▲『みだれ髪』の表紙

昭和時代に入ってからは、1932（昭和7）年の『大王岬に打寄せる怒濤』や『東海旭光』、1938年の『耕到天』など、色の構成を重視した力強い風景画をのこした。

この間、1924（大正13）年に帝国美術院会員、1934年には、皇室に制作を奨励される帝室技芸員となる。1937年、第1回文化勲章を受章した。

学 文化勲章受章者一覧

ふじたこしろう

幕末

藤田小四郎 1842〜1865年

筑波山で天狗党の乱をおこし挙兵

幕末の志士。

水戸藩（現在の茨城県中部と北部）の藩士、藤田東湖の子として生まれる。名は信、小四郎は通称。

1863年、水戸藩主徳川慶篤にしたがって京都にのぼり、長州藩（山口県）の桂小五郎（のちの木戸孝允）や久坂玄瑞らとまじわり、尊王攘夷（天皇をうやまい外国勢力を追いはらおうという考え）のこころざしを強めた。

八月十八日の政変で京都から尊王攘夷派が追放されると、藤田は江戸幕府に攘夷の実行をうながすため、水戸藩で天狗党とよばれた尊王攘夷派とはかって、1864年、筑波山で挙兵した。途中で水戸藩士武田耕雲斎らが合流し、京都へむかう途中、加賀藩（石川県）に投降。1865年、350人あまりの同志たちと処刑された。

ふじたつぐはる

絵画

藤田嗣治 1886〜1968年

フランスで活躍した日本人画家

大正時代〜昭和時代の洋画家。

東京生まれ。1910（明治43）年、東京美術学校（現在の東京藝術大学）を卒業した。

1913（大正2）年にフランスにわたり、パリのモンパルナスにアトリエをかまえ、モディリアーニ、スーチン、ピカソらと交流した。翌年には第一次世界大戦がはじまるが、制作に没頭し、しだいに名をあげる。

1919年にサロン・ドートンヌに出品した6点の作品が、すべて入選した。1921年には審査員にえらばれ、時の人となる。乳白色の下地の上に墨で細い輪郭線をえがく作風は、「すばらしい白地」とよばれ、絶賛された。1933（昭和8）年に帰国し、翌年に二科展の会員となるが、フランスにもどる。第二次世界大戦により帰国し、戦争記録画の第一人者として活動した。

戦後、ふたたびフランスにわたり、フランス国籍を取得し、キリスト教の洗礼を受けて、レオナール・フジタとなった。晩年は、礼拝堂の設計や、壁画やステンドグラスなどの装飾をてがけた。代表作に『五人の裸婦』がある。

ふじたてつや

学問

藤田哲也 1920〜1998年

「藤田スケール」を考案した気象学者

昭和時代〜平成時代の気象学者。

福岡県生まれ。アメリカ国籍。明治専門学校（現在の九州工業大学）を卒業後、同大学で気象研究をおこない、台風の構造などについて論文を多数発表して、東京大学から博士号を取得した。雷雨の解析研究がアメリカ合衆国のシカゴ大学に評価され、1953（昭和28）年にシカゴ大学へ移籍した。その後、竜巻の内部の構造を明らかにし、竜巻の規模を被害の大きさによってF1〜F6の6段階でしめす「藤田スケール」（Fスケール）を考案した。また、積乱雲などの下でおこる下降気流のはげしい吹きだし（ダウンバースト）の存在を証明した。これらの気象学研究の業績は、防災や航空機事故の予防に役だてられている。

ふじたでんざぶろう

郷土

藤田伝三郎 1841〜1912年

児島湾の干拓事業につくした実業家

江戸時代後期〜明治時代の実業家。

（藤田美術館）

長門国長州藩の萩（現在の山口県萩市）で酒造業をいとなむ家に生まれた。高杉晋作が組織した奇兵隊に参加するなど、倒幕運動に活躍した。明治時代になり、大阪で軍靴の製造をはじめ、業績をあげた。1876（明治9）年、兄とともに藤田伝三郎商社を設立した。のちに藤田組とあらためて、土木、鉄道、化学、紡績などの事業をてがけ、関西経済界の実力者として活躍した。そのころ明治政府は、来日オランダ人の土木技師ムルドルに児島湾（岡山市）の干拓をたのんだが、費用がかかりすぎるため国の事業とはならなかった。その後、藤田組が工事を請け負い、1899年から工事がはじまった。湾内の防潮堤工事は、地盤が弱いため、築いた堤防がたびたびしずむ難工事だった。1941（昭和16）年まで、約40年をかけて、湾内約7000haのうち約3000haを干拓した。伝三郎は、完成をみないで亡くなるが、干拓工事は政府にひきつがれた。

ふじたとうこ

幕末

藤田東湖 1806〜1855年

水戸学の尊王論を広めた

(国立国会図書館)

江戸時代後期の学者。

幼名は武二郎、のち虎之介、誠之進。名は彪、東湖は号（本名のほかに用いる名）。水戸藩（現在の茨城県中部と北部）の学者、藤田幽谷の子として生まれる。1826年、父が亡くなると、22歳で家督をつぎ、父が創始した水戸学（尊王論を中心とする思想）の後継者として頭角をあらわした。1829年、徳川斉昭が藩主になると、藩の要職を歴任し、1840年、側用人として斉昭の藩政改革を補佐した。1844年、斉昭が幕府から蟄居（外出を禁じ一室にとじこもること）を命じられると、東湖も幽閉され、この間に『回天詩史』『正気歌』『弘道館記述義』などを執筆。

「危機に直面しているいまこそ、正気（忠君愛国の精神）を発揮し、国家の独立と統一をはかるべきだ」と説いた。1853年、アメリカ合衆国の使節ペリーが来航すると、斉昭は幕政に参加し、東湖も幕府の海岸防禦御用掛（外国の侵略をふせぐ役職）となった。彼の下には、多くの幕臣や学者、志士たちが教えを求めておとずれたが、1855（安政2）年、江戸小石川の水戸藩邸で安政の大地震にあい、圧死した。

ふじたゆうこく

江戸時代

藤田幽谷 1774〜1826年

幕末の水戸藩に攘夷思想を広めた

(藤田幽谷画像（石版）/東大史料編纂所所蔵模写)

江戸時代後期の儒学者。

常陸国水戸（現在の茨城県水戸市）城下に商人の子として生まれる。10歳のころ、彰考館（水戸藩が歴史書『大日本史』編さんのために設置した研究所）の責任者、立原翠軒に入門して儒学を学んだ。

1788年、翠軒の推薦で彰考館に入り、『大日本史』の編さんにたずさわった。1797年、24歳のとき藩政を批判した意見書『丁巳封事』を藩主徳川治保に提出したため、謹慎処分を受けた。のちにゆるされ1807年、彰考館の総裁になり翌年、地方の行政を担当する郡奉行を兼任した。晩年の1824年、水戸藩領の大津浜にイギリス人が上陸して、燃料や水を要求する事件がおきると、攘夷（外国勢力を追いはらおうという考え）を主張し、のちに水戸藩内に攘夷思想が広まるきっかけをつくった。

水戸学のもととなった『正名論』や、『勧農或問』などの著書がある。子の藤田東湖も水戸藩の学者で、藩主徳川斉昭につかえて藩政改革をおし進めた。

ふじまかんじゅうろう

伝統芸能

藤間勘十郎 1900〜1990年

歌舞伎舞踊の振り付けに活躍した舞踊家の6世

大正時代〜昭和時代の日本舞踊家、振り付け師。

東京生まれ。本名は藤間秀雄。1907（明治40）年、6世尾上梅幸に入門して歌舞伎役者となり、尾上梅雄を名のる。1915（大正4）年16歳のとき、踊りの才能をみこまれ、藤間流宗家5世勘十郎の養子になる。1927（昭和2）年、6世勘十郎を襲名した。1930年代から、歌舞伎舞踊の振り付け師としての才能が開花した。1937年、菊五郎のために新たに振り付けた『藤娘』が、傑作として知られる。第二次世界大戦後も多くの歌舞伎舞踊の振り付けと指導に活躍する一方、舞踊家としてもすぐれた業績をのこした。品格の高い芸風と、広い芸域、豊富な知識をもち、歌舞伎界になくてはならない存在になった。大御所として、多くの俳優の信頼を集め、亡くなるまで「宗家」の敬称でよばれた。

1960年に重要無形文化財保持者（人間国宝）に認定される。1979年に文化功労者となり、1982年に文化勲章を受章した。

学 文化勲章受章者一覧

ふしみてんのう

王族・皇族

伏見天皇 1265〜1317年

学問や和歌にすぐれ、『玉葉和歌集』をまとめさせた

鎌倉時代後期の第92代天皇（在位1287〜1298年）。後深草天皇の子。即位する前は熙仁親王とよばれた。1275年、11歳で大覚寺統（亀山天皇の子孫）の後宇多天皇の皇太子となり、1287年、23歳で持明院統（後深草天皇の子孫）の天皇として即位したが、後深草上皇（譲位した後深草天皇）が院政をおこなった。

1290年、後深草上皇が出家したのでみずから政治をみて裁判制度の整備などにとりくんだ。1298年、皇太子の胤仁親王（後伏見天皇）に譲位して上皇となり院政をおこなったが、大覚寺統と持明院統の対立はつづいた。学問や和歌にすぐれ、歌人の京極為兼を師とし、1313年、勅撰集（天皇や上皇の命

令でつくられた和歌集）『玉葉和歌集』をまとめさせた。

学 天皇系図

ふじやまいちろう

音楽

藤山一郎　1911〜1993年

美しい日本語歌詞を表現

昭和時代〜平成時代の歌手、作曲家。

東京生まれ。本名、増永丈夫。東京音楽学校（現在の東京藝術大学）卒業。実家は日本橋の呉服屋で、幼いころから音楽の才能をあらわし、専門家の指導を受ける。小学生で童謡のレコードを録音。音楽学校では、梁田貞から声楽を学び、バリトン歌手として期待された。在学中、困窮した実家を助けるため、藤山一郎の名で古賀政男作曲の『酒は涙か溜息か』『丘を越えて』などを歌い、ヒットさせる。第二次世界大戦中は東南アジアへの慰問団に参加し、捕虜収容所をまわった。

終戦後は『青い山脈』『長崎の鐘』など次々とヒット曲を送りだし、作曲、指揮、合唱指導などもてがける。歌唱はクラシック音楽の基礎にのっとった明るく本格的な発声と、美しく正しい日本語の歌詞の歌い方に定評があった。

1992（平成4）年、国民栄誉賞を受賞。作曲作品に『慶應音頭』『夕月の歌』『ジャンボリーの歌』『NHKラジオ体操の歌』などがある。

学 国民栄誉賞受賞者一覧

ふじわらぎんじろう

産業

藤原銀次郎　1869〜1960年

「製紙王」と称された王子製紙の社長

（国立国会図書館）

大正時代〜昭和時代の実業家、政治家。

信濃国（現在の長野県）生まれ。1890（明治23）年、慶應義塾を卒業後、松江日報に入社。1894年、三井の指導者、中上川彦次郎の推薦で三井銀行に入り、富岡製糸場の支配人や三井物産台湾支店長などを歴任した。1911年、当時業績不振だった王子製紙の専務取締役に就任。非能率工場を整理し、苫小牧で集中大量生産方式を採用し、経営再建に成功する。ついで社長となり、1933（昭和8）年、富士製紙、樺太工業の吸収合併に成功した。洋紙生産の80%以上を独占し、製紙王とよばれるまでになる。また、社員教育にも力を入れ、工場の火災予防を推進した。王子製紙社宅横の公園には、藤原の胸像がある。一方、貴族院議員として、第二次世界大戦中には商工大臣、軍需大臣などを歴任。その他、私財を投じて慶應義塾大学理工学部の前身である藤原工業大学や藤原科学財団を設立した。合理的で忍耐強い経営者であり、教育・社会事業にも尽力し、産学協同の推進もはかろうとした。

ふじわらせいか

学問

藤原惺窩　1561〜1619年

日本の朱子学の祖

安土桃山時代の儒学者。

平安時代の歌人藤原定家の子孫で冷泉為純の子。播磨国

▲渡辺崋山作 藤原惺窩像（部分）

（東京国立博物館 Image：TNM Image Archives）

細川村（現在の兵庫県三木市）に生まれる。7歳で出家し、18歳のとき父と兄を戦で失ったため、京都に出て相国寺へ入り禅をおさめた。そのかたわら、そのころ禅へみちびくためのものと考えられていた儒学を学んだ。

1596年、中国の明でさらに儒学を学ぼうと渡航をくわだてるが失敗する。1598年、豊臣秀吉が文禄・慶長の役で朝鮮を侵略すると、捕虜として日本につれてこられた姜沆から、儒学の一派である朱子学を学んだ。

やがて僧をやめて儒学者になり、すぐれた門人を多く育てた。徳川家康に講義をおこなって仕官を求められるが辞退し、門人の林羅山を推薦した。著書に『寸鉄録』『大学要略』などがあり、日本の朱子学の祖とされる。

ふじわらのいえたか

詩・歌・俳句

藤原家隆　1158〜1237年

『新古今和歌集』の撰者の一人

（フェリス女学院大学附属図書館所蔵）

平安時代後期〜鎌倉時代中期の歌人。

若いときから歌人の藤原俊成を師とし、俊成の子の藤原定家とともに活躍した。侍従（天皇の側近）、越中守（現在の富山県の長官）などを歴任した。1188年に献上された勅撰集（天皇や上皇の命令でつくられた和歌集）の『千載和歌集』に歌をのこしている。1193年、

六百番歌合（宮中で歌の優劣をきそう遊び）に参加して有名になった。そのころから後鳥羽天皇に重用され、1201年、和歌所寄人（和歌の選定などをおこなう役人）となり、その後、定家らとともに『新古今和歌集』の撰者の一人となり、有名になった。

1206年、宮内卿（天皇や皇室の庶務をつかさどる宮内省の長官）に任命された。承久の乱（1221年）で後鳥羽上皇（譲位した後鳥羽天皇）が隠岐（島根県隠岐諸島）に流罪となったあとも連絡を絶やさず和歌での交流をつづけた。

学 人名別 小倉百人一首

ふじわらのうまかい

貴族・武将

藤原宇合　694〜737年

藤原式家の祖先

（国立国会図書館）

奈良時代の公家の高官。藤原不比等の子。藤原四家のうちの式家の祖先。

717年、遣唐使として中国の唐にわたったが、これに留学生の吉備真備、阿倍仲麻呂、井真成、留学僧の玄昉がしたがった。718年に帰国したあと常陸守（現在の茨城県の長官）、式部卿（朝廷役人の人事や学校の管理をおこなう式部省の長官）をつとめ、724年、蝦夷の反乱をおさめ、729年の長屋王の変のときには兵をひきいて長屋王の邸宅をかこむなど、武人として活躍した。731年、中納言（太政官の次官）に次ぐ官職の参議となるが、737年、全国をおそった疫病、天然痘により病死。『万葉集』や漢詩集『懐風藻』に詩歌がおさめられている。

学 藤原氏系図

ふじわらのおつぐ

貴族・武将

藤原緒嗣　774〜843年

桓武天皇によい政治をおこなわせた

奈良時代〜平安時代の公家の高官。

藤原百川の子。桓武天皇を擁立した父の功績によって重用され、802年以降、参議、中納言、大納言と昇進し、825年に右大臣、832年には事実上の最高官職である左大臣となった。805年、桓武天皇にこれからの政治のあり方について問われたとき、「いま、天下の民が苦しんでいるのは蝦夷との戦い（軍事）や都づくり（造作）に動員されているからです。すぐに軍事と造作を中止するべきです」と進言したが、参議の菅野真道は事業の継続を主張した。2人の意見を聞いた桓武天皇は、緒嗣の意見を採用したので、民衆は兵役や増税をまぬがれることができた。桓武天皇のこの決断は徳政（善政）といわれている。

ふじわらのかねいえ

貴族・武将

藤原兼家　929〜990年

藤原氏繁栄の基礎をかためる

（国立国会図書館）

平安時代中期の公家の高官。藤原師輔の子。藤原道隆、藤原道兼、藤原道長らの父にあたる。968年、次兄の藤原兼通をこえて従三位に昇進し、太政官の役職の一つである参議（朝廷の重要な官職）をへないで中納言、大納言となり、そのうらみを買った。

972年、摂政だった長兄の藤原伊尹の死後、関白をめぐる兼通との争いにやぶれ、977年、治部卿（外交事務や宮廷音楽をつかさどる治部省の長官）という名ばかりの官職に左遷される。しかしこの年、兼通が亡くなり、翌年、関白となった藤原頼忠によって右大臣に任命され、政界の中央に復帰した。986年、はかりごとによって花山天皇を出家にみちびき、退位させる。その後、円融天皇のきさきとなった娘、詮子が産んだ、7歳の皇太子、懐仁親王を一条天皇として即位させ、摂政となった。こうして天皇家とのむすびつきを深くして外戚となり朝廷での権力をにぎり、息子らを思いのままに昇進させた。989年、太政大臣、翌年関白となり、長男の道隆に関白職をゆずって病死した。

学 藤原氏系図

ふじわらのかねみち

貴族・武将

藤原兼通　925〜977年

弟の藤原兼家を左遷した兄

平安時代中期の公家の高官。

藤原師輔の子。969年に太政官の役職の一つである参議、972年に権中納言となる。弟の大納言、藤原兼家に官位、官職をこされてうらんだが、972年、摂政だった長兄の藤原伊尹の死後、関白をめぐる兼家との争いに勝ち、娘を円融天皇の中宮（皇后と同じ身分）とし、974年、太政大臣となる。977年、病死する直前に関白を藤原頼忠にゆずり、兼家を治部卿（外交事務や宮廷音楽をつかさどる治部省の長官）という名ばかりの官職に左遷した。兼通、兼家兄弟の骨肉の争いは朝廷でも有名で、藤原氏の栄華をえがいた『大鏡』『栄華物語』にもいろいろな逸話がみえる。

学 藤原氏系図

ふじわらのかまたり

貴族・武将

藤原鎌足　614〜669年

天智天皇を助けて蘇我氏をたおした

飛鳥時代の豪族。

中臣鎌足ともいう。子に藤原不比等、孫に藤原武智麻呂、

▲藤原鎌足

（奈良国立博物館所蔵 / 森村欣司撮影）

藤原房前、藤原宇合、藤原麻呂がいる。

若いころから中国の古典や兵法を学び、遣隋使とともに隋に留学していた旻や南淵請安から、中国の儒教や政治制度（律令制度）を学んだ。当時の朝廷では、蘇我蝦夷・蘇我入鹿の父子が権力をふるい、天皇をも軽んじる専横なふるまいをしていた。なんとしても蘇我氏をたおさなければならないと考えていた鎌足は、南淵請安に学んでいた中大兄皇子（のちの天智天皇）が同じ思いだということを知った。

鎌足は、法興寺（のちの飛鳥寺）（奈良県明日香村）でおこなわれたけまりの会のとき、中大兄皇子がけとばしてしまったくつをひろって皇子にさしだした。これをきっかけにしてことばをかわし、親しくなったという。

2人は南淵請安宅への行き帰りに、蘇我氏をたおす周到な計画をねり、蘇我氏の一族で蝦夷や馬子と対立していた蘇我倉山田石川麻呂を味方にひき入れた。645年、朝廷の儀式にのぞんだ入鹿を暗殺すると、父の蝦夷は自宅に火をはなち自殺した。これを乙巳の変という。

事件後、皇極天皇は退位し、皇極天皇の弟である軽皇子が孝徳天皇として即位して、新政府が成立した。鎌足は、新政府で中大兄皇子を補佐する内臣という重要な官職に命じられ、その後の大化の改新とよばれる政治改革の中心に立った。

667年、中大兄皇子が飛鳥（現在の奈良県明日香村）から近江大津宮（滋賀県大津市）に都を移し、翌年、天智天皇として即位したあとも、側近として律令制度の基礎を築くなど、活躍した。

その後、天智天皇とその子の大友皇子が、天智天皇の弟の大海人皇子（のちの天武天皇）と皇位継承をめぐって対立するようになった。

皇族どうしの争いを心配した鎌足は、そのあいだをとりなしたという。

669年、鎌足が重病になると、天智天皇は、それまでの鎌足の功績にむくいるために、大職冠という最高冠位をさずけた。また、鎌足の出身地、藤原（奈良県橿原市）にちなんで「藤原」の姓をあたえた。

その後、子の不比等や、不比等の子孫たちは奈良・平安時代を通して政治の中心に立ち、藤原氏の全盛期を築いた。

学 藤原氏系図　学 お札の肖像になった人物一覧

ふじわらのきよかわ

貴族・武将

藤原清河　生没年不詳

唐で生涯を終えた遣唐使

（国立国会図書館）

奈良時代の公家の高官。藤原房前の子。朝廷で出世し、752年、遣唐使として中国の唐にわたったが、このとき吉備真備もその一員としてしたがった。長安（現在の陝西省西安市）の宮殿で玄宗皇帝に謁見し、その知識や礼儀正しさを気に入られた。翌年、唐の高僧、鑑真に来日を願い、帰国する船に阿倍仲麻呂とともに乗るが、暴風雨にあって遭難し、安南（ベトナム北部・中部）に漂着した。その後、長安にもどり、河清という唐名で朝廷につとめ、秘書監（秘書省の長官）として重用された。

759年、日本から清河をむかえるための遣唐使船が派遣されたが、755年におきた安禄山の乱の影響で、唐の朝廷は混乱しており、また、玄宗のあとをついだ粛宗も清河を重用して帰国をゆるさなかったため、帰国は実現しなかった。777年にも遣唐使船が派遣されたが、翌年帰国した船では、清河と唐の女性とのあいだに生まれた娘、喜娘だけが渡来した。そのころ清河はすでに亡くなっていたと考えられている。

学 藤原氏系図

ふじわらのきよひら

貴族・武将

藤原清衡　1056〜1128年

奥州藤原氏繁栄の基礎を築いた

（毛越寺）

平安時代後期の武将。藤原経清の子。母は陸奥国（現在の山形県・秋田県をのぞく東北地方）の豪族安倍頼時の娘。1051年、陸奥国で前九年の役の戦乱がはじまり、父の経清は安倍氏をひきいて戦った。しかし1062年に父が殺され、その後、母が清原武貞と再婚したので、清原氏を名のった。1083年、清原氏の内部の権力争いから後三年の役がはじまると、はじめ異父弟の清原家衡とむすび、武貞の子真衡と戦う。真衡の死後は家衡とあらそったが、陸奥守の源義家の支援を受け、家衡をほろぼした。その後、姓を藤原にもどして安倍氏と清原氏の領地を支配し、平泉（岩手県平泉町）を根拠地として、東北の支配者となり、奥州藤原氏繁栄のもとを築いた。

世界遺産である平泉の中尊寺は、1105年、清衡によって造営がはじめられ、藤原基衡、藤原秀衡らが造営をつづけて、1124年に黄金づくしの金色堂が完成した。

ふじわらのきんとう

貴族・武将　詩・歌・俳句

藤原公任　966～1041年

政権をささえながら、和歌、漢詩、管絃にもすぐれる

（国立国会図書館）

平安時代中期の公家の高官、歌人。

関白、藤原頼忠の子。藤原佐理の従兄。左近衛権中将（宮中の警備などをおこなう左衛門府の定員外の次官）、989年、蔵人頭（天皇の機密文書などを管理する蔵人所の長官）をへて、992年に太政官の役職の一つである参議、1000年に中納言、1009年には権大納言に昇進した。

和歌、漢詩、管絃（横笛や琵琶などの演奏）にすぐれ、一条天皇の時代の第一人者として、朝廷の主な行事で和歌をよみ、才能を発揮した。また、和泉式部、清少納言、紫式部などと交流した。

11世紀はじめ、漢詩と和歌を集めた『和漢朗詠集』の撰者となった。天皇や上皇の命令でつくられた勅撰集の『拾遺和歌集』などに、約90首がとられている。

学 藤原氏系図　学 人名別 小倉百人一首

ふじわらのくすこ

貴族・武将

藤原薬子　?～810年

権勢をふるって政治に介入

（国立国会図書館）

平安時代前期の女官。藤原種継の娘で、藤原仲成の妹。

8世紀後期、娘が安殿親王（のちの平城天皇）のきさきになると、東宮坊（皇太子につかえる役所）に登用された。806年、桓武天皇が亡くなり平城天皇が即位すると、典侍（天皇につかえて天皇の命令などを伝える内侍司の次官）から内侍（内侍司の長官）に出世し、兄の仲成とともに政治を動かそうとした。809年、平城天皇が譲位して嵯峨天皇が即位したあとも、平城上皇（譲位した平城天皇）の側近として権勢をふるって政治に介入し、嵯峨天皇と対立した。同年、平城上皇が、薬子や仲成をつれて平城京に移り、朝廷が2つあるかのようになった。

810年、上皇は平城京への遷都を命じ、薬子と仲成は兵をあげて嵯峨天皇の政権をうばい、上皇をふたたび即位させようとした。これに対し、嵯峨天皇は朝廷軍を派遣して上皇の軍をおさえ、仲成を射殺した。あきらめた上皇は平城京へもどって出家し、薬子は平城宮で服毒自殺した（薬子の変）。

学 藤原氏系図

ふじわらのけんし

貴族・武将

藤原妍子　994～1027年

藤原道長の期待を背負った娘

平安時代中期の三条天皇のきさき。

藤原道長の娘。母は源倫子。1004年、尚侍（天皇につかえて天皇の命令などを伝える内侍司の長官）に任命され、1010年、皇太子の居貞親王（のちの三条天皇）のきさきとなった。1012年、三条天皇の中宮（皇后と同じ身分）となり、翌年、禎子内親王を産んだが、皇位を継承する男子が生まれることはなく、妍子の父、道長は落胆したという。1027年、禎子内親王は敦良親王（後朱雀天皇）のきさきとなり、尊仁親王（後三条天皇）を産んだ。

学 藤原氏系図

ふじわらのこれちか

貴族・武将

藤原伊周　974～1010年

道長と対立してやぶれる

平安時代中期の公家の高官。

藤原道隆の子。藤原道長のおい。990年、父の道隆が関白になり朝廷の実権をにぎると、翌年、太政官の役職の一つである参議、権中納言、992年、権大納言と昇進し、994年、おじの道長をこえて内大臣（左大臣、右大臣に準ずる官職）として、21歳で政界の中央に立った。995年、道隆が病になったとき、内覧（天皇への文書や天皇のくだす文書をみる役職）となるが、道隆が亡くなったあと、おじの道長が詮子（藤原道長の姉、一条天皇の母）のあとおしで内覧となったので、2人の対立は決定的になり、朝廷ではげしく口論したり、弟の藤原隆家と道長の従者どうしが殺傷事件をおこしたりした。996年、隆家が花山法皇（譲位後に出家した花山天皇）に矢を射かける事件がおこって罪に問われ、太宰権帥（九州を統括する役所である太宰府の定員外の長官）に左遷されたが、翌年ゆるされて都にもどった。1008年に准大臣となるが、全盛期の道長に対抗することはできなかった。高貴な容姿で文才もあった。学 藤原氏系図

ふじわらのさだいえ

詩・歌・俳句

藤原定家　1162～1241年

『小倉百人一首』をまとめた歌人

平安時代後期～鎌倉時代中期の歌人、歌学者。

藤原俊成の子。「ていか」とも読む。若いときから和歌の才能をあらわした。1175年、侍従（天皇の側近）となり、1188年、

(冷泉家時雨亭文庫)

父の俊成がまとめた勅撰集（天皇や上皇の命令でつくられた和歌集）の『千載和歌集』に8首がえらばれた。翌年から21年間、左近衛次将（宮中の警備などをおこなう役所である近衛府の次官）をつとめた。後鳥羽上皇（譲位した後鳥羽天皇）に和歌の才能を高く評価され、1201年、和歌所寄人（和歌の選定などをおこなう役人）に任命される。

上皇をとりまく歌壇の中心人物となり、1205年に撰集された『新古今和歌集』の撰者の一人にえらばれた。

参議（朝廷の最高機関である太政官の役職の一つ）、治部卿（外交事務や宮廷音楽をつかさどる治部省の長官）をへて民部卿（租税や民政をつかさどる民部省の長官）に昇進した。

1220年、歌の理論が上皇と衝突し、上皇の怒りにふれて謹慎処分となる。翌年、後鳥羽上皇は承久の乱をおこして鎌倉幕府軍にやぶれ、隠岐（現在の島根県隠岐諸島）に流罪となる。

1232年、後堀河天皇の命令で『新勅撰和歌集』を撰集し、1235年には『小倉百人一首』をまとめたといわれる。その後も『源氏物語』や『古今和歌集』などの古典の研究をおこなう。また『近代秀歌』『毎月抄』などの歌論書を著し、後世の歌人たちに大きな影響をあたえた。

「来ぬ人を　まつほの浦の　夕なぎに　焼くや藻塩の　身もこがれつつ」という歌は、『新勅撰和歌集』にのせられ、定家みずから『小倉百人一首』にえらんだ1首で、女性が男性を恋いこがれまちつづける思いをよんでいる。

定家が1180～1235年の56年間にわたり書きつづけた日記『明月記』は、源平の争乱から承久の乱など鎌倉時代前期の政治の争いや、当時の文化、社会のようすなどを伝える重要な史料となっている。

学 藤原氏系図

ふじわらのさねすけ

貴族・武将

藤原実資　957～1046年

道長も一目おく賢人

平安時代中期の公家の高官。

藤原実頼の孫。981年、円融天皇の蔵人頭（天皇の機密文書などを管理する蔵人所の長官）となり、その後、花山天皇から一条天皇までのあいだ、蔵人頭をつとめた。989年、参議（朝廷の重要な官職）となる。996年、中納言、1009年、正二位大納言、1021年、右大臣に昇進し、90歳で亡くなるまで在任した。

(国立国会図書館)

実資は、祖父の実頼から豊かな財産や記録文書を受けつぎ、儀式や先例にくわしかったので、実力者の藤原道長も一目おき、不明なことをたずねたりした。実資の家系は朝廷の中心に立つ摂関家からは遠かったが、道長に遠慮しない批判的立場に立ち、つねに公正であろうとしたので、賢人右府（右大臣）とよばれた。また、26歳のときから50年間にわたってしるした日記『小右記』は、藤原道長全盛時代の政治、社会、宮廷行事などを詳細にあらわした貴重な資料となっている。

ふじわらのさねより

貴族・武将

藤原実頼　900～970年

着実に出世したが、弟にはおよばなかった

平安時代中期の公家の高官。

藤原忠平の子。藤原実資の祖父。931年に参議（朝廷の重要な官職）、934年に中納言、939年に大納言に昇進し、944年に右大臣、947年に左大臣になった。967年、冷泉天皇が17歳で即位すると、関白・太政大臣となる。

969（安和2）年、安和の変がおこり、事件にかかわったとされる朝廷の有力者で左大臣の源高明を左遷した。同年、円融天皇が11歳で即位すると摂政となり、以後、つねに摂政か関白がおかれるようになって藤原氏の主流（北家）が独占した。

実頼は、天皇の外戚（母方の祖父）ではなかったため、外戚となった弟、藤原師輔に朝廷での権勢はおよばなかった。

学 藤原氏系図

ふじわらのしゅんぜい

藤原俊成 → 藤原俊成

ふじわらのすけまさ

貴族・武将　絵画

藤原佐理　944～998年

書にすぐれた三蹟の一人

平安時代中期の公家の高官、書家。

藤原実頼の孫。「さり」とも読む。早くに父を亡くしたので、祖父実頼に養育された。蔵人（天皇の機密文書などを管理する蔵人所の役人）などをへて、978年に参議、990年に兵部卿（軍事一般をあつかう兵部省の長官）、翌年、大宰大弐（九州を統括する役所である大宰府の次官）となる。書家として有名で、内裏（天皇や家族の住まい）の建物の額を書き、円融天皇、花山天皇、一条天皇の大嘗祭の屏風に文字を書くなど活躍した。大宰府におもむくときに書いた『離洛帖』が国宝とし

てのこされている。小野道風、藤原行成とともに「三蹟」とよばれた。

学 藤原氏系図

ふじわらのすみとも

貴族・武将

藤原純友　?〜941年

役人から海賊の親玉に

(築土神社)

平安時代中期の官人。

藤原北家の家がらだったが、地位は低く、出世の道には遠かった。伊予掾（現在の愛媛県の守、介に次ぐ官職）で、瀬戸内海の海賊をとりしまる任務にあたっていたが反目。939年、摂津国（大阪府北西部・兵庫県南東部）で、備前国（岡山県南東部）・播磨国（兵庫県南部）の国司をおそった。これを受け瀬戸内海の海賊が活発化。朝廷は追捕使（犯罪人や賊をとらえるための官職）として小野好古を派遣し、海賊の鎮圧にあたらせた。このころ朝廷は、東国で平将門がおこした乱の対処に追われていた。そこで940年、日振島（愛媛県宇和島市）を根拠地として、海賊をたばねるようになっていた純友に、従五位下の官位をさずけて懐柔しようとする。ところがこれがかなわず、純友は兵をともない、船を京へ進めた。しかし途中、平将門が討伐された報告を聞き、ひきかえした。同年、ふたたび兵をあげ、船で伊予国、讃岐国（香川県）の国府をおそって財物をうばう。これに対し朝廷は、小野好古、源経基らに討伐を命じ、941年、純友軍は撃破された。純友は海へとのがれ、大宰府（朝廷が九州をおさめるために現在の福岡県においた機関）をおそうが、ここでもやぶれる。そして伊予国へとのがれるものの、最後は息子とともに討たれた（藤原純友の乱）。平将門の乱と藤原純友の乱を総称し、年号から承平・天慶の乱ともいう。

ふじわらのたかいえ

貴族・武将

藤原隆家　979〜1044年

外国からの海賊を退治

平安時代中期の公家の高官。

藤原道隆の子で、藤原伊周の弟。藤原道長のおいにあたる。990年、父が関白となり朝廷で実権をにぎると、左近衛少将（宮中の警備などをおこなった近衛府の大将、中将に次ぐ役職）となり、994年、16歳で参議（朝廷の重要な官職）となり、995年、権中納言に昇進した。同年、道隆が病死したあと、兄の伊周とともに権力をめぐっておじの道長とあらそうが、道長が内覧（天皇への文書や天皇のくだす文書をみる役職）となったためやぶれた。996年、伊周の誤解から、花山法皇（譲位後に出家した花山天皇）に矢を射かける事件をおこし、出雲（島根県）に左遷された。998年にゆるされて都にもどり、権中納言に再任。1009年には中納言に昇進した。1014年、大宰権帥（九州を統括する役所である大宰府の定員外の長官）になって現地におもむいた。1019年、中国東北部の女真族の海賊が北九州をおそい、150人が殺されるという事件がおこる（刀伊の入寇）。隆家は在地の武士などを指揮して戦い、刀伊を撃退した。

学 藤原氏系図

ふじわらのたかのぶ

絵画

藤原隆信　1142〜1205年

後白河上皇につかえた宮廷絵師

▲藤原隆信作『伝源頼朝像』 足利尊氏の弟、直義ではないかという説もある。
(神護寺)

平安時代後期〜鎌倉時代前期の絵師。

藤原定家の異父弟。同じく絵師の常磐光長とともに後白河上皇のそばにつかえていたといわれる。1173年、光長と、建春門院（後白河上皇のきさき）が建立し、京都市東山区にあった最勝光院の堂や御所の障子絵の人物の制作にかかわった。これは、上皇の高野山（和歌山県高野町）への参詣、建春門院の平野行啓（京都市北区にある神社への外出）、日吉御幸（滋賀県大津市にある日吉神社への外出）のようすを描写したもので、参列した人物たちの顔は隆信がえがいたと伝えられている。隆信は、肖像画に写実的な技法をこらした似絵を得意とし、細密な線による人物の顔の描写にすぐれていたといわれている。歌人としても知られ、勅撰集『千載和歌集』などに歌が入集している。

ふじわらのたかよし

絵画

藤原隆能　生没年不詳

鳥羽上皇の肖像をえがいた宮廷絵師

平安時代後期の絵師。

宮廷の絵師として知られ、鳥羽上皇（譲位した鳥羽天皇）や後白河上皇（譲位した後白河天皇）に重用された。1147年、藤原忠実の70歳を祝う調度のすずり箱に絵をえがき、1154年、上皇や法皇の住まいである院の御所、鳥羽離宮の鳥羽金剛心院の扉絵をえがいた。後白河上皇の命令により鳥羽上皇の肖像をえがいた。『源氏物語』をえがいた『源氏物語絵巻』の作者とも伝えられているが、確証はない。

ふじわらのただざね

貴族・武将

藤原忠実　1078〜1162年

堀河天皇の関白、鳥羽天皇の摂政をつとめた

平安時代後期の公家の高官。

関白藤原師通の子。従三位、内覧（天皇への文書や天皇の下す文書をみる官職）、右大臣を歴任し、1105年に堀河天皇の関白となり、1107年には鳥羽天皇の摂政に、1112年、最高職の太政大臣となった。白河法皇（譲位後に出家した白河天皇）が権勢をふるう中で、摂関家の勢力をたもとうとして法皇と対立。娘の入内をこばんだので白河法皇の怒りにふれ、内覧・関白をやめさせられ、1121年、長男の藤原忠通に関白をゆずり、京都の宇治に謹慎した。1129年、白河法皇が亡くなって鳥羽上皇（譲位した鳥羽天皇）の院政がはじまると朝廷にもどり、1132年、内覧となり、翌年、娘を上皇に入内させ勢力を回復した。しかし忠通と対立するようになると、忠通の弟で次男の、藤原頼長を後見した。1150年、摂政を頼長にゆずるように忠通に求めて拒否されたが、1151年、鳥羽法皇（出家後の鳥羽上皇）に願いでて頼長を内覧とした。しかし、法皇の子の近衛天皇の死が忠実たちののろいによるものというううわさが流れ、鳥羽法皇ににくまれて政界での権力を失った。1156（保元元）年、鳥羽法皇の死の直後におきた保元の乱では、後白河天皇や忠通らと敵対した崇徳上皇（譲位した崇徳天皇）や頼長らに味方せず、頼長が敗死したあと、忠通に所領をゆずったので流罪をまぬがれた。

学 藤原氏系図

ふじわらのただひら

貴族・武将

藤原忠平　880〜949年

律令制度を「延喜式」にまとめあげた

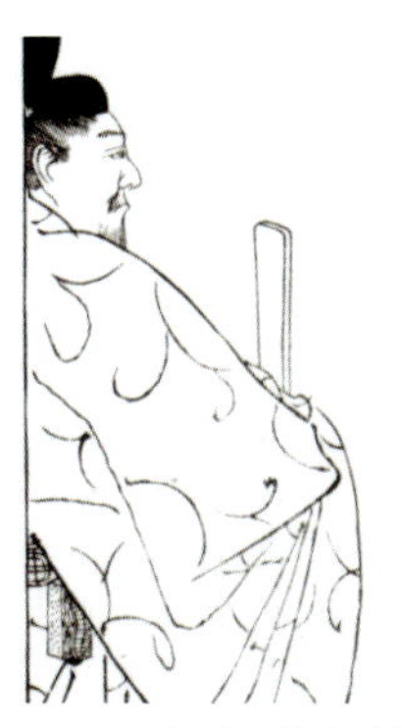
（国立国会図書館）

平安時代中期の公家の高官。

藤原基経の子で、藤原時平の弟。900年、参議（朝廷の重要な官職）、右大弁（兵部省・刑部省・大蔵省・宮内省を統括する右弁官局の長官）となる。909年、権中納言、911年、大納言などをへて、914年、醍醐天皇に信任され、右大臣に昇進した。927年、律令制度の細かい規則をまとめた延喜式を完成させた。930年、朱雀天皇の摂政、936年、最高職の太政大臣、941年、関白をつとめ、村上天皇の下でもひきつづき関白職にあった。

忠平の在任中には東国で平将門の乱（935〜941年）、西国で藤原純友の乱（939〜941年）など大事件（承平・天慶の乱）がおこって地方の政治が乱れ、律令体制（法律を基本とする政治制度）がおとろえた。忠平がのこした日記は、死後貞信公の称号を贈られたことから『貞信公記』とよばれ、現存する平安貴族の最古の日記である。政界の動き、年中行事など貴族社会のようすや、承平・天慶の乱などがしるされた貴重な資料となっている。

学 藤原氏系図　学 人名別 小倉百人一首

ふじわらのただみち

貴族・武将

藤原忠通　1097〜1164年

保元の乱で後白河天皇方について勝利

（宮内庁三の丸尚蔵館）

平安時代後期の公家の高官。

藤原忠実の子。藤原頼長は異母弟。権中納言、権大納言をへて、1115年、内大臣（左大臣、右大臣に準ずる官職）となり、1121年、白河法皇（譲位後に出家した白河天皇）にきらわれた父忠実にかわり、関白、氏長者（氏族の代表）となるが、忠実と対立する。翌年、左大臣となり、1123年、崇徳天皇の摂政、関白、1128年、最高職の太政大臣となる。1129年、白河法皇が亡くなって鳥羽上皇（譲位した鳥羽天皇）が院政をはじめると、忠実が政界に復帰し、1141年、近衛天皇の摂政、1149年、太政大臣になった。1150年、忠実から異母弟頼長に摂政をゆずるように求められたが拒否したので親子の縁を切られ、氏長者を頼長にうばわれた。しかし1155年、近衛天皇が亡くなって後白河天皇が即位すると、勢力をもりかえして関白となり、忠実と頼長は近衛天皇をのろったとして失脚した。翌年、保元の乱がおこると、忠通は後白河天皇方につき、崇徳上皇（譲位した崇徳天皇）方についた頼長はやぶれた。

学 藤原氏系図　学 人名別 小倉百人一首

ふじわらのたねつぐ

貴族・武将

藤原種継　737〜785年

長岡京づくりにつくすが暗殺された

▲長岡京跡

奈良時代の公家の高官。

藤原宇合の孫。782年以降、参議（朝廷の重要な官職）、式部卿（朝廷の役人の人事や学校の管理をおこなう式部省の長官）などを歴任し、784年、中納言となる。桓武天皇の信任があつく、天皇が新しい都と決めた長岡京（京都府長岡京市・向日市）の造長岡宮使（長岡京の造営をおこなう役所の長官）に任命され都づくりにつくした。しかし、都を移した翌年の785年、種継は桓武天皇が平城京に出かけるあいだ、留守をあずかるこ

とになった。かがり火をたいて警備をしていると、2本の矢がはなたれ負傷。翌日、亡くなった。この暗殺事件は、遷都に反対する大伴継人ら大伴氏や佐伯氏によるもので、桓武天皇の弟の早良親王も流罪となった。また、すでに亡くなっていた大伴家持も首謀者とされ朝廷から除名された。種継には死後、左大臣の位が贈られ、809年には最高官職の太政大臣の位が贈られた。

学 藤原氏系図

ふじわらのていか

藤原定家 → 藤原定家

ふじわらのときひら

貴族・武将

藤原時平　871〜909年

菅原道真に謀反の罪を着せた

（国立国会図書館）

平安時代前期の公家の高官。藤原基経の子で、藤原忠平の兄。蔵人頭（天皇の機密文書などを管理する蔵人所の長官）、参議（朝廷の重要な官職）、中納言、大納言と着実に昇進し、899年、左大臣となる。菅原道真を信頼した宇多天皇は、位をゆずった醍醐天皇に対し、時平と左大臣の菅原道真を重用して政治をみさせるようにさとした。しかし、学者出身で異例な昇進をとげた道真に敵対心をいだいていた時平は、901年、「道真が醍醐天皇を退位させ、娘婿を天皇に即位させようとしている」とうったえて謀反の罪を着せ、道真を大宰府に左遷して朝廷の実権をにぎった。同年、清和天皇、陽成天皇、光孝天皇3代の歴史をまとめた『日本三代実録』を完成させ、907年、9世紀後半の法令を整理した『延喜格』を編さんした。909年、39歳の若さでなくなり、子孫もみな短命だったので、世間では道真の怨霊のたたりだとうわさされたという。

学 藤原氏系図

ふじわらのとしなり

詩・歌・俳句

藤原俊成　1114〜1204年

勅撰集『千載和歌集』の撰者

平安時代後期〜鎌倉時代前期の公卿（朝廷の高官）、歌人。藤原定家の父で、名は「しゅんぜい」とも読む。1127年、美作守（現在の岡山県北東部の長官）となり、加賀守（石川県南部の長官）、遠江守（静岡県西部の長官）などを歴任し、1172年、皇太后宮大夫（皇太后につかえる皇太后宮職の長官）になった。歌をつくりはじめたのは18歳ころからといわれ、西行らと交流して才能をあらわし、1166年ころには朝廷歌壇の指導者となった。1188年に編さんされた勅撰集『千載和歌集』の撰者となり、『新古今和歌集』が成立した1205年直前まで長寿をたもち、定家や新古今の歌人たちを指導した。

「世の中よ　道こそなけれ　思ひ入る　山のおくにも　鹿ぞ鳴くなる」という歌は、『千載和歌集』にのせられ、藤原定家が『小倉百人一首』にえらんだ1首で、静かで格調高い世界がよまれている。

学 藤原氏系図　学 人名別 小倉百人一首

ふじわらのとしゆき

詩・歌・俳句

藤原敏行　?〜901年

宮廷歌人で三十六歌仙の一人

平安時代前期の貴族、歌人。

宇多天皇に用いられ、宮廷歌人として活躍。少内記（天皇の側近事務をおこなう中務省の下級役人）、蔵人（天皇の機密文書などを管理する蔵人所の役人）、右近衛少将（京内の警備をおこなう近衛府の大将、中将に次ぐ役職）となり、895年、蔵人頭（蔵人所の長官）に昇進した。朝廷の歌人としても活躍し、天皇や上皇の命によってつくられる勅撰集『古今和歌集』に19首、『後撰和歌集』に4首がのこされている。三十六歌仙（藤原公任のえらんだ36人の歌人）の一人でもある。

代表歌「住の江の　岸による波　よるさへや　夢の通ひ路　人目よくらむ」は、『古今和歌集』にのせられ、藤原定家がまとめた『小倉百人一首』にえらばれた1首で、思う人へのせつない恋心を歌っている。

学 人名別 小倉百人一首

ふじわらのながて

貴族・武将

藤原永手　714〜771年

道鏡を左遷した

奈良時代の公家の高官。

藤原房前の子。中務卿（天皇の側近事務をおこなう中務省の長官）などをへて、754年、従三位に昇進し、757年、中納言となる。764年、大納言、766年、右大臣次いで左大臣に昇進した。770年、称徳天皇の死後、うしろだてを失った道鏡を下野（栃木県）薬師寺に左遷した。その後、藤原百川らとともに、白壁王を光仁天皇として擁立したので、正一位をさずけられた。死後、最高官職の太政大臣を贈られる。

学 藤原氏系図

ふじわらのなかなり

貴族・武将

藤原仲成　764〜810年

薬子の変に兄として協力

平安時代前期の公家の高官。

藤原種継の子で、藤原薬子の兄。出羽守（現在の秋田県・山形県の長官）、出雲守（島根県東部の長官）など地方長官を歴任した。妹の薬子が平城天皇に重用されたため、右兵衛督（宮中の警護などをおこなう右兵衛府の長官）、右大弁（兵部省・刑部省・大蔵省・宮内省を統括する右弁官局の長官）などを歴任。810年、参議（朝廷の重要な官職）となり、薬子とともに専制的に権勢をふるったので役人たちの反感を買った。また、前年に即位した嵯峨天皇と対立した平城上皇（譲位した平城天皇）が平城京に移って遷都を命じると、上皇をふたたび天皇に即位させようと妹の薬子とともに兵をあげた。しかし嵯峨天皇の軍にやぶれて射殺され、平城上皇は出家し、薬子は平城京で自殺した（薬子の変）。 学 藤原氏系図

ふじわらのなかまろ

貴族・武将

藤原仲麻呂　706〜764年

光明皇后のうしろだてで勢力を広げる

▲藤原仲麻呂
（『恵方曽我万吉原』／早稲田大学演劇博物館）

奈良時代の公家の高官。藤原武智麻呂の子で、光明皇后のおい。恵美押勝ともいう。

幼いころから優秀で、書や算術にひいで、頭角をあらわした。740年の藤原広嗣の乱後、政界に進出。743年、参議（朝廷の重要な官職）、745年、民部卿（租税・民政をあつかう民部省の長官）と近江守（現在の滋賀県の長官）をかねた。おばの光明皇后の信任を得て大仏造立を進めることで政界での勢力を広げたので、左大臣の橘諸兄と対立した。749年、大納言となり、光明皇太后のためにつくられた役所、紫微中台の長官となると、757年、素行の悪かった皇太子の道祖王（新田部親王の子）をやめさせた。同年、橘諸兄の死後、子の橘奈良麻呂が仲麻呂に不満をもつ大伴氏、佐伯氏、多治比氏らの豪族と仲麻呂殺害をくわだてるが、未然にふせいで反対派を追いだし、朝廷の中心に立った。758年、孝謙天皇が譲位したあと、仲麻呂は娘婿の大炊王を淳仁天皇として即位させ、恵美押勝の名をさずけられた。仲麻呂は官職名を唐風にあらため、758年、大保（右大臣）、760年、大師（太政大臣）に昇進し、朝廷の実権をにぎった。しかし、この年光明皇太后が亡くなりうしろだてを失った。

761年、孝謙上皇（譲位した孝謙天皇）の病を治した僧、道鏡が上皇の信頼を得て重用され勢力をもつようになった。危機感をいだいた仲麻呂は、淳仁天皇を通じて上皇に対し、道鏡を遠ざけるよういさめたが、上皇はこの忠告におこった。

762年、上皇は朝廷の貴族たちを集め、淳仁天皇を無礼だと非難し「国家の大事は自分がおこなう」と宣言して天皇の権限をうばった。淳仁天皇が政治の中心から遠ざけられたことに仲麻呂は不安とあせりを感じた。

▲『黄金荘大刀』　藤原仲麻呂の乱のとき、朝廷軍が正倉院からもちだしてつかった。
（宮内庁正倉院事務所）

764年、仲麻呂は朝鮮半島の新羅に出兵するという名目で兵を集めて反乱をおこし、道鏡と孝謙上皇をしりぞけようとした。この動きを知った上皇は、先手を打って朝廷軍をさしむけた。戦いにやぶれた仲麻呂は、一族もろとも琵琶湖西岸で殺された。また、淳仁天皇は淡路（現在の兵庫県淡路島）に流された（藤原仲麻呂の乱）。その後、道鏡が政治の中心に立った。 学 藤原氏系図

ふじわらのなりちか

貴族・武将

藤原成親　1138〜1177年

鹿ケ谷の陰謀に加わった

（国立国会図書館）

平安時代後期の公家の高官。鳥羽上皇（譲位後の鳥羽天皇）の近臣、藤原家成の子。越後守（現在の新潟県の長官）、讃岐守（香川県の長官）をへて、1155年、後白河天皇が即位すると重用されて右近衛中将（宮中の警備をおこなう右近衛府の大将に次ぐ役職）となった。

1166年、従三位に昇進し、後白河上皇（譲位した後白河天皇）の側近として権勢をふるった。しかし朝廷では、1156（保元元）年の保元の乱、1159（平治元）年の平治の乱に勝利した平清盛を中心とする平氏が急激に勢力を広げて、後白河法皇（出家した後白河上皇）と反目するようになった。危機感をいだいた成親は、1177年、法皇の近臣である僧の俊寛や西光らと、京都東山の鹿ケ谷で平氏打倒の陰謀をめぐらした。しかし密告によって逮捕され、備前（岡山県南東部）に流罪となり、殺された。

ふじわらののぶざね

絵画

藤原信実　生没年不詳

似絵とよばれる技法を受けついだ宮廷絵師

（フェリス女学院大学附属図書館所蔵）

鎌倉時代前期の宮廷絵師。宮廷絵師の藤原隆信の子。絵画にすぐれた才能をあらわし、父隆信のあみだした似絵とよばれる写実的な肖像画の技法を受けついだ。水無瀬神宮（大阪府島本町）に伝わる『後鳥羽上皇像』は、1221（承久3）年、承久の乱でやぶれた上皇が隠岐（現在の島根県隠岐諸島）に流される前に、信実によってえがかれたと伝えられている。その後藤原公任のえらんだ36人の歌人を『三十六歌仙絵巻』にえがいたという。また、和歌にもすぐれ『新勅撰和歌集』な

どの勅撰集（天皇や上皇の命令でつくられた和歌集）にも130首あまりがえらばれている。

ふじわらののぶただ

貴族・武将

藤原陳忠　生没年不詳

強欲で有名な信濃守

平安時代中期の役人。

10世紀後期の信濃守（現在の長野県の長官）。平安時代後期に成立した説話集『今昔物語』の登場人物。

陳忠が信濃守の任期を終えて京の都に帰る途中、信濃と美濃（岐阜県）の国境の御坂峠（神坂峠）をこえようとした。ところが、陳忠の乗っていたウマが、谷にかけた橋の木をふみはずし、陳忠はウマに乗ったまま深い谷に落ちた。おどろいた従者たちが谷を見下ろしたが、とても生きているとは思えなかった。

ところが、はるか谷底から「かごに長い縄をつけておろせ」という陳忠の声が聞こえた。ウマの手綱を縄にしていそいでかごをおろすと「ひき上げよ」という。みなでたぐり上げると、陳忠ではなく、かごいっぱいのヒラタケ（キノコ）が入っている。すると「もう一度おろせ」とさけぶ声が聞こえた。ふたたびかごをおろしてひき上げると、かごに乗った陳忠が、片手にできるかぎりのヒラタケをつかんでいた。

従者たちは、主人が無事でよかったとよろこぶとともにおどろいたが、陳忠は「わしは落ちる途中で大きな木の枝にひっかかったが、みると木の枝にヒラタケがたくさん生えていたので、手の届くかぎりとって最初のかごに入れたのだ。宝の山に入って、手ぶらで出てくるのではむなしいものだ。受領はたおるるところに土をつかめというではないか」といった。

従者たちは「こんなにあぶない目にあっても、まずヒラタケをとって上がってきたというのは、まったく常識はずれだ。在任中、とれるものは、なんでもとったのだろう」といってあきれた。

この話は、そのころの朝廷から任命された地方長官の強欲さ、貪欲さをしめすエピソードとして有名である。

▲任国に赴く受領　『因幡堂薬師縁起絵巻』より

（東京国立博物館 Image:TNM Image Archives）

ふじわらののぶより

貴族・武将

藤原信頼　1133～1159年

平治の乱の首謀者

平安時代後期の公家の高官。

鳥羽上皇（譲位した鳥羽天皇）の近臣、藤原忠隆の子。土佐守（現在の高知県の長官）、武蔵守（埼玉県・東京都・神奈川県東部の長官）を歴任し、1156（保元元）年の保元の乱のあと、後白河天皇に重用され、蔵人頭（天皇の機密文書などを管理する蔵人所の長官）をへて、1158年、参議、権中納言、1159年、右衛門督（宮中の警備などをつかさどる右衛門府の長官）に昇進した。

（国立国会図書館）

その後、近衛大将（京内の警備をおこなう役所である近衛府の長官）を望むが、後白河上皇の信任を得ていた藤原通憲に反対され、しりぞけられた。これをうらみ、反通憲派の源義朝らとむすんで、1159（平治元）年、平治の乱をおこした。通憲を討ちとり、一時は政権を手にしたが、平清盛らにやぶれ、京の六条河原で首を切られた。

ふじわらのひでさと

貴族・武将

藤原秀郷　生没年不詳

大ムカデ退治の伝説をもつ

（国立国会図書館）

平安時代中期の武将、地方豪族。

通称を俵藤太ともいう。下野国（現在の栃木県）の豪族として勢力をのばすが、916年、国司に対する乱暴なふるまいによって流刑となり、929年にも下野国司から朝廷にうったえられた。しかし、平将門の乱がはじまると、940年、武力を買われて押領使（盗賊をとりしまり反乱をしずめる官職）となり、平貞盛に協力して将門をほろぼした。その功績によって、下野掾（守、介に次ぐ官職）となり、さらに下野守（長官）に任命された。子孫は関東地方北部に勢力をのばした。

将門を討った勇ましい英雄として人々に親しまれ、室町時代の『御伽草子』や『俵藤太物語』などには、秀郷が琵琶湖の竜神の願いを聞き、三上山（滋賀県野洲市）の大ムカデを退治したという話がえがかれている。ほかにも、絵物語や演劇に多く登場している。

ふじわらのひでひら

貴族・武将

藤原秀衡　1122?～1187年

奥州藤原氏の3代目

平安時代後期の武将、地方豪族。

藤原基衡の子。1157年、父のあとをつぎ、出羽（現在の山形県・秋田県）と陸奥（山形県・秋田県をのぞく東北地方）の押領使（盗賊をとりしまり、反乱をしずめる官職）となり、平泉（岩手県平泉町）を本拠地として東北地方を支配した。父祖から受けついだ奥州の金やウマを独占して富をたくわえ、平等院鳳凰堂をモデルにしたという無量光院（平泉町にあった寺）を建立した。また、これらの富を都の朝廷や貴族に贈ることで信任を得て、1170 年、鎮守府将軍、1181 年、陸奥守（長官）に任命された。

（毛越寺）

1180 年、源平の争乱がはじまると、平氏も源氏も秀衡を味方につけようとしたが、どちらにもつかなかった。1187 年、源頼朝に追われてきた源義経をかくまい、息子の藤原泰衡にも義経を守るようにいいのこした。しかし、秀衡の死の 2 年後、泰衡は義経を攻めて自害させ、自身も頼朝軍に攻撃され、奥州藤原氏はほろびた。

世界遺産に登録されている中尊寺（平泉町）の金色堂内には、清衡、基衡、秀衡の遺体がおさめられており、調査により秀衡は身長約 160cmだったとわかった。

ふじわらのひろつぐ

貴族・武将

藤原広嗣　?～740年

藤原広嗣の乱をおこした

（国立国会図書館）

奈良時代の役人。

藤原四家の一つ、式家の藤原宇合の子。藤原百川の兄。737 年、朝廷の中心に立っていた父をはじめ、藤原 4 兄弟が流行の疫病、天然痘にかかって亡くなったため、藤原氏の勢力は弱まった。翌年、皇族からはなれて臣下となった橘諸兄が右大臣に抜てきされ、聖武天皇に信頼されていた学者の吉備真備や僧の玄昉を用いて朝廷の実権をにぎった。これに対し、大養徳守（現在の奈良県の長官）だった広嗣は不満をいだき、たびたび暴言をはいたので、738 年、九州の大宰府の役人に左遷された。

この待遇にがまんできず、740 年、吉備真備や玄昉を朝廷から追放するようにと聖武天皇に意見書を送り、兵を集めた（藤原広嗣の乱）。これを知った聖武天皇は激怒し、広嗣軍を討つため 1 万 7000 の朝廷軍を九州に送った。広嗣軍は降伏するものもあらわれるなど士気が上がらずにやぶれた。広嗣はとらえられて処刑された。

学 藤原氏系図

ふじわらのふささき

貴族・武将

藤原房前　681～737年

藤原北家の祖

（国立国会図書館）

奈良時代の公家の高官。

藤原不比等の子。藤原永手の父。藤原四家のうちの北家の祖先。715 年、従四位下に昇進し、717 年、参議となり、父の不比等、兄の藤原武智麻呂とともに政治に加わった。721 年、元明上皇（譲位した元明天皇）が亡くなると、天皇の側近である内臣となり、即位した元正天皇を補佐し、右大臣の長屋王とともに政治をおこなった。中衛大将（天皇側近の警護にあたる役所の長官）となり、729 年、長屋王の変のあと、朝廷の実権をにぎり、732 年、節度使（臨時の軍政官）として東海道、東山道を巡察した。737 年、全国に流行した疫病、天然痘にかかり、3 人の兄弟とともに亡くなった。死後、正一位左大臣、さらに太政大臣を贈られた。

学 藤原氏系図

ふじわらのふひと

貴族・武将

藤原不比等　659～720年

藤原家繁栄の基礎を築いた

▲藤原不比等

（奈良国立博物館所蔵 / 森村欣司撮影）

飛鳥時代～奈良時代の公家の高官。

藤原鎌足の子。文筆の才能や法令の知識により持統天皇以後、歴代天皇にあつく信頼され、重用された。689 年、裁判、刑の執行をおこなう刑部省の役人となる。

697 年、文武天皇にとついだ娘の藤原宮子が首皇子（のちの聖武天皇）を産んだために権力が広がった。701 年、正三位、大納言に昇進。同年、刑部親王の下で大宝律令を制定する中心人物となった。708 年、右大臣に昇進し藤原京（奈良県橿原市）から平城京（奈良市）に都を移す事業に力をつくした。子の藤原武智麻呂、藤原房前、藤原宇合、藤原麻呂の 4 兄弟を朝廷の重職につけ、4 人はそれぞれ、藤原四家（藤原南家、藤原北家、藤原式家、藤原京家）の祖先となり、藤原氏繁栄の基礎を築いた。

仏教への信仰心があつく、710 年の平城京遷都にあたり、父の鎌足が山背国（現在の京都府南部）に山階寺として建立し、その後、飛鳥（奈良県明日香村）に移されて厩坂寺となった寺を、さらに奈良に移して興福寺（奈良市）とあらため、伽藍（堂や塔）を築いた。興福寺は、その後の藤原氏の繁栄にともない、仏教界で大きな地位を占めた。

716年に娘の光明子を首皇子と結婚させ、皇室とのむすびつきをさらに深めた。729年には、光明子は皇族以外ではじめての皇后となっている。718年、大宝律令を修正した養老律令の編さんもはじめるが、完成をまたずに2年後に亡くなった。死後、正一位太政大臣を贈られた。 学 藤原氏系図

▲一周忌に建立された興福寺北円堂
（興福寺／写真提供：奈良市観光協会）

ふじわらのふゆつぐ

貴族・武将　詩・歌・俳句

藤原冬嗣　775〜826年

藤原北家を繁栄させた

（国立国会図書館）

平安時代前期の公家の高官。藤原房前の孫の藤原内麻呂の子。藤原良房の父。文武の才能をそなえた人物で、天皇や皇太子につかえる侍従などをへて、809年、嵯峨天皇が即位すると、天皇の側近である中務大輔に昇進した。810年に新設された天皇の機密文書などを管理する蔵人所の長官となり、嵯峨天皇と平城上皇（譲位した平城天皇）の対立からおこった薬子の変では、嵯峨天皇の側近として活躍した。

811年に参議（朝廷の重要な官職）となり、その後、左近衛大将（宮中の警備などをおこなう右近衛府の長官）をへて、権中納言、大納言となった。820年、弘仁格式を編さんする。これは律令の不備を法令でおぎない、律令を細かく規定したものである。821年、右大臣となり、藤原氏出身の学生のための勧学院を設置した。825年、左大臣に昇進した。娘の藤原順子が嵯峨天皇の皇太子、正良親王（のちの仁明天皇）のきさきとなり、道康親王（文徳天皇）を産むなど、天皇家とのむすびつきを強め、藤原北家の繁栄の基礎を築いた。文人としてもすぐれ、漢詩文集『経国集』などに詩をのこしている。 学 藤原氏系図

ふじわらのまろ

貴族・武将

藤原麻呂　695〜737年

藤原京家の祖

奈良時代の公家の高官。

藤原不比等の子。藤原四家のうちの京家の祖先。729年、従三位に昇進、この年、背に「天王貴平知百年」というめでたい文字のあるカメを朝廷に献上したので、聖武天皇は年号を「神亀」から「天平」と改元した。

731年に参議に昇進、兵部卿（軍事一般をあつかう兵部省の長官）をかねる。737年、東北におもむき、持節大使として陸奥（現在の山形県・秋田県をのぞく東北地方）、出羽（山形県・秋田県）を連絡する道の建設を指揮した。同年、全国に流行した疫病、天然痘にかかり、3人の兄弟とともに亡くなった。 学 藤原氏系図

ふじわらのみちいえ

貴族・武将

藤原道家　1193〜1252年

後堀河天皇の関白となり実権をにぎったがのちに失脚

鎌倉時代前期の公家の高官。

九条道家ともいう。藤原頼経の父。藤原頼嗣の祖父。1221年、4歳の仲恭天皇（順徳天皇の子）の摂政となったが、承久の乱（1221年）で順徳上皇（譲位した順徳天皇）が流罪となると、仲恭天皇もやめさせられ、道家も罷免された。1228年、後堀河天皇の関白となり、翌年、娘を天皇の中宮（皇后と同じ身分）とした。1231年、子の教実に関白をゆずったのちも朝廷での実権をにぎり、1235年に教実が亡くなると、四条天皇の摂政となり実権をにぎりつづけた。1242年、四条天皇が急死したあと、後嵯峨天皇が即位すると勢力がおとろえた。1246年、子で前将軍の藤原頼経が執権（鎌倉幕府の政治を統括する職）北条時頼をたおそうとした名越氏の陰謀にかかわって鎌倉（神奈川県鎌倉市）から追放され、1252年には孫の藤原頼嗣も将軍職を追われたので道家も失脚し失意のまま亡くなった。 学 藤原氏系図

ふじわらのみちたか

貴族・武将

藤原道隆　953〜995年

皇室とむすびつきを深めた中関白家の祖

（国立国会図書館）

平安時代中期の公家の高官。

藤原兼家の子。藤原道長の兄。藤原伊周の父。中関白ともいわれる。984年、従三位に昇進する。986年、円融天皇の女御である兼家の娘詮子の産んだ子が、7歳で一条天皇として即位する。兼家が摂政となって朝廷の権力をにぎり、道隆は権大納言となり、989年には内大臣に昇進した。990年、関白となった兼家が亡くなったために関白をついで藤原氏の中心に立ち、次いで摂政となり、娘の定子を一

条天皇の中宮（皇后と同じ身分）とした。定子につかえた清少納言の『枕草子』には、道隆を祖とする一族（中関白家）のはなやかなようすがえがかれている。993 年、ふたたび関白となるが、995 年に病で亡くなった。

死の直前、子の伊周に関白をゆずろうとしたが、一条天皇はこれをゆるさず、伊周を内覧（天皇への文書や天皇のくだす文書をみる官職）とした。道隆の死後に伊周は、おじの道兼、道長と、政権をめぐってあらそったがうまくいかず、道隆の一家は勢いを失った。

学 藤原氏系図

ふじわらのみちつな

貴族・武将

藤原道綱　955〜1020年

『蜻蛉日記』の作者の子

平安時代中期の公家の高官。

摂政・関白藤原兼家の子。母は『蜻蛉日記』の作者として知られている藤原道綱母。異母弟に藤原道長などがいる。

986 年に蔵人（天皇の機密文書などを管理する官職）、991 年に参議（朝廷の重要な官職）、996 年に中納言、右近衛大将（宮中の警備などをおこなう役所の長官）に昇進し、翌年、大納言となった。あまり能力が高くなく、出世する弟たちとは逆に、大臣にはなれず、朝廷の中心に立つことはなかった。

学 藤原氏系図

ふじわらのみちつなのはは

文学

藤原道綱母　936?〜995年

『蜻蛉日記』を書いた歌人

（小倉百人一首殿堂「時雨殿」所蔵）

平安時代前期〜中期の歌人。

陸奥守藤原倫寧の子。名前はわかっていない。姪に『更級日記』の作者、菅原孝標女がいる。美人として有名だったという。954 年、のちに摂政となる藤原兼家の妻となり、翌年、藤原道綱を産む。平安時代の貴族は現在とちがい、男性には何人もの妻がいることがみとめられていた。兼家にも藤原道長の母など数人の妻がいて、兼家はたまにしか道綱母のもとにこなかった。その不満やなやみ、子への愛情など、21 年間にわたる結婚生活をつづった『蜻蛉日記』を著して、女性の書く日記文学の先がけとなった。歌人としても有名で、天皇や上皇の命によってつくられた勅撰集『拾遺和歌集』などに 38 首が入選している。

代表作の「嘆きつつ　ひとり寝る夜の　明くるまは　いかにひさしき　ものとかは知る」は、『蜻蛉日記』にしるされ、『拾遺和歌集』や、藤原定家の『小倉百人一首』にもえらばれた。

学 人名別 小倉百人一首

ふじわらのみちなが

藤原道長 → 260 ページ

ふじわらのみちのり

貴族・武将

藤原通憲　?〜1159年

平治の乱でやぶれた後白河上皇の腹心

（国立国会図書館）

平安時代後期の役人。

出家後の名は信西。鳥羽法皇（譲位後に出家した鳥羽天皇）につかえ、藤原頼長とともに、ならぶものがないといわれた学者だったが、藤原氏の主流ではなかったので朝廷では昇進できず、正五位、少納言にとどまった。1144 年、出家したが政界からはしりぞかなかった。妻が雅仁親王（のちの後白河天皇）の乳母だったため、1155 年、天皇が即位すると側近として重用された。 1156（保元元）年、保元の乱がおこると、源義朝を味方にして崇徳上皇（譲位した崇徳天皇）、藤原頼長らをやぶった。1158 年、後白河上皇（譲位後の後白河天皇）が天皇にかわって院政をはじめると、院の近臣として平清盛とむすんで権勢をふるったので、同じ院の近臣の藤原信頼と対立するようになった。信頼は反対派の勢力を集めて、保元の乱後の恩賞に不満をもっていた義朝と組み、1159（平治元）年、平治の乱をおこした。屋敷をおそわれてのがれたが、かなわぬとみて自殺をはかったところをとらえられ、首を切られた。

ふじわらのみやこ

王族・皇族

藤原宮子　?〜754年

聖武天皇の母

▲宮子だともいわれている、髪長姫の銅像

（都城市）

飛鳥時代〜奈良時代の貴族。

藤原不比等の子。697 年に文武天皇の夫人となり、701 年、首皇子（のちの聖武天皇）を産んだ。しかし、その後気持ちがしずんで人と会うこともできない状態だったので、宮子の父不比等は、首皇子を宮子から遠ざけて育てたといわれる。724 年、聖武天皇が即位したとき、天皇は母の宮子を「大夫人（天皇の生母）」とよぶように命じたが、長屋王により法令の規定に反するという理由で「皇太夫人」とあらためられた。737 年、疫病により藤原不比等の 4 人の息子が亡くなったのち、聖武天皇には気がねする存在がいなくなり、36 年ぶりに母宮子と対面することができた。これは、唐から帰国した僧の玄昉が、重い病だった宮子を看病して治したからだともいわれている。

学 藤原氏系図

ふじわらのみちなが

貴族･武将 966〜1027年

藤原道長

藤原氏の全盛時代を築いた貴族

■道長の出世

▲藤原道長『紫式部日記絵詞』（国宝）より。（藤田美術館）

平安時代中期の公家の高官。

藤原氏の主流である北家の流れを受けつぐ藤原兼家の子として生まれた。969年、兼家は中納言（太政大臣、左大臣、右大臣、大納言に次ぐ官職）に抜てきされ、978年には右大臣となった。986年、兼家は策略によって花山天皇を退位させ、円融天皇の女御（皇后、中宮に次ぐ身分）となった娘の詮子が産んだ皇子を一条天皇として即位させた。兼家は7歳の天皇のかわりに政治をみる摂政となって権力をにぎり息子たちを昇進させた。988年、道長は23歳で権中納言（定員外の中納言）となり、高官の仲間入りをした。

■朝廷の中心に立つ

990年、天皇を後見する役職の関白となった兼家は、病気を理由に道長の兄藤原道隆に関白をゆずった。道隆は一条天皇の女御となっていた娘の定子を中宮（皇后と同じ身分）とし、994年、息子の藤原伊周を内大臣（大臣を補佐する役職）に任命した。ところが翌年、道隆が病で亡くなった。関白のあとつぎ候補は、内大臣の伊周と991年に権大納言となった道長だった。一条天皇の母の詮子は自分の弟である道長をかわいがっていたので道長を関白にすることを天皇に強くすすめた。それで道長は関白に準ずる役職の内覧、ついで右大臣に昇進した。996年、女性をめぐる問題で伊周の弟、藤原隆家が花山法皇（譲位後に出家した花山天皇）に矢を射かけるという事件をおこした。さらに伊周が道長や詮子をのろっているという密告があり伊周と隆家は流罪になった。事件のあと道長は左大臣となった。

▲中宮彰子をたずねた道長『紫式部日記絵詞』より。中央下が道長。左が敦成親王（のちの後一条天皇）をいだく彰子。（東京国立博物館 Image:TNM Image Archives）

■貴族政治の栄華をきわめる

999年、道長は12歳の娘彰子を一条天皇にとつがせ翌年、彰子を中宮とし、有能な紫式部を女房としてつかえさせた。1008年、中宮彰子は道長がまちのぞんだ皇子、敦成親王を産んだ。敦成親王が天皇になれば、道長は天皇の外戚（母方の親戚）として摂政となり、朝廷での実権をにぎることができる。

1011年、一条天皇が亡くなり道長のおいの三条天皇が即位した。1015年、道長は三条天皇の視力のおとろえを理由に退位をせまった。1016年、敦成親王が後一条天皇として即位し、道長は9歳の天皇の摂政となり翌年、太政大臣に昇進した。

1018年10月16日、娘の威子が後一条天皇の中宮となった。この日の祝宴で道長は「この世をば　わが世とぞ思う　望月の　欠けたることも　なしと思えば」という「望月の歌」とよばれる有名な和歌をよんだ。貴族たちはこの歌をくりかえしてよんで道長をよろこばせたという。

■病気になやまされた晩年

道長は40歳のころから頭痛、腰痛、糖尿病に苦しみ、1019年、54歳で出家した。1022年、浄土教（阿弥陀仏を信じて念仏をとなえよという教え）にもとづいて法成寺という壮麗な寺院を建立した。その後、道長の娘たちがあいついで亡くなるという不幸がおきたこともあって道長の病状は悪化し、1027年、法成寺阿弥陀堂で念仏をとなえながら亡くなった。

学 藤原氏系図

藤原道長の一生

年	年齢	主なできごと
966	1	藤原兼家の5男に生まれる。
987	22	左大臣源雅信の娘倫子と結婚する。
995	30	内覧をへて右大臣となる。
996	31	左大臣となる。
1000	35	娘の彰子を一条天皇の中宮とする。
1008	43	娘の彰子が敦成親王(のちの後一条天皇)を産む。
1016	51	後一条天皇の摂政となる。
1018	53	娘の威子を後一条天皇の中宮とする。
1027	62	法成寺で亡くなる。

※年齢は数え年であらわしている

ふじわらのむちまろ

貴族・武将

藤原武智麻呂　680～737年

藤原南家の祖

奈良時代の公家の高官。

藤原不比等の子。藤原四家のうちの、南家の祖先。708年、大学頭（役人を養成する大学寮の長官）、712年、近江守（現在の滋賀県の長官）、718年、式部卿（朝廷の役人の人事や学校の管理をおこなう式部省の長官）などを歴任した。

721年、正三位、中納言となり、首皇子（のちの聖武天皇）の教育係となる。724年、聖武天皇の即位後、藤原氏の代表として朝廷で勢力をふるった。

729年、長屋王の変では長屋王を尋問した。その後大納言となり、異母妹の光明子を、皇族以外ではじめての皇后とした。734年、右大臣に昇進する。

737年、正一位左大臣となった直後、全国に流行した疫病、天然痘にかかり、3人の兄弟とともに亡くなった。760年、太政大臣を贈られた。

学 藤原氏系図

ふじわらのもとつね

貴族・武将

藤原基経　836～891年

天皇とぶつかった大臣

（国立国会図書館）

平安時代前期の公家の高官。藤原良房の養子。藤原時平、藤原忠平の父。幼いときから才能をしめし、文徳天皇にかわいがられた。

852年、蔵人（天皇の機密文書などを管理する蔵人所の役人）となり、その後蔵人頭（蔵人所の長官）などをへて、864年、参議（朝廷の重要な官職）となった。

866年におきた応天門の変では、父の良房とともに伴氏を失脚させることに成功し、中納言に昇進した。その後、大納言をへて、872年、右大臣となり良房にかわり政治の中心に立った。876年、陽成天皇の摂政、880年、太政大臣となった。

884年、奇行がめだった陽成天皇を退位させ、55歳の光孝天皇を即位させた。

887年に即位した宇多天皇は基経に関白をまかせようとしたが、基経は慣例により関白を辞退した。これに対し「阿衡」に任ずると命じたが、基経は、阿衡は名誉職で実権がないといって怒り、政務を放棄した。こまった天皇はあらためて関白に任命した（阿衡事件）。基経の死後、宇多天皇は関白をおかなかった。

学 藤原氏系図

ふじわらのもとなが

貴族・武将

藤原元命　生没年不詳

悪政で農民を苦しめた尾張守

（国立国会図書館）

平安時代中期の役人。

986年、尾張守（現在の愛知県西部の長官）となる。988年、郡司（地方役人）や百姓から、31か条にわたる『尾張国郡司百姓等解文』（上申文書）により、その悪政を朝廷にうったえられた。

その内容は「税のイネは、1反（約1000㎡）につき1斗5升（約27L）が決まりなのに、3斗6升もとった。税の絹のうち、良質のものを自分のものとし、朝廷には不良品をおさめた。国の役所で政務をおこなわないので、郡司百姓らが願いを申しでることができない。都から一族郎党をひきつれてきて、農民の財物をうばい乱暴をする。うばった米や財宝を、京都へはこばせる。国がはらうべき池や溝のかんがい工事費や修理費をださない」など、当時の地方政治を知る貴重な資料となっている。翌年、元命は朝廷での会議の結果、尾張守をやめさせられた。当時、朝廷から任命された地方長官の強欲さがわかる事件で、元命はその典型的な人物として知られることとなった。

ふじわらのもとひら

貴族・武将

藤原基衡　?～1157?年

奥州藤原氏の全盛期を築いた

（毛越寺）

平安時代後期の武将、地方豪族。

奥州藤原氏の初代藤原清衡の子。藤原秀衡の父。父のあとをつぎ、出羽（現在の山形県・秋田県）と陸奥（山形県・秋田県をのぞく東北地方）の押領使（盗賊をとりしまり反乱をしずめる官職）となり、平泉（岩手県平泉町）を本拠地として東北地方を支配した。子の秀衡とともに、父の清衡から受けついだ奥州産の金やウマを独占して富をたくわえ、これらの富を摂政・関白を受けつぐ藤原摂関家に贈って実力をしめし、奥州藤原氏の全盛期を築いた。基衡が管理する摂関家の荘園に対して、藤原頼長が年貢をふやす要求をしたので拒否したこともあり、摂関家と対等にわたり合える権力を築いていたことがわかる。

平安時代前期に天台宗の僧円仁が創建した毛越寺（平泉町）を再興したときには、京仏師に多くの贈り物をしたことで、その財力が評判になった。堂塔 40 あまり、僧房 500 あまりの規模を誇る寺で、中尊寺（平泉町）とともに世界遺産に登録されている。

ふじわらのももかわ

貴族・武将

藤原百川　732〜779年

桓武天皇を天皇に立てた

（国立国会図書館）

奈良時代の公家の高官。藤原宇合の子。左中弁（朝廷の行政事務をとりあつかう左弁官の役人）、右兵衛督（宮中の警護などをおこなう右兵衛府の長官）などを歴任する。770 年、称徳天皇が亡くなると、うしろだてを失った道鏡を下野薬師寺（栃木県下野市にあった寺）に左遷し、天智天皇の孫の白壁王を光仁天皇として擁立した。771 年、参議（朝廷の重要な官職）となる。

773 年、天皇をのろったという罪により、聖武天皇の娘の井上皇后と皇太子の他戸親王を廃し、山部親王（のちの桓武天皇）を皇太子とするなど、奈良時代後期の政界で活躍し、天皇の信頼もあつく、藤原氏の勢力を回復した。778 年、従三位に昇進し、中衛大将（天皇側近の警護にあたる中衛府の長官）、式部卿（朝廷の役人の人事や学校の管理をおこなう式部省の長官）となったが、翌年亡くなった。

823 年、淳和天皇が即位すると、母方の父として正一位太政大臣を贈られた。

ふじわらのもろすけ

貴族・武将

藤原師輔　908〜960年

子孫が摂政・関白の地位を独占

（国立国会図書館）

平安時代中期の公家の高官。関白、藤原忠平の子。藤原兼通、藤原兼家の父。九条殿ともいう。931 年、蔵人頭（天皇の機密文書などを管理する蔵人所の長官）、935 年、参議（朝廷の重要な官職）、942 年、大納言をへて、947 年、右大臣となる。

村上天皇の中宮（皇后と同じ身分）となった娘の安子は、憲平親王（のちの冷泉天皇）、守平親王（円融天皇）を産んだ。子の兼通は摂政、兼家は摂政、関白となり、その後は、師輔の子孫たちが摂政・関白の地位を独占した。

有職故実（朝廷や武家の儀式、官職、法令、装束などに関する知識）にくわしく、『九条年中行事』を著し、また、子孫のために朝廷の儀式などさまざまな場面で守るべきことや、貴族としての日常生活の態度などを書きつけた『九条殿遺戒』をのこしている。

ふじわらのやすひら

貴族・武将

藤原泰衡　1155〜1189年

奥州藤原氏をとだえさせた

平安時代末期の武将、地方豪族。

藤原秀衡の子で奥州藤原氏の 4 代目。1187 年、父のあとをつぎ、出羽国（現在の山形県・秋田県）と陸奥国（山形県・秋田県をのぞく東北地方）の押領使（盗賊をとりしまり反乱をしずめる官職）となる。

同年、兄の源頼朝に追われた源義経が平泉（岩手県平泉町）に逃げてきたとき、父の秀衡は義経をかくまった。その後、秀衡は「義経を大将として頼朝の攻撃にそなえよ」という遺言をのこして亡くなる。しかし 1189 年、頼朝の圧力に負けた泰衡は、衣川館で義経を攻めて、自害させた。

それでもなお、頼朝は義経をかくまっていた罪をゆるさず、奥州にむけて大軍を送ってきた。頼朝軍に攻められた泰衡は、平泉を出て蝦夷地に逃走しようとしたが、肥内郡贄柵（秋田県大館市）で、家臣に殺された。

泰衡の死により、奥州藤原氏は 100 年でほろびた。泰衡の首は中尊寺（平泉町）の金色堂内におさめられている。

ふじわらのゆきなり

貴族・武将　絵画

藤原行成　972〜1027年

書の達人「三蹟」の一人

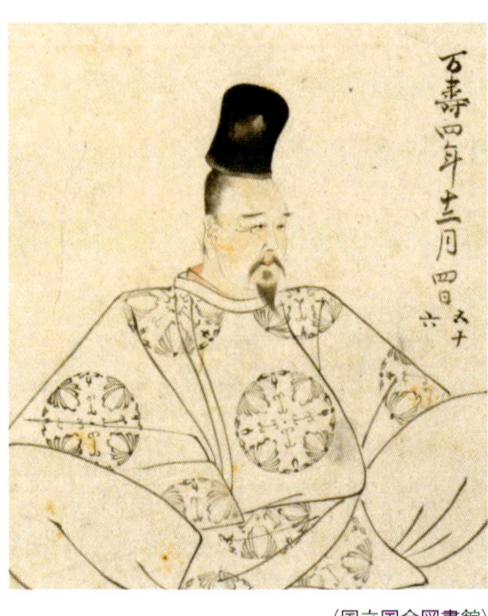
（国立国会図書館）

平安時代中期の公家の高官、書家。摂政藤原伊尹の孫。幼いときに祖父、父を亡くし、青年時代は不遇だった。995 年、蔵人頭（天皇の機密文書などを管理する役所である蔵人所の長官）に抜てきされ、その後、右大弁（兵部省・刑部省・大蔵省・宮内省を統括する右弁官局の長官）となる。1001 年に参議（朝廷の重要な官職）となり、大宰帥（九州を統括する役所である大宰府の仮の長官）、1020年に権大納言に昇進した。当時、朝廷で権勢をふるっていた藤原道長の信任があつく、才能ある官僚として大納言となった藤原公任、藤原斉信、源俊賢とともに「四納言」と称された。

書の達人としても有名で、小野道風、藤原佐理とともに、和風の書を完成させた「三蹟」の一人。道長は、寺の額や娘の婚礼の屛風に和歌を書かせている。清少納言もその筆跡の美しさを『枕草子』で賞賛している。行成の書としては、国宝の『白氏詩巻』などがある。また、日記『権記』は、一条天皇や藤原道長との交渉をよく伝え、当時の朝廷のようすをしめす貴重な資料となっている。

学 藤原氏系図

ふじわらのよしふさ

貴族・武将

藤原良房　804〜872年

皇族以外ではじめて摂政となった

（国立国会図書館）

平安時代前期の公家の高官。藤原冬嗣の子。嵯峨天皇に重用され、嵯峨天皇の子が仁明天皇として即位すると、蔵人頭（天皇の機密文書などを管理する蔵人所の長官）となる。その後、参議、権中納言に抜てきされた。842（承和9）年、承和の変がおこると、事件にかかわった淳和天皇の子、恒貞親王を皇太子から廃位させ、妹の藤原順子が産んだ道康親王（のちの文徳天皇）を皇太子に立てた。事件の背後には良房の陰謀があったといわれている。

事件後、大納言となり、外戚（母方の親戚）として政権をにぎる。848年、右大臣となり、850年に文徳天皇が即位すると、娘の藤原明子が産んだ9か月の孫、惟仁親王（清和天皇）を皇太子に立てた。857年、皇族ではない臣下としてはじめて太政大臣となる。866年、応天門の変で有力貴族の伴善男を追放した。事件の最中、清和天皇から「天下の政を摂行せよ」との勅（天皇の命令）がくだされる。臣下ではじめての摂政となった良房は、政治を意のままにし、藤原北家による政治体制の基礎を築いた。

学 藤原氏系図

ふじわらのよりつぐ

貴族・武将

藤原頼嗣　1239〜1256年

父につづく鎌倉幕府の摂家将軍

鎌倉時代の鎌倉幕府第5代将軍（在位1244〜1251年）。第4代将軍藤原頼経の子。九条頼嗣ともいう。1244年、6歳で執権（鎌倉幕府の政治を統括する職）北条経時の圧力で父の藤原頼経から将軍職をゆずられた。しかし名目のみの将軍で、幕府の実権は北条氏がにぎっていた。1251年、幕府をたおすという謀反事件が発覚するが、京都にいた父の頼経がかかわっていたとされ、1252年将軍をやめさせられた。同年、北条氏が皇族の将軍を実現するためにえらんだ後嵯峨天皇の子宗尊親王が鎌倉（神奈川県鎌倉市）にくだって第6代将軍となり、頼嗣は京都へ追放された。摂関家からむかえられた頼経・頼嗣親子は摂家将軍とよばれたが、2代で終わった。

学 藤原氏系図　学 征夷大将軍一覧

ふじわらのよりつね

貴族・武将

藤原頼経　1218〜1256年

摂関家からむかえられた鎌倉幕府の将軍

（国立国会図書館）

鎌倉時代の鎌倉幕府第4代将軍（在位1226〜1244年）。藤原道家の子。九条頼経ともいう。藤原頼嗣の父。1219年、鎌倉幕府3代将軍の源実朝が公暁に暗殺されたあと、源氏の子孫がとだえたので、摂関家（摂政・関白をつぐ家）の藤原氏から将軍のあとつぎとしてむかえられ、1226年、4代将軍となった。その後幕府内での将軍の権力を強くしようとしたため、北条氏との関係が悪化し、1244年、執権（鎌倉幕府の政治を統括する職）北条経時の圧力で子の藤原頼嗣に将軍職をゆずらされた。その後も勢力をもちつづけ権力の回復をはかったが、1246年、有力御家人（鎌倉幕府の将軍と主従関係をむすんだ武士）で北条氏一族の名越光時が執権北条時頼をたおそうとした陰謀にかかわったとして京都へ追放された。

学 藤原氏系図　学 征夷大将軍一覧

ふじわらのよりなが

貴族・武将

藤原頼長　1120〜1156年

保元の乱をおこした

（宮内庁三の丸尚蔵館）

平安時代後期の公家の高官。関白藤原忠実の子。異母兄で23歳年長の藤原忠通の養子となる。しかし、実父の後援で異例の昇進をはたしたため、忠通と対立した。朝廷の重要な官職である権中納言、権大納言をへて、17歳で鳥羽上皇（譲位した鳥羽天皇）の内大臣となる。1149年には左大臣となり、翌年、忠通と忠実の対立により、忠通にかわって氏長者（氏族の代表）となる。さらに翌年、鳥羽法皇（出家した鳥羽上皇）から内覧（天皇への文書や天皇のくだす文書をみる官職）に任命された。

学問にすぐれ、「日本第一の大学生（学者）」と評価された。政務についてはたいへんきびしかったので、役人たちからおそれられ、「悪左府（他にぬきんでた左大臣）」の異名をとった。1155年、後白河天皇が即位すると、頼長をけむたがった鳥羽法皇との関係も悪くなって孤立した。1156（保元元）年、鳥羽法皇が亡くなると、後白河天皇にうらみをいだく崇徳上皇（譲位した崇徳天皇）とともに挙兵したが、敗死した（保元の乱）。

学 藤原氏系図

ふじわらのよりみち

貴族・武将

藤原頼通　992～1074年

平等院鳳凰堂をつくった

▲藤原頼通像　（© 平等院）

平安時代中期の公家の高官。

摂政藤原道長の子。1006年、正三位に昇進し、権中納言、権大納言をへて1017年、内大臣となる。26歳で、父道長から後一条天皇の摂政をゆずられたが、政治の実権は道長がにぎっていた。1019年、後一条天皇の関白に、1021年には左大臣となる。1027年、道長が亡くなると、名実ともに政治の中心に立った。

頼通は後一条天皇、後朱雀天皇、後冷泉天皇の、3代48年間にわたって関白職をつとめたため、藤原氏の全盛期を築いた。その間、1028年には上総国（現在の千葉県中部）で前上総介（次官だが事実上の長官）の平忠常が、1051年には東北地方の豪族である安倍氏が12年におよぶ反乱（前九年の役）をおこしたが、武力にすぐれた源氏がしずめた。

一方で、1051年に後冷泉天皇の皇后とした娘には皇子が生まれなかったので、外戚（母方の親戚）となることはできず、天皇家との深い関係が弱まった。

1061年、太政大臣となる。1068年、関白を弟の教通にゆずると、政界から引退して京都の宇治に住んだ。同年、後朱雀天皇の子で、摂関家と血縁関係のうすい後三条天皇が即位した。摂関家に気がねすることなく、荘園整理令などをだしたので、摂関家の勢いはおとろえ、藤原氏衰退の一因となった。

▲頼通が建てた平等院鳳凰堂　（© 平等院）

仏教を熱心に信仰していたことでも有名。1052年は仏教の仏法が正しく伝わらなくなるという末法の年がはじまるといわれたが、この年に頼通は父の道長からゆずられた宇治の別荘である宇治殿を寺にあらため、平等院と名づけた。翌年、阿弥陀堂（鳳凰堂）が完成し、供養をおこなった。この世に極楽をあらわしたという平等院は、10円硬貨に鳳凰堂、1万円札に鳳凰の絵がらにも採用されており、また世界遺産にも登録されている。

学 藤原氏系図

フス, ヤン

宗教

ヤン・フス　1370ごろ～1415年

異端とされ火刑となった宗教改革者

神学者、宗教改革者、チェコの民族主義運動の指導者。

ボヘミア（現在のチェコ南西部）南部のフシネツ村に貧農の子として生まれる。プラハ大学で神学をおさめ、1398年に同大教授に就任、1409年に同大学学長となる。1402年にはプラハのベツレヘム礼拝堂の主任司祭兼説教師にも任命されている。イギリスのウィクリフの教会改革思想に共鳴し、聖書中心の教説を展開した。教会の土地所有、聖職者の世俗化をきびしく非難した。聖書のチェコ語訳をおこない、チェコ人の民族教育にも力をそそいだ。

多くの支持者を得たが、1411年、プラハ大司教はフスとその一派を破門した。プラハを去り、南ボヘミアの貴族に保護されて、『教会論』などの著作をまとめた。1415年、コンスタンツ公会議（カトリック教会の公会議）の結果、異端とされ、自説の撤回を拒否したため、即日焚刑（火あぶりの刑）に処せられ、遺灰は近くのライン川に捨てられた。処刑後にはフス戦争（フス派とカトリック、神聖ローマ帝国のあいだの戦争）が勃発した。1999年、教皇ヨハネ・パウロ2世はバチカンにてフスの過酷な死と、その後のフス派の弾圧について深い哀惜の意を表明し、フスは名誉回復をはたした。

フセイン, サダム

政治

サダム・フセイン　1937～2006年

独裁政治をおこなったイラクの大統領

イラクの政治家。大統領（在任1979～2003年）。

北部のティクリート生まれ。民族主義者のおじの影響を受けた。1956年にアラブ民族主義を主張するバース党に入党。1959年、首相暗殺に失敗し、エジプトへ亡命した。数年後に帰国して政治活動を再開。1968年にはクーデターを成功にみちびき、バース党政権を発足させ、副大統領となり、1979年、大統領に就任した。国権の最高機関であった革命評議会議長、軍最高司令官も兼務し、独裁政治をおこなう。

イランでイスラム原理主義が台頭すると、欧米諸国の支援を受け、1980年から1988年までイランと戦った（イラン・イラク戦争）。1990年、クウェートに侵攻し、翌年、アメリカ合衆国を中心とする多国籍軍に敗戦（湾岸戦争）。その後、アメリカのブッシュ政権はイラクが大量破壊兵器を保有していると断定し、2003年、軍をイラクへ侵攻させた（イラク戦争）。イラクは2か月でやぶれ、フセインは政権を追われ、故郷にかくれたが逮捕。シーア派住民やクルド人の虐殺などの罪状で死刑判決を受け、2006年に処刑された。

フセイン・イブン・タラル

王族・皇族

フセイン・イブン・タラル　1935〜1999年

混乱する中東で国をみちびいた

ヨルダン王国の第3代国王（在位1953〜1999年）。

ヨルダン王タラル1世の長男として、アンマンに生まれる。父が在位1年で退位したため、18歳で即位。1958年、イラクとアラブ連邦を成立させるが、イラクの革命によって立ち消え、中東で孤立する。1967年、第三次中東戦争では、イスラエルにヨルダン川西岸地区を占領された。国内でパレスチナ難民が増加し、パレスチナ解放機構（PLO）の活動も活発になったため、1970年、ヨルダン内戦で弾圧をおこなった。その後、ヨルダン川西岸地区の支配を放棄したことで、パレスチナ暫定自治政府の発足につながり、PLOとの関係は改善した。1991年の湾岸戦争では、中東のアラブ国家で唯一イラクを支持し、他国の援助を失いかねなかったが、国内の安定には成功した。周辺諸国との関係の改善につとめ、1994年にはイスラエルとの和平協定という、むずかしい外交を実現。アラブ民族主義の穏健派で、混乱する中東で多くの難題に直面しながらも、世界でもまれな長期政権をとった。

フセイン・ブン・アリー

王族・皇族　政治

フセイン・ブン・アリー　1852?〜1931年

イギリスと、フセイン・マクマホン協定をむすんだ

アラブの民族運動指導者、ヒジャーズ王国の建国者（在位1916〜1924年）。

メッカで、預言者ムハンマドの血をひくといわれるハーシム家に生まれる。1908年、オスマン帝国皇帝の専制に反発して青年トルコ人革命がおこると、メッカの太守（知事）となった。ハーシム家は、第一次世界大戦では当初ドイツ、オスマン帝国側に立つが、1915年、イギリスの高等弁務官マクマホンと、戦後の独立を約束するフセイン・マクマホン協定をむすび、その見返りとして、アラブ軍をひきいてオスマン帝国に対して反乱をおこした。1916年にヒジャーズ地方の王となり、1924年にはカリフ（ムハンマドの後継者でイスラム国家の宗教的最高権力者）の称号を求めたが、イスラム教指導者たちの反発にあって孤立した。イブン・サウードの攻撃を受けて退位し、翌年キプロス島に亡命。ヒジャーズ王国は1代でほろびた。

ふたばていしめい

文学

二葉亭四迷　1864〜1909年

言文一致体の文体をつくり出す

（日本近代文学館）

明治時代の作家、翻訳家。江戸（現在の東京）市ヶ谷に尾張藩（現在の愛知県西部）の藩士の長男として生まれる。本名は長谷川辰之助。軍人を志したが陸軍士官学校の受験に3度失敗し断念。外交官をめざし東京外国語学校（現在の東京外国語大学）の露語科に入学し、ロシア文学に接するうちに文学にめざめる。そのころ坪内逍遙と知り合い、1886（明治19）年に評論『小説総論』を発表、翌年には、逍遙の本名をかりて、口語体と写実をとり入れた小説『浮雲』を書きはじめる。

東京外国語大学ロシア語科教授をつとめたのち、大阪朝日新聞社東京出張員となり、『其面影』『平凡』などの小説を書く。また、ツルゲーネフの小説『あひびき』『めぐりあひ』を翻訳した。日常の話しことばに近い口語体の文章である言文一致体の翻訳は国木田独歩や島崎藤村などの作家たちに大きな刺激をあたえた。また写実主義文学（理想や空想をさけて現実をあるがままにえがく文学）の先がけとして日本の近代文学史にのこした足跡は大きい。1908年、ロシア特派員としてサンクトペテルブルクへ赴任するが、肺結核をわずらい、帰国途中のベンガル湾上の船中で没した。

ふたばやま

スポーツ

双葉山　1912〜1968年

69連勝の記録をもつ大相撲力士

昭和時代の大相撲力士、第35代横綱。

大分県生まれ。本名は穐吉定次。5歳のとき、けがで右目の視力をほぼ失う。父親が海運事業に失敗し、多額の借金をかかえたため、父の仕事をてつだいながら苦労して育つ。

はじめて出場した村相撲でおとなをたおしたことが評判となり、大相撲の立浪部屋に入門した。1927（昭和2）年に初土俵をふみ、1932年に新入幕をはたす。1936年、関脇に昇進したころから強さを発揮し、5月場所で初優勝した。この年にはじまった連勝記録は、1939年の1月場所4日目に安芸ノ海にやぶれるまでつづき、史上最高の69連勝の大記録となった。現在も歴代1位の連勝記録である。

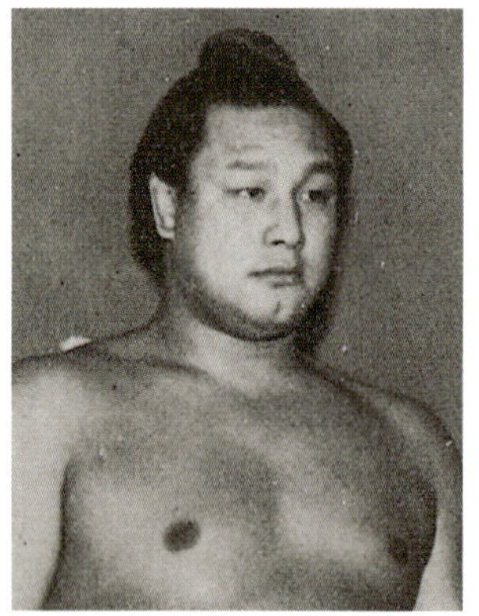
（国立国会図書館）

1937年に第35代横綱となり、双葉山時代とよばれる一時期を築いた。得意技は右四つ、寄り、右上手投げで、優勝12回、そのうち全勝優勝8回、幕内成績は276勝68敗1引き分けだった。1945年に現役を引退し、年寄・時津風の名をつぐ。1957〜1968年には日本相撲協会の理事長をつとめた。

ふたやすのすけ

郷土

布田保之助　1801〜1873年

通潤橋を完成させた肥後国の村役人

（『通潤橋架橋150周年記念誌』より）

江戸時代後期の村役人。

肥後国矢部郷（現在の熊本県山都町）をおさめる惣庄屋（いくつかの村をたばねる役人）の家に生まれる。33歳のとき、父のあとをついで惣庄屋になり、以後、道路をつくったり橋をかけたりして村人のためにつくした。その間、水不足に苦しむ村人のために、矢部郷に水をひく計画を立てた。しかし、周囲の川は深い谷底にあったため、水をひくことができなかった。そこで、谷に巨大な橋をかけてその上に通水管を通し、谷をへだてた川の上流から水をひく方法を考えた。

1852年、橋の建設をはじめるが、工事は困難をきわめた。2年後、ようやく全長75.6m、高さ20.2mの通潤橋（山都町）を完成させた。1857年、全長約30㎞の通潤用水も完成させ、約100haの水田がひらかれて、村人の暮らしは豊かになっていった。通潤橋は、1960（昭和35）年、国の重要文化財に指定された。

プチャーチン，エッフィミー・ワシリエビッチ

政治

エッフィミー・ワシリエビッチ・プチャーチン　1804〜1883年

日本に開国と通商を求めたロシアの軍人

幕末に来日した、ロシアの海軍提督、遣日使節。

ロシア出身。1822年、海軍兵学校を卒業後、世界周航探検隊に参加した。1842年、海軍少将となり、ペルシア（現在のイラン）に派遣された。1852年、日本と通商関係を打ち立てるための特使に任じられ、1853年、長崎に入港。開国と通商、千島と樺太（サハリン）の国境画定を求めたが、交渉は進まなかった。1854年、日本がアメリカ合衆国と日米和親条約をむすぶと、下田（静岡県下田市）に入港し、日露和親条約をむすんだ。この交渉のさなか、乗船してきたディアナ号が津波にあい損壊したため、修理のため伊豆の戸田村（静岡県沼津市）にむかう途中で沈没。乗組員とともに、地元民に助けられた。さらに日本の船大工の協力を得て、西洋型船ヘダ号を建造した。1858年、ふたたび来日し、日露修好通商条約をむすんだ。その功により海軍大臣に任じられ、その後、文部大臣を歴任した。

（戸田造船郷土資料博物館）

フック，ロバート

学問　発明・発見

ロバート・フック　1635〜1703年

「弾性に関する法則」を発見、「細胞」の名づけ親

17世紀のイギリスの物理学者。

イングランド南部のワイト島で、聖職者の子として生まれる。病弱だったこともあり、自宅で学んだ。1653年にオルガン奏者としてオックスフォード大学の聖歌隊に入るが、ボイルと出会って助手となり、「ボイルの法則」の発見などを助けた。1665年に、王立協会の事務局長となって科学実験の監督にあたる。またこの年に出版した『顕微鏡図譜』（ミクログラフィア）において、顕微鏡で観察した生体の最小単位を「細胞」と名づけた。翌年のロンドン大火では、復興計画に建築家として参加した。精密な機械時計も考案し、さらに、ばねにおもりをつるすと、ばねののびは、おもりの重さに比例して大きくなるという「弾性に関する法則（フックの法則）」を発見した。ニュートンとの論争などもあったが、物理、生物学、建築など、多くの分野で後世に影響をあたえた人物である。

フッサール，エドムント

思想・哲学

エドムント・フッサール　1859〜1938年

現象学を創始した哲学者

ドイツの哲学者。

オーストリア生まれのユダヤ系ドイツ人。はじめはベルリン大学で数学を専攻し、1883年、数学の論文でウィーン大学の博士号を取得した。その後、ウィーン大学のブレンターノに哲学を学び、さらに心理学や論理学を研究。

1887年、哲学の大学教授資格を得た。ハレ大学、ゲッティ

ンゲン大学で教え、1916年から1928年まではフライブルク大学教授となった。あらゆる学問の基礎となる学問としての現象学をとなえ、「現象学の父」とよばれている。ハイデッガー、サルトルらの実存主義の哲学者に対し、基礎となる支柱をあたえたと評価されている。著書に『論理学研究』『厳密な学としての哲学』などがある。

ブッシュ，ジョージ（父）

政治

ジョージ・ブッシュ　1924年〜

湾岸戦争でイラクをやぶったアメリカ大統領

アメリカ合衆国の政治家。第41代大統領（在任1989〜1993年）。

マサチューセッツ州の銀行家の息子として生まれる。第43代大統領のジョージ・ブッシュは同名の長男。

第二次世界大戦に海軍パイロットとして従軍、戦後、エール大学を卒業し、テキサスで設立した石油会社が成功。1966年、共和党から下院議員となり、国連大使、アメリカ中央情報局（CIA）長官などを歴任した。1980年、共和党の大統領候補をレーガンとあらそってやぶれたが、レーガンが大統領に就任すると副大統領にえらばれ、政権をささえた。

1988年、共和党の大統領候補となり、民主党のデュカキス候補をやぶって、翌年、大統領に就任した。同年、ソビエト連邦（ソ連）のゴルバチョフ書記長とのマルタ会談で、冷戦の終結を宣言した。1991年の湾岸戦争では、多国籍軍を主導してイラクをやぶり、国民からの支持を集めた。しかし、国内の景気回復がうまくいかず、1992年の大統領選挙で民主党のビル・クリントンにやぶれた。

学 アメリカ合衆国大統領一覧

ブッシュ，ジョージ（子）

政治

ジョージ・ブッシュ　1946年〜

同時多発テロ発生時のアメリカ大統領

アメリカ合衆国の政治家。第43代大統領（在任2001〜2009年）。

第41代大統領ジョージ・ブッシュの長男として、コネチカット州で生まれる。エール大学卒業後、テキサス州空軍のパイロットとなり、1975年にハーバード大学大学院を卒業。石油ビジネスにたずさわったのち、メジャーリーグのテキサス・レンジャーズの共同経営者となる。1994年、テキサス州知事に当選。2000年には共和党から大統領選挙に出馬し、民主党のゴア候補を接戦でやぶり、2001年、大統領に就任。同年9月11日にアメリカ同時多発テロが発生したことを受け、対テロ戦争を宣言、アフガニスタンのイスラム原理主義のタリバーン政権に対して軍事行動をおこした。翌年、イラン、イラク、朝鮮民主主義人民共和国（北朝鮮）の3国をテロリスト支援の「悪の枢軸」と非難。2003年には、イラク国内の大量破壊兵器を排除するとしてイラク戦争を開始し、フセイン政権をたおした。2004年、大統領に再選されるが、支持率は低下。その後、イラク戦争開戦時の大量破壊兵器の報告について、誤りをみとめた。

学 アメリカ合衆国大統領一覧

ブッセ，カール

文学　詩・歌・俳句

カール・ブッセ　1872〜1918年

名作詩「山のあなた」の作者

ドイツの詩人、作家。

ビルンバウム（現在はポーランド領のミェンジフト）生まれ。20世紀のはじめ、ドイツでさかんだった新ロマン派の詩人。ヘルマン・ヘッセの才能をみとめ『詩集』を紹介したことでも知られる。生まれ故郷の風土や生活に題材をとった作品を書き、小説に『青春の嵐』（1896年）がある。

日本では翻訳家で詩人の上田敏がまとめた訳詩集『海潮音』に掲載された「山のあなた」が有名で、国語の教科書にもたびたび採用されている。『海潮音』は『上田敏全訳詩集』で読むことができる。

ブッダ

ブッダ → シャカ

プッチーニ，ジャコーモ

音楽

ジャコーモ・プッチーニ　1858〜1924

イタリア・オペラを代表する作曲家

イタリアの作曲家。

トスカーナ生まれ。先祖代々つづく教会音楽家の家系で、14歳で父のあとをついでオルガン奏者となる。1876年、ベルディのオペラ『アイーダ』をみてオペラ作曲家を志し、ミラノ音楽院で作曲家ポンキエッリらの指導を受けた。

1884年に最初のオペラ『ビッリ』で成功をおさめる。その後『マノン・レスコー』、1896年からは三大傑作とされている『ラ・ボエーム』『トスカ』『蝶々夫人』をほぼ4年おきに発表する。

1921年に、中国が舞台の『トゥーランドット』を書きはじめたが、心臓発作におそわれ、未完成のままに終わる。この作品は、友人の作曲家フランコ・アルファーノの補作により完成し、プッチーニの代表作に数えられる。

作品は、全体を叙情的なメロディーがリードし、アリア（独唱曲）や場面を劇的に演出する管弦楽によって、人物描写をリアリティー豊かなものにしている。ベルディとともにイタリア・オペラを代表する作曲家である。

ぶってつ

宗教

仏哲　生没年不詳

林邑楽を伝えた菩提僊那の弟子

奈良時代に来日した、チャンパー（現在のベトナム中部）の僧。

インドシナ半島南東部のチャンパーの出身という。チャンパーは当時中国では林邑国とよばれていた。天竺（インド）のバラモン僧（最高位の司祭）、菩提僊那の下で学び、菩提僊那とともに中国の唐にむかった。736年、日本に帰国する遣唐使船に乗り、菩提僊那や唐の僧、道璿とともに密教の経典をたずさえて来日した。

その後、大安寺（奈良市）に住んで、林邑楽（林邑の舞や音楽）を伝え、林邑楽は雅楽の中にとり入れられた。752年、東大寺（奈良市）の大仏開眼供養会では、開眼の筆をとる菩提僊那とともに参加し、林邑の舞楽を奏した。

◀仏哲が伝えたといわれる雅楽の舞の一つ「蘭陵王」

（三田徳明雅樂研究會写真提供）

ブット，ベナジール

政治

ベナジール・ブット　1953～2007年

イスラム国家初となったパキスタンの女性首相

パキスタンの政治家。首相（在任1988～1990年、1993～1996年）。

カラチ生まれ。名家の家系で、父親はパキスタンの大統領、首相をつとめた開明的政治家のズルフィカール・アリ・ブット。ハーバード大学とオックスフォード大学で政治学、国際関係学を学んだ。1979年、首相をつとめていた父親が軍事クーデターによって処刑されると、父の創設したパキスタン人民党の議長となって民主化を求め、軍事政権に対抗し、投獄、軟禁された。その後、イギリスへ亡命し、1984年に人民党の党首となると、1986年に帰国、人気を集め、2年後の総選挙で勝利し首相に就任。

イスラム国家初の女性首相として注目された。しかし,1990年、汚職を理由に大統領によって解任された。

1993年の選挙でふたたび首相になるが、1996年、やはり汚職によって解任。翌年の選挙で敗北すると、国外に亡命した。2007年、帰国して政治活動に復帰したが、遊説中、テロリストに暗殺された。

ぶっとちょう

宗教

仏図澄　232～348年

西域からの仏教を広めた僧侶

中国、五胡十六国時代の渡来僧。

西域の亀茲国（現在の新疆ウイグル自治区クチャ県付近）生まれ。310年、79歳で敦煌をへて、洛陽にきて仏教を広めた。五胡十六国の戦乱の中、893もの寺院を建設し、門弟は1万人といわれ、外来の宗教であった仏教が中国に根づくきっかけをつくった。自身は経典の翻訳もせず著作ものこさなかったが、門下に道安、竺法汰、僧朗などの中国人僧侶があらわれて中国仏教の基礎を築き、その発展に大きく貢献した。

神通力や呪術にたけており、残忍な性格であったという後趙王の石勒や石虎を信仰にみちびき、中国人の一般住民の出家が公認される道をひらき、大和上と称せられた。348年、鄴（河北省南部）の宮寺で亡くなった。117歳であったという。

ぶてい

王族・皇族

武帝　紀元前156～紀元前87年

漢の全盛期を築いた皇帝

中国、前漢の第7代皇帝（在位紀元前141～紀元前87年）。姓名は劉徹。父は景帝。7歳で皇太子となり、16歳で即位した。政治の実権をにぎっていた祖母が亡くなったことで、紀元前135年ごろから独裁的権力をふるう。封建諸侯の力をおさえて中央集権を強めた。儒教を官学とし、優秀な人材を登用する方法をつくり、官僚統治の体制をととのえた。また周辺諸国に対しては、積極的に侵攻を進めた。

北方の異民族である匈奴には紀元前129年以降、9度も遠征軍を送る。その結果、匈奴をゴビ砂漠の北に追いはらって西域に進出し、シルクロードによるヨーロッパとの交易も活発になった。また、南方では紀元前111年に南越国をほろぼしベトナム北部にまで支配地を広げ、その後、東方の衛氏朝鮮もほろぼして楽浪郡、帯方郡などの4郡をおいた。しかし晩年には、遠征の失敗や反乱などの問題をかかえることとなった。また紀元前91年には、冤罪をかけられた皇太子による反乱もおき、皇太子を亡くしている。紀元前87年に7歳の子を新たに皇太子と定めて亡くなった。武帝の時代、漢はもっとも広い勢力圏をもった。

▲陝西省西安市にある銅像

学 世界の主な王朝と王・皇帝

ぶてい

武帝（晋）→ 司馬炎

ぶてい

武帝（宋）→ 劉裕

プトレマイオス，クラウディオス

古代 学問

クラウディオス・プトレマイオス　生没年不詳

精密な天動説理論を構築した天文学者

古代ギリシャの天文学者。

エジプト南部出身ともいわれ、アレクサンドリアで活動したローマ市民権をもつギリシャ人と考えられているが、生涯についてはくわしくわかっていない。天文学、数学、音楽、光学、地理学など幅広い分野で業績をのこす。西洋占星術の古典である『テトラビブロス』、過去の音響学理論を批判する『ハルモニア論』、光の理論や知覚についての『光学』などを著したほか、緯度経度の概念を導入した世界地図がえがかれた『地理学』は、コロンブスの航海に利用された。

なかでも代表的な著書『アルマゲスト』は、アリストテレスやヒッパルコスなど、それまでの古代ギリシャ天文学を集大成し、数学をつかって整理したものである。宇宙の中心が地球であり、火星などの惑星は小さな円（周転円）をえがきながら、その円の中心が地球の周囲をまわる（従円）という天動説理論を、自身の観測結果をもとに構築した。この天動説は、近代科学がおこるまで、西洋の宇宙観に大きな影響をあたえた。

ふなこしさくざえもん

郷土

船越作左衛門　？～1817年

湖山砂丘にマツを植林した商人

江戸時代中期～後期の商人。

伯耆国米子（現在の鳥取県米子市）の商人の家に生まれた。商売で米子と鳥取（鳥取市）を行き来していたが、鳥取砂丘の西にある湖山砂丘を通る街道は、海風が吹くと砂が飛んで道がうまった。

砂丘に植林して、海風をふせげば、安心して往来できると考え、湖山村（鳥取市）に移り住んだ。砂丘にマツの苗木を植えたが、風で飛ばされたり、旅人にふまれたりして、思うように進まなかった。じょうぶなシダでつくった垣根の中にマツを植える方法や、根がじょうぶで、砂地によくはうハマスゲを植えて、砂の動きを止める方法も考えた。こうしてマツが育つようになった。そのこころざしは、おいの次郎左衛門が受けつぎ、東西約2.3km、南北約80mの松林が築かれた。

ふなざきよしひこ

文学 絵本・児童

舟崎克彦　1945～2015年

ナンセンスなことば遊びの童話作家

昭和時代～平成時代の作家、絵本作家、詩人。

東京生まれ。1968（昭和43）年、学習院大学経済学部を卒業後、不動産会社に就職した。1971年、妻靖子と執筆した『トンカチと花将軍』を出版し、童話作家としてデビュー。以後、作家専業となる。

1974年、ナンセンスなことば遊びのおもしろさと、生命あるものへのやさしさに満ちた『ぽっぺん先生と帰らずの沼』が赤い鳥文学賞を受賞した。その後も、『雨の動物園』がサンケイ児童出版文化賞（1975年）と国際アンデルセン賞優良作品賞（1976年）を、『ぽっぺん先生』シリーズで路傍の石文学賞を受賞するなど、多くの賞を受賞した。

児童書以外にも、一般むけの文学、テレビの人形劇の台本など、幅広く活動し、著作は300冊以上にのぼる。白百合女子大学で文学の創作演習の講義もおこなった。

ふなつでんじべい

郷土

船津伝次平　1832～1898年

全国の農業の発展につくした指導者

江戸時代後期～明治時代の農業指導者。

上野国勢多郡原之郷村（現在の群馬県前橋市）の名主（村の長）の家に生まれた。26歳のとき父のあとをついで名主となり、農業にとりくんだ。赤城山で、太陽であたためられた石が草の成長を促進していることに気づき、石と石のあいだに種をまく方法を考えた。この栽培法は、静岡県の石垣イチゴの栽培に応用された。1872（明治5）年、暦が月の満ち欠けをもとにした太陰暦から、太陽の動きをもとにした太陽暦にかわった。伝次平は、種まきの時期などの作業の時期がわかる『太陽暦耕作一覧』をつくった。その業績がみとめられ、1877年、東京の駒場農学校（現在の東京大学農学部）の教師に抜てきされた。学生たちに日本と西洋の農業のよいところをあわせた混同農法を教えた。その後、農商務省（現在の経済産業省と農林水産省）の農事巡回教師となり、全国をまわって農業の改良指導にあたり、日本の農業の発展につくした。

（前橋市教育委員会）

ブハーリン，ニコライ・イワノビッチ

政治

ニコライ・イワノビッチ・ブハーリン　1888～1938年

ソ連を成立させた指導者の一人

ソビエト連邦（ソ連）の政治家、経済学者。

モスクワ大学に在学中から革命運動にかかわり、1906年、ロシア社会民主労働党の多数派（ボリシェビキ）に加わった。逮捕されて流刑となるが脱走して亡命。レーニンと親交をもち、大きな影響を受けた。各国を転々としながら、帝国主義や国家論について論文を発表。

1917年、二月革命で帰国し、十月革命で指導的役割をはたす。その後、党機関紙『プラウダ』編集長や、コミンテルン（共産主義インターナショナル）執行委員長などをつとめる。農民に余剰農産物の自由販売をみとめ、中小企業の営業をゆるす新経済政策（ネップ）を導入した。

その後、スターリンと対立して失脚。一時スターリン支持を表明して復帰し、政府機関紙の編集長などをつとめるが、トロツキーらと反国家の陰謀に加担したとして処刑された。

フビライ・ハン

→ 272ページ

ブラーエ，ティコ

学問

ティコ・ブラーエ　1546～1601年

望遠鏡出現以前でもっとも正確な観測をおこなった

16世紀のデンマークの天文学者。

デンマークの貴族の家に生まれる。1572年、のちに「ティコの新星」とよばれる超新星をカシオペヤ座に発見、肉眼でみえなくなるまで14か月間、観測をつづけた。その後、デンマーク王の支援を受けて天文台を建設。肉眼による天文観測としては驚異的な精度をもつ、膨大な観測記録をのこした。しかし、肉眼の観測には限界があり、みずからの観測からは地動説の証拠は得られなかった。一方、1577年、出現したすい星についての観測から、これが月よりも遠方でおきる現象であることを見いだすが、天動説とは矛盾した。そこで、地球をまわる太陽の周囲を惑星がめぐる、という「修正天動説」を提唱した。

国王の死後、1599年に神聖ローマ帝国（ドイツ）へ移り、宮廷数学官となり、観測もつづけた。このときの助手がケプラーで、のちにティコの観測記録をもとに天文学を大きく発展させる。天動説はのちにくつがえされるが、ティコの天文学への功績は大きい。1601年、54歳で急病死した。

ブラームス，ヨハネス

音楽

ヨハネス・ブラームス　1833～1897年

古典派とロマン派のかけ橋

ドイツの作曲家。

ハンブルク生まれ。6歳で音楽家の父からバイオリンの手ほどきを受け、13歳ころからダンスホールでピアノ演奏をして家計を助けた。20歳のとき、友人でバイオリン奏者のヨゼフ・ヨアヒムやリスト、ロベルト・シューマンとピアニストの妻クララ・シューマンと知り合う。以後、クララとはシューマンの死後も生涯にわたり親交を深めた。

1868年、母の死をきっかけにつくった宗教曲『ドイツ・レクイエム』を初演して大成功をおさめる。以後、ウィーンを拠点に音楽活動をしながら、作品を次々に生みだした。

活躍した時期は、ロマン派音楽がさかんになる時代だが、ベートーベンのような古典主義音楽の伝統を守りつつ、独自の叙情性をもりこんだ曲を書いた。一方では『ハンガリー舞曲』のような民族的な音楽から影響を受けた作品も多い。代表作に、4曲の交響曲、バイオリン協奏曲ニ長調、2曲のピアノ協奏曲、『大学祝典序曲』『ハンガリー舞曲』などがある。

フラ・アンジェリコ

絵画

フラ・アンジェリコ　1400？～1455年

ルネサンス前期を代表する画家

イタリアの画家、修道士。

フィレンツェ近くの町で生まれる。本名は、フラ・ジョバンニ・ダ・フィエーゾレ。フラ・アンジェリコは「天使のような僧」という意味で、亡くなったあとに贈られた名前である。1407年にフィレンツェ郊外のドミニコ会の修道院に見習いとして入り、1417年ごろには、すでに画家として活動していた。

1430年代、修道士をしながら教会の壁画や祭壇画をえがきはじめ、修道院内部の装飾のために多くの宗教画をかいた。明るく清らかな作風で、簡潔な空間に優雅な姿の人物が登場する。主な作品に『受胎告知』『聖母戴冠』『リナイオーリの祭壇画』などがある。1445年、ローマ教皇にまねかれて、大聖堂や礼拝堂の壁画の依頼を受け、大聖堂のサンブリツィオ礼拝堂に『栄光のキリスト』と『16人の預言者』をえがく。ルネサンス前期を代表する画家の一人である。

ブライト，ジョン

政治

ジョン・ブライト　1811〜1889年

自由貿易を主張した資本家出身の政治家

イギリスの政治家。

マンチェスター近郊のロッチデールで、クエーカー教徒の家に生まれる。父は紡績工場の経営者で、16歳から父をてつだった。1843年に下院議員となると、コブデンとともに穀物の輸出入を制限する穀物法に反対。反穀物法同盟を結成し、1846年に穀物法を廃止させ、自由な貿易の成立を助けた。その後も議会や選挙の改革、宗教の自由など多くの方面で活動した。

平和主義の立場から、1953年にはじまったクリミア戦争に反対し、アメリカ合衆国の南北戦争においては北部を支持した。1868年、グラッドストン内閣では通商庁長官、ランカスター公領担当大臣などをつとめたが、エジプトへの干渉に反対して辞職。その後、アイルランド自治法にも反対し、1886年に自由党を脱退した。議会においては雄弁なことで知られた。

ブライユ，ルイ

発明・発見

ルイ・ブライユ　1809〜1852年

世界でつかわれる6点点字の考案者

フランスの点字考案者。

パリ近郊に生まれる。3歳のとき、事故がもとで全盲になった。10歳のときにパリ盲学校に入学し、シャルル・バルビがつくった12点点字と出会う。その12点点字を改善し、盲人用の文字として通用する縦3点、横2列の6点点字を14歳のとき考案し、1825年に完成させた。6点の組み合わせにより、すべてのアルファベットや記号を書きあらわすことができ、読みやすさの面でもすぐれていた。

のちにパリの国立盲学校の教官になり、1829年に現在世界中で使用されている6点点字を発表し、自分のつくった点字を説明する本を書くが、なかなかみとめてもらえなかった。フランス政府がブライユの6点点字を公認したのは、死後2年がすぎた1854年のことだった。

その後、彼のつくった点字は世界中へと広まっていき、日本語の点字も、これをもとにつくられている。

ブラウニング，ロバート

詩・歌・俳句

ロバート・ブラウニング　1812〜1889年

ビクトリア朝時代を代表する詩人

イギリスの詩人。

ロンドン生まれ。ロンドン大学中退。21歳のとき最初の詩集をだす。1846年、詩人のエリザベス・バレットと恋愛し、イタリアで結婚、詩人として活動する。1861年、妻の死により帰国する。

複数の人間がそれぞれの立場から意見をのべる「劇的独白」という新しい詩の形式で、人間の性格や心理を表現する方法を確立する。テニソンとならぶビクトリア朝（ビクトリア女王の時代）の代表的な詩人となる。作品に『ピッパが通る』『男と女』などがある。

代表作は、17世紀末にローマで実際におこった殺人事件をテーマとする悲劇詩『指輪と本』（1868年）。この詩では、事件を裁く法廷で、登場人物がそれぞれの立場から意見をのべる中で、事件や人間の心理の複雑さを浮き上がらせていくもので、この劇的独白の手法は、のちの文学に大きな影響をあたえた。

ブラウン，カール・フェルディナント

学問　発明・発見

カール・フェルディナント・ブラウン　1850〜1918年

「ブラウン管」の発明者

19世紀のドイツの物理学者。

ドイツ中央部のヘッセン州生まれ。マールブルク大学で学び、1872年にベルリン大学で博士号を受ける。1895年に、ストラスブール大学物理学教授、同大学物理学研究所所長となる。1897年には最初の陰極線管、いわゆる「ブラウン管」を開発。ブラウン管はテレビやコンピューターのディスプレーとして、1世紀以上も用いられることになる。

このほか、電流を一定の方向にしか流さない素子であるダイオードを発明し、これを用いてマルコーニが無線通信の実験をおこなった。1909年、無線通信への貢献により、ノーベル物理学賞を受ける。第一次世界大戦がはじまると渡米するが、アメリカ合衆国の参戦により帰国できなくなり、戦争終結の前にニューヨークのブルックリンで亡くなった。

学 ノーベル賞受賞者一覧

フビライ・ハン

元朝を建てて中国を支配したモンゴルの皇帝

■第５代ハンへの道

▲フビライ・ハン

モンゴル帝国の第５代ハン（君主）（在位 1260 〜 1294 年）、中国元朝の初代皇帝（在位 1271 〜 1294 年）。

モンゴル帝国を創始したチンギス・ハンの末子トゥルイの子として生まれる。廟号（霊を祭るときの名）は世祖。1252 年、兄のモンケが第 4 代ハン（モンケ・ハン）として即位すると、フビライは中国遠征の大総督に任命された。1252 年、チベットをこえて大理国（現在の雲南省）の遠征にむかい、翌年、これを服属させる。現在の中国の内モンゴル自治区に、拠点として開平府（のちの上都）を築き、華北の統治に専念した。

南宋の征服をいそぐモンケ・ハンはみずから軍をひきいて四川省にむかい、1259 年、同地で病気にかかり亡くなった。これを聞いたフビライは、中国駐留のモンゴルの諸軍団を助けて彼らの支持を得て、またモンゴル東部の諸部族を味方につけ、1260 年、開平府でモンゴル帝国の第 5 代ハンに即位した。

■モンゴル人による中国支配、国号を大元に

モンゴル高原の帝都カラコルムでは、モンケの重臣や、モンゴル西部の諸部族が末弟のアリク・ブケを第 5 代ハンにおして、ハン位継承戦争がおこったが、1264 年、フビライが勝利し、モンゴル高原を支配した。

1271 年、フビライは首都を大都（北京）に移し、国号を「大元（元）」とあらためた。中国王朝の政治制度を受けついだが、要職にはモンゴル人をおいた。また、色目人（トルコ、イラン、アラビアなど西方系の諸民族）を経済や外交の官僚としてむかえるなど、モンゴル人を第一としながらも、色目人、漢人（主に華北の中国人）、南人（主に華南の中国人）から、すぐれた者を積極的に登用した。チベット仏教の僧にパスパ文字をつくらせ国字とし、モンゴル語を公用語に定めた。

▲日本に攻めこむ元の軍船
『蒙古襲来絵詞』より。（宮内庁三の丸尚蔵館）

■ユーラシア大陸の経済・文化圏を形成

1279 年、南宋をほろぼし、ほぼ中国全土を版図に組み入れた。運河を整備し、南宋の物資が江南から大都へむかうルートをつくり、経済の活性化をはかった。さらに南方のベトナム、ジャワ、ビルマ（ミャンマー）などに出兵し、インド洋への交易ルートを確保した。東アジアでは、朝鮮半島の高麗を属国とした。日本にも２度、遠征したが、鎌倉幕府の執権である北条時宗のひきいる幕府軍に撃退され、失敗に終わった。日本での、この２度にわたる元の来襲は「元寇」とよばれる。

シルクロードの陸路や、南シナ海からインド洋を経由して、西アジアのイル・ハン国をむすぶ海上ルートにより、ユーラシア大陸の経済や文化の交流が活発になった。首都大都には、ムスリム（イスラム教徒）の商人やマルコ・ポーロらベネツィア商人がおとずれ、チベット仏教やイスラム教、キリスト教の寺院が建てられ、国際色豊かな都市となった。

中国東北部での王族の反乱や、中央アジアでおきた第２代ハンであるオゴタイ・ハンの孫のハイドゥの反乱では、みずから前線に立って戦ったが、1294 年、病気のため 79 歳で亡くなった。

学 世界の主な王朝と王・皇帝

●モンゴル帝国の最大領土

▲モンゴル帝国は、中央アジアにチャガタイ・ハン国、西アジアにイル・ハン国、ロシア平原にキプチャク・ハン国、中国に元を建国した。

フビライ・ハンの一生

年	年齢	主なできごと
1215	0	トゥルイの子として生まれる。
1251	36	中国の南宋遠征軍の大総督に任命される。
1252	37	大理国へ遠征。
1256	41	高麗を服属させる。
1260	45	第5代ハンに即位する。
1271	56	国号を「大元（元）」とする。
1274	59	日本へ遠征（文永の役）。
1279	64	南宋をほろぼし、中国を統一。
1281	66	日本への2度目の遠征（弘安の役）。
1284	69	ベトナムへ遠征。
1294	79	大都（北京）で亡くなる。

※年齢は満年齢であらわしている

ブラウン, ゴードン

政治

ゴードン・ブラウン　1951年～

イラク戦争参戦の誤りをみとめたイギリス首相

イギリスの政治家。首相（在任2007～2010年）。

スコットランドのグラスゴーで牧師の子として生まれた。高校時代、ラグビーの競技中に左目を失明。エディンバラ大学で学び、学生時代から労働党の活動をはじめた。1976年から大学講師をつとめ、1983年、下院議員に初当選した。1997年、ブレア政権が発足すると、2007年まで財務大臣をつとめた。このとき、金融政策の決定権を財務省からイングランド銀行に移す政策を発表、また、景気を拡大させ、失業率をおさえるなど経済面の功績が大きかった。財務大臣の在任期間は20世紀以降のイギリスで最長。2007年、首相に就任。医療や教育行政の改革、住宅建設などを重視する方針を打ちだした。ブレア政権がアメリカ合衆国を支持し、イラク戦争に参戦したことについては、誤りがあったとみとめ、イラク政策の見直しを表明した。2008年の金融危機を背景に、ライバル政党の保守党の支持率復活もあり、2010年の総選挙で大敗、首相を退陣した。

学 主な国・地域の大統領・首相一覧

ブラウン, マーシャ

絵本・児童

マーシャ・ブラウン　1918～2015年

コルデコット賞を3回受賞

アメリカ合衆国の絵本作家。

ニューヨーク州ロチェスターで牧師の娘に生まれる。大学卒業後、高校教師や図書館員としてはたらくかたわら、美術学校で国吉康雄らに絵画や木版を学ぶ。

作品中に登場する民族の特徴や風土をよく理解し、物語にあわせて画風をかえ、雰囲気が伝わるようにくふうして多くの人に感銘をあたえた。作品は、『シンデレラ』『影ぼっこ』『スズの兵隊』『三びきのやぎのがらがらどん』のように童話の名作や昔話などにさし絵をかいたものと、『こねこのフェリーチェ』『ちいさなヒッポ』などみずから創作したものがある。1955年と1962年、1983年に、アメリカのその年のもっともすぐれた児童書に贈られるコルデコット賞を受賞した。

ブラウン, ロバート

学問　発明・発見

ロバート・ブラウン　1773～1858年

細胞の核を発見し、ブラウン運動を説明した

イギリスの植物学者。

スコットランド東部のアンガスの生まれ。エディンバラ大学で医学を学び軍医となるが、植物学に興味をもち、博物学者で王立協会会長だったジョセフ・バンクスの推薦でイギリス海軍の探検隊に参加した。

1801年からオーストラリアなどを調査して、4000種をこえる標本を集めた。帰国後、大英博物館植物学部長などをつとめながら、植物の分類をおこなう。ヨーロッパにはない植物を加えたり、種子になる部分がむきだしのものを裸子植物としたりするなど、植物の分類を改良した。

顕微鏡による観察から、植物の細胞核を発見した。また、水に浮かんだ花粉などの小さな粒子が不規則に動くことを発見した。この現象はブラウン運動とよばれ、その原因は、のちにアインシュタインによって解明された。

フラグ

王族・皇族

フラグ　1218～1265年

イル・ハン国の創始者

イル・ハン国初代の王（在位1260～1265年）。

イル・ハン国はイランを中心とし、モンゴル帝国を構成する地方政権。チンギス・ハンの末子トルイの3男。イル・ハンという尊称でもよばれる。

1253年、モンゴル帝国第4代皇帝の長兄モンケ・ハンに西アジアへの遠征を命ぜられる。イランのニザール教団をほろぼし、1258年にはバグダッドを征服してアッバース朝を滅亡させた。シリアのアレッポとダマスカスを支配下において、さらにエジプトへむかった。モンケが亡くなり、次兄フビライ・ハンと弟アリク・ブハで帝位継承をあらそっていることを知って、フラグはモンゴルへ帰還せずに、フビライへの協力を約束する。

モンゴル帝国を構成する地方政権として独立をみとめさせ、タブリーズを拠点にイル・ハン国を建国、現在のイランを中心に支配した。同じモンゴル帝国のキプチャク・ハン国と領土問題で対立し、その戦いの中で亡くなった。フラグによって、モンゴル帝国は西へ大きく勢力を広げた。イラン東部のマラーゲに大規模な天文台を建造し、天文学の進歩にも貢献している。

プラクシテレス

古代　彫刻

プラクシテレス　生没年不詳

女性像に影響をあたえた彫刻家

ギリシャの彫刻家。

アテネに生まれる。紀元前4世紀なかばに活躍したとみられている。父親のケフィソドスも彫刻家だった。

紀元前350年ごろ、トルコ南西部のクニドスという都市から注

文を受け、『クニドスのアフロディテ』像を制作する。

入浴する姿をテーマにした裸の女神、アフロディテの像は、たいへんな評判をよんだ。ひと目みようと、クニドスに人々がおしよせたという。男神の裸体像はあったが、裸の女神像の制作は、ギリシャ彫刻史上はじめての試みで、以後の女神像、女性像に大きな影響をあたえた。

▲『クニドスのアフロディテ』像のコピー

現在、本人のオリジナル作品はなく、ローマ時代にコピーされたものがのこっている。

大理石をつかい、神々を人間的な親しみやすい姿で表現しているのが特徴である。1877年にオリンピアのヘラ神殿から出土した『ヘラクレス』も代表作の一つとされる。

フラゴナール，ジャン

絵画

ジャン・フラゴナール　1732～1806年

ロココ美術の時代を代表する画家

フランスの画家。

南フランスで生まれるが、まもなくパリに移る。6歳で画家シャルダンの弟子となり、16歳のときブーシェのもとで学んだ。

1752年にローマ賞を受賞し、1756年から5年間イタリアに留学する。バロック様式の装飾画に影響を受ける。帰国後、アカデミー入りの資格作品『コレシュスとカリロエ』が1765年のサロン（展覧会）に出品され、みとめられる。その後、王室で装飾画などをえがいていたが、しだいに題材を自由にえらべる風俗画へとかわっていった。

生きるよろこびと自然の光にあふれた作風で、人々の生活の風景などをえがいた。フランス革命期に美術館の作品管理官などもつとめたが、画風が時代に受け入れられなくなり、不遇のうちに生涯を終えた。

代表作に『ぶらんこ』『音楽の練習』、連作『恋の成り行き』などがある。18世紀フランスのロココ美術を代表する画家である。

プラダ，マリオ

デザイン

マリオ・プラダ　?～1958年

世界に知られる高級革製品のデザイナー

イタリアの革製品のデザイナー。

ミラノに生まれる。1913年、兄とともに、ミラノ市内の繁華街ビットリオ・エマヌエーレ2世通りに、革製品やアクセサリーをあつかう高級革製品店のプラダ兄弟商会を開店する。

世界中から集めた高品質の革や貴重な素材を、みずからのデザインとイタリア職人の最高技術を駆使して、独自のバッグや財布などにしたてた。

1920～1930年代に、ヨーロッパの富裕層や王室のあいだで評判となり、イタリア王室御用達の指定を受け、上流階級の定番ブランドとなる。現在は、孫娘ミウッチャが製品の幅を広げ、世界中で愛されるブランドになった。

ブラック，ジョルジュ

絵画

ジョルジュ・ブラック　1882～1963年

20世紀美術を代表するフランスの画家

フランスの画家。

パリ郊外で建築塗装業の家に生まれる。17歳で塗装の見習いをはじめるが、画家を志し、20歳でパリに出て、国立美術学校で画家レオン・ボナの弟子となる。はじめはフォービスム（野獣派）の影響を受け、原色をつかった大胆な作品をえがいていた。

1907年にピカソに会い、セザンヌの作品をみて、ピカソと共同でキュビスム（立体派）の運動を進めた。おさえた色彩を主調にいくつもの四辺形を重ねるコラージュの画法を開発し、それまでの美術の考え方を大きくかえた。

第一次世界大戦に従軍し、戦後はキュビスムを基礎にしながら、装飾的な静物画をえがいた。代表作に『壜とコップ』、連作『鳥』などがある。

1937年にカーネギー国際美術大賞受賞、1948年イタリアの美術展ベネチア・ビエンナーレの大賞受賞。20世紀美術を代表する巨匠といわれ、亡くなったときはルーブル美術館の前で国葬がおこなわれた。

プラティニ，ミシェル

スポーツ

ミシェル・プラティニ　1955年～

「将軍」とよばれたサッカー選手

フランスのサッカー選手、監督。

祖父母はイタリアからの移民。地元クラブのサッカー選手だった父の影響でサッカーをはじめる。1972年、17歳でASナンシーに入団し、1976年、フランス代表にえらばれる。1982年、イタリアの名門クラブ、ユベントスに移籍し、1983年から3年連続でヨーロッパの年間最優秀選手（バロンドール）にえらばれる。1984年の欧州選手権ではフランス代表のキャプテンとして、チームをひきいて優勝へとみちびいた。

1980年代を代表するサッカー選手の一人であり、フランスサッカーの黄金期をささえ、「将軍」とよばれた。1987年に現役を引退した。その後1988～1992年までフランス代表監督をつとめた。

プラトン

古代 思想・哲学

プラトン 紀元前427？～紀元前347？年

アカデメイアを創設、イデア論を説いた哲学者

古代ギリシャの哲学者。

アテネの名家に生まれる。ソクラテスの弟子となり政治を志すが、28歳のとき、ソクラテスが無実の罪で処刑されたため、都市国家アテネの民主政治が堕落したことに絶望、哲学にむかった。紀元前385年ころ、アテネ近郊に学園アカデメイアを創立し、各地から青年を集めて、理想国家の実現のための研究と教育に専念する。学園は約900年つづき、大学の起源となった。弟子のアリストテレスもここで学んでいる。

プラトンは、物事の本質は理性によってとらえられるというイデア論を説いた。イデアは本質や観念をあらわすもので、現実の世界に実在するのはイデアをうつした模倣で、理性でとらえた普遍的な本質が真の実在イデアであるという。この考え方から、世界を実在イデアではない現象界と実在イデアの二元論で説明し、ヨーロッパ哲学に大きな影響をあたえた。プラトンは30編におよぶ著作をのこしたが、ほとんどはソクラテスなどが語った思想をまとめた戯曲形式のもので、『ソクラテスの弁明』『クリトン』『饗宴』などが有名である。

ブラマンテ，ドナート

建築

ドナート・ブラマンテ 1444?～1514年

ルネサンスを代表する建築家

イタリアの建築家、画家。

ウルビーノに生まれる。こどものころの生活は苦しかったと伝えられる。画家のマンテーニャなどのもとで修業し、画業をめざす。その後、仕事をしながら都市をまわり、1477年にはベルガモの宮殿でフレスコ画をかいた。

ミラノの君主にまねかれ、サンタマリアプレッソサンサティロ聖堂などの改築にたずさわる。ミラノがフランスに攻めこまれると、1499年にローマへ移った。やがて、ローマ教皇ユリウス2世の下で主任建築家の地位につく。バチカン宮殿中庭のベルベデーレなどをてがけたあと、サンピエトロ大聖堂の建築計画にとりかかった。しかし、完成をみずに亡くなり、ラファエロ、ミケランジェロにひきつがれた。

古代建築をよく研究し、そのころ流行していたルネサンス様式とよばれる古典建築のスタイルにみがきをかけ、完成させた。ルネサンス最高の建築家の一人として名高い。

ブラン，ルイ

政治

ルイ・ブラン 1811～1882年

二月革命で活躍し、労働者の救済につくした政治家

フランスの社会主義者、第二共和政期の政治家。

スペインのマドリードで、財務官吏の子として生まれる。ナポレオン1世の帝政没落後、生活に困窮した。1830年の七月革命のときにパリで革命運動に加わり、ジャーナリストとして活動した。

1848年の二月革命では先頭に立って戦い、臨時政府で閣僚となり、労働者の救済をめざして国立工場をつくった。最低賃金や労働時間の短縮などにとりくんだが、わずか4か月で閉鎖となる。これをきっかけに六月事件をおこすが、失敗してイギリスへ亡命し、大著『フランス革命史』を書き上げた。「各人がその才能に応じて生産し、その必要に応じて消費する」ということばは、マルクスをはじめとする共産主義者に影響をあたえた。パリのルイ・ブランの駅名は、彼の名前にちなんでいる。

フランク，アンネ

文学

アンネ・フランク 1929～1945年

『アンネの日記』を書いた少女

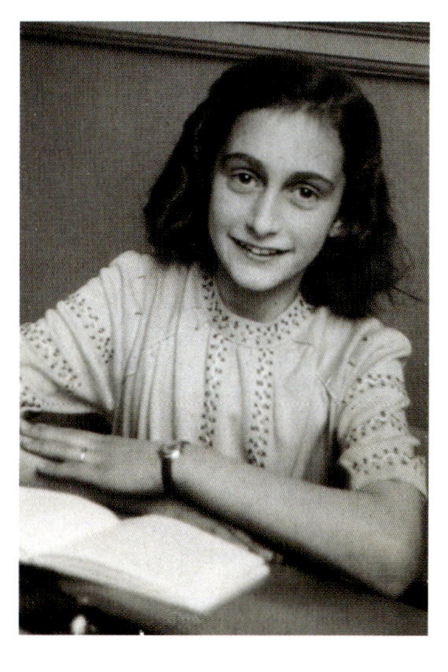

ユダヤ系ドイツ人の少女。

フランクフルト生まれ。本名はアンネリース・マリー・フランク。1933年、4歳のとき、ドイツでヒトラーが政権をにぎり、ユダヤ人の迫害がはじまると、一家はオランダの首都アムステルダムに移住した。

1942年6月、アンネは13歳の誕生日に父から日記帳を贈られ、その後2年2か月間、日記を書きつづけた。一家は父の会社の3階と4階の奥につくったかくれ家に移り住んだ。そこにはアンネの家族4人と、父の友人家族3人、歯科医の計8人が同居。いつ発見されるかわからない恐怖と絶望感におそわれながら、息をひそめてくらした。アンネは日記に、

まわりのおとなや自分のこと、戦争がはげしくなる世の中のことなどを冷静に観察し、ユーモアを失わずに書きつづけた。ほかに短編小説や童話を書いている。

1944年8月4日、アンネたちはナチスの保安警察にとらえられ、その後、ポーランドのアウシュビッツ（オシフィエンチム）強制収容所へ送られた。その後、アンネは姉とともにドイツのベルゲン・ベルゼン強制収容所に移され、1945年2月末ごろ、姉がチフスにかかって亡くなり、3月はじめにはアンネも15歳で病死した。

家族の中で一人だけ生きのこった父が、第二次世界大戦後、『アンネの日記』として出版する。各国で翻訳され、世界中で大反響をまきおこした。本書は2009年、UNESCOの世界記憶遺産に登録された。

学 日本と世界の名言

プランク，マックス

学問　発明・発見

マックス・プランク　1858〜1947年

量子論の創始者の一人

19〜20世紀のドイツの理論物理学者。

北部のキール生まれ。17歳でミュンヘン大学に入学後、熱力学に興味をいだいてベルリン大学に転校。ヘルムホルツやキルヒホフに師事した。卒業後はミュンヘン大学やキール大学、ベルリン大学で教鞭をとった。1900年、量子論の基本となる式につかわれる定数（プランク定数）を発見した。1913年にベルリン大学総長となるほか、ドイツ物理学会会長を4回つとめた。量子論の創始者の一人として、1918年にノーベル物理学賞を受賞。1930年にカイザー・ウィルヘルム研究所の所長となった。

ナチス政権のユダヤ人迫害に対してヒトラーに抗議するが、第二次世界大戦中に空襲によって家を失い、ヒトラー暗殺計画に加わった次男が処刑されるなど不幸にみまわれた。戦後、カイザー・ウィルヘルム研究所の名誉総裁となる。同研究所は改名されてマックス・プランク研究所となり、現在にいたるまで世界の物理学研究を牽引している。

学 ノーベル賞受賞者一覧

ブランクーシ，コンスタンティン

彫刻

コンスタンティン・ブランクーシ　1876〜1957年

前衛彫刻に影響をあたえた彫刻家

ルーマニア出身の彫刻家。

オルテニア地方のホビツァ村の農家に生まれる。ブカレストの美術学校で彫刻を学んでいたが、1904年にパリへ出て、国立美術学校に入学した。はじめはロダンを理想としたが、やがて写実的な手法を捨て、抽象的な作品をつくった。パリで亡くなる前の年にフランス国籍をとった。

故郷ルーマニアの中世の石彫りや伝統の木彫りなどをもとに、素材を最大に生かしながら、形をできるだけ単純にして、力強さをあらわした。代表作の『接吻』『空間の鳥』など、同じ題材の連作が特徴である。『接吻』は石を直接ほりだし、その質感とテーマのイメージをむすびつけた。『空間の鳥』では一つののびやかな形で空の自由を表現した。このほかに、卵形にした人間の頭部を横においた『眠れるミューズ』などが有名である。死後、アトリエがそのままパリ国立近代美術館に贈られた。

フランクリン，アレサ

音楽

アレサ・フランクリン　1942年〜

ソウルミュージックの女王

アメリカ合衆国のソウル歌手。

テネシー州メンフィス生まれ。8歳で牧師の父からピアノの手ほどきを受け、2人の妹と教会でゴスペルを歌い、14歳でレコードを録音する。18歳でニューヨークに出て、レコード会社と契約してデビューする。

1967年にアトランティック・レコードに移籍した後は、リズムアンドブルース歌手としても本領を発揮、シングル『リスペクト』やアルバム『レディ・ソウル』をヒットさせた。教会音楽のゴスペルを基本にした力強い歌声で「クイーン・オブ・ソウル（ソウルミュージックの女王）」とよばれる。

『リスペクト』やゴスペルのアルバムなどでグラミー賞を20回受賞した。1987年に女性ではじめて「ロックの殿堂」入りをはたしている。

フランクリン，ベンジャミン

政治　発明・発見

ベンジャミン・フランクリン　1706〜1790年

アメリカの独立と学術の発展につくした

アメリカ合衆国の政治家、文筆家、印刷業者、科学者。

ボストンで、ろうそく職人の子として生まれる。12歳のとき、兄の印刷会社に入ってはたらきはじめた。1723年、フィラデルフィアに出て、やがて週刊新聞『ペンシルベニア・ガゼット』を買収し発行。事業の成功にともない、巡回図書館やアメリカ学術協会、大学（現在のペンシルベニア大学）などを設立、公共事業にも力をつくした。1740年代から科学への関心を深め、効率のよいストーブの発明や、雷雨の日にたこをあげて、雷は電気現象であることを証明して避雷針をつくるなど、独自の研究や開発をおこなった。

1750年代からイギリス領ペンシルベニア植民地の代表となって、政治家としても活躍した。1775年にアメリカ独立革命がはじまると、独立宣言を起草する委員の一人となった。また、フランスに派遣され、フランスの支持や資金援助を獲得した。1783年のパリ講和条約の会議にはアメリカ全権として出席し、合衆国の独立を承認させた。晩年は、『フランクリン自伝』を執筆したが、未完のまま死去した。

学 日本と世界の名言

フランクル，ビクトール

学問 医学

ビクトール・フランクル 1905〜1997年

実存分析を創始したオーストリアの精神医学者

オーストリアの精神医学者。

ウィーン生まれ。ウィーン大学医学部精神科教授、ウィーン市立総合病院精神科部長を兼任する。フロイト、アドラーに師事し精神医学を学んだが、哲学の実存主義の影響を受け、独自の実存分析と、人格的心理療法としてのロゴセラピーをとなえた。第二次世界大戦中、ユダヤ人であるという理由で、両親、妻子とともに逮捕され、アウシュビッツ強制収容所へ送られた。その苦しみの体験の記録『夜と霧―強制収容所における一心理学者の体験』を1947年に刊行。限界状況における人々の心理分析によって、ほぼ完成されていたロゴセラピー理論の正当性を検証することができた。この著作は日本語をふくめ、17か国語に翻訳された。

フランコ，フランシスコ

政治

フランシスコ・フランコ 1892〜1975年

スペインの独裁体制を指導した

スペインの軍人、政治家。総統（在任 1939〜1975）。

軍人の家に生まれ、1910年にトレドの陸軍士官学校を卒業。スペインの植民地であったモロッコで先住民の反乱をしずめるのに活躍し、若くして将官となる。1931年にスペイン革命で王制が廃止され共和政が成立すると、1935年、参謀総長になった。翌年の選挙で、独裁や軍に反対する人民戦線が勝利して左遷されると、人民戦線に反対する人々とスペイン内戦をおこし、自身はモロッコで反乱軍の指揮をとった。ドイツのヒトラーや、イタリアのムッソリーニの助けを受けて、1938年に人民戦線政府に勝利。1939年に総統となって、独裁体制を築く。

第二次世界大戦では当初ドイツやイタリアを助けたものの、中立を守った。1947年には王制を復活させ、終身摂政となる。戦後のスペインは国際的に孤立したが、まもなくはじまった東西冷戦によって、しだいに西側諸国の一つとして復活し、1955年には国際連合に加入、経済復興にも成功した。1975年に病死するまで独裁体制をつづけた。

フランス，アナトール

文学

アナトール・フランス 1844〜1924年

豊富な知識を生かし、文芸批評や評論で活躍

フランスの作家、評論家。

パリ生まれ。古本屋をいとなむ父のもと、ギリシャや古代ローマ、フランスの古典文学に親しんで育つ。少年時代は、キリスト教のイエズス会が経営する学校で学んだ。

1873年に詩集『黄金詩集』を発表する。その後、小説を書きはじめ、1881年の『シルベストル・ボナールの罪』で有名になった。豊富な知識を生かし、文芸批評や評論も手がける。

代表作の『神々は渇く』をはじめ、詩のような文を得意とする。1894年には、スパイ容疑をかけられたドレフュス大尉を作家のゾラとともに支援し、無罪を勝ちとるのに力を貸した。1921年、ノーベル文学賞を受賞。

学 ノーベル賞受賞者一覧

フランソワいっせい

王族・皇族

フランソワ1世 1494〜1547年

イタリアをめぐってスペインと戦った

フランス、バロワ朝の第9代王（在位1515〜1547年）。

シャルル5世の曽孫。父のアングレーム伯シャルルが早世し、その後、血縁によりフランス王に即位。先王からのイタリア戦争を継続し、1515年、国王が大司教など聖職者の指名権をもつことをローマ教皇にみとめさせ、教会に対する支配権を獲得した。1519年、神聖ローマ皇帝の位を宿敵のスペイン王カルロス1世（のちのカール5世）とあらそってやぶれる。1521年からはイタリアの支配権をめぐってカール5世と戦い、途中捕虜となるが、マドリード条約をむすび、解放された。帰国後に条約は無効と宣言し、周辺諸国と同盟してカール5世に対抗したが勝てず、最終的に1544年に和約をむすんで、イタリアに対する要求を破棄した。

新大陸の中南米をカール5世が植民地としたのに対抗し、ベスプッチの航海を援助して、北米の植民地を得るきっかけをつくった。レオナルド・ダ・ビンチをフランスにまねくなど、芸術家を保護し、フランスのルネサンスを開花させた。

学 世界の主な王朝と王・皇帝

ブランソン, リチャード

産業

リチャード・ブランソン　1950年〜

ヴァージン・グループの創業者

イギリスの実業家。

ロンドン郊外に生まれる。パブリックスクールを17歳で中退すると、翌年『スチューデント』という雑誌を創刊した。中古レコードの通信販売で成功すると、1973年にはヴァージン・レコードを設立。セックス・ピストルズなどを売りだし、大手レコード会社の仲間入りをする。

これをもとに、出版、映画、ビデオ、ナイトクラブ、旅行会社、航空会社、さらには宇宙旅行事業まで手を広げ、国際企業ヴァージン・グループへと成長させた。

気球での大西洋、太平洋横断を世界ではじめて成功させた冒険家でもある。また若者の雇用創出、エイズ防止の活動もしており、2000年にイギリス王室よりナイトの称号があたえられた。

フランチェスコ

宗教

フランチェスコ　1182?〜1226年

フランチェスコ修道会の創設者

イタリアの修道士。

ウンブリア地方アッシジで、裕福な織物商の家に生まれる。本名ジョバンニ・ディ・ピエトロ・ディ・ベルナルドーネ。日本のカトリック教会では「アッシジの聖フランシスコ」とよばれる。20歳ころまで遊び好きで、父のもとで商売をしていた。1202年に出征し、捕虜となった獄中で大病をわずらい、釈放後、病人や貧者への奉仕に専念するようになる。家族を捨てて清貧を守り、奉仕とたくはつの生活をつづけ、ローマにおもむいて教皇インノケンティウス3世に、フランチェスコ修道会として托鉢修道会の認可を受けた。1212年には女性たちのための女子修道会（第二会）を、1221年ころには在世会（一般信徒のための修道会。第三会）を創設。その間、南フランスからスペイン、またエジプトからパレスチナをめぐる。1224年、アルベルナ山上でキリストから5つの聖痕を受けたとされる。1226年、アッシジのポルチウンクラにて亡くなった。

フランチェスコ・ペトラルカ

フランチェスコ・ペトラルカ → ペトラルカ

フランツいっせい

王族・皇族

フランツ1世　1708〜1765年

マリア・テレジアの夫

神聖ローマ皇帝（在位1745〜1765年）。

フランスのロレーヌ地方をおさめるロートリンゲン公レオポルトの子として生まれる。1729年、父が亡くなると、あとをつぎロートリンゲン公となり、1736年、ハプスブルク家の神聖ローマ皇帝カール6世の娘マリア・テレジアと結婚。ハプスブルク・ロートリンゲン家を創始した。

1740年、カール6世の死により、あとをついだマリア・テレジアと共同統治者となったが、政治の実権はきさきがにぎった。1745年、神聖ローマ皇帝となる。きさきとのあいだには、のちの皇帝ヨーゼフ2世、レオポルト2世、フランス王妃となるマリー・アントワネットら16人の子をもうけた。

学 世界の主な王朝と王・皇帝

フランツ・フェルディナント

王族・皇族

フランツ・フェルディナント　1863〜1914年

サラエボ事件で殺された皇位継承者

オーストリア・ハンガリー帝国の皇位継承者。

父は皇帝フランツ・ヨーゼフ1世の弟、カール・ルートウィヒ。1898年、皇太子でいとこにあたるルドルフが自殺し、その後、父も亡くなったため、皇位継承者となった。1900年にゾフィーと結婚するが、彼女が皇族ではないためにみとめられず、皇帝と仲たがいをして帝位継承権を放棄した。1913年に陸軍総監となり、軍をととのえ、ドイツ、ロシアとの関係の強化などをおこなう。しかし結婚の問題や、急進的な思想のために宮廷では孤立し、国内のスラブ人から敵視された。1914年、オーストリアが併合したボスニア・ヘルツェゴビナのサラエボで、セルビア人青年にきさきとともに暗殺（サラエボ事件）される。これが第一次世界大戦のきっかけとなった。

フランツヨーゼフいっせい

王族・皇族

フランツ・ヨーゼフ1世　1830〜1916年

第一次世界大戦時のオーストリア・ハンガリー帝国皇帝

オーストリア皇帝（在位1848〜1916年）、ハンガリー王（在位1867〜1916年）。

1848年、三月革命の混乱の中、18歳でオーストリア皇帝となる。ハンガリーなどの独立運動をしずめ、君主の支配力を強めて絶対主義体制をつくった。しかし1859年のイタリア統一戦争や、1866年のプロイセンとの普墺戦争に負け、翌年、ハンガリー人の自治をみとめる妥協（アウスグライヒ）の下、オーストリア・

ハンガリー帝国が成立すると、ハンガリー王を兼務した。ドイツ帝国とは友好関係をたもち、同盟をむすんでゲルマン人勢力を強めたので、スラブ人との対立が深まった。

1914年にサラエボでおいの皇太子フランツ・フェルディナントが暗殺され（サラエボ事件）、第一次世界大戦が勃発。戦中、失意のうちに亡くなった。オーストリア最後の皇帝であった。

ブラント，ウィリー

政治

ウィリー・ブラント　1913〜1992年

東西冷戦を緩和した西ドイツの首相

ドイツ連邦共和国（西ドイツ）の政治家。首相（在任1969〜1974年）。

リューベックに生まれる。旧名はヘルベルト・カール・フラーム。16歳で社会民主党に加入。1933年、ナチス政権成立とともに、名をウィリー・ブラントにかえてノルウェーに亡命し、オスロ大学で学んだのち、ジャーナリストとして活動する。第二次世界大戦後の1945年に帰国、ドイツ社会民主党に復帰する。連邦議会委員や西ベルリン市長などをつとめた。1948年にドイツは二分されており、1961年に東ドイツがベルリンの壁を設置するなど、東西対立の問題に直面した。

その後党首となり、1969年に自由民主党との連立内閣で首相に就任。ソビエト連邦（ソ連）を代表する東欧圏と積極的に接触をはかる、東方外交をおこなった。

1970年、ソ連との武力不行使協定、対ポーランド関係正常化条約、1972年、東西ドイツ基本条約を締結、翌年には東西ドイツの国際連合加盟を実現した。これにより東西冷戦の緊張を緩和したと評価され、1971年にノーベル平和賞を受賞。しかし、1974年、東ドイツのスパイ事件により責任をとって、首相をしりぞいた。

学 主な国・地域の大統領・首相一覧　学 ノーベル賞受賞者一覧

ブラントン，リチャード

郷土

リチャード・ブラントン　1841〜1901年

日本の灯台を建設したイギリス人

明治時代に来日したイギリス人の土木技術者。

イギリスの鉄道技師だったが1868（明治元）年、明治政府がイギリス公使（外交使節で大使に次ぐ地位）にたのんだ灯台建設の技術者として来日した。

1876年に帰国するまでに、劔埼灯台（神奈川県三浦市）など26基の灯台や、灯台の役をする2隻の灯船を建造して、船の航行を助ける一方で、日本人の灯台技術者を育てた。また、1865年の大火事で焼失した横浜（神奈川県横浜市）の外国人居留地に、西洋式の舗装技術を用いた幅約36mの道路（現在の日本大通り）の建設を提案した。そのほか、日本で2番目の鉄の橋（吉田橋）や、日本ではじめての西洋式公園（横浜公園）を設計した。

ブリアン，アリスティド

政治

アリスティド・ブリアン　1862〜1932年

世界平和のための国際協調をとなえた

フランスの政治家。首相（在任1909〜1911年、1913年、1915〜1917年、1921〜1922年、1925〜1926年、1929年）。

ナント出身。弁護士出身のジャーナリスト。1902年、下院議員となって、政教分離法の制定や、統一社会党の結成にかかわった。急進社会党に接近し、党を除名されるが、その後、文部大臣、法務大臣を歴任し、1909年に首相となった。同年以降、フランスは第三共和制となり、ブリアンは、外務大臣を10回、首相を11回つとめた。

第一次世界大戦では国際平和に尽力し、1925年、ヨーロッパの安全保障に関するロカルノ条約を締結。その功績から、ドイツのシュトレーゼマンとともに1926年にノーベル平和賞を受賞した。1928年にはケロッグ・ブリアン協定（不戦条約）がむすばれ15か国が調印。戦後も国際協調をとなえ「平和の巡礼者」と称された。

学 主な国・地域の大統領・首相一覧　学 ノーベル賞受賞者一覧

プリーストリー，ジョセフ

学問

ジョセフ・プリーストリー　1733〜1804年

酸素をはじめ、多種の気体の発見者

18世紀のイギリスの化学者、神学者。

イングランド北部のリーズ近郊生まれ。ベンジャミン・フランクリンがイギリスをおとずれた際に面会し、その影響で化学の研究と実験をおこなうようになる。1766年に、フランクリンをはじめ数名の科学者におされて王立協会フェロー（研究員などの称号）となった。酸素をはじめ、アンモニア、塩化水素、二酸化硫黄など多種の気体を発見した。しかし、酸素を「脱フロギストン空気」とよび、燃焼をさまたげるとされていた架空の物質「フロギストン」をふくまない空気だと考えていた。宗教の論客としても知られ、三位一体に反対、イエス・キリストは神ではないと主張し、書物などで自説を展開した。イギリスで迫害を受けたため、アメリカ合衆国へ移住し、ユニテリアン教会をつくり、71歳で亡くなった。

フリードリヒいっせい

王族・皇族

フリードリヒ1世　1122〜1190年

イタリア支配をめざしたシュタウフェン家の皇帝

ドイツ王（1152〜1190年）、神聖ローマ皇帝（在位1155〜1190年）。

シュワーベン大公の子。1152年、おじのコンラート3世の指名でドイツ王に即位。1155年、シュタウフェン朝神聖ローマ皇帝となる。即位後はドイツ諸侯に対して特権をあたえるなど国王の権力を強め、王領地を拡大した。イタリアの支配をめざし、1158年から5度にわたるイタリア遠征をおこなった。しかしローマ教皇と、ロンバルディア同盟を結成した北イタリアの諸都市の抵抗を受け、のちに和解した。また、宿敵のハインリヒ獅子公を失脚させ、シチリア王国と婚姻関係をむすんで相続権獲得に成功した。歴代神聖ローマ皇帝の中において英雄とたたえられ、赤ひげ王（バルバロッサ）とよばれた。第3回十字軍に参加。途中で事故死した。

学 世界の主な王朝と王・皇帝

フリードリヒにせい

王族・皇族

フリードリヒ2世（神聖ローマ帝国皇帝）1194〜1250年

シチリア生まれの神聖ローマ帝国皇帝

ドイツ王（在位1212〜1250年）、神聖ローマ皇帝（在位1220〜1250年）。

フリードリヒ1世の孫で、ハインリヒ6世とシチリア王女の子。はじめシチリア王となって、教皇インノケンティウス3世が後見をつとめたが、教皇とドイツ王オットー4世があらそうようになると、教皇はフリードリヒ2世をおし、ドイツ王に即位させた。十字軍をおこなうことを条件に神聖ローマ皇帝となるが、その関心はシチリアにあり、ドイツの統治は息子にまかせ、自身はシチリアに帰国した。十字軍に協力的でない姿勢を教皇グレゴリウス9世にとがめられ、破門となる。

1228年に十字軍をだして、一時破門をとかれたが、教皇と組んだロンバルディア諸都市、息子のドイツ王ハインリヒにそむかれ、ふたたび破門され、帝位を追われた。

学 世界の主な王朝と王・皇帝

フリードリヒにせい

王族・皇族

フリードリヒ2世（プロイセン王）1712〜1786年

プロイセンの啓蒙専制君主

プロイセン王（在位1740〜1786年）。

大王ともいわれる。プロイセン（現在のドイツ北部）の首都ベルリンに生まれる。父はプロイセン王フリードリヒ・ヴィルヘルム1世、母はイギリス王ジョージ1世の王女。幼少のころからフランスの文芸や音楽に親しみ、フランスの啓蒙思想家ボルテールと文通し、その影響を受けた。即位前に出版した『反マキアベリ論』では「君主は国家の第一の下僕」と書き、開明的な君主の理想像を思いえがいた。1740年、28歳のときに父が亡くなると、あとをついで国王に即位する。その年、オーストリアの神聖ローマ皇帝カール6世が亡くなり、娘のマリア・テレジアがあとをつぐと、フランスをはじめ諸侯が異議をとなえ継承権を主張した。この機に、フリードリヒはシュレジエン（ポーランド南西部のシロンスク）に侵入し、これをうばった。

1756年、マリア・テレジアはシュレジエンをうばいかえそうとして、フランス、ロシアと同盟し、三方からプロイセンを包囲した。これに対し、フリードリヒはイギリスとむすんで、オーストリアを攻め、七年戦争をおこした。一時、ロシア軍にベルリンが占領され、苦境におちいったが、なんとかもち直し、シュレジエンを確保した。また、ポーランドの分割に参加し、国土を広げた。こうしてプロイセンをヨーロッパの強国におし上げ、国際的地位を高めることに成功した。七年戦争で受けた被害は大きく、国内の開拓、農業の保護、商工業の振興など、国力の充実をはかる一方、言論や信仰の自由、法典の編さん、学校教育の改善など、啓蒙主義的な改革を進めた。

進歩的な姿勢をとりながら、政治は国王中心の専制政治で、貴族の特権を守るなど、身分制による秩序をたもとうとしたため、啓蒙専制君主とよばれた。

ベルリン近郊のポツダムに、軽快で優美な装飾のロココ風の宮殿で憂いがないという意味の名をもつ、サンスーシ宮殿を建て、みずからここに住み、政務をとる一方、思想家のボルテールや音楽家のバッハをまねくなど、文化人との交友を楽しんだ。この宮殿で1786年、74歳で亡くなった。

学 世界の主な王朝と王・皇帝

フリードリヒさんせい

王族・皇族

フリードリヒ3世 1463〜1525年

宗教改革を支持したルターの保護者

ドイツ、ザクセン選帝侯（在位1486〜1525年）。

父の死後にドイツ北部のザクセン選帝侯を継承する。神聖ローマ皇帝（ドイツ王）選挙で皇帝におされたが辞退し、カール5世の選出を援助した。学問や芸術などの文化に関心が深く、1502年、ウィッテンベルク大学を創設する。同大学は神学教授ルターやメランヒトンによって、宗教改革の拠点となった。宗教的にはカトリック信仰にあつくルターのかかげるプロテスタントも承認し、ルターが1521年のウォルムス帝国議会で異端として国外追放となると、ワルトブルク城で保護した。皇帝カール5世にとってフリードリヒ3世は皇帝選出時の支援者であり、ローマ教皇にとっても大諸侯ということもあり、強い圧力が加えられることはなかった。

ワルトブルク城でルターは新約聖書のドイツ語訳をおこなっている。フリードリヒ3世は死の直前にプロテスタントに改宗した。彼の死後も、宮廷をおいたウィッテンベルクは文化都市として栄えた。

学 世界の主な王朝と王・皇帝

フリードリヒウィルヘルムいっせい

王族・皇族

フリードリヒ・ウィルヘルム1世　1688〜1740年

「軍人王」とよばれ絶対王政を確立した

プロイセン王（在位1713〜1740年）。

フリードリヒ1世の子。1713年、父の死により王位をついだとき、破綻寸前だった宮廷の財政を回復させようと、歳費をけずり、みずからも節約を心がけ、外国にたよらない自立した財政と軍隊の制度をつくろうとした。　中央に総監理府をおき、各州に軍事と領地を管理する財務庁をおき、財務行政を一体化した。プロテスタントのカルバン派（新教徒）で、フランスから追放された新教徒を入植させて、産業をおこした。軍隊は領民からなる新兵を徴兵し常備軍に組み入れ、貴族の子弟を幼年学校に入学させ将来の将校団として育て、国王と一体化した将校団をつくった。プロイセンを強くすることを政策の第一においたことから、「軍人王」とよばれた。

学 世界の主な王朝と王・皇帝

プリセツカヤ，マイヤ

映画・演劇

マイヤ・プリセツカヤ　1925〜2015年

20世紀後半のバレエ界を代表する名バレリーナ

ロシアのバレリーナ、振付師、バレエ団監督。

モスクワ生まれ。1943年、ボリショイ・バレエ学校を卒業後、ボリショイ劇場バレエ団に入団した。1年目に『くるみ割り人形』のマーシャ役に抜てきされる。その後、アンナ・パブロワの代名詞とされた『瀕死の白鳥』が当たり役になり、力強い跳躍、なめらかな腕の動き、大きくしなる背中や、攻撃から絶望へと劇的に変化する演技が、観客をとりこにした。1959年、ヨーロッパで初の公演をはたして大評判となる。1960年、ボリショイ劇場バレエ団のプリマ（首席）・バレリーナに任命された。1972年にはみずから振り付けをおこなったバレエ『アンナ・カレーニナ』を発表した。また1980年代にはローマ・オペラ座、マドリードの国立バレエ団の芸術監督をつとめ、1994年から自分の名を冠したマイヤ・プリセツカヤ国際バレエ・コンクールの審査員長をつとめた。日本には約40回おとずれ、2011（平成23）年、旭日中綬章を受章した。著書に自伝『闘う白鳥』がある。

フリッシュ，カール・フォン

学 問

カール・フォン・フリッシュ　1886〜1982年

ミツバチのダンスを発見しノーベル賞を受賞

ドイツの動物学者。

オーストリアのウィーンに生まれる。ウィーン大学で医学、ミュンヘン大学で動物学を学び、1925年にミュンヘン大学の教授となる。動物の感覚の研究をおこない、とくにミツバチを40年にわたって観察して、その生態を明らかにした。ミツバチが食物のみつのある場所の方向や距離を仲間に知らせるためにおこなう規則的な動作、ミツバチのダンスを発見し、ミツバチ社会のコミュニケーションなどを明らかにした。魚の色彩や音に対する感覚についての研究でも知られる。

ローレンツやティンバーゲンとともに、動物行動学（エソロジー）の基礎を築いた。ミツバチの研究で動物行動学に貢献した業績により、1973年にノーベル生理学・医学賞を受賞。

学 ノーベル賞受賞者一覧

ブリテン，ベンジャミン

音 楽

ベンジャミン・ブリテン　1913〜1976年

多数のオペラを作曲

イギリスの作曲家、指揮者。

イングランド東部ローストフト生まれ。幼いころから音楽の才能を発揮し、16歳でロンドンの王立音楽院に入学、卒業後は映画会社で音楽を担当する。

1939年からアメリカ合衆国ですごし、オペレッタを発表した。帰国後、1945年には、ロンドンでオペラ『ピーター・グライムズ』の初演に成功した。

作品には、イギリス民謡やエリザベス朝期の音楽をもとにした現代的なオペラや声楽曲が多く、20世紀最大のオペラ作曲家といわれる。1956（昭和31）年にはじめて来日し、能楽『隅田川』に感銘を受け、この物語をもとに教会オペラ『カーリュー・リバー』を書いた。

バロック時代の作曲家ヘンリー・パーセルの劇音楽『アブデラザール』の『ロンド』から主題をとった『青年のための管弦楽入門』が知られている。

プリニウス

古 代　政 治　学 問

プリニウス　23?〜79年

古代の百科事典『博物誌』を著した

ローマ帝国の博物学者、政治家、軍人。

大プリニウスともよばれる。イタリアのコモの裕福な騎士階級出身。皇帝ネロの治世下に23歳で軍人となり、主にゲルマニア（現在のドイツ）で勤務した。

ローマにもどると、学問の研究や著作活動にも力を入れる。次の皇帝ウェスパシアヌスが即位すると、スペインやアフリカ北部の財務長官を歴任した。その後、ナポリ湾ミセヌム基地の艦隊の司令官となったが、79年、ベスビオ火山の大噴火がおこり、調査と人命救助のためにポンペイへ行き、噴煙にまかれて死亡した。

歴史や科学に関して多数の著作をてがけたが、現存しているのは、天文、地理、人類、民族、人体生理学、動植物に関する2万におよぶ項目を解説した『博物誌』37巻のみである。

ブリューゲル，ピーテル

絵画

ピーテル・ブリューゲル　1525？～1569年

農民のすがたをえがいた画家

▲ピーテル・ブリューゲル

フランドル（現在のベルギー西部、オランダ南部）の画家。一族に画家が多くいるため、「大ブリューゲル」とよばれる。

オランダ南部の都市ブレダに生まれたといわれる。1545年ごろ、ベルギーの国際商業都市アントワープ（アントウェルペン）に出て、画家クックの工房に入り、絵画を学んだ。

1551年にアントワープの画家組合にマイスターとして登録され、1552年から約2年間、イタリアに行き、ローマの工房で学び、さらに南イタリアまで足をのばした。イタリアから帰国したのち、アントワープの版画業者コックの下で、銅版画の下絵をえがいた。

主な作品として、アルプスの風景をえがいた大風景版画集12点や、『大きな魚が小さな魚を食う』などの作品があげられる。

1559年ごろからは、油彩画に集中した。約85種のことわざをもりこんだ『ネーデルランドのことわざ』、行事と風俗をえがいた『謝肉祭と四旬節の争い』、約90種の遊びをえがいた『子どもの遊び』など、庶民の生活のようすを多くかき入れた作品を次々に発表した。また、『反逆天使たちの墜落』のように、先人の画家ボス（1450？～1516年）の影響を受けた怪奇的、幻想的な作品も多くえがいた。建設中のバベルの塔を細かくえがいた『バベルの塔』は代表作である。

1563年、ブリュッセルへ移り、裕福な人々の注文に応じて多くの油彩画をえがいた。1565年、自然の移りかわりと農民のはたらく姿を生き生きとえがいた6点セットの『季節画シリーズ』を完成させた。なかでも『雪中の狩人』は、手前に狩人とイヌをえがき、背景に農村の風景とそびえる山並みを配置した大胆な構図で表現した。フランドルの農村を舞台に、農民の姿を細密にえがいたことから、「農民ブリューゲル」とよばれたが、人文主義者の会に所属する知識人でもあった。

▲『子どもの遊び』

そのほかにも、農民の暮らしぶりをえがいた『田舎の結婚式』や、人間の怠惰な面を風刺した『怠け者の天国』など、多くの傑作がある。生涯に約300点の銅版画、約100点の素描、約40点の油彩画をのこし、1569年に亡くなった。

長男のピーテル（1564～1638年）、次男のヤン（1568～1625年）も画家で、一族からは多くの画家をだしている。

プルースト，マルセル

文学

マルセル・プルースト　1871～1922年

20世紀文学の方向をつくった作家の一人

フランスの作家。

パリ郊外のオートゥイユの生まれ。著名な衛生学者の父と、知性豊かな母のもとで育つ。生まれつきからだが弱く、9歳ごろからぜんそくに苦しむ。

高等中学、パリ大学時代は、文学の同人誌を発行し、そのほかの雑誌にも作品を発表した。貴族や金持ちの集まる社交界にもよく出入りしていた。

1908年、小説『ルモアーヌ事件』を発表して注目され、翌年から大作『失われた時を求めて』にとりかかる。1919年、この大作の第2編『花咲く乙女たちのかげに』がフランスの文学賞、ゴンクール賞を受賞し、作家としての地位を確立した。

3年後に7編15巻の大長編を書き終えると、全巻の刊行をみずに亡くなった。『フロベールの文体について』など、文芸批評も発表している。

ストーリーではなく、主人公の記憶や意識の流れを追っていくという新しい小説手法を生みだし、世界中に影響をあたえた。20世紀文学の方向をつくった作家の一人といわれる。

ブルートゥス，マルクス・ユニウス

古代　政治

マルクス・ユニウス・ブルートゥス　紀元前85～紀元前42年

カエサルをうらぎって暗殺した

古代ローマの政治家。

ローマの名門貴族の生まれ。政治家の道に進み、元老院議員となる。当時の権力者だったカエサルとポンペイウスがあらそった際にはポンペイウス側についたが、ポンペイウスがやぶれて亡くなると、カエサルにゆるされた。その後はカエサルの信任を得て、要職を歴任した。

しかし、カエサルの独裁が強まると、共和政の熱心な支持者だったブルートゥスは反感をもつようになる。そして紀元前44年、仲間のカッシウスとともにカエサルを暗殺。カッシウスとともにローマをはなれ、マケドニアへとのがれたが、紀元前42年、フィリッピの戦いでアントニウスとオクタウィアヌスの連合軍と戦ってやぶれ、自殺した。

プルードン，ピエール・ジョゼフ

思想・哲学

ピエール・ジョゼフ・プルードン　1809〜1865年

アナキズム（無政府主義）の父とよばれる社会主義者

フランスの社会主義思想家、アナキスト（無政府主義者）。

東部のブザンソン近郊の貧しい職工の家に生まれる。16歳から印刷会社で印刷工としてはたらき、独学で勉強にはげむなか、同郷の社会主義思想家フーリエの『産業的・協同的新世界』に影響を受ける。1838年、奨学金を得てパリで学び、2年後に『財産とは何か』を発表、私的所有権にもとづく富の収奪を批判した「財産はぬすみである」という文章で有名になった。国家によるものではなく、民主的な経済制度や生産者の自由連合思想による社会改革を説き、自由で平等な社会の実現を主張、社会改革をめざした。1846年には『貧困の哲学』を発表し、経済的な矛盾の中で生きるには相互に共同することが必要という相互主義をしめしたが、マルクスが自著ではげしく非難し、それまでの親交もとだえた。彼の無政府主義的思想は、労働組合を通じて社会に参画するサンディカリズムやマルクスらの第一インターナショナルに影響をあたえた。

ブルーナ，ディック

絵本・児童

ディック・ブルーナ　1927年〜

絵本キャラクター、ミッフィーの生みの親

オランダの絵本作家、グラフィックデザイナー。

ユトレヒトで名門出版社社長の息子に生まれる。本名はヘンドリック・マフダレヌス・ブルーナ。アムステルダムの美術学校などで絵画を学ぶ。はじめは、父親の出版社でイラストレーターとしてはたらき、ミステリー小説などの装丁をてがけた。1953年にはじめての絵本『りんごぼうや』を出版する。1955年に代表作『ちいさなうさこちゃん』を刊行、1963年からシリーズ化されて世界的に有名な絵本作家となった。「うさこちゃん」は、絵本キャラクターのミッフィーとして、日本でも親しまれている。

作風はシンプルな形状、黒い輪郭、三原色を基本にした明快な色づかいに特徴がある。絵本作品は100以上あり、世界40か国以上で読まれている。UNICEF、赤十字などのポスター制作にもたずさわり、慈善活動も熱心におこなった。

ブルーノ，ジョルダーノ

思想・哲学

ジョルダーノ・ブルーノ　1548〜1600年

迫害されつづけた悲劇の異端哲学者

後期ルネサンス時代のイタリアの哲学者。

ナポリ近郊の生まれ。17歳で聖ドミニコ会の修道士となるが、当時主流の自然哲学者の説に異をとなえた。物質的なものが根源にあるという唯物論的自然観や、すべてに神がやどるという汎神論に立ち、スコラ主義やキリスト教をはげしく批判、原子論やヘルメス思想など、さまざまな哲学思想をもとにした独自の思想を展開した。

1576年、異端裁判をのがれるため修道院から逃亡、1592年にベネツィアで逮捕されるまで約15年、ヨーロッパ各地を放浪。ロンドンにいた1584年に『無限、宇宙と諸世界について』を出版し、宇宙は無限の空間で、そこに無数の世界（太陽や地球と同様の天体）が運動していると説いた。逮捕後、8年の獄中生活の末、ローマで火刑に処せられた。

ブルガリ，ソティリオ

デザイン

ソティリオ・ブルガリ　1857〜1932年

繊細な細工の銀製装飾品を製作

イタリアの銀細工師。

ギリシャで生まれる。代々、銀細工をいとなむ父の工房で修業を積む。1877年に家族でコルフ島へ移住した。

1881年、イタリアに出る。銀製の装飾品をつくると好評で、1884年にはシスティーナ通りに最初の店をもった。朝5時から夜遅くまで銀の細工作業にとりくんだ努力がみのり、店はますます評判となる。1905年には現在の本店があるコンドッティ通りに移転し、より大きな店をかまえた。

ギリシャの伝統を感じさせるデザインと繊細な細工を得意とした。店の看板に英語やフランス語を表記して、外国人客が入りやすくするなど、経営にもアイディアを発揮した。

ふるかわいちべえ

産業

古河市兵衛　1832〜1903年

鉱毒事件で知られる足尾銅山を開発

明治時代の実業家。

京都岡崎の商人の次男に生まれる。幼名は巳之助、幸助。家は代々庄屋（村の長）の家がらだったが、父の代にはすでに没落しており、小さなころから商売をてつだうなど苦労を重ねた。出世を願う気持ちが強く、1849年におじをたよって故郷を出る。おじの仕事をてつだったのちに、盛岡の鴻池屋の使用人となったが、その後、鴻池屋は倒産した。

1858年に小野組で番頭をしている古河太郎左衛門の養子となって、古河市兵衛と名のる。金融や生糸や米穀など、手広く

商売をする大商人の小野組で、養父といっしょにはたらいた。やがて幕末から明治時代にかけて生糸の取り引きをまかされ、阿仁や院内などの鉱山の経営も担当するなど、商才を発揮した。しかし1874（明治7）年、42歳のときに小野組が破産すると、みずからの財産もさしだして無一文となった。

▲古河市兵衛　（国立国会図書館）

翌年、小野組に大きな資金を貸していたために面識のあった第一国立銀行の渋沢栄一にすすめられ、鉱山の経営に乗りだす。渋沢から資金の援助も受けて、まず小野組が所有していた新潟県の草倉銅山を買いとった。銅山経営は順調に利益をあげ、その資金で1877年に足尾銅山（栃木県足尾町）を買った。当時、足尾銅山の銅はすでに採掘されつくしたといわれており、周囲は買収に反対していたが、1881年以降、新しい鉱脈を次々に発見した。鉱山では新しい技術を積極的にとりこむ。たとえば水力発電所をつくって銅山の作業を電気でおこなうようにした。ほかにも、ベッセマー精錬法の導入など技術を高めたため、銅の生産はふえ、1884年には足尾銅山の産出量は日本一となった。市兵衛は「銅山王」といわれ、大富豪となる。

しかしその後、足尾銅山では排水などによる鉱毒問題がおきる。数度にわたって対策を講じたものの、被害はつづいた（足尾鉱毒事件）。1890年に田中正造が帝国議会でとり上げたことにより注目を集め、市兵衛は「鉱毒王」ともいわれて全国から批判を受ける。1903年、71歳で亡くなった。

▲現在は旧古河庭園として公開されている古河家の館と庭
（公益財団法人 東京都公園協会）

銅山経営によって、その後、多くの会社のもととなる古河財閥の基礎をつくるとともに、明治時代の日本の経済発展に大きく貢献した。

ふるかわさとし

探検・開拓

古川聡　1964年～

消化器外科の医師出身の宇宙飛行士

宇宙飛行士、医師。

神奈川県生まれ。1989（平成元）年、東京大学医学部を卒業後、消化器外科の医師として東京大学病院に勤務する。このころにテレビで宇宙飛行士募集の案内をみて、こどものころからのあこがれが再燃。宇宙開発事業団（現在のJAXA、宇宙航空研究開発機構）の第4回の宇宙飛行士候補者募集に応募し、選抜された。訓練をへて、2001年1月、正式に宇宙飛行士として認定された。2006年に搭乗運用技術者（ミッションスペシャリスト）の資格を取得。2011年6月から11月まで、国際宇宙ステーション（ISS）に滞在し、日本実験棟「きぼう」で医学実験をはじめ、さまざまな実験をおこなった。

ふるかわぜんべえ

郷土

古川善兵衛　1576～1637年

阿武隈川支流の摺上川に堰をひらいた武士

（伊達西根堰改良区）

戦国時代～江戸時代前期の武士。

出羽国米沢藩（現在の山形県南東部）の藩士。1624年、福島に移り住み、伊達郡（福島県伊達市）の郡代（地方をおさめる役人）をつとめた。当時、米沢藩は関ヶ原の戦い（1600年）にやぶれて120万石から30万石に禄高をへらされて、財政難におちいっていたので、新田を開発して、米を増産することがいそがれていた。

まず、桑折（桑折町）の郷士（武士の待遇を受けていた旧家）の佐藤新右衛門が中心となり、1618年阿武隈川支流の摺上川の水を、湯野村（福島市飯坂町湯野）から徳江村（福島県国見町）までの水田地帯にひいた。これが西根下堰である。約20kmの用水。その後、古川善兵衛と佐藤新右衛門は、さらに上流の穴原から水をひき、五十沢（伊達市梁川町）まで水を流す計画を立てて、工事をはじめた。両岸が岩だったため工事は困難をきわめ、1625年から8年かかり、1632年に約30kmの西根上堰が完成した。こうして約1200haがひらかれて農地となった。

ふるかわタク

漫画・アニメ

古川タク　1941年～

日本アニメーションをリードした一人

アニメーション作家、イラストレーター。

三重県上野市（現在の伊賀市）に生まれる。本名、古川肇郁。手塚治虫にあこがれ、三重県立上野高校在学中に漫画をえがきはじめる。大阪外国語大学（現在の大阪大学）在学中に実験的なアートアニメーション作品に出会い、刺激を受けた。卒業後、久里洋二の実験漫画工房に入社して技法を学び、『牛頭』などシンプルでユーモラスな短編アートアニメーションの傑作を次々に発表し 1970（昭和 45）年に独立。1975 年、『驚き盤』でフランスのアヌシー国際アニメーション映画祭審査員特別賞を受賞。2004（平成 16）年に紫綬褒章、2012 年に旭日小綬章を受賞。2010 年より日本アニメーション協会会長をつとめる。CM やイラスト、絵本など活動の幅は広く、受賞歴も多い。また、NHK の『みんなのうた』のアニメーションも数多くてがけ、こどもにもなじみが深い。日本のアニメーションをリードしてきた人物の一人である。

ふるかわたしろう

教育

古河太四郎　1845〜1907年

日本の視覚・聴覚障害児教育につくした教育者

明治時代の視覚・聴覚障害児の教育者。

山城国京都（現在の京都市）に生まれる。1869（明治 2）年、京都の第十九番組小学校（のちの待賢小学校）の教師となった。太四郎は学校に行けず、いじめられている盲啞（目がみえず、ことばを話せないこと）のこどもたちを知り、同じ考えをもっていた第十九区長の熊谷伝兵衛の協力を得て盲啞のこどもたちの教育をしようと努力し、現在もつかわれている手話、指文字のもとになる方法をくふうした。1878 年、京都府知事槇村正直の支援があり、日本最初の京都盲啞院（現在の京都府立盲学校）を創業し、盲生（目がみえない生徒）、聾生（耳が聞こえない生徒）48 名が入学した。これが日本の視覚・聴覚障害児教育のはじまりだった。1900 年、私立大阪盲啞院長となり「聾啞者が教育を受けられないのは教育をおこなわないものの責任だ」と盲・聾教育の義務化をうったえつづけた。

ふるかわろっぱ

映画・演劇

古川緑波　1903〜1961年

ロッパの愛称で親しまれた喜劇俳優

昭和時代の俳優。

東京生まれ。本名、郁郎。加藤男爵家の 6 男に生まれ、古川家の養子となる。幼少より文才にすぐれ、「緑波」の号は尋常小学校 3 年生ころ、尊敬する文学者、巌谷小波にちなんでつけた筆名。早稲田大学中退。菊池寛にまねかれて、学生のころから映画評論や映画雑誌の編集をする。物まねを得意とし、1926（大正 15）年、親交のあった徳川夢声らと「ナヤマシ会」を結成し、演芸活動をはじめた。声色を声帯模写と名づけて芸を確立。1933（昭和 8）年、浅草・常盤座で喜劇団「笑の王国」を結成。アチャラカという軽いナンセンス喜劇を中心に上演した。チャップリンと曽我廼家五郎を崇拝しており、自作の『凸凹放送局』『われらが忠臣蔵』などの成功で喜劇俳優として成長、1935 年、東宝傘下にロッパ一座を結成して舞台と映画で活躍。博識で脚本、随筆などの著作も多く、文筆活動では「緑波」とつかい分けた。かっぷくがよく、ロイド眼鏡の丸顔がトレードマーク。ロッパの愛称で、エノケンこと榎本健一とならぶ人気者だった。

ふるごおりしげまさ

郷土

古郡重政　1599〜1664年

富士川に雁堤を築いた武士

江戸時代前期の武士。

駿河国中里村（現在の静岡県富士市）の豪族古郡重高の子として生まれた。徳川家康につかえ、駿河国で代官（地方の事務をおこなう役職）になった。はんらんをくりかえしていた富士川の下流地域の加島平野を守るため、富士川の治水工事にとりくんだ。1640 年に堤防や用水路を建設したが、20 年後におきた大洪水で開墾した田畑を流されてしまった。富士川の流れをくわしく調査した重政は、武田信玄が築いた釜無川（笛吹川と合流して富士川にいたる川）の信玄堤の土木技術をとり入れた治水工事を計画した。しかし、1664 年に完成をみることなく、亡くなった。重政の計画は、子の重年に受けつがれ、1667 年から富士川の流れを一つにし、さらに川の流れをかえる堤防づくりに着手して、1674 年に全長約 2.7km の堤防が完成した。堤防は逆「く」の字形で、ガン（雁）の群れが飛んでいるような形をしていることから、雁堤とよばれた。

▲雁堤（逆「く」の字形の部分）と富士川（左）（富士市）

フルシチョフ，ニキータ

政治

ニキータ・フルシチョフ　1894〜1971年

スターリン批判と平和共存路線を展開した最高指導者

ソビエト連邦（ソ連）の政治家。ソ連共産党第一書記（在任 1953 〜 1964 年）。

貧しい家庭に生まれ、少年時代から炭鉱ではたらく。ロシア革命直後の 1918 年、ソ連共産党に入党し反革命軍と戦う。ドネツ工業専門学校で学んだのち、共産党の活動に従事。1929 年、モスクワの工業大学でスターリンの妻と知り合い、スターリンにも知られるようになった。1934年に共産党中央委員となり、第二次世界大戦中はウクライナにおいてドイツ軍に対処した。1953年、スターリンの死後、共産党第一書記に就任。1956年の共産党大会でスターリン批判をおこない、世界に衝撃をあたえた。1958年には首相を兼任、翌年、アメリカ合衆国を訪問して平和共存路線を展開、冷戦の雪どけといわれた。しかし、1962年にキューバのミサイル基地をめぐりアメリカ（当時のアメリカ大統領はケネディ）と衝突寸前になった（キューバ危機）。翌年、アメリカ、イギリスと部分的核実験停止条約を締結。キューバ危機の対応や中華人民共和国（中国）との関係悪化、農業政策の失敗などで、1964年に失脚した。

学 主な国・地域の大統領・首相一覧

ふるたおりべ

華道・茶道　工芸

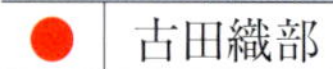

古田織部　1544～1615年

千利休をつぎ、大胆で自由な風を茶道に吹きこむ

▲古田織部

（大阪城天守閣）

安土桃山時代～江戸時代前期の茶人、武将。

美濃国（現在の岐阜県南部）に生まれる。山口城の古田重定の子で、名は重然、通称は佐介、のちに織部を名のる。織田信長によって美濃国が平定されるとその配下となり、信長の死後は、豊臣秀吉につかえ、山崎の戦いや紀州根来攻めなどで戦功をあげた。1585年、関白になった秀吉から、山城国（京都府南部）に3万5000石の領地をあたえられ、大名となる。また、従五位下織部正という官位に叙せられ、それが「織部」という通称のもとになった。

一方、千利休の門下に入り、多くの弟子の中でも、とくに注目される茶人となっていく。1591年、師である利休が秀吉によって自害させられたのち、織部は秀吉の下で茶道の指導者となり、「天下一の茶の湯名人」として名をはせた。

1598年に秀吉が亡くなると、徳川家康につかえ、江戸幕府第2代将軍徳川秀忠の茶道の指南役もつとめた。1600年の関ケ原の戦いでは、家康がひきいる東軍に加わった。ところが1615年、大坂夏の陣のときに、敵の豊臣側に内通しているという罪に問われ、「かくなる上は、申し開きも見苦し」といって、いさぎよく自害した。

織部は、信長、秀吉、家康の3人につかえて乱世を生きぬいた武将であり、「利休七哲」とよばれる利休の高弟の一人だった。利休から「人とちがうことをしろ」と教えられた織部は、利休の精神をひきつぎながらも、武将らしい、大胆で自由な気風を茶道に吹きこんだ。割った茶碗を漆でつないで、茶席でつかったり、窓だらけの茶室をつくったりもした。その道具や作法は、織部好みといわれて、武士や裕福な町人に大流行した。はじめて織部の茶会に出た博多商人が、「せとちゃわんひずみそうろうなり。ひょうげものなり（茶碗はゆがんでいた。ひょうきんなものだ）」と書きのこしている。独特の美意識をもち、美濃焼などの陶工にデザインを指示して焼き物をつくらせた。緑の上薬をつかい、ゆがんだ形が特徴の焼き物は、織部焼といわれている。

▲加藤景延作の織部焼『織部獅子鈕香炉』

（東京国立博物館 Image:TNM Image Archives）

織部が没すると、武士の茶道は弟子の小堀遠州にひきつがれて、洗練されたものにかわっていった。

ふるたたるひ

絵本・児童

古田足日　1927～2014年

戦後の新しい児童文学をめざす

昭和時代～平成時代の児童文学作家、評論家。

愛媛県生まれ。父は国文学者の拡、兄は国文学者の東朔。早稲田大学中退。大学在学中に、早大童話会に参加し、童話の創作や児童文学の評論をはじめる。作家の山中恒らとともに小川未明らの伝統的な童話を批判して、新しい児童文学をめざす。1960（昭和35）年に評論集『現代児童文学論』で日本児童文学者協会新人賞、1967年に『宿題ひきうけ株式会社』で日本児童文学者協会賞を受賞。

代表作として現在も読みつがれる『おしいれのぼうけん』や『大きい1年生と小さな2年生』のほかに、講演記録の『子どもを見る目を問い直す』、評論集『現代児童文学を問い続けて』などがある。

プルタルコス

古代　文学

プルタルコス　46?～120?年

『対比列伝』を著したギリシャ人

古代ローマの伝記作家、随筆家。

英語読みのプルタークでも知られる。ローマ帝国の属州マケドニア（現在のギリシャ）のカイロネイア生まれ。ギリシャ人。名門の家がらで、10代の終わりにアテネへ出て、数学や哲学、自然学を学ぶ。小アジア（トルコ）やエジプトを旅し、カイロネイアの使節として、ローマにも何度か滞在した。ローマでは政府の要人と知り合い、執政官（コンスル）の職もあたえられたという。その後は故郷で著作生活を送っ

たが、デルフォイの神託の衰退を嘆き、みずから神官をつとめた。

著作は伝記、哲学、自然科学など広い分野にわたり、227の書物を執筆した。なかでも、ギリシャとローマの有力者を、アレクサンドロス大王とカエサルというように対比して記述した『対比列伝（英雄伝）』、政治や倫理、宗教などについて論じた随筆集『倫理論集』などが有名。『対比列伝』は、イギリスの劇作家シェークスピアがローマ史劇を執筆する際に参考にしたことでも知られる。

ブルックナー，アントン

音楽

アントン・ブルックナー　1824～1896年

ワーグナーの影響を受けて大交響曲を作曲

オーストリアの作曲家、オルガン奏者。

リンツ近くの村に生まれる。幼いころから本格的な音楽教育を受け、1837年、修道院の聖歌隊に入る。小学校の教員をへて、1856年にリンツ大聖堂のオルガン奏者になると、作曲と管弦楽法の修業にはげんだ。38歳でワーグナーの交響曲に刺激を受け、40歳で『交響曲第1番』を完成させると、その後ウィーン音楽院の教授に就任した。

作風は、ワーグナーの影響を受けて、大規模な交響曲を作曲しながら、教会音楽の伝統にもとづいた独創性が評価されている。主な作品に9つの交響曲（第9番は未完）、『弦楽五重奏曲』、大規模の宗教曲『テ・デウム』などがある。

フルトベングラー，ウィルヘルム

音楽

ウィルヘルム・フルトベングラー　1886～1954年

20世紀を代表する指揮者

ドイツの指揮者。

ベルリン生まれ。ベルリン大学の考古学教授の父のもと、7歳でピアノと作曲をはじめ、ミュンヘンで作曲家ラインベルガーらに師事する。1906年、ブルックナーの交響曲で、指揮者としてデビューし、各地の管弦楽団や音楽祭の音楽監督をつとめる。1922年にベルリン・フィルハーモニー管弦楽団とゲバントハウス管弦楽団の指揮者に就任し、ドイツを代表する指揮者としての地位を確立した。第二次世界大戦中、ナチス政権のドイツ国内で演奏活動をおこなったとして、戦後は活動を一時中断させられ、スイスに追放されたが、1949年に復帰した。ベートーベン、ブルックナーなどドイツ人作曲家の作品を得意とした。作品への深い解釈とロマン派音楽のよさを生かした指揮で、聴衆と後世の指揮者に大きな感動と影響をあたえた。20世紀を代表する指揮者の一人である。著作に音楽論『音と言葉』がある。

フルトン，ロバート

発明・発見

ロバート・フルトン　1765～1815年

汽船を開発し、商業運航させた技術者

18世紀のアメリカ合衆国の発明家、技術者。

ペンシルベニア州生まれ。画家を志して、1786年にロンドンへわたって修業を重ねたが、成功できず、しだいに産業技術に関心を移す。27歳からは本格的に産業機械の発明にとりくみ、運河の掘削機をはじめさまざまな発明品で特許を取得。発明家として知られるようになる。1797年、パリにわたり、3年後にはフランス政府のナポレオン1世からの要請を受けて、世界初の潜水艦ノーチラス号を設計した。1803年には、アメリカの政治家リビングストンの援助で、外輪をそなえた蒸気船を発明、セーヌ川での試走に成功する。

1806年、アメリカに帰国し、新たな外輪式蒸気船を建造。翌年おこなったハドソン川での試走では、平均時速4.7マイル（時速約7.6km）を記録。2週間後には営業運航を開始した。帆船が主であった当時、フルトンの発明により蒸気船が普及して、商品輸送の時間とコストが大幅に削減された。

ブルトン，アンドレ

詩・歌・俳句

アンドレ・ブルトン　1896～1966年

シュールレアリスム運動の先駆者

フランスの詩人、作家。

ノルマンディー地方に生まれる。パリで医学を学びながら、詩を発表しはじめ、注目された。医学生として第一次世界大戦に従軍し、そこでさらに文学への意欲を高めた。1919年、同年代の詩人アラゴン、スーポーらと雑誌『文学』を創刊し、意識や技術を用いようとせず、即興で自動的に文章を書く「自動記述」という試みをおこなうなど、新しい文学活動を展開した。これらの活動が、理性や道徳など

に支配されない心の動きを表現するシュールレアリスム（超現実主義）へと発展。シュールレアリスム運動の先駆者として、文芸にとどまらず、思想などにも影響をあたえた。代表作に、詩集『白髪の拳銃』、散文作品『通底器』などがある。

ブルネレスキ，フィリッポ
建築

フィリッポ・ブルネレスキ　1377～1446年

ルネサンス建築様式を生んだ一人

イタリアの建築家。

フィレンツェの公証人の家に生まれ育つ。こどものころからレベルの高い教育を受け、数学が得意だった。彫刻家になりたくて、家業をつがずに金細工師の下で修業する。

24歳のとき、サンジョバンニ礼拝堂北側門扉の制作コンクールに応募したが、優勝をのがす。それをきっかけにローマに出て古代美術を学び、建築家をめざした。やがて、フィレンツェで建設中だったサンタマリアデルフィオーレ大聖堂の、ドームとよばれる屋根の設計と監督をまかされる。内側が最大45mもの巨大な半円形屋根をつくるのは、当時の技術では無理だといわれたが、二重構造による独自の工法を発明し、10年以上かけて完成させた。そのあいまにサンロレンツォ聖堂なども設計して活躍した。

円柱や半円形天井など、古代ローマ建築の要素をとり入れたスタイルを特徴にもつ。

ふるはしひろのしん
スポーツ

古橋廣之進　1928～2009年

世界記録更新をつづけた水泳選手

昭和時代の水泳選手。

静岡県生まれ。小学6年のとき、100mと200mの自由形で学童新記録をだし、注目される。第二次世界大戦の激化によって水泳をつづけられなくなるが、戦後、進学した日本大学でふたたび本格的に水泳をはじめる。

1948（昭和23）年にロンドンオリンピックがひらかれるが、敗戦国の日本は出場をみとめられなかった。翌年、アメリカ合衆国のロサンゼルスでおこなわれた全米選手権に参加し、400m、800m、1500mの自由形に世界新記録で優勝する。アメリカの新聞は「フジヤマのトビウオ」とよんで、その勝利をたたえた。

その後も世界記録を何度も更新するなど大活躍し、敗戦で打ちひしがれた日本の人々に希望と自信をあたえた。

現役引退後は、日本水泳連盟会長やアジア水泳連盟会長になるなど、水泳界の発展に力をつくした。1990（平成2）年から日本オリンピック委員会（JOC）の会長をつとめた。

学 文化勲章受章者一覧

ふるひとのおおえのおうじ
王族・皇族

古人大兄皇子　?～645年

蘇我氏に縁のある最後の皇子

飛鳥時代後期の皇子。

舒明天皇の子、母は蘇我馬子の娘。645年、乙巳の変で中大兄皇子（のちの天智天皇）らに蘇我蝦夷、蘇我入鹿父子がほろぼされた。舒明天皇のあとに即位した皇極天皇は、この事件で譲位して、弟の軽皇子（のちの孝徳天皇）に皇位をゆずろうとした。しかし、軽皇子はこれをことわり、舒明天皇の皇子のうち年長の古人大兄皇子が皇位につくべきだと主張した。蘇我氏との関係が深かった古人大兄皇子は、自分のおかれた立場があぶないことに気づき、「出家して吉野（現在の奈良県南部）に入り、仏道の修行につとめる」といった。

その後、軽皇子が孝徳天皇として即位し、中大兄皇子が皇太子となった。中大兄皇子が積極的な政治改革（大化の改新）をおこなっているあいだ、古人大兄皇子は吉野にこもっていたが、朝廷に謀反をくわだてているという密告があり、中大兄皇子のさしむけた兵に討たれて亡くなった。

フルベッキ，グイド
教育

グイド・フルベッキ　1830～1898年

日本の近代化につくした宣教師の「お雇い外国人」

（明治学院歴史資料館）

幕末～明治時代に来日した、アメリカ合衆国の宣教師、明治政府の顧問。

オランダのユトレヒト州生まれ。1852年、アメリカに移住し、技師として橋の建設にたずさわった。1854年、コレラにかかったのをきっかけに、宣教師になることを決意。オーバン神学校で学び、オランダ改革派教会の宣教師となった。

1859年、キリスト教を普及させるため来日し、長崎の洋学所（のちの済美館）や佐賀藩の致遠館で、英語やフランス語、オランダ語など語学のほか、政治学や科学などを教えた。門下からは大隈重信、副島種臣、大山巌らが出た。1869（明治2）年、新政府の顧問として東京にまねかれ、大学南校（現在の東京大学）の教頭となった。また政府には、岩倉具視一行の欧米使節団の派遣をすすめたほか、教育、法律、行政制度などについてさまざまな助言をあたえた。その後、東京一致神学校の講師、明治学院の神学部教授に就任し、また『旧約聖書』の翻訳をおこなうなど、キリスト教の伝道につとめた。

ブルム, レオン

政治

レオン・ブルム　1872〜1950年

フランス史上はじめての社会主義者の首相

フランスの政治家、文芸批評家。首相（在任 1936 〜 1937 年、1938 年、1946 年）。

パリの裕福なユダヤ系商家に生まれる。パリ大学で法律を学び、法律家としてはたらきながら、文芸批評家としても活躍。1919 年、社会党から下院議員に当選。翌年の社会党分裂ののち、党首となる。1936 年の総選挙で勝利し、人民戦線内閣の首相に就任。フランス史上初の社会主義者の首相で、ユダヤ系の首相でもある。賃上げを経営者代表にみとめさせるなど社会・労働立法をおし進めたが、不況を克服できず、翌年に退陣。1938 年にも首相をつとめたが、第二次世界大戦中は、ドイツにあやつられるペタンを首班としたビシー政府により逮捕された。1946 年、第四共和政発足前の臨時政府の首相をつとめた。

学 主な国・地域の大統領・首相一覧

ブレア, トニー

政治

トニー・ブレア　1953年〜

北アイルランド紛争の和平合意を成立させたイギリスの首相

イギリスの政治家。首相（在任 1997 〜 2007 年）。

スコットランドのエディンバラ生まれ。オックスフォード大学で学び、弁護士となる。学生時代にはロックバンドをやっていた。労働党に入り、30 歳で下院議員に初当選し、1994 年には党首に就任。若く魅力的な党首としてのイメージと、従来の労働党の政策を転換させた新しい社会民主主義政策によって支持を広げた。1997 年の総選挙で保守党をやぶって、18 年ぶりに労働党政権を復活させ、43 歳の若さで首相となる。教育改革や地方分権化を進め、1998 年には北アイルランド紛争の和平合意（ベルファスト合意）を達成した。ヨーロッパ連合（EU）やアメリカ合衆国との協調を重視し、国際政治でも大きな役割をになった。2003 年のイラク戦争では、ブッシュ大統領を支持し、アメリカ軍とともにイラク攻撃に参加した。しかし、イラク戦争に対する世論の批判は大きく、2005 年の総選挙で首相に 3 選されたものの、議席を大幅にへらし、2007 年に退陣した。

学 主な国・地域の大統領・首相一覧

ブレイク, ウィリアム

詩・歌・俳句　絵画

ウィリアム・ブレイク　1757〜1827年

幻想的な銅版画やさし絵を制作した画家

イギリスの画家、詩人。

ロンドンの洋品店に生まれる。こどものころから絵の才能をあらわし、10 歳で画学校に入学した。14 歳で版画家の弟子となり、銅版画師としてはたらきながら、みずから詩を書き、さし絵入りの版画をつくり、詩画集の制作をはじめる。1783 年、友人の彫刻家に助けられ、はじめての詩集『詩的スケッチ集』を出版する。1804 〜 1819 年に預言書群の大作『エルサレム』を完成させる。生涯のほとんどをロンドンですごした。

絵画作品は、旧約聖書やダンテの『神曲』、『ヨブ記挿画集』など宗教的なテーマをかかげた、さし絵が多い。それまでの新古典主義の様式からはなれ、想像力を重視した作風により、ロマン主義の先駆者とされている。幻想的な世界を繊細で優美な線で装飾的にえがき、のちのアールヌーボー（新芸術運動）に大きな影響をあたえた。詩人としては、叙事詩を得意とし、代表作に詩集『無垢の歌』『経験の歌』『預言書』などがある。

フレーベル, フリードリヒ

教育

フリードリヒ・フレーベル　1782〜1852年

世界ではじめての幼稚園を創始した教育家

ドイツの教育者、幼稚園の創始者。

チューリンゲンで、敬虔派の牧師の子として生まれる。イエナ大学に学び、学校教師となる。スイスの教育家ペスタロッチの教えを受け、児童や生徒の自発的な活動を重視する新教育運動にとりくんだ。とくに幼児期の教育の重要性をうったえ、遊びや作業がこどもの自然な成長をうながすとして、1840 年に幼児教育のための施設をつくった。これが世界初の幼稚園で、「キンダーガルテン（幼児の園）」とよばれた。幼稚園は当初、弾圧を受けたが、彼の死後、世界中に普及した。日本初の幼稚園は、フレーベルの教えにもとづき、1876（明治9）年につくられた東京女子師範学校（現在のお茶の水女子大学）附属幼稚園である。著書に『人間の教育』など。

ブレジネフ，レオニード

政治

レオニード・ブレジネフ　1906～1982年

スターリンに次ぐ長期政権となったソ連の最高指導者

ソビエト連邦（ソ連）の政治家。共産党第一書記（1966年に書記長と改称、在任1964～1982年）。

ウクライナ生まれ。15歳から製鉄工場ではたらき、1931年、共産党に加入。第二次世界大戦中はソ連軍の政治活動を担当した。1952年、共産党中央委員として頭角をあらわし、スターリンの死後、降格されたが、1957年に共産党中央委員会幹部会員となる。1964年のフルシチョフ失脚で共産党第一書記に就任し実権をにぎる。

1977年からソ連最高会議幹部会議長を兼務した。在職のまま1982年に死去。ソ連ではスターリンに次ぐ長期政権である。アメリカ合衆国との緊張緩和（デタント）を進める一方、東欧諸国の自由化を弾圧、アフガニスタンへ侵攻し、ソ連経済を停滞させた責任を問う声も大きい。

学 主な国・地域の大統領・首相一覧

プレスリー，エルビス

音楽

エルビス・プレスリー　1935～1977年

戦後、ロックンロール界の最大のスター

アメリカ合衆国の歌手、映画俳優。

ミシシッピ州生まれ。貧しい白人家庭に育ち、5歳ころ聖歌隊で歌いはじめ、独学でギターをおぼえた。13歳のときテネシー州メンフィスに移り、高校卒業とともにはたらきはじめた。1953年、母にプレゼントするレコードをつくろうと、歌を録音したことがきっかけとなり、翌年、カントリー歌手としてデビューする。1956年に発表されたシングルレコード『ハートブレイク・ホテル』が大ヒットし、アメリカ全土で売上げ第1位を記録する。その後も『ラブ・ミー・テンダー』など多くのヒット曲を送りだす。俳優としても活躍し『やさしく愛して』をはじめとする33本の映画に主演した。

レコード売上げ枚数は推定30億枚といわれる。「ロックンロールの王者」とよばれ、若者たちの熱狂をまきおこし、ロックを若者の文化として世界に広めた。

ブレッソン

ブレッソン → カルティエ=ブレッソン，アンリ

ぶれつてんのう

王族・皇族

武烈天皇　生没年不詳

暴虐な天皇として『日本書紀』にえがかれた

▲香芝市にある傍丘磐坏丘北陵

（宮内庁書陵部）

古墳時代の第25代天皇（在位5～6世紀ごろ）。『古事記』『日本書紀』に登場する天皇で、仁賢天皇の子、母は雄略天皇の皇女。仁賢天皇の死後、最高職の大臣、平群真鳥が権威をふるい、その子も乱暴なふるまいをした。武烈天皇は、平群親子と対立していた大伴金村に命じて平群親子を討ったのちに即位し、大伴金村を最高職の大連とした。

『日本書紀』には、武烈天皇が「妊婦の腹をさいて胎児を観察した」「人のつめをはがしていもをほらせた」「人の頭髪をぬいて木に登らせ、木を切りたおして落とし殺した」「人を木に登らせて射落とした」など、暴虐な天皇としてえがかれているが、『古事記』にはこのような記述はない。武烈天皇には子ができず、皇位継承者がいなかったので、仁徳天皇からはじまる王朝がとだえ、次の継体天皇によって新王朝がひらかれたことを強調するために、武烈を暴君としたという説もある。墓は奈良県香芝市にある傍丘磐坏丘北陵とされる。

学 天皇系図

プレハーノフ，ゲオルギー

政治

ゲオルギー・プレハーノフ　1856～1918年

メンシェビキを指導し、ボリシェビキのレーニンと対立

ロシアの革命家。

タムボフ県の地主の家に生まれ、陸軍士官学校、鉱山学校に学ぶ。当初は、ナロードニキ（人民主義者）の秘密革命組織「土地と自由」に属したが、1880年、スイスに亡命以降、マルクス主義と国際労働運動に傾倒。ジュネーブでマルクス主義組織「労働解放団」を組織し、関連文献を翻訳するなど、その普及活動をした。

1889年、社会主義者の国際組織である第二インターナショナルの創立に参加。ロシア代表として大会に出席。翌年からレーニンとともに『イスクラ』紙を発行したが、1903年のロシア社会民主労働党の分裂以降、中産階級とも妥協し、ゆるやかに改革を進めようとするメンシェビキ（少数派）を指導、少数の革命家が労働者を指導するべきだと主張するレーニンと対立した。1905年の第1次ロシア革命では武装蜂起に反対したが、第一次世界大戦中は祖国防衛をうったえ、戦争協力の立場をとった。

1917年、二月革命時に帰国。十月革命ではボリシェビキ政権を批判、政界を引退し、亡命先のフィンランドで亡くなった。

ブレヒト，ベルトルト

映画・演劇

ベルトルト・ブレヒト　1898～1956年

20世紀後半の演劇界に影響をあたえる

ドイツの劇作家、作家、演出家。

アウクスブルク生まれ。大学で医学を学ぶ一方、演劇に興味をもつ。劇作家ウェーデキントにあこがれ、コーヒーハウスなどで自分の作品を上演した。第一次世界大戦中は衛生兵をつとめた。

1922年、戯曲『夜打つ太鼓』を上演して注目されると、1928年には『三文オペラ』が大成功し、ヨーロッパで有名になる。ナチスが政権をとると、それに抵抗したブレヒトは、デンマークをへてアメリカ合衆国へのがれた。第二次世界大戦後、アメリカで共産主義者を追放する「赤狩り」運動がおこると、ドイツ民主共和国（東ドイツ）にもどった。帰国後は、劇団ベルリナー・アンサンブルをつくり、演劇活動に力を入れた。

戦争、善と悪などの問題を、特殊な形式とコミカルな味で表現し、世界中の演劇に影響をあたえた。代表作に『肝っ玉おっ母とその子どもたち』、『セチュアンの善人』など。

フレミング，アレクサンダー

医学

アレクサンダー・フレミング　1881～1955年

世界初の抗生物質であるペニシリンの発見者

イギリスの細菌学者。

スコットランド生まれ。1906年にロンドン大学セントメアリーズ病院医学校を卒業後、同病院の接種部に助手として入所し、医学博士号を取得。第一次世界大戦中の陸軍病院で、深刻な感染症を目にし、治療薬開発に情熱をかたむけた。

1928年、実験中の偶然から、青カビのだす物質が細菌の繁殖を阻止することを発見、世界初の抗生物質ペニシリンの誕生となり、翌年に発表した。ペニシリンは12年後、フローリーとチェーンにより大量製造が可能となり、多くの命を救った。

1945年にノーベル生理学・医学賞をフローリー、チェーンとともに受賞。1955年、73歳で死去。ロンドンのセントポール大聖堂に国家の英雄として埋葬された。

学 ノーベル賞受賞者一覧

フレミング，ジョン・アンブローズ

学問　発明・発見

ジョン・アンブローズ・フレミング　1849～1945年

電流と磁場力の関係「フレミングの法則」を発見

19～20世紀のイギリスの電気技術者、物理学者。

イングランド北西部のランカスターで、聖職者の子として生まれる。ロンドン大学やケンブリッジ大学で学び、同大学ほかいくつかの学校で教鞭をとり、1884年に電気工学教授となる。このころ、電流と磁界と力（運動）のそれぞれの向きを指をつかってあらわす「フレミングの法則」を発表した。1897年に創設されたペンダー研究所の所長に就任し、1899年にはマルコーニ社の科学アドバイザーとして大西洋横断無線電信を助ける。1904年に発明した最初の二極真空管はラジオやレーダーに用いられた。そのほかアンテナの研究をはじめ、電子工学分野でさまざまな功績を上げ、1929年にはナイトの称号を受け、95歳で亡くなった。

フロイス，ルイス

宗教

ルイス・フロイス　1532～1597年

布教で来日し、ヨーロッパに日本のことを報告した

（一般社団法人長崎県観光連盟）

戦国時代に来日した、ポルトガル人宣教師。

リスボンに生まれる。少年時代は王室秘書室で書記見習いをしていた。1548年、16歳でキリスト教イエズス会に入り、ポルトガル領インドのゴアにあった聖パウロ学院で修練を積んだ。そこでザビエルや日本出身のアンジローと出会い、日本で活動したいと思うようになる。1561年に司祭になり、1563年、念願

の来日をはたした。

平戸（長崎県）で日本語と日本の風習を学び、1564 年、京都にのぼった。布教は困難をきわめたが、織田信長が権力をもつと事態が好転。仏教勢力をおさえようとしていた信長の信任を得て、畿内での自由な布教活動をゆるされた。フロイスは信長にしばしば接見し、質問にこたえ、ヨーロッパの文物を伝えたが、その贈り物の中にはフラスコ入りの金平糖もあった。

1577 年からは九州で布教をおこなっていたが、1583 年、ローマのイエズス会総長から、日本での布教の歴史を書きしるすようにとの指示を受ける。そして、布教の第一線からしりぞいて『日本史』の執筆に精魂をかたむけた。1587 年にバテレン追放令がだされたが、フロイスはほかの宣教師たち同様、日本にとどまって活動をつづけた。一時、マカオに赴任するが、1595 年に再来日し、1597 年に目撃した「26 聖人殉教」の記録をしるしたのちに、長崎で病死した。

フロイスは早いころから文筆の才能で知られ、日本からも克明な報告書をイエズス会に書き送っている。しかし、10 年がかりで心血をそそいだ『日本史』はあまりに膨大で、上司のバリニャーノに、短縮を命じられる。「原型のまま刊行したい」と懇願したが、結局、原稿はマカオの司教座聖堂に保管されたまま忘れ去られ、写しがポルトガルに送られたのは 18 世紀のなかばだった。原本は聖堂の火災で焼失し、3 巻のうちの第 1 巻の写本は発見されていない。

フロイスは広く日本全体の災害や事件を記録した。また、するどい観察眼で、信長や豊臣秀吉といった武将の容貌や性格まで描写し、さらに庶民の生活や習俗や信仰心のあり方などにも目をむけた。その内容は、西洋人の偏見やフロイス自身の好ききらいのために公平さに欠ける面もあるが、当時の歴史と文化を知るうえで、非常に重要な資料になっている。

フロイト，ジグムント

学問　医学

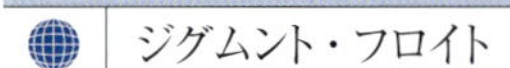

ジグムント・フロイト　1856～1939年

精神分析を創始し、精神医学の基礎をひらいた

オーストリアの精神科医、精神分析の創始者。

モラビア地方のフライベルク（現在のチェコのプリーボル）に生まれる。父はユダヤ人で羊毛の商人。3 歳のときウィーンに移住した。1874 年、ウィーン大学医学部に入学し、生理学者ブリュッケの生理学教室で神経解剖学を学ぶ。1881 年、医学の学位をとり卒業。翌年、ウィーン大学附属病院に勤務し、神経症に関心をもち、のちに神経病理学の講師となる。

1885 年、パリに留学。神経病学者シャルコーのもとで、感情をおさえることができずに病的に泣いたり怒ったりするヒステリー患者の治療法を学ぶ。翌年、ウィーンに帰り、神経科の開業医となり、シャルコーから学んだ催眠による治療をはじめた。

さまざまな改良を加えていくうちに、ヒステリー患者を長いすに横たえさせて自由に話をさせると、症状が軽くなることに気づいた。その結果、ふだんは自覚していない無意識こそ人間の心理を読みとくかぎであり、無意識のうちにかくしていた葛藤（なやみや迷いなど）をことばにあらわすことで、症状を治すことができると考えるようになった。そして、自由連想法という精神分析療法を開発、治療法としての精神分析を確立していった。

1896 年、父が亡くなったのを契機に、自己分析と自分の夢の分析をしていくうちに、不安症がなくなり、内面的に安定することがわかった。1900 年、その分析結果をまとめた著書『夢判断』を発表。夢の分析は無意識の欲求をとらえるのに重要な役割をはたすとして、精神分析学の基本にすえた。

無意識の性欲などに注目したフロイトの学説は、倫理観に反するとして、はげしく非難されたが、しだいに支持者がふえ、彼のもとには精神医学者のユングやアドラーらが集まり、1908 年、ウィーン精神分析協会、1910 年には国際精神分析協会が創設され、さまざまな研究発表がおこなわれた。やがて、ドイツでヒトラーが政権をとり、オーストリアを占領、ユダヤ人の迫害がはじまると、1938 年、フロイト一家はイギリスに亡命した。翌年、がんにより、83 歳で死去。

フロイトの精神分析学は、精神医学や臨床心理学の基礎となっただけでなく、現代の哲学や文学、社会学、宗教、芸術など、多分野に大きな影響をあたえている。

プローディ，ロマーノ

政治

ロマーノ・プローディ　1939年～

ヨーロッパ通貨統合への参加を可能にしたイタリア首相

イタリアの政治家、経済学者。首相（在任 1996～1998年、2006～2008 年）。

中北部のスカンディアーノ市生まれ。ミラノ・カトリック大学卒業後、ロンドン・スクール・オブ・エコノミクスで経済学博士号を取得。ボローニャ大学などで教授をつとめた。1978 年、アンドレオッティ内閣の商工大臣に就任。1982 年からは産業復興公社の総裁をつとめる。中道左派連合のオリーブの木代表として、1996 年、下院議員に初当選し、首相となった。イタリアの慢性的な財政赤字をへらし、ヨーロッパ通貨統合への参加を可能にするなど、経済状態を立て直す。1998 年に辞任。1999 年から2004年まで、ヨーロッパ連合（EU）の欧州委員長をつとめた。2005年にオリーブの木を発展させたルニオーネを結成し、翌年の総選挙で現職のベルルスコーニをやぶり、ふたたび首相に就任。2008年、内閣の信任投票が否決され、上下両院解散後の総選挙でベルルスコーニひきいる中道右派にやぶれ、退任した。

学 主な国・地域の大統領・首相一覧

ブローデル，フェルナン

学問

フェルナン・ブローデル　1902〜1985年

歴史の時間を3つの層でとらえた

フランスの歴史学者。

フランス東部に生まれる。パリ大学卒業後、9年間アルジェリアのリセ（官立高等中学校）で教え、地中海世界に強い関心をもつ。その後、歴史学者フェーブルの影響を受けて歴史研究の道に進み、論文『フェリペ2世時代の地中海と地中海世界』を書いた。歴史の時間の重なりに注目し、深層は「自然や環境など不変の歴史」、中層は「国家や戦争など社会局面」、表層は「個人の歴史」と3層に分類した。その後、コレージュ・ド・フランスの教授、高等研究院第6部門の責任者をつとめ、フェーブルの死後は『アナール』誌の編集長をつとめた。

環境と人間科学の関連を研究して大きな役割をはたし、20世紀でもっとも重要な歴史学者の一人に数えられている。

フローベール，ギュスターブ

文学

ギュスターブ・フローベール　1821〜1880年

写実主義文学の先導者

フランスの作家。

ノルマンディー地方ルーアンに生まれる。有名な外科医を父に、裕福な家に育つ。10代なかばで11歳年上の女性に恋をし、その出会いをテーマに小説を書いた。この恋心はのちの小説『感情教育』にも影響がみられる。高校時代はユゴー、ゲーテ、バイロンなどの作品を読んだ。

パリ大学法学部に進むが、神経の病のため学業をあきらめ、作家をめざす。1856年、雑誌『パリ評論』に、小説『ボバリー夫人』の連載をはじめた。反宗教的であると批判する声もあったが、むだのない文章で作家として高く評価された。父の死後は母やめいとくらしながら小説を書き、生涯を終えた。

小説に作家の気持ちや思いを入れず、場面の情景を、写真のように、細かくていねいに書きこむのを特徴とする。ことばをえらび、みがき上げた文体で、写実主義とよばれる文学をひらき、モーパッサンやゾラなど、のちの作家の手本となった。代表作に、10代のときの恋を題材にした小説『感情教育』、短編集『三つの物語』などがある。

プロコフィエフ，セルゲイ

音楽

セルゲイ・プロコフィエフ　1891〜1953年

こどものための『ピーターと狼』

ソビエト連邦（ソ連）の作曲家、ピアニスト。

ロシア帝国が支配していたウクライナ南部の生まれ。幼いころから音楽をはじめ、9歳でオペラを作曲。1904年、ペテルブルク音楽学院に入学して、リムスキー＝コルサコフらの指導を受ける。1912年に『ピアノ協奏曲第1番』をみずからのピアノ演奏で初演し「新しい音楽の鬼才」と称賛される。1917年にロシア革命がおこると、翌年、日本経由でアメリカ合衆国へわたる。オペラ『3つのオレンジへの恋』や、バレエ音楽『道化師』を発表後、ヨーロッパで活躍し、1933年にソ連に帰国、モスクワで生涯を終えた。

20世紀の主要な作曲家の一人とされる。作品は、前衛的で打楽器がきわだつリズムが特徴だったが、のちにおだやかで叙情的なメロディーがそなわる。代表作に、バレエ音楽『ロミオとジュリエット』、こどものための交響的物語『ピーターと狼』、映画音楽『アレクサンドル・ネフスキー』などがある。

プロスト，アラン

スポーツ

アラン・プロスト　1955年〜

F1で4回のワールドチャンピオン

フランスのレーシングドライバー。

サッカー好きだったが、14歳で出会ったレーシングカートに夢中になり、プロのドライバーをめざす。ジュニアフォーミュラ、F3とランクを進め、1980年にF1デビューした。シーズン2年目から優勝争いに加わるようになり、1985、1986、1989、1993年と4回にわたってワールドチャンピオンに輝いた。

計算された沈着冷静なレーシングスタイルから「プロフェッサー（教授）」とよばれた。1993年に現役を引退した。一時期はチームメートだったブラジルのアイルトン・セナとは、チャンピオン争いを何度もくり広げ、F1史上もっともはげしいライバル関係として注目を集めた。

プロタゴラス

古代　思想・哲学

プロタゴラス　紀元前490ごろ～紀元前420年ごろ

古代ギリシャのソフィストを代表する哲学者

古代ギリシャの哲学者。

トラキア海沿岸の町アブデラ生まれ。30歳ごろから、富裕な市民家庭の子弟を相手に、報酬を受けとって徳を教える教育家、すなわちソフィストとしての活動をはじめた。生涯のうち約40年間にわたってギリシャ全土を遍歴、アテネにはひんぱんにおとずれた。紀元前444年、アテネにより建設された、南イタリアの植民都市トゥリオイの憲法作成を委嘱されたといわれる。「人間は万物の尺度である。あるものについてはあることの、あらぬものについてはあらぬことの」ということばで知られ、絶対的真理を否定し、判断の基準を各人に求める相対主義をとなえた人物として有名である。著作は断片しかのこっていない。

フロム，エーリッヒ

学問　医学

エーリッヒ・フロム　1900～1980年

大衆社会の病の分析を試みた精神分析学者

アメリカ合衆国の精神分析学者、社会心理学者。

ドイツ、フランクフルトのユダヤ系の家に生まれる。ハイデルベルク、フランクフルト、ミュンヘンの各大学で社会学と心理学を学ぶ。ベルリンの精神分析研究所で精神分析の訓練を受け、1930年からホルクハイマーの主宰するフランクフルト社会研究所に在籍した。やがて、ナチスの迫害をのがれてアメリカへ亡命、帰化。コロンビア大学、ベニントン大学、メキシコ国立大学などで教授をつとめた。新フロイト派の代表者の一人で、精神分析の社会学派といわれ、フロイトの精神分析理論を大衆社会にも応用した。個人が個性を失い、孤立することがファシズムの温床になると警告した。著書にナチズムの分析を試みた『自由からの逃走』などがある。

ブロンテしまい

文学

ブロンテ姉妹　3女シャーロット1816～1855年、4女エミリー1818～1848年、5女アン1820～1849年

『ジェーン・エア』『嵐が丘』を書いた小説家姉妹

イギリスの作家。シャーロット、エミリー、アンの3人をさす。

イングランド中部ヨークシャーのホーワスで牧師の家に生まれた。幼いころ、母と上の2人の姉を亡くす。3人ともに少女時代から空想物語を書くことに熱中していた。この経験がのちに小説を書く土台となった。1842年、シャーロットとエミリーは、ベルギーのブリュッセルの学校で学び、のちにシャーロットはそこで教師をつとめた。

▲右からシャーロット、エミリー、アン

1846年に、3人でカラー、エリス、アクトン・ベルの男性名による詩集を自費で共同出版する。1847年にはシャーロットが小説『ジェーン・エア』を発表し、大好評を得た。同年には、エミリーが『嵐が丘』を、アンが『アグネス・グレイ』を出版した。その後エミリーとアンは、ひっそりと故郷でくらし1848年、1849年とあいついで病死した。シャーロットも1855年に38歳で亡くなった。少ない作品数であるが、世界中で多くの愛読者をもつイギリス文学の代表作家である。

フワーリズミー

学問

フワーリズミー　780ごろ～850年ごろ

代数学を確立した数学者、天文学者

▲ウズベキスタンのヒバにある銅像

9世紀のアッバース朝の数学者、天文学者、地理学者。

アラル海の南のホラズムの出身とされるが、生涯についてくわしいことはわかっておらず、生没年にも諸説ある。現在のトルクメニスタンにあったメルブで学者として名を知られるようになり、アッバース朝のカリフ（ムハンマドの後継者で、イスラム国家の宗教的最高指導者）だったマームーンにつかえて、数学や天文学の研究をおこなった。

その後、マームーンが設立した図書館の館長となる。現在のアラビア数字をインドから導入し、初期の代数学を確立。数学や天文学に関する多数の書物を著し、なかでも『代数学』は、ヨーロッパの学問に大きな影響をあたえた。

天文学の分野では、正確な天文表を製作したり、日時計や天体観測用機器のアストロラーベなどを作成したりしたとされる。地理学でもプトレマイオスの世界論にもとづく世界地図の作成や、太陽高度差を利用して緯度1度にあたる子午線の長さの測量などをおこなった。

現代でもよくつかわれる、計算手順をあらわす「アルゴリズム」ということばは、フワーリズミーの名が変化したものである。

ぶんこう

王族・皇族

文公　紀元前697?〜紀元前628年

春秋時代の代表的な覇者

中国、春秋時代の晋の王（在位紀元前636〜紀元前628年）。名は重耳。父は献公。母は狄とよばれる遊牧民族の出身だった。

若いころからすぐれた人材を好み、10代のころには、その後ずっと文公をささえる家臣がすでに集まっていた。父の献公が寵愛した側室の驪姫が、自分の子を君主にしようと、太子やほかの公子たちを殺したため内乱がおこると、その争いをさけて国を出た。狄、斉、楚、秦などの国を19年にわたって流浪し、やがて秦の穆公の助けを得て晋へもどり、62歳で王となった。治世は10年足らずと短いが、周王室の内乱をおさめて周王を助け、強い勢力をもつ楚からほかの国を守るなど活躍。周王にかわって諸侯をたばねる覇者として、「春秋の五覇」の一人に数えられる。

学 世界の主な王朝と王・皇帝

ぶんてい

文帝（魏）→ 曹丕

ぶんてい

王族・皇族

文帝（隋）　541〜604年

約370年ぶりに中国を再統一

中国、隋の初代皇帝（在位581〜604年）。

高祖ともいう。姓名は楊堅。後漢の名門の子孫を名のったが、北方異民族、鮮卑族の子孫という説もある。父の楊忠は西魏の十二大将軍の一人。長女が北周の宣帝の皇后となり、外戚として実権をにぎる。581年、宣帝の子である静帝の禅譲を受けて帝位につき、隋をひらいた。589年には南朝の陳をほろぼして中国を統一、都を長安（現在の陝西省西安市）に定め、大興城をつくった。開皇律令を公布し、中央官制を三省六部にととのえ、試験で役人を登用する科挙制を実施するなど、中央集権体制の基礎を築く。さらに貨幣の統一や、農民に土地を分けあたえて税をおさめさせる均田制、農民を3年に1度兵役につかせる府兵制などをもうけた。これらは、次につづく唐の律令制度の基礎となり、遣隋使によって日本にも伝えられ、大きな影響をあたえた。外交では北の突厥、東の高句麗を討った。仏教をもりたて、大興城の中心に大興善寺を建立、僧官を設置した。最後は次男の楊広（のちの煬帝）に暗殺されたともいわれる。

学 世界の主な王朝と王・皇帝

フンボルト，アレクサンダー・フォン

学問

アレクサンダー・フォン・フンボルト　1769〜1859年

「近代地理学の祖」とよばれる地理学者

ドイツの地理学者、自然科学者、探検家。

ベルリン生まれ。兄のウィルヘルム・フォン・フンボルトはドイツ（プロイセン）の政治家。ゲッティンゲン大学、フライベルク鉱山専門学校などで自然科学を学ぶ。1799年から1804年までの中南米への研究旅行では、高山地帯を調査して、標高と植物の種類に対応関係があることを発見し、自然地理学，植物生態学の基礎を築いた。この旅行以降は、主にパリ、ベルリンを拠点として、研究結果をまとめる執筆をおこなった。

代表的な著作『コスモス』では、地球上のさまざまな地理や生物の存在について、自然科学の考え方にもとづき、総合的に説明した。理論だけにたよらず、観測や実験を通した実践的な自然科学研究を重視し、「近代地理学の祖」と称される。また、地質学、生物学、天文学など自然科学全般にも大きな足跡をのこした。ペルー沖を流れるフンボルト海流，フンボルトペンギンをはじめ、山や川、湾、大学などにフンボルトの名がつけられたものは多い。

ふんやのやすひで

詩・歌・俳句

文屋康秀　生没年不詳

下級役人ながら秀歌をのこす

平安時代前期の官人、歌人。

官人としては、877年に山城大掾（現在の京都府の守、介に次ぐ官職）などをつとめた記録がある。歌人として才能をしめし、六歌仙（紀貫之がえらんだ6人の歌人）の一人として『古今和歌集』に5首がのせられている。

紀貫之は『古今和歌集』の序文で、康秀の歌を「詞たくみにて、そのさま身におよばず。いはば商人のよき衣着たらむがごとし」といっている。「吹くからに　秋の草木のしをるれば　むべ山風を　あらしといふらむ」という歌は、『古今和歌集』にのせられ、のちに藤原定家がまとめた『小倉百人一首』にえらばれた1首で、漢字の山と風を組み合わせると嵐になるということば遊びをとり入れた歌である。

学 人名別 小倉百人一首

人物事典

Biographical Dictionary

3

ち・つ・て・と
な・に・ぬ・ね・の
は・ひ・ふ

2017年1月　第1刷発行

発行者
長谷川 均

発行所
株式会社ポプラ社
〒160-8565 東京都新宿区大京町22-1

電話
03-3357-2212（営業）
03-3357-2635（編集）

振替
00140-3-149271

ホームページ
http://www.poplar.co.jp/（ポプラ社）
http://www.poplar.co.jp/poplardia/（ポプラディアワールド）

印刷・製本
凸版印刷株式会社

N.D.C.280／295P／29cm×22cm
ISBN978-4-591-15048-1